Herausgegeben von Friedel Wahren

Von Katherine Kurtz erschienen in der Reihe
HEYNE SCIENCE FICTION & FANTASY:

Früher Deryni-Zyklus:

Band 1: *Camber von Culdi* · 06/3666
Band 2: *Sankt Camber* · 06/3720
Band 3: *Camber der Ketzer* · 06/4018

Später Deryni-Zyklus:

Band 1: *Das Geschlecht der Magier* · 06/3576
Band 2: *Die Zauberfürsten* · 06/3598
Band 3: *Ein Deryni-König* · 06/3620

Die Geschichte von König Kelson:

Band 1: *Das Erbe des Bischofs* · 06/4561
Band 2: *Die Gerechtigkeit des Königs* · 06/4562
Band 3: *Die Suche nach Sankt Camber* · 06/4563
Band 4: *Die Deryni-Archive* · 06/4564

Die Erben von Sankt Camber:

Band 1: *Das Martyrium von Gwynned* (in Vorb.)
Band 2: *König Javans Jahr* (in Vorb.)
Band 3: *Der falsche Prinz* (in Vorb.)

(zusammen mit Deborah Turner Harris)

Der Adept-Zyklus:

Band 1: *Der Adept* · 06/9022
Band 2: *Die Loge der Luchse* · 06/9023
Band 3: *Der Schatz der Templer* · 06/9024
Weitere Bände in Vorbereitung

Lehrs Vermächtnis · 06/4851

Katherine Kurtz
&
Deborah Turner Harris

Der Schatz der Templer

Dritter Roman des Adept-Zyklus

Deutsche Erstausgabe

WILHELM HEYNE VERLAG
MÜNCHEN

HEYNE SCIENCE FICTION & FANTASY
Band 06/9024

Titel der Originalausgabe
THE TEMPLAR TREASURE
Übersetzung aus dem amerikanischen Englisch von
Michael Morgental
Das Umschlagbild malte David Mattingly
Die Karte auf Seite 6 zeichnete Erhard Ringer

Umwelthinweis:
Dieses Buch wurde auf
chlor- und säurefreiem Papier gedruckt.

Redaktion: Joern Rauser

Originalausgabe bei Ace Books/
The Berkley Publishing Group, New York

http://www.heyne.de
Printed in Germany 1999
Umschlaggestaltung: Atelier Ingrid Schütz, München
Technische Betreuung: M. Spinola
Satz: Schaber Satz- und Datentechnik, Wels
Druck und Bindung: Ebner Ulm

ISBN 3-453-14934-3

Für

Dr. Sheila Rossi,

die Adam Sinclair viel von dem gelehrt hat,
was er über Hypnose weiß,
und auch für

Christine Hackett und Suzanne Eberle

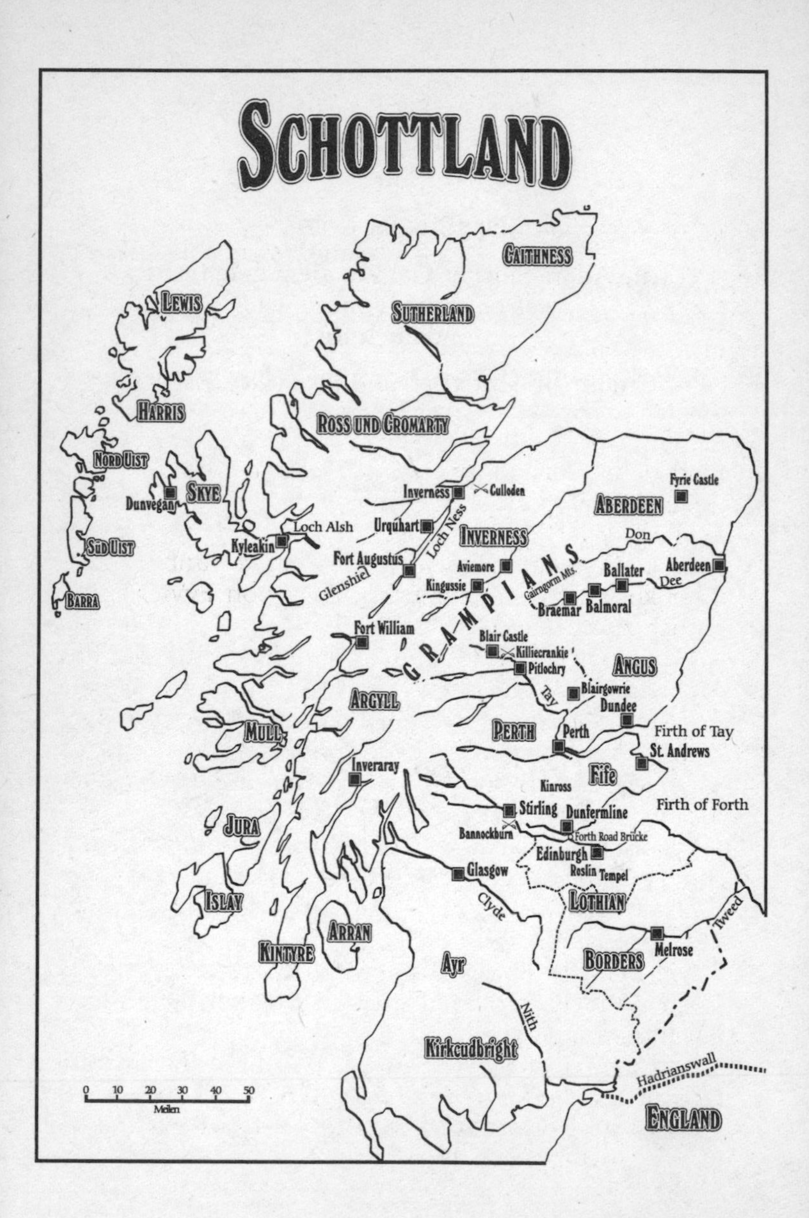
SCHOTTLAND
CAITHNESS
SUTHERLAND
LEWIS
HARRIS
ROSS UND CROMARTY
NORD UIST
SKYE
Dunvegan
Inverness
Culloden
Loch Alsh
Urquhart
Loch Ness
INVERNESS
ABERDEEN
Fyrie Castle
SÜD UIST
Kyleakin
Fort Augustus
Glenshiel
Aviemore
Kingussie
Cairngorm Mts.
GRAMPIANS
Don
Ballater
Aberdeen
Dee
Braemar
Balmoral
BARRA
Fort William
Blair Castle
Killiecrankie
Pitlochry
ANGUS
Tay
Blairgowrie
Dundee
ARGYLL
MULL
PERTH
Perth
Firth of Tay
St. Andrews
Inveraray
Fife
Kinross
Stirling
Dunfermline
Firth of Forth
Bannockburn
Forth Road Brücke
Edinburgh
Roslin
Tempel
JURA
Glasgow
Clyde
LOTHIAN
Tweed
ISLAY
ARRAN
Melrose
KINTYRE
Ayr
BORDERS
Nith
Kirkcudbright
Hadrianswall
ENGLAND
0 10 20 30 40 50
Meilen

Danksagungen

Besonderer Dank gebührt folgenden Personen, deren Unterstützung bei der Abrundung des reichen Hintergrunds dieses Buches von unschätzbarem Wert war:

Ms. Kirsty Beck, für sachkundige Informationen nicht nur über hebräische Kunstgegenstände aus der Zeit des Ersten Tempels, sondern auch über archäologische Methoden, mit denen man solche Artefakte datiert;

Mr. Donald Little, Verwalter von Fyvie Castle im Namen des National Trust for Scotland, und seiner Frau Liz, die uns großzügig gestatteten, fünf Stunden ihrer kostbaren Zeit zur Erkundung von Fyvie in Anspruch zu nehmen;

Mr. Brian Nodes, Verwalter von Blair Castle, der uns nach Ende der Saison noch Earl Johns Zimmer öffnete und uns einen persönlichen Blick auf Bonnie Dundees Brustharnisch und Sturmhaube gestattete;

Dr. Martin Hardgrave, der uns an seinem Wissen als Einwohner von York teilhaben ließ;

Dr. Ernan J. Gallagher, Irland, und Dr. A. V. Davidson, Schottland, für fachlichen medizinischen Rat;

Dr. Richard Oram, für seine stetige Beratung in Fragen der schottischen Geschichte;

Mr. Kenneth Fraser von der St. Andrews University Library, für seine stetige Unterstützung bei allgemeinen Nachforschungen;

und dem Team des St. Andrews Tourist Information Bureau, für die freundliche Bereitschaft, alle möglichen Informationen auszugraben, die in den Reiseführern nicht enthalten sind.

Prolog

Der Wohnsitz von Professor Nathan Fiennes in York war mit dem neuesten Haussicherheitssystem ausgestattet. Ritchie Logan wußte sogar, um was für eines es sich handelte, denn die installierende Firma hatte es für richtig gehalten, diese Tatsache öffentlich zu machen, indem sie eine hellrote Box an der Giebelwand des Hauses anbrachte, die mit ihrem Firmenlogo gekennzeichnet war. Solche Kundgaben sollten zufällige Diebe abschrecken – und vielleicht schreckten sie tatsächlich Amateure und Gelegenheitsdiebe ab –, aber Logan war ein Profi. Von vornherein zu wissen, daß das Haus verdrahtet war, machte ihm seinen Job nur einfacher.

Aber schließlich war ja die Aussicht auf einen leichten Einbruch ein Reiz dieses Unternehmens gewesen. Abgesehen davon, daß ihm lediglich dafür, daß er das Sicherheitssystem des Hauses knackte und den Safe öffnete, ein hübsches Honorar in bar angeboten worden war, hatte Logan noch die Zusicherung erhalten, daß er sich von dem Schmuck und den Wertsachen, die darin aufbewahrt wurden, etwas aussuchen dürfe. Der Mann, der ihn für diesen Job engagiert hatte und jetzt auf dem Beifahrersitz des gemieteten Volvo saß, war hinter etwas ganz anderem her – einer Art archäologischem Artefakt.

Logan fuhr langsam an der Sackgasse vorbei, an der das Haus lag, und stellte befriedigt fest, daß sich nichts verändert hatte. Vor einer halben Stunde hatten er und sein Auftraggeber von einem Punkt an der Hauptstraße aus beobachtet, wie die Besitzer und ihre Dinnergäste das Haus verlassen hatten, alle fürs Theater gekleidet, wie erwartet. Falls niemand innerhalb der Zeit zurückkam, die man brauchte, um einmal um die ganze Stadtmauer zu fahren, dann war Logan ziemlich zuversichtlich, daß zumindest weitere zwei bis drei Stunden lang niemand im Haus sein würde. Als er in die Monkgate einbog und auf die Innenstadt zufuhr, warf er einen verstohlenen Seitenblick auf den Mann, der da neben ihm saß.

Er wurde immer noch nicht schlau aus Monsieur Henri Gerard. Der Franzose sah nicht aus wie ein Mann, dem man zutrauen würde, einen professionellen Einsteigdieb zu engagieren. Wäre Logan ihm auf der Straße begegnet, so hätte er Gerard für jemanden gehalten, der hoffte, sich eines Tages als Jurist oder in der Politik einen Namen zu machen. Er war auf konservative Art gut gekleidet, wirkte seriös und ging wahrscheinlich auf die Vierzig zu. Das glatte, dunkle Haar trug er von der hohen Stirn gerade zurückgekämmt, und der elegante Schnurrbart war in einem Stil, der an den jungen Maurice Chevalier erinnerte, bleistiftdünn gestutzt.

Gerard ist ein seltsamer Vogel, dachte Logan, während er den großen Wagen vorsichtig den Lord Mayor's Walk entlangmanövrierte und dann nach links in die Gillygate einbog, um so die mittelalterliche Stadtmauer zu umrunden. Von Anfang an hatte Gerard deutlich gemacht, daß der einzige Zweck, weshalb er nach England gekommen war, im Erwerb eines antiken Bronzesiegels bestand, das sich derzeit im Besitz des Eigentümers jenes Hauses befand, auf das die Operation dieses Abends zielte. Gerard zufolge war das Siegel nur für einen Historiker wie für ihn von Wert. Wenn das stimmte, so würde es Logans Verdacht bestätigen, daß es sich bei dem Franzosen um einen dieser akademischen Fanatiker handelte, die buchstäblich alles tun würden, um einem wissenschaftlichen Rivalen ein Schnippchen zu schlagen – in diesem Fall Dr. Nathan Fiennes, einem Philosophen von Rang, der zur Zeit an der Universität von York lehrte.

Natürlich hatte nichts davon mit Logan zu tun. Und selbst wenn Gerard log und das Siegel mehr wert war, als er sich anmerken ließ, so war Logan bereit, es ihm zu überlassen, vorausgesetzt der Rest der Beute war so lukrativ, wie der Franzose behauptet hatte. Den geeigneten Käufer für ein gestohlenes Museumsstück zu finden, war immer ein zeitraubendes Unterfangen, das weit mehr Aufwand erforderte, als Logan zu investieren bereit war, wenn man mit konventionellerer Ware viel schnelleren Profit machen konnte.

Der einzige wirkliche Haken an der Abmachung war, daß Gerard darauf bestanden hatte, an dem Einbruch teilzunehmen. Logan hätte es vorgezogen, den Job allein durchzuziehen, aber der Franzose hatte mit einer gewissen Hitzigkeit argumentiert, er müsse persönlich zugegen sein, um die Echtheit des Siegels zu bestätigen, für den Fall, daß Fiennes vielleicht eine Kopie hatte anfertigen lassen. Logan konnte sich keinen Grund denken, warum Fiennes etwas derartiges hätte tun sollen, doch andrerseits gehörten Wissenschaftler vom Kaliber eines Gerard anscheinend zu einem eigenen Menschenschlag. Und da Gerard auf jeden Fall schon für das Privileg, das Risiko zu teilen, zahlte, hatte sich Logan damit abgefunden, daß der Franzose notwendigerweise mit von der Partie war.

Er hoffte nur, daß Gerard nichts Dummes anstellte, womit sie riskieren würden, erwischt zu werden.

Ihr Wagen kroch an der riesigen, flutlichtbeleuchteten Baumasse des Münsters von York vorüber, dessen zartes Maßwerk aus Türmchen und Türmen sich hell vom sternenübersäten Hintergrund der Mittseptembernacht abhob. Sie schlängelten sich weiter durch nächtlich stille Straßen, kamen durch das Monk Bar Gate und beschleunigten, während sie die Monkgate entlang zurückfuhren. Als Logan etwa achthundert Meter nordöstlich des historischen Stadtkerns in die dunkleren, ruhigeren Straßen einer etablierten Wohngegend einbog, rutschte Gerard auf seinem Sitz nach vorn, anscheinend ohne zu wissen, wie sehr seine Ungeduld sich dem Beobachter verriet.

»Entspannen Sie sich einfach«, sagte Logan zu seinem Auftraggeber. »Von hier an müssen wir so tun, als gehörten wir in diese Nachbarschaft. Wir dürfen nichts tun, wodurch wir die Aufmerksamkeit anderer auf uns lenken würden.«

Das Haus der Fiennes gehörte zu drei freistehenden Steinvillen, die am Ende einer halbmondförmigen Sackgasse standen. Wachsam, doch entspannt fuhr Logan um die Ecke weiter in die benachbarte Straße und parkte den Volvo zwischen zwei Straßenlampen in einer Insel von Dunkelheit. Die beiden Männer stiegen gemächlich aus dem Wagen und gingen in einem gemütlichen Tempo auf dem Gehsteig los. Ein zufälliger Beobachter, der ihre konservativ geschnittenen Trenchcoats und teuren lederen Aktentaschen bemerkt hätte, hätte sie für zwei Geschäftsleute gehalten, die hier einem Freund einen gesellschaftlichen Besuch abstatteten.

Sie benutzten einen öffentlichen Fußweg, der in Richtung ihres Ziels durch eine schmale Rasenanlage führte, die zwischen zwei gegenüberliegenden Reihen von Hintergärten lag. Das Grundstück der Fiennes war von einer hohen Mauer umschlossen, doch das Schloß des Gartentors gab Logans kundigen Eingriffen mit einem Dietrich bereitwillig nach. Er schlüpfte hindurch und winkte Gerard rasch, er solle ihm folgen. Dann zog er das Tor zu, ließ es aber nicht ins Schloß fallen. Die beiden kauerten sich in dem Gebüsch nieder, das die Mauer flankierte, und zogen schwarze wollene Kopfschützer und enganliegende chirurgische Handschuhe an, bevor sie in aller Heimlichkeit dem aus Steinplatten gefügten Gehweg zum Wintergarten an der Rückseite des Hauses folgten.

Erwartungsvoll die Lippen zusammengepreßt, beobachtete Gerard, wie Logan ein besonderes Sortiment an Utensilien aus seiner Aktentasche holte und sich daran machte, das Alarmsystem außer Gefecht zu setzen, wobei er sich mit einer winzigen Stiftlampe leuchtete, die er mit den Zähnen hielt. Es dauerte weniger als eine Minute, dann waren sie im Wintergarten. Eine Schiebetür aus Glas, die in das Haus führte, gab schon nach Sekunden nach, dann führte Logan seinen Auftraggeber in einen schmalen Korridor im Erdgeschoß, wo auf einem Beistelltisch eine kleine Lampe leuchtete. Gerard wollte schon auf den Fuß der Treppe zueilen, doch Logans Hand faßte ihn am Ärmel und hielt ihn zurück.

»Nicht so schnell«, flüsterte der Dieb. »Das Zeug in dem Safe läuft uns doch nicht weg, oder? Dann machen Sie mal langsam und lassen Sie uns ganz nach Plan vorgehen.«

Gerard nickte etwas verdrießlich und ließ Logan als ersten die Treppe hinaufsteigen, in Richtung auf den Treppenabsatz im Obergeschoß, den eine Deckenlampe schwach erleuchtete. Die oberen Bereiche des Hauses waren still, abgesehen vom hohlen Ticken einer Großvateruhr, die gleich vor dem Studierzimmer an der Wand stand. Eine reichverzierte Mesusa aus fein bearbeitetem Silber schmückte den rechten Türpfosten des Studierzimmers, und Logan grinste dünn, während er sie abstemmte und in seine Tasche gleiten ließ. Die Tür öffnete sich in stummen Angeln, als Logan als erster über die Schwelle in einen großen quadratischen Raum trat, der nach Pfeifentabak und Bucheinbänden roch.

Durch die offene Tür fiel vom Treppenabsatz her Licht herein. Das einzige Fenster des Raums befand sich gegenüber der Tür, davor stand ein großer Schreibtisch. Die Vorhänge waren aufgezogen und gewährten einen Blick auf den dunklen Garten.

»Ziehen Sie die Vorhänge zu«, befahl Logan und trat nach links, wo ein riesiger eingebauter Bücherschrank die gesamte Wand einnahm. Als Gerard die Anweisung befolgt hatte, ließ Logan den Lichtstrahl seiner Taschenlampe am vierten Bord von oben entlangwandern, bis er auf einen unscheinbaren Satz von Talmud-Kommentaren stieß.

»Ich habe die Texte gefunden, die ich nach Ihren Worten suchen sollte«, berichtete er knapp und setzte seine Aktentasche auf einer Ecke des Schreibtisches ab. »Kommen Sie und halten Sie mir die Lampe, während ich sie herausnehme.«

Gerard, der genauso erpicht darauf war, mit der Arbeit voranzukommen, wie sein Mitarbeiter, fügte sich ihm schnell und stellte seine eigene Tasche auf dem Schreibtischstuhl ab. Logan nahm die Bücher von ihrem Platz und legte sie auf den Tisch. Die Lücke auf dem Bücherbord enthüllte keine Täfelung aus Walnußholz, sondern die Metalltür eines kleinen Wandsafes, die mit einem altmodischen Kombinationsschloß ausgestattet war.

»So, so, dieses Ding hier ist ja praktisch selbst schon eine Antiquität«, erklärte der Dieb im Ton verächtlicher Befriedigung. »Leuchten wir mal ein bißchen besser drauf, und dann sind wir drin und wieder draußen, bevor Sie es so richtig merken.«

Auf dem Schreibtisch stand eine Leselampe mit Schwanenhals. Logan drehte sie herum, so daß die abgeschirmte Glühbirne auf den Safe zeigte, dann schaltete er sie ein. Er nahm ein Stethoskop aus seiner Aktentasche, schob seinen Kopfschützer zurück und legte sich die Ohrhörer fachmännisch um.

»Gehen Sie in den Korridor hinaus und halten Sie dort Wache«, wies er Gerard über die Schulter hinweg an. »Falls Sie etwas Verdächtiges hören, melden Sie es mir.«

So sehr es ihn ärgerte, Befehle von seinem englischen Mietling anzunehmen, wußte Gerard doch, daß dies eine sinnvolle Vorsichtsmaßnahme war. Er unterdrückte den aufwallenden Ärger und zog sich in den Korridor zurück, während Logan seine Aufmerksamkeit darauf konzentrierte, die richtige Kombination herbeizudrehen. Die Sekunden schienen mit entnervender Langsamkeit zu vergehen. Gerard wollte schon heftig fragen, wie lange die Operation noch dauern sollte, als ein gedämpfter Triumphschrei aus dem Studierzimmer drang.

»Ich hab's!«

Gerard rannte in das Zimmer zurück und sah, wie Logan mit Samt überzogene Juwelierschachteln in seine Aktentasche entleerte. Ein diamantenbesetztes Diadem und eine Halskette, die von Diamanten und Smaragden nur so triefte, schimmerten schon im Licht der Schreibtischlampe, ein Paar Diamentenohrclips und eine Perlenkette schlossen sich ihnen schnell an. Die dazugehörigen Schachteln lagen auf einem Haufen auf dem Boden, während Logan mit offensichtlicher Befriedigung einen Stapel übertragbarer Pfandbriefe durchblätterte. Neben der Aktentasche stand ein abgenutztes Holzkästchen etwa von der Größe eines kleinen, dicken Buches. In den Deckel waren hebräische Schriftzeichen eingelegt.

Gerard stieß einen Laut der Überraschung aus. »Ist dies das Ding, wonach Sie suchen?« fragte Logan und zeigte mit einem Ruck seines Kinns auf das Kästchen.

Mit klopfendem Herzen stürzte sich Gerard darauf und klappte es auf. Drinnen lag, auf verblichenen karminroten Samt gebettet, ein ovales Stück altersschwarzer Bronze, etwa so groß wie die Handfläche eines Mannes; es war mit Stiften zwischen den Armen eines schweren Bügels aus dem gleichen dunklen Metall befestigt. In die Fläche der Scheibe war ein sechszackiger Stern tief eingraviert, der von zwei ineinandergeschobenen Dreiecken gebildet wurde und von den schlangenhaften Schnörkeln kabbalistischer Schrift umgeben war.

Fast ehrfürchtig gestattete sich Gerard, mit einem zitternden Zeigefinger das Siegel zu berühren. Ihn verblüffte immer noch der Gedanke, daß das Siegel – *das* Siegel – sich über so viele Generationen im Besitz der Familie Fiennes befunden hatte, ohne daß einer seiner Besitzer auch nur eine Vermutung über die unermeßliche Macht gehegt hatte, die diesem Objekt innewohnte, das sie in ihrem Besitz hatten.

»O ja«, hauchte er und leckte sich die Lippen wie ein Wolf, der Fleisch wittert. »Aber ich muß mir erst sicher sein.«

Vor Ungeduld fast zitternd, holte er eine Juwelierlupe aus der Brusttasche seiner Anzugsjacke und klemmte sie sich ins Auge, gleichzeitig hob er mit der freien Hand das Siegel aus seinem Kästchen und hielt es ins Licht. Eine kurze Untersuchung der Oberfläche des Siegels bestätigte, daß das Symbol mit einer Punze statt mit einem Stichel eingraviert war – zumindest ein Indiz dafür, daß das Stück vor 800 v. Chr. angefertigt worden sein mußte. Aber der wirkliche Beweis, nach dem Gerard suchte, war ein verräterischer Kratzer aus jüngster Zeit auf der Innenseite der Aufhängung.

Während Geräusche verrieten, daß noch mehr Beute in Logans Aktentasche wanderte, drehte Gerard das Siegel im Schein der Lampe. Sein Atem stockte, als sein forschender Blick entdeckte, was er suchte – den Kratzer, den er selbst vor ein paar Monaten angebracht hatte, als er einen Probespan von dem Metall abgenommen hatte. Eine nachfolgende mikrofotografische Analyse dieses Spans hatte das Alter des Siegels als authentisch bestätigt. Und jetzt war das Stück endlich in seinen Händen!

»Nun können wir gehen«, murmelte er und lächelte dabei fast träumerisch, während er das Siegel ehrfürchtig wieder in das Kästchen legte und den Deckel schloß. »Das ist in der Tat das Stück, hinter dem ich her bin.«

Im selben Augenblick erstarrte Logan plötzlich in einer lauschenden Stellung, sein Verhalten war auf einmal besorgt und wachsam.

»Ein Auto in der Auffahrt«, murmelte er.

»Das ist unmö...«

Mit einer heftigen Geste gebot Logan Schweigen. Einen Augenblick später hörten sie, wie zwei Autotüren geöffnet und wieder zugeschlagen wurden, dann das Getrappel von Schritten, die den vorderen Gehweg heraufkamen, hohe Absätze und Ledersohlen, die auf die Vordertür zugingen.

»Muß eine schlechte Aufführung gewesen sein«, sagte Logan, schnappte schon seine Aktentasche zu und ging auf die Tür zu, während er seinen Kopfschützer wieder zurechtrückte. »Verdammt, wir haben vielleicht noch vierzig Sekunden, um von hier abzuhauen!«

Er hatte die Hand schon an der Tür des Studierzimmers. Gerard blickte verwirrt drein, trat dann jedoch ebenfalls in Aktion. Er packte das Holzkästchen fest mit der rechten Hand und griff mit der linken unbeholfen nach seiner eigenen Aktentasche, doch seine behandschuhten Finger bekamen sie nicht richtig zu fassen, sie entglitt seinem Griff, schlug mit einem gedämpften Knall auf dem Teppich auf und schleuderte außer Reichweite unter den Stuhl.

Logan blieb stehen und flüsterte einen giftigen Fluch, während Gerard auf allen vieren kroch, um seine Tasche wiederzuholen. Von unten hörte man das Geklirr eines Schlüssels, der im Schloß der Vordertür umgedreht wurde. Logan fletschte die Zähne wie ein Pitbullterrier und schloß sacht die Tür des Studierzimmers, während sich unten die im Vorraum knarrend öffnete. Leicht gedämpft klang eine weibliche Stimme vom Erdgeschoß zu ihnen herauf, die einen nachsichtigen Tadel aussprach.

»Also ehrlich, Nathan, du hättest dich wirklich nicht von David Wolfson dazu überreden lassen sollen, zum Essen Burgunder zu trinken. Wahrscheinlich sollte ich die Flaschen gar nicht mehr im Haus haben. Du weißt doch sehr gut, wie deine Verdauung in letzter Zeit auf Rotwein reagiert!«

Gerard erkannte die Stimme von Rachel Fiennes. Ihre Ermahnung entlockte ihrem Ehemann ein reumütiges Stöhnen.

»Ich weiß, ich weiß«, hörten die Eindringlinge ihn sagen. »Ich hatte gehofft, daß nur dies eine Mal ... Aber was mir weit mehr zu schaffen macht, ist, daß du den zweiten Teil der Vorstellung versäumst.«

»Ach, verschwende daran keinen Gedanken mehr, Schatz«, lautete Rachels liebenswürdige Antwort. »Um die Wahrheit zu sagen, mir hat Ibsen ohnehin nie so sonderlich gefallen. Doch du solltest lieber noch ein paar von deinen Magentabletten nehmen. Wo sind die denn? Oben in deinem Schreibtisch? Also gut, geh in den Salon und setz dich hin, und ich werde sie dir holen.«

Während leise Schritte die Treppe heraufkamen, stürzte sich Logan auf die Schreibtischlampe und schaltete sie aus. Er packte Gerard am Ärmel und zog ihn zur der Wand hinter der Tür, während Mrs. Fiennes auf die Schwelle trat. Der Porzellanknauf drehte sich klappernd, und die Tür schwang auf.

Das Licht, das vom Korridor hereinfiel, zeigte den geöffneten Safe und die auf den Tisch geworfenen Bücher. Als Rachel dies sah, stieß sie einen Laut der Überraschung aus und blieb sofort stehen. Im selben Augenblick sprang von hinter der Tür eine geschmeidige dunkle Gestalt auf sie zu, faßte sie am Handgelenk und riß sie ins Zimmer. Sie hatte gerade noch genügend Geistesgegenwart, einen Warnschrei auszustoßen, bevor der Mann, der sie gepackt hatte, ihr einen schweren Schlag mit dem Handrücken versetzte, der sie gegen die Zimmerwand schleuderte.

Im Erdgeschoß schreckte Nathan auf, als er den Schrei seiner Frau hörte. Er wuchtete sich aus seinem Armsessel hoch und stürzte in den Korridor, als zwei Männer in dunklen Anzügen und Kopfschützern die Treppe heruntergetrampelt kamen. Beide trugen Aktentaschen, der größere hielt mit behandschuhter Hand ein kleines hölzernes Kästchen an die Brust gedrückt. Mit plötzlicher schrecklicher Klarheit erkannte Nathan, daß es sich dabei um das Kästchen handelte, in dem er für gewöhnlich das Siegel aufbewahrte, das er von seinem Vater geerbt hatte.

Ohne an die möglichen Folgen zu denken, schnappte er seinen Spazierstock aus dem Ständer neben der Tür und ging in einem verzweifelten Versuch, sie aufzuhalten, auf die Diebe los. Der Schlag, mit dem er auf den Mann mit dem Kästchen gezielt hatte, verfehlte diesen um Daumenbreite. Bevor er erneut ausholen konnte, schlug ihn der zweite Eindringling mit einer scharfen Ecke seiner Aktentasche gegen die Schläfe und entriß ihm den Stock. Noch während Nathan mit einem Schrei zurückschreckte und instinktiv eine Hand zu der schmerzenden Stelle hochwarf, schwang der Einbrecher den Stock und verpaßte Nathan einen brutalen Schlag auf den Hinterkopf.

In Nathans Schädel explodierte ein unerträglicher Schmerz. Unter halberschicktem Stöhnen taumelte er zur Seite und prallte gegen den Treppenpfosten. Bevor er sein Gleichgewicht wiedergewinnen konnte, versetzte ihm der Eindringling einen zweiten Schlag mit dem Stock und stieß ihn mit der Schulter grob aus dem Weg. Als Nathan, sich immer noch an den Treppenpfosten klammernd, zu Boden sackte, hörte er, wie die Schritte der Männer an ihm vorbei zur Tür hinaus und den vorderen Gehweg hinab polterten.

Der pochende Schmerz in seinem Kopf fühlte sich an wie wiederholte Stiche eines rotglühenden Dolchs. Er fuhr mit der Hand an die Schläfe; als er sie wegzog, klebte Blut daran. Laut stöhnend versuchte er sich hochzuziehen, doch er sank nur wieder zusammen. Fast blind spürte er eine Bewegung über sich, die die Treppe herunterkam, dann hörte er seine Frau in einem verzweifelt fragenden Ton seinen Namen rufen. Er klammerte sich mit aller Willensstärke, die er aufbieten konnte, ans Bewußtsein und keuchte: »Rachel, das Siegel! Die Diebe haben das Siegel gestohlen!«

Rachel fiel neben ihm auf die Knie. Er hörte sie erregt schluchzen, während sie versuchte, seine Krawatte zu lockern.

»Nathan, sei still! Bitte versuch nicht, zu reden!« bat sie ihn. »Bleib einfach so und beweg dich nicht, während ich einen Krankenwagen rufe!«

»Nein, warte!« Da er spürte, daß sie sich gleich von ihm entfernen würde, griff er nach ihrer Hand und packte sie fest. »Rachel, du *mußt* mir zuhören!« sagte er krächzend und hoffte von ganzem Herzen, seine Kraft möge lange genug anhalten, um diese lebenswichtige Mitteilung noch anzubringen. »Da gibt es etwas an dem Siegel, was du nicht weißt – gefährliche Dinge. Es *muß* zurückgeholt werden, um jeden Preis! Ruf Sir Adam Sinclair an und sage ihm, was geschehen ist. Sage ihm, ich muß mit ihm reden. Versprich mir, daß du ihn noch *heute abend* anrufst ...«

Sein Bewußtsein entglitt ihm, während er sprach. Rachels Stimme drang gedämpft durch den Nebel, tränenerstickt und flehend.

»Das werde ich tun, Nathan. Ich werde alles tun, was du verlangst. Aber bitte, *bitte,* bleib still liegen, und laß mich Hilfe holen.«

Nathan kämpfte noch einen Augenblick länger und mühte sich um die Kraft, um sie zu beruhigen. Doch diesmal siegte die Dunkelheit und überwältigte ihn.

Kapitel 1

»Hypnotische Regression in ein anderes Lebensalter«, sagte Sir Adam Sinclair, »kann für den Psychiater ein außerordentlich nützliches diagnostisches Instrument darstellen. Wenn wir akzeptieren, daß die Mehrzahl der psychiatrischen Störungen, seien sie nun in ihrer Intensität neurotisch oder psychotisch, in einem bestimmten Maß in der persönlichen Vergangenheit des Patienten ihre Wurzeln haben, dann leuchtet der Wert eines Zugangs zu dieser Vergangenheit sofort ein. Zumindest«, fuhr er fort und musterte eindringlich die jugendlichen Gesichter seiner Hörer, »bietet die hypnotische Regression die detaillierte Wiedergewinnung und Durchsicht eines weiten Spektrums persönlicher Daten, die ansonsten dem betreffenden Individuum unzugänglich blieben, und wenn auch nur durch die natürliche und unvermeidbare Trübung des Gedächtnisses, wie sie durch das Vergehen der Zeit bedingt ist. Am zweckmäßigsten kann eine Regression den Schlüssel liefern, mit dem sich die Ketten eines Geistes aufschließen lassen, der von seinen eigenen Verdrängungen gefesselt ist.«

Er hielt seine regelmäßige Montagnachmittagsvorlesung im Royal Edinburgh Hospital. Seine Hörerschaft war bunt gemischt und bestand zu einem großen Teil aus weißbekittelten Ärzten im Praktikum, die turnusmäßig in der Psychiatrie praktizierten. Es waren da aber auch zwei Sozialarbeiter, ein im Ruhestand befindlicher Universitätsdozent und eine Diakonin, die sich auf das Kaplansamt in der Episkopalkirche vorbereitete. Ihre Gesichter zeigten ein ganzes Spektrum an Reaktionen, die von nüchterner Anerkennung bis zur Skepsis reichten, wobei letztere nur zu erwarten war, besonders gleich nach dem Mittagessen.

»Dr. Sinclair«, meldete sich ein untersetzter bebrillter junger Mann in der ersten Reihe und hob die Hand. »Ich kann verstehen, daß es möglicherweise nützlich ist, einen Patienten in ein früheres Lebensalter regredieren zu lassen, aber – stimmt es, daß es Ihnen sogar gelungen ist, einige Ihrer Patienten bis in ein früheres *Leben* zurückzuführen?«

Die Frage löste leichte Unruhe aus. Der fesche und elegante Dr. Sinclair hatte auf dem Gebiet der psychiatrischen Therapie und Praxis den Ruf eines Abenteurers, was ohne Zweifel noch verstärkt wurde durch seine gelegentlich sensationelle Verbindung mit der Lothian and Borders Police als deren psychiatrischer Berater. Hätten seine Zuhörer das wahre Ausmaß seines Wissens und seiner Erfahrungen auf dem jetzt zur Debatte stehenden Feld gekannt, so hätte sich die Aufregung in Erstaunen, Ungläubigkeit und vielleicht sogar in Furcht verwandelt.

Adam lächelte nachsichtig. »Ich habe durchaus die Erfahrung gemacht, daß solche Rückführungen möglich sind«, gab er ungezwungen zu.

Der Fragesteller schien darüber erstaunt zu sein, daß er eine bejahende Antwort erhalten hatte.

»Nun, hatten Sie es absichtlich darauf angelegt, diese Regressionen in ein früheres Leben zu induzieren?«

»Ja, Mr. Huntley, das hatte ich«, erwiderte Adam sanft. »Und Sie brauchen nicht so empört dreinzuschauen. Ich bin gewiß nicht der erste Hypnotherapeut, der das tut.«

»Aber …«

»Betrachten wir einmal einige bemerkenswerte Fälle, und dann können Sie Ihre eigenen Schlüsse ziehen«, schlug Adam vor, trat vor das Pult und setzte sich dort zwanglos nieder. Sein frisch gestärkter weißer Kittel stand über einem dreiteiligen marineblauen Anzug von untadeligem Schnitt lässig offen. Auf seiner Weste glitzerte eine antike goldene Uhrkette. Mit seinem klassisch guten Aussehen und dem dunklen Haar, das an den Schläfen schon silbrig wurde, hätte man ihn eher für eine Medienpersönlichkeit als für einen bedeutenden Psychiater halten können, der er in der Tat auch war.

»Ich erwähne zunächst einmal die Studien, die in den siebziger Jahren von Arnold Bloxham und Joe Keeton durchgeführt wurden«, fuhr Adam fort. »Bloxham war in der Lage, eine seiner Probandinnen, eine Frau namens Jane Evans, in nicht weniger als *sechs* frühere Leben zurückzuführen, darin eingeschlossen das einer mittelalterlichen Jüdin namens Rebecca, die bei einem Pogrom getötet wurde, das 1190 in York stattfand. ›Rebecca‹ war in der Lage, eine anschauliche Beschreibung der Krypta in einer Kirche zu geben, in der sie und ihr Kind eingeschlossen waren und nachfolgend vom wütenden Mob ermordet wurden. Nachdem er eine Aufzeichnung von ›Rebbecas‹ Bericht angehört hatte, äußerte Professor Barrie Dobson von der Universität von York die Meinung, die Kirche, die ihrer Beschreibung am nächsten käme, sei St. Mary's Castlegate – abgesehen von der Tatsache, daß diese Kirche keine Krypta besaß.«

»Von dem Fall habe ich schon gehört«, sagte eine junge Frau in einem weißen Kittel, die weiter hinten saß. »Die BBC hat darüber in einer Sendung berichtet, in der man die Möglichkeit der Reinkarnation untersuchte.«

»Soll doch die BBC gute Sendezeit für solchen Quatsch verschwenden«, mischte sich ein eifriger junger Mann mit scharfgeschnittenem Gesicht neben ihr ein. »Die haben das doch nicht ernstgenommen, oder?«

»Tatsächlich kamen sie zu dem Schluß, die Beweise

seien nicht schlüssig«, räumte seine Kommilitonin ein. »Sechs Monate später jedoch brach ein Arbeiter, der in der Kirche irgendwelche Restaurierungsarbeiten machte, in einen bislang unbekannten Raum durch, der durchaus eine mittelalterliche Krypta gewesen sein konnte.«

»Ich erinnere mich, darüber in der Zeitung gelesen zu haben«, sagte einer der Sozialarbeiter. »Hat man nicht die Kammer oder die Krypta oder was immer es war, wieder zugemauert, bevor ein Archäologe kommen und sie genauer anschauen konnte?«

»Eine unglückliche bürokratische Panne«, stimmte Adam zu und brachte sich so wieder in das Gespräch ein. »Vielleicht wird eines Tages dieser Teil der Untersuchung vollendet. Trotzdem scheinen die Indizien immer noch den Gedanken nahezulegen, daß Jane Evans durch ›Rebecca‹ Zugang zu historischen Kenntnissen hatte, die den derzeitigen Autoritäten unbekannt waren.«

Eine der Studentinnen in der ersten Reihe klopfte sich mit ihrem Füllhalter an die Schneidezähne. »Gibt es da nicht auch einen amerikanischen Psychiater aus Virginia, der viel über spontane Regressionen in frühere Leben bei sehr jungen Kindern gearbeitet hat?« fragte sie.

»Das stimmt«, erwiderte Adam. »Sein Name ist Dr. Ian Stevenson. Sein berühmtester Fall war ein Fünfjähriger aus dem Libanon, dessen Familie behauptete, er sei die Reinkarnation eines Mannes namens Ibrahim, der vor kurzem in einer Nachbarstadt gestorben war. Als Stevenson den Jungen untersuchte, fand er heraus, daß das Kind über eine unerklärlich intime Kenntnis von Ibrahims persönlichem Leben verfügte und außerdem gewisse Verhaltensmerkmale aufwies, von denen Ibrahims Hinterbliebene schwuren, sie stimmten mit denen ihres verstorbenen Verwandten überein. Stevenson veröffentlichte später diese und andere Befunde unter dem Titel *Zwanzig Fälle, die auf Reinkarnation schließen lassen.*«

»Was für ein Haufen Blödsinn!« rief einer der Studenten in der ersten Reihe. »Wie kann er sich einen ernsthaften Wissenschaftler nennen?«

»Ich versichere Ihnen, daß Stevenson den Begriff Reinkarnation nicht leichtfertig benutzte«, sagte Adam sanft. »Seiner Einschätzung nach waren die Beweise stark genug, um zumindest triftige Gründe für Überlegungen darzustellen.«

»Beweise für Reinkarnation ...«, überlegte eine andere Studentin. »Ist es das, wonach Sie suchen, wenn Sie versuchen, bei Ihren Patienten eine Rückführung in ein früheres Leben durchzuführen?« fragte sie unverblümt.

»Was ich suche«, antwortete Adam mit einem amüsierten Lächeln, »sind Kenntnisse, die mir helfen, zu einer wirksamen Diagnose zu gelangen. Falls das Unbewußte mir den Zugang zu wichtigen Informationen gestattet, indem es sie in Begriffen von Erfahrungen früherer Leben ausdrückt, die Bezug zu den gegenwärtigen Problemen des Patienten haben, dann obliegt es mir als Arzt, ›Erinnerungen‹ dieser Erlebnisse früherer Leben so zu behandeln, als wären sie real, und mit dem Patienten entsprechend umzugehen. Ich glaube, niemand würde argumentieren, Erlebnisse des Geistes seien weniger ›real‹ als solche des physischen Körpers. Tatsächlich können sie in manchen Fällen noch intensiver sein, wie zum Beispiel bei Phantomschmerzen lange nach einer Amputation.«

»Aber dabei handelt es sich um eine physiologische Reaktion beschädigter Nervenstränge«, widersprach ein junger Mann.

»Zum Teil, vielleicht«, stimmte Adam zu. »Aber wer kann genau sagen, wo die Grenzen zwischen Körper, Geist und Seele verlaufen?«

Eine auffallende Brünette in der ersten Reihe rollte mit den Augen und legte ihren Stift nieder.

»Ich wußte doch, es war nur eine Frage der Zeit, bis jemand von der Seele zu reden anfängt«, murmelte sie, dann blickte sie die Diakonin freundlich herausfordernd an. »Lorna, könnten Sie uns erzählen, was die Gottesdiener über die Seele und die Sache mit der Reinkarnation zu erzählen haben?«

»Gewiß«, erwiderte Lorna, »allerdings bin ich mir nicht sicher, ob ich über Antworten verfüge. Würden Sie lieber die Ansichten des Ostens oder die des Westens hören?«

»Vielleicht könnten Sie beide Standpunkte darlegen«, bemerkte Adam.

»Also gut.« Während aller Augen schnell von Lorna zu Adam und wieder zurück wanderten, setzte sie sich bequem auf ihrem Stuhl zurecht und sammelte sich. Schon ihr Name, Lorna Liu, deutete an, daß sich in ihr schottisches und asiatisches Erbe mischten, und ihr Aussehen verband die anmutigsten Attribute beider Erbteile und wurde noch von ihrem Kollar unterstrichen, das sie zu ihrem konservativen grauen Anzug trug.

»Es wäre nicht ehrlich von mir, wenn ich sagte, ich sei nicht davon beeindruckt, wie die Argumente für die Reinkarnation erörtert werden«, sagte sie freundlich, »aber ich meine, es ist an der Zeit, daß jemand darauf hinweist, das die Frage nicht so sehr ein wissenschaftliches, sondern ein theologisches Problem darstellt. Nehmen wir einmal den Buddhismus und das Christentum, da ich beide kenne. Während die beiden Lehren viele gemeinsame Ansichten haben, besonders im Hinblick auf Ethik und Moral, unterscheiden sie sich ziemlich drastisch in ihren jeweiligen Vorstellungen über persönliche Erlösung.«

Als sie sah, daß sie die Aufmerksamkeit aller Anwesenden besaß, fuhr sie im gleichen nachdenklichen Ton fort.

»Die Buddhisten glauben, daß die ganze materielle

Welt nichts als eine bloße Illusion ist – *maya* auf Sanskrit – und in den meisten Fällen nur um den Preis wiederholter Leben, die mit der Suche nach persönlicher Erleuchtung verbracht werden, transzendiert werden kann. Manchmal wird dieser Sachverhalt als ein Rad veranschaulicht, aus dem zu fliehen zum Ziel des erleuchteten Individuums wird.

Im Gegensatz dazu glauben die Christen, Materie und Geist seien als Folge der göttlichen Schöpfung unentwirrbar miteinander verbunden und gleicherweise zur Erlösung bestimmt – nicht durch einen langen Läuterungsprozeß wiederholter Existenzen, sondern als unmittelbare Folge göttlicher Sühne durch den Opfertod und die Auferstehung Christi, des fleischgewordenen Gottes. Als Christin muß ich gestehen, daß ich keine logische Möglichkeit sehe, die Kluft zwischen meinen religiösen Überzeugungen und dem Konzept der Reinkarnation als einer Tatsache der Existenz zu überbrücken. Wenn jemand anders eine Lösung vorschlagen kann, dann wäre ich sehr dankbar zu hören, was er oder sie zu sagen hätte.«

Nachdenkliches Schweigen herrschte einige Sekunden lang, während der Rest der Gruppe mit dem Problem rang, dann sagte der bebrillte Mr. Huntley offen: »Ich sehe nicht, wie es da eine Lösung geben kann. Der eine oder andere Standpunkt muß falsch sein.«

»Wenn nicht beide«, sagte der im Ruhestand lebende Dozent mit einem Anflug von Skepsis. Als aller Blicke sich ihm zuwandten, fügte er hinzu: »Ich gebe ganz offen zu, daß ich Agnostiker bin, Dr. Sinclair. Aber ob unsere Existenz nun über eine spirituelle Dimension verfügt oder nicht, ich finde die Idee der Reinkarnation unangenehm und unlogisch. Wo werden zum Beispiel die Seelen aufbewahrt, wenn sie nicht benutzt werden? Wenn eine bestimmte Seele Erleuchtung erlangt und aus dem Rad der Wiedergeburt entkommt, wird dann sofort eine andere Seele geschaffen, die ihren Platz einnimmt? Wenn dem so wäre, wer oder was entscheidet dann, ob ein neu empfangenes Kind eine jungfräuliche Seele bekommt oder eine, die schon eine Weile herumgewandert ist? Wenn nicht, wird es dann eines Tages einen Mangel an Seelen geben? Werden Seelen schneller recycelt, wenn es – wie zur Zeit – eine Bevölkerungsexplosion gibt?« Er brach mit einer ironischen Geste ab.

»Vielleicht wird nicht jeder reinkarniert«, meldete sich eine neue Stimme nachdenklich. »Vielleicht geschieht das nur in besonderen Fällen.«

Adam blickte auf die Sprecherin und zog eine Augenbraue hoch. Avril Petersons akademischer Ruf mochte in ihrem Kurs nicht der beste sein, aber dies war nicht das erste Mal, daß er erlebte, wie sie einen Geistesblitz intuitiver Einsicht zeigte.

»Ms. Peterson, ich glaube, Sie haben uns eine mögliche Lösung für dieses theologische Paradoxon angeboten«, sagte er mit einem herzerwärmenden Lächeln. Dann richtete er seine Aufmerksamkeit wieder auf die Gruppe als Ganzes und fuhr fort zu erklären.

»Erlauben Sie mir, Sie mit einem möglichen Schlüssel bekanntzumachen, der sich in der jüdischen Tradition findet, die mit der Kabbala verknüpft ist, die ihrerseits ein System jüdischer Mystik darstellt. Ein sehr gebildeter Freund von mir, der sich als Wissenschaftler mit solchen Dingen befaßt, hat mir einst anvertraut, daß die wahre Kenntnis der inneren Bedeutung der Kabbala nicht durch das Studium von Büchern erworben werde, sondern durch die Vermittlung besonderer Geistlicher, deren heiliges Amt es war, ›die Lehre‹ von einer Generation zur nächsten weiterzugeben. Einer apokalyptischen hebräischen Legende zufolge wurde die Kabbala der Menschheit zuerst durch den Erzengel Metatron gelehrt, der in der Legende als der verklärte Enoch identifiziert wird. Dies war der Mann, der dem Buch Genesis zufolge ›mit Gott wandelte‹ und den Tod nicht kostete. Metratron sollte sich in der Folge im Lauf der Geschichte in verschiedenen großen Lehrern manifestiert haben, so auch als Melchisedek, der Priesterkönig, dessen Begegnung mit Abraham die Eucharistie ahnen läßt, da er Brot und Wein opferte.

In einer konventionelleren Deutung«, fuhr Adam fort, »könnten wir Metratron als archetypische Gestalt betrachten – als Symbol, wenn Sie so wollen, aller anderen seiner Art. Es gibt eine faszinierende Passage am Anfang des sechsten Kapitels der Genesis, das davon spricht, es habe Verkehr zwischen ›Gottessöhnen‹ – ein verlockender Verweis auf Wesen, die anscheinend Gott unterlegen, aber der Menschheit überlegen waren – und den ›Töchtern der Menschen‹ gegeben. Die Kinder, die aus diesen Verbindungen hervorgingen, werden in der Bibel als *jene Helden der Vorzeit, die berühmten* bezeichnet.

Wenn wir akzeptieren, daß solche Legenden, zusammen mit Mythen und gewissen Trauminhalten, nichtempirische Wahrheiten ausdrücken – Wahrheiten, die der Psyche bekannt, aber mit empirischen Mitteln unzugänglich sind –, dann wird es plausibel, Ms. Petersons Idee als mögliches Ausdrucksmittel der Wahrheit zu betrachten, nämlich daß Reinkarnation auf eine ausgewählte Handvoll Individuen beschränkt ist, die von den Engeln ausgewählt und danach mit der Aufgabe betraut werden, Generation um Generation heiliges Wissen zu vermitteln.

Diese Persönlichkeiten werden so zu Trägern des göttlichen Lichts der Wahrheit im prometheischen Sinn«, folgerte er, »aber die Erfahrungen eines Lebens solcher Individuen könnten durchaus den Projektionen gleichgesetzt werden, die durch die Öffnungen einer Laterna Magica geworfen werden – Emanationen von Licht, die an verschiedenen Orten manifestiert werden, aber aus der gleichen gemeinsamen Quelle stammen. Was beim Tod des physischen Leibes zurückgezogen wird, ist die Projektion, nicht die Essenz. Das Licht selbst brennt unvermindert weiter, bis sich im Gewebe der Zeit eine andere Öffnung auftut.«

Seine Zuhörer hatten gespannt und fasziniert gelauscht, vertieft in die nahezu hypnotische Intensität, für die Dr. Adam Sinclair berühmt war – und jetzt nickte auch der alte Dozent widerwillig zustimmend.

»Sie scheinen die Sache sehr gründlich durchdacht zu haben, Dr. Sinclair«, räumte er ein. »Sollen wir das dann so verstehen, daß Sie persönlich dem Glauben beipflichten, den Sie gerade mit so poetischen Begriffen skizziert haben?«

»Sie dürfen es so verstehen«, sagte Adam leichthin, »daß wir so nahe herangekommen sind, wie wir können, um Ms. Liu die theologische Lösung zu liefern, die sie suchte. Wenn ich eher klinisch spreche, vom Standpunkt eines Psychotherapeuten aus, dann würde ich sagen: Zu welcher persönlichen Auffassung wir auch über die Natur von Regressionen in frühere Leben kommen mögen, wenn wir einer solchen Regression bei unseren Patienten begegnen, dann obliegt es allen Betroffenen, derartige Erinnerungen als einen gültigen Aspekt der totalen Erfahrung des Patienten zu behandeln.«

Er wäre noch fortgefahren, wenn es nicht an der Tür des Vorlesungsraums geklopft hätte. Er blickte in die Richtung, als die Tür sich öffnete und einer der Verwaltungsbeamten des Krankenhauses den Kopf hereinsteckte.

»Tut mir leid, daß ich Ihre Vorlesung störe, Dr. Sinclair, aber ich habe eine telefonische Nachricht für Sie. Es heißt, sie sei ziemlich dringend.«

Er kam an das Pult und reichte Adam ein gefaltetes Stück Papier. Adam öffnete es und las den Satz, der in einer sauberen Sekretärinnenhandschrift geschrieben war: *Sir Adam, Humphrey bittet, daß Sie sofort zu Hause anrufen.*

Adam wurde sich eines plötzlichen Gefühls einer Vorahnung bewußt, er blickte auf seine Taschenuhr und richtete dann wieder seine Aufmerksamkeit auf die Hörer, während er aufstand.

»Ich muß mich entschuldigen, aber es sieht so aus, als müßte ich diese Vorlesung abbrechen«, sagte er geschmeidig und steckte Zettel und Uhr in die Tasche. »Bitte, streiten Sie in meiner Abwesenheit ruhig weiter, wenn Sie wollen, doch habe ich vor, die Diskussion nächstes Mal wieder aufzunehmen.«

Fünf Minuten später saß er am Schreibtisch in seinem Büro und lauschte nüchtern, während Humphrey, sein Butler und persönlicher Diener, ihm die Nachricht über Nathan Fiennes mitteilte.

»Mrs. Fiennes sagte, während der Nacht sei eine Notoperation durchgeführt worden, um den Druck auf das Gehirn zu verringern, aber sein Zustand verschlechtere sich«, schloß Humphrey. »Anscheinend hat er sofort nach dem Überfall nach Ihnen verlangt. Mrs. Fiennes war ganz aufgeregt, daß Sie kommen sollten, wenn es irgend möglich wäre.«

Der Bericht erschien Adam als ein merkwürdiger Zufall, denn obwohl er schon einige Zeit nicht mehr an seinen alten Mentor gedacht hatte, war es Nathan gewesen, den er eben noch zitiert hatte, als er während seiner unterbrochenen Vorlesung über die Kabbala sprach. Er mußte sich fragen, ob der sich verschlechternde Zustand des alten Mannes, verbunden mit der ausdrücklichen Bitte um Adams Gegenwart, vielleicht teilweise erklärte, warum er erst vor wenigen Minuten an Nathan gedacht hatte.

»Danke für die Mitteilung, Humphrey«, sagte Adam, als sein Butler geendet hatte. »Ich werde natürlich nach York reisen. Hatten Sie schon die Zeit sich zu erkundigen, welche Flüge verfügbar sind?«

»Das habe ich bereits getan, Sir. Air UK hat einen Flug um 16.15 Uhr nach Leeds-Bradford, dem nächsten

Flughafen für York. Vor zehn Minuten waren noch Plätze frei. Soll ich einen für Sie buchen, Sir?«

»Ja, tun Sie das bitte«, erwiderte Adam. »Wenn ich es mir recht überlege, so buchen Sie bitte zwei Plätze. Falls Inspector McLeod sich freimachen kann, werde ich ihn bitten, mich zu begleiten. Da die Sache einen polizeilichen Aspekt hat, ist es möglich, daß er den Kontakt mit der Polizei von Yorkshire erleichtern kann.«

»Sehr gut, Sir. Soll ich Ihnen eine Reisetasche packen und Sie Ihnen zum Flughafen bringen?«

Adam blickte auf seine goldene Taschenuhr und verzog das Gesicht. »Eine gute Idee. Es wird knapp werden, den Flug noch zu erreichen. Ich sehe Sie dann am Flughafen, Humphrey.«

Sein nächster Anruf galt dem Haus der Fiennes in York, doch dort hob niemand ab. Nach dem siebten Läuten gab Adam es auf und wählte die Nummer des Polizeipräsidiums in Edinburgh.

»Guten Tag, hier spricht Sir Adam Sinclair. Bitte verbinden Sie mich mit Detective Chief Inspector Noel McLeod.«

Er benutzte seinen Titel nicht oft, aber wie gewöhnlich brachte es ihm den gewünschten Erfolg.

»Hallo, Adam. Was kann ich für Sie tun?« antwortete die vertraut schroffe Stimme.

»Hallo, Noel. Es hat sich etwas ziemlich Ungewöhnliches ereignet«, sagte Adam. »Sind Sie sehr beschäftigt?«

»Nein, es sei denn, Sie rechnen den üblichen Rückstand an Papierkram mit ein«, erwiderte McLeod. »Wenn ich eine halbwegs gute Ausrede bekäme, würde ich gerne den Rest des Nachmittags schwänzen.«

»Wie wäre es mit einer ganz guten Ausrede, damit Sie morgen auch noch schwänzen können?« schlug Adam vor. »Leider ist das, was ich anzubieten habe, wohl kaum eine angenehme Zerstreuung, aber es handelt sich um eine Polizeisache, und es findet nicht hinter dem Schreibtisch statt. Wie gut ist Ihr Kontakt nach York?«

Adam hörte das gedämpfte Quietschen der Federn eines Bürosessels, als McLeod sich aufsetzte. »Was ist passiert?«

Adam schilderte kurz die Situation, wie Humphrey sie ihm übermittelt hatte.

»Nathan Fiennes ist ein alter und lieber Freund«, schloß er. »Ich habe bei ihm Philosophie studiert, als ich unten in Cambridge war, und wir haben die Freundschaft seitdem aufrechterhalten. Ich wäre ohnehin gern zu ihm gefahren, aber die Tatsache, daß er ganz besonders nach *mir* verlangt hat, legt den Gedanken nahe, daß bei dieser Geschichte mehr dahintersteckt. Ihre Unterstützung wäre an mehreren Fronten willkommen.«

»Dürfte nicht zu schwierig sein«, erwiderte McLeod. »Wenn alle Stricke reißen, so habe ich noch etwas Urlaub in Reserve. Wann hatten Sie vor aufzubrechen?«

»Ich habe Humphrey Plätze für den Flug um 16.15 Uhr nach Leeds buchen lassen«, sagte Adam. »Ich weiß, daß es damit für Sie etwas eng wird, aber die Alternative wäre mit dem Auto zu fahren, und dann wären wir erst kurz vor Mitternacht unten. Ich bin mir nicht sicher, ob Nathan noch soviel Zeit hat.«

»Machen Sie sich keine Sorgen«, sagte McLeod entschlossen. »Wie lösen Sie die Sache logistisch?«

»Wie wäre es, wenn ich Sie in etwa einer halben Stunde in Ihrem Büro abhole?« schlug Adam vor. »Humphrey wird vor uns am Flughafen sein, um die Tickets in Empfang zu nehmen. Heute morgen bin ich mit dem Jaguar ins Krankenhaus gefahren, den würde ich lieber auf dem Polizeiparkplatz zurücklassen als hier, falls ich ihn ein paar Tage abstellen müßte. Wenn es Ihnen nichts ausmacht, können wir Ihr Auto nehmen und auf dem Weg zum Flughafen bei Ihnen vorbeifahren, damit Sie Ihre Sachen mitnehmen können.«

»Aye, das dürfte die Dinge ein wenig beschleunigen«, stimmte ihm McLeod zu. »Ich werde Jane anrufen und bitten, meine Sachen zu packen. Dann sehe ich Sie, wenn Sie mich hier abholen.«

Einige weitere Anrufe regelten die Vertretung für Adams Aufgaben im Krankenhaus während der nächsten paar Tage. Dann rief er noch im York District Hospital an.

»Ja, hier spricht Dr. Adam Sinclair in Sachen eines Patienten namens Fiennes. Er dürfte gestern abend zu einer Notoperation eingeliefert worden sein. Vermutlich befindet er sich auf der Intensivstation.«

Nachdem er einige Male weiterverbunden worden war, erreichte Adam schließlich eine der diensthabenden Ärztinnen auf der Intensivstation.

»Ich fürchte, die Prognose für den Professor ist nicht gut, Dr. Sinclair«, sagte die Frau. »Als er gestern abend eingeliefert wurde, war er noch bei Bewußtsein, aber während der Nacht hat sich ein Hämatom entwickelt, und wir mußten eingreifen, um es zu dränieren. Leider hat er seit der Operation das Bewußtsein nicht wiedererlangt. Ich wünschte, ich könnte sagen, es bestehe Hoffnung, daß er wieder zu sich käme.«

»Ich verstehe«, sagte Adam. »Hält sich Mrs. Fiennes zufällig auch auf der Intensivstation auf?«

»Nein, ich sehe sie nicht – doch ich bin sicher, sie ist nicht weit gegangen. Ich glaube, ihr Sohn hat sie endlich überredet, ins Krankenhauscafé hinunterzugehen und eine Tasse Kaffee zu trinken. Sie war die ganze Nacht hier, und er ist heut früh am Morgen gekommen. Soll ich sie bitten, bei Ihnen zurückzurufen, wenn sie zurückkommen?«

»Nein, dann werde ich schon unterwegs zum Flughafen sein«, erwiderte Adam. »Sagen Sie Mrs. Fiennes einfach, daß ich ihre Nachricht bekommen habe und erwarte, sie in ein paar Stunden dort im Krankenhaus zu treffen. Würden Sie das tun? Vielen Dank.«

Kapitel 2

Als Adam durch die Stadt zum Polizeipräsidium fuhr, befand er sich in einer düster-nachdenklichen Stimmung. Er fuhr auf der Westseite des Burgbergs entlang und in die Princes Street hinein, dann umfuhr er den Charlotte Square und folgte weiter der Queensferry Road. Er konnte sich der wachsenden Überzeugung nicht entziehen, daß dem Geschehen mehr zugrundelag als nur ein simpler Einbruch, verbunden mit einem schweren tätlichen Angriff.

Beim Gebäudekomplex des Präsidiums der Lothian and Borders Police handelte es sich um eine vielstöckige Kreation aus Glas und Stahl, die – mit zahlreichen Funkantennen auf den Dächern – etwas zurückgesetzt an der Fettes Avenue nordwestlich vom Stadtzentrum lag. Adam bog in den Besucherparkplatz ein und parkte in Sichtweite von McLeods schwarzem BMW, sperrte seinen dunkelblauen Jaguar ab und ging zum Haupteingang. Einer der Polizisten am Empfang erkannte ihn und winkte ihn durch, anstatt ihn zu bitten, er solle warten, bis jemand herunterkäme und ihn abholte. Und so stieg er zielstrebig eine Hintertreppe hinauf. Als er durch das ausgedehnte Großraumbüro auf McLeods offenstehende Tür zuging, nickte er einigen Beamten zu, die da arbeiteten und die er kannte. Während er näher kam, hörte er McLeods Stimme durch den Türspalt.

»Ja, danke, Walter. Das ist alles, was mir im Augenblick einfällt. – Ganz recht. – Wir reden darüber wieder, wenn ich dort bin. Einstweilen Dank für all deine Bemühungen.«

Es folgte das Klicken eines Telefonhörers, der wieder auf die Gabel gelegt wurde. Adam klopfte leicht an der Tür, um seine Anwesenheit anzukündigen.

»Herein!« rief McLeod.

Adam stieß die Tür auf. McLeod saß an seinem Schreibtisch und hatte seine goldgefaßte Pilotenbrille auf die Stirn geschoben; seine Krawatte hing schief, und er wirkte wie jemand, der nicht in der Stimmung war, Störungen zu empfangen. Als er Adam erblickte, erschien jedoch auf seinem Gesicht ein Grinsen, das ihn willkommen hieß, und der drahtige graue Schnurrbart sträubte sich über weißschimmernden Zähnen.

»Hallo, Adam. Entschuldigen Sie mein Gebell. Einen Moment lang dachte ich, es sei einer meiner verflixten Untergebenen, der mir im letzten Augenblick die Sache noch vermasseln wollte.«

»Daraus schließe ich, daß Sie jetzt frei und ohne Verpflichtungen sind?«

»Zumindest für den Rest des Tages und für morgen«, erwiderte McLeod mit einem grimmigen Nicken. Er stand auf und griff nach seinem Mantel. »Ich hatte gerade einen Kollegen aus York an der Strippe, der mal sehen will, was er herausfinden kann. Wenn wir ankommen, wird uns jemand abholen. An der Oberfläche sieht es zumindest so aus, als habe es sich um die Tat eines Profis gehandelt: das Alarmsystem war wirksam abgeklemmt – der Safe geöffnet, nicht gesprengt – nirgendwo identifizierbare Fingerabdrücke, außer denen des Opfers und seiner Frau. Es waren zwei Täter, aber sie trugen Kopfschützer und OP-Handschuhe. Die Polizei von York befragt immer noch mögliche Zeugen aus der Nachbarschaft, aber sie haben bisher keine Spuren. Im Augenblick sieht es nicht sehr hoffnungsvoll aus.«

Als er seine Krawatte zurechtrückte, erschien in

der Tür ein junger Mann in Zivilkleidung – Donald Cochrane, einer von McLeods fähigsten Assistenten, der kürzlich erst in den Rang eines Detective befördert worden war.

»Ach, da sind Sie ja, Donald«, sagte McLeod. »Sind Sie endlich durchgekommen?«

Donald grinste, um ein Haar hätte er salutiert. »Jawohl, Sir. Mrs. McLeod entschuldigt sich, daß sie das Telefon so lange blockiert hat, und sie wird eine Reisetasche parat haben, wenn Sie vorbeikommen. Gibt es sonst noch etwas, was ich tun soll?«

»Mir fällt nichts ein«, erwiderte McLeod. »Sie übernehmen das Ruder, bis ich wiederkomme. Sorgen Sie dafür, daß alles glatt läuft, ja? Ich möchte nicht ein halbes Dutzend Krisen auf meinem Schreibtisch vorfinden, wenn ich heimkomme.«

»Aye, Sir«, gab Cochrane mit einem Grinsen zurück. »Ich sehe Sie dann in ein paar Tagen wieder.«

Auf dem Weg zu McLeods Haus in Ormidale Terrace berichtete Adam dem Inspector kurz über Nathan Fiennes medizinischen Zustand.

»Kein Wunder, daß Walter und seine Leute dort unten in York außer sich sind«, bemerkte McLeod, als Adam geendet hatte. »Ein Einbruch mit tätlichem Angriff ist schon schlimm genug, aber wenn der Fall mit einer Mordanklage noch verschlimmert wird, dann haben sie wirklich schwer daran zu knabbern.«

»Falls es zu einem Mordfall wird«, sagte Adam grimmig, »dann werden die Täter es mit mehr zu tun haben als nur mit der Polizei von Yorkshire.«

Sie holten McLeods Reisetasche ab und kamen rechtzeitig am Flughafen an, wo sie sich gut zwanzig Minuten vor dem Abflug mit Humphrey trafen. Der unerschrockene Humphrey hatte sie schon eingecheckt und übergab ihnen die Tickets und die Bordkarten zusammen mit Adams Reisetasche, bevor er ihnen Lebewohl sagte. Der Flug selbst verlief ohne Zwischenfälle, und sie landeten ein oder zwei Minuten nach der planmäßigen Ankunftszeit in Leeds-Bradford.

Adam und McLeod, die nur Handgepäck bei sich hatten, stiegen zusammen mit den übrigen Passagieren aus und gingen in die Ankunftshalle. Hier wurden sie von einem kleinen, drahtigen Mann abgefangen, der einen eleganten dreiteiligen Tweedanzug und eine Sonnenbrille trug. McLeods forschender Blick verwandelte sich sofort in ein Grinsen des Wiedererkennens.

»Hallo, Walter!« rief er aus. »Ich hatte nicht erwartet, daß du höchstpersönlich kommen würdest.«

Sein Kollege zuckte mit den Achseln und lächelte.

»Ich dachte mir, auf diese Weise könnte ich allen Beteiligten Zeit ersparen. Mein Fahrer wartet draußen im Wagen. Auf dem Rückweg nach York können wir uns unterhalten. Habt ihr Gepäck?«

»Nein, nur das hier«, erwiderte McLeod. »Walter, ich möchte dir Sir Adam Sinclair vorstellen, den psychiatrischen Fachberater der Lothian and Borders Police. Wie ich schon am Telefon erwähnt hatte, ist er ein alter und enger Freund von Nathan Fiennes, und Fiennes hat offenbar seine Frau unmittelbar nach dem Überfall gebeten, Adam anzurufen. Adam, das ist Superintendent Walter Phipps, dessen Leute die Ermittlungen durchführen.«

»Ich bin für alle Unterstützung dankbar, die Sie und Ihre Leute uns geben können, Superintendent«, sagte Adam und musterte seinen neuen Bekannten, während er und der Yorkshire-Mann einander die Hände schüttelten. Einen halben Kopf kleiner als McLeod, war Phipps hager und wirkte aktiv, er hatte kurzgeschnittenes blondes Haar und einen drahtigen Schnurrbart, beides mit einem ersten Anflug von Silber. Ruhige graue und kluge Augen erwiderten Adams Blick, dann kräuselten sich die Augenwinkel leicht, als sei ihr Besitzer vorteilhaft von dem beeindruckt, was sie sahen.

»Ihr Ruf eilt Ihnen voraus, Sir Adam«, sagte Phipps

mit einem schmallippigen Lächeln. »Und nennen Sie mich bitte Walter, wenn Sie ein Freund von Noel sind. Wenn ich mich recht erinnere, waren Sie der Mann, den Scotland Yard vor einigen Jahren zu Hilfe rief, um ein psychiatrisches Profil des Mannes zu erstellen, den man schließlich als den sogenannten Scarborough-Schlitzer verhaftete. Niemand erwartet, daß sich ein solches Wunder jeden Tag ereignet – aber vielleicht finden Sie bei dem gegenwärtigen Fall einige Spuren – denn leider haben wir bis jetzt nicht viel in der Hand.«

»Ich werde gewiß tun, was ich kann«, versprach Adam, als sie zu dem am Randstein wartenden schwarzen Ford Granada hinausgingen. »Im Augenblick würde ich jedoch gern so schnell wie möglich ins Krankenhaus fahren. Meines Wissens steht es nicht gut um Professor Fiennes, und ich möchte wenigstens noch einmal *versuchen*, mit ihm zu sprechen, bevor die Zeit abläuft.«

»Nun, ich weiß nicht, wieviel Erfolg Sie dabei haben werden«, erwiderte Phipps und öffnete den Kofferraum, damit McLeod und Adam ihre Taschen verstauen konnten. »Als ich vor einer Dreiviertelstunde York verließ, war er noch bewußtlos, allerdings auch noch am Leben. Es sieht jedoch nicht gut aus.« Er setzte sich neben den uniformierten Constable auf den Beifahrersitz, McLeod und Adam begaben sich in den Fond.

Bis York waren es fast siebenunddreißig Kilometer. Unterwegs unterrichtete Phipps sie über die wesentlichen Aspekte des Falls, die bis jetzt bekannt waren. Kurz vor sechs Uhr abends fuhr der Polizeiwagen am Haupteingang des York District Hospital vor. Als Adam sich anschickte auszusteigen, holte Phipps eine Visitenkarte aus seiner Brusttasche und kritzelte einige Nummern auf die Rückseite.

»Vermutlich werden Sie eine Weile hierbleiben wollen«, sagte er und reichte Adam die Karte. »Das ist die Durchwahl meines Büros, und die andere ist meine Privatnummer. Noel und ich werden auf dem Weg ins Polizeipräsidium kurz was essen, aber dann sind wir für den Rest des Abends unter dieser Nummer erreichbar. Falls es zu spät werden sollte, kommen wir vorbei und schauen nach Ihnen. Übrigens seid ihr beide herzlich eingeladen, bei mir zu übernachten, falls Sie nicht schon andere Vorkehrungen getroffen haben.«

»Danke«, sagte Adam und nickte. »Ich weiß nicht, ob heute nacht Schlaf für mich drin ist, aber ich werde versuchen, Sie noch am Abend anzurufen, wenn ich mehr weiß. Bis später, Noel.«

Adam betrat das Krankenhaus und begab sich auf die Intensivstation. Die Stationsschwester begrüßte ihn zunächst etwas zurückhaltend, taute aber auf, als er eine Visitenkarte hervorholte, auf der seine Titel aufgelistet standen.

Mit zunehmender Bestürzung überflog er Nathans Krankenblatt und reichte es mit einem Wort des Danks an die Schwester zurück. Er schickte sich gerade an, in den Raum zu treten, wo Nathan lag, als weiter oben im Korridor eine Tenorstimme ihn begrüßte.

»Sind Sie's, Sir Adam Sinclair? Ach, Gott sei Dank, daß Sie hier sind.«

Der Sprecher war Peter, Nathans älterer Sohn, ein kräftiger, dunkelhaariger junger Mann Mitte Dreißig. Er trug einen makellos geschnittenen grauen Nadelstreifenanzug und eine runde Hornbrille, die ihn gelehrtenhaft aussehen ließ. Nach Abschluß seines Jurastudiums in Oxford mit einem erstklassigen Examen hatte Peter Fiennes für eine der angesehensten Anwaltsfirmen in London gearbeitet und sich schnell einen Ruf als Prozeßanwalt erworben. Jüngste Gerüchte wollten wissen, daß er bald Kronanwalt werden würde. Im Augenblick erinnerte in seinem Verhalten jedoch nur wenig an den kühlen, vernünftigen Anwalt. Statt dessen wirkte er angespannt, tiefbetrübt und weit jünger, als er war – ein Mann, der schon um seinen

Vater trauerte, dem das Leben mit jeder vergehenden Stunde mehr entwich.

Er eilte herbei, umfaßte die Hand, die Adam ihm entgegenstreckte und ließ sich kurz in eine Umarmung des Mitempfindens ziehen. Adam, der das Beben in den Schultern und in der Hand des jüngeren Mannes spürte, sagte ruhig, als sie sich voneinander lösten: »Peter, ich kann dir gar nicht sagen, wie leid es mir tut, daß das hat geschehen müssen. Natürlich bin ich so schnell gekommen, wie ich konnte. Wie hält deine Mutter es durch?«

Peter zuckte mit den Achseln und schüttelte den Kopf. »Sie ist erschöpft. Ich glaube, sie hat nicht mehr als ein oder zwei Stunden Schlaf abbekommen, während Dad heute früh operiert wurde. Er war immer ihr ein und alles. Im Augenblick kann sie an nichts anderes denken, als daß sie ihn verlieren wird. Und es scheint nichts zu geben, was man dagegen tun kann.«

»Peter, es tut mir so leid«, wiederholte Adam. »Wie geht es deinem Bruder? Habt ihr ihn erreicht?«

Peter nickte. »In ein paar Stunden wird er hier sein. Er kommt von Tel Aviv geflogen. Das Orchester bereitet sich gerade auf eine Tournee vor, aber man hat die zweite Flöte jetzt an die Stelle der ersten gesetzt. Sie ist begeistert von der Chance, doch die Umstände tun ihr natürlich leid – ein wirklich nettes Mädchen. Ich hoffe, Larry heiratet sie. Auf jeden Fall bedeutet das, daß er so lang bleiben kann, wie wie er muß.«

»Das werde ich auch«, sagte Adam ruhig. »So lange ich gebraucht werde. Wo ist deine Mutter im Augenblick?«

»Sie wacht bei Dad«, sagte Peter und wies mit dem Kinn auf die Doppeltür mit den Glasfenstern. »Sie ist kaum von seiner Seite gewichen, seit er von der Operation zurückkam. Kommen Sie mit mir und ich bringe Sie zu ihr.«

Die Intensivstation war, wie die meisten Einrichtungen dieser Art, eine schimmernde, antiseptische Wildnis von Lichttafeln, Konsolen und Installationen lebenserhaltender Apparate. Einige der anderen Patienten, die hier untergebracht waren, wurden von Angehörigen umsorgt, Ärzte und Krankenschwestern zirkulierten zwischen ihnen, und der große Raum war erfüllt von dem Gemurmel gedämpfter Stimmen und dem Gesumm und Gepiepse elektrischer Geräte. Als Adam und Peter vom Flur her eintraten, zogen sie ein oder zwei vielsagende Blicke auf sich, denn beide waren – auf verschiedene Weise – eindrucksvoll wirkende Männer. Doch es war deutlich, daß die anderen anwesenden Besucher zu sehr mit ihren eigenen Sorgen beschäftigt waren, um anderen Vorgängen in der Station allzuviel Aufmerksamkeit zu schenken.

Nathan Fiennes' Bett stand am linken Ende des Raums, sein ausgestreckter, weißgekleideter Körper war mit einer Batterie von Monitoren verbunden. Sein Gesicht unter der fremdartigen weißen Kappe der Operationsverbände war grau und wies blaue Flecken auf, es wirkte mehr wie das Gesicht einer Steinplastik als das einen lebenden Menschen. Als Adam näher an das Bett herantrat, hörte er den pfeifenden Atem des alten Mannes, der durch die schlaffen, trockenen Lippen hauchte. Aus der Nase schlängelte sich ein Sauerstoffschlauch aus grünlich durchsichtigem Plastik und verschwand über seinem Kopf in einem ordentlichen Gewirr anderer Schläuche und Drähte. Selbst wenn er die Aufzeichnungen auf Nathans Krankenblatt nicht gekannt hätte, wäre Adam auf einen Blick hin klar gewesen, daß sein alter Freund sich wahrscheinlich nicht von seinen Verletzungen erholen würde.

Rachel Fiennes saß erschöpft zusammengesunken auf einem Stuhl zwischen dem Bett ihres Mannes und dem nächsten, das leer war; ihr Rücken war der Tür zugekehrt. Sie hielt den Kopf gesenkt, entweder döste oder betete sie, doch selbst durch den Raum hindurch konnte Adam die Spannung in den Konturen ihres Körpers erkennen, während sie eine der schlaffen Hände ihres Gatten fest umschlossen hielt. Seine andere Hand war mit einer Manschette ruhiggestellt und durch einen Infusionsschlauch mit einem Tropfer verbunden. Zusammen ergaben die beiden ein tragisches Bild.

Peter Fiennes schüttelte kummervoll den Kopf, trat zu seiner Mutter und legte ihr eine Hand leicht auf die Schulter. Als sie aufschreckte, beruhigte er sie mit einem sanften Klaps und sagte leise: »Ist schon gut, Mutter. Sir Adam ist hier – genau, wie Dad es gewollt hat.«

Rachel Fiennes' abgehärmter Blick fiel an ihrem Sohn vorbei auf die große, dunkle Gestalt, die ein paar Schritte hinter ihm stand, am Fußende des Bettes ihres Mannes, und auf ihren Lippen erschien ein zittriges Lächeln.

»Adam«, flüsterte sie. »Danke, daß du gekommen bist.«

»Ich wünschte mir nur, es wäre unter glücklicheren Umständen gewesen«, sagte Adam ruhig. »Ich bin mir nicht sicher, warum Nathan besonders nach mir verlangt hat, aber da ich jetzt nun einmal hier bin, hoffe ich, daß ich von Nutzen sein kann.«

Peter Fiennes brachte wortlos einen Stuhl für Adam und stellte ihn neben den seiner Mutter, dann holte er einen für sich selbst und setzte sich ihnen gegenüber auf die andere Seite des Bettes. Als Adam sich neben Rachel niederließ, ergriff sie mit ihrer freien Hand eine seiner Hände.

»Ich kann dir gar nicht sagen, wie erleichtert ich bin, daß du hier bist, Adam«, flüsterte sie. »Wenn du nur wüßtest, wie schuldig ich mich fühle.«

»Schuldig?« fragte Adam. »Weswegen denn?«

»Daß ich dich nicht eher angerufen habe«, erwiderte sie. »Nathan wollte, daß ich dich schon gestern abend anrief. Gleich nach dem Vorfall, bevor er das Bewußtsein verlor, ließ er mich versprechen, dich *sofort* anzurufen. Ich gab ihm in der vollen Absicht mein Wort, seinen Wunsch zu erfüllen, aber ich sah ja, daß er unbedingt ärztliche Versorgung brauchte. Also rief ich zuerst den Krankenwagen und die Polizei, und danach ...« Sie machte eine hilflose Geste.

»Du hast dein Bestes getan, um das Leben deines Gatten zu retten«, sagte Adam ruhig. »Du hattest völlig recht, alles andere als zweitrangig zu betrachten.«

»Nein, ich glaube, du verstehst mich nicht«, beharrte Rachel. »Die Diebe, wer immer sie auch waren, haben das Siegel mitgenommen – dieses Siegel, das seit weiß Gott wie vielen Generationen Nathans Familie gehörte. Du weißt, wovon ich spreche?«

»Doch nicht das Ding, das er als Siegel Salomons zu bezeichnen pflegte?« fragte Adam. Er sah es in seiner Erinnerung, und plötzlich meldete sich in ihm ein noch größeres Unbehagen.

»Ja, genau das. Ich bin sicher, er muß es dir einmal gezeigt haben.«

Adam nickte. »Das hat er – aber das war vor vielen Jahren. Es war gewiß sehr alt – allerdings weiß ich nicht, ob es tatsächlich einmal Salomons Siegel gewesen ist.«

»Das weiß ich auch nicht«, sagte Rachel. »Ich glaube, es war jedoch mehr als nur alt. Ich weiß, daß er in den letzten paar Jahren viel Zeit und Kraft in Forschungen über dieses Siegel gesteckt hat. Und kurz bevor er das Bewußtsein verlor, da sagte er – sagte er: ›Dinge über das Siegel, die du nicht weißt – gefährliche Dinge. Es *muß* zurückgeholt werden, um jeden Preis. Ruf Sir Adam Sinclair an und sage ihm, was passiert ist ...‹«

»In der Tat«, sagte Adam und reckte den Kopf. »Weißt du, worüber er sprach, als er sagte, mit dem Siegel seien gefährliche Dinge verknüpft?«

Sie schüttelte den Kopf.

»Ich verstehe. Dann sag mir dies: Glaubst du, die Diebe waren vor allem hinter dem Siegel her?«

Rachel schüttelte wieder den Kopf. »Ich weiß es nicht«, sagte sie knapp. »Wenn sie das waren, so haben sie doch nicht gezögert, auch meinen ganzen Schmuck mitzunehmen. Und sie hätten ihn ja bis zum letzten Flitterkram mitnehmen dürfen, wenn sie mir nur meinen Nathan heil und gesund zurückgelassen hätten!«

Als ihr die Tränen kamen und sie ein Schluchzen unterdrückte, ließ sie seine Hand los und wischte sich die Augen mit dem Handrücken. Adam nahm ein frisches Taschentuch aus monogrammverziertem Leinen aus der Brusttasche seines Anzugs und bot es ihr an. Sie nickte dankend und tupfte traurig schniefend ihre nassen Wangen ab. Adam tauschte einen mitfühlenden Blick mit Peter.

»Rachel, nach dem, was du mir gesagt hast«, stellte Adam fest, »ist es offensichtlich, daß das Siegel in letzter Zeit eine viel größere Bedeutung erlangt hat als in all den Jahren zuvor – oder zumindest ist sich Nathan einer größeren Bedeutung bewußt geworden.«

Als sie nickte, fuhr er fort.

»Die Tatsache, daß er in Verbindung mit seiner Sorge wegen des Diebstahls nach mir verlangt hat, legt auch den Gedanken nahe, daß er beabsichtigt hat, ich solle meine Aufmerksamkeit besonders dem Problem widmen, dieses Siegel aufzuspüren und zurückzuholen, bevor durch seinen Diebstahl ein Schaden angerichtet werden kann. Ich habe keine Ahnung, was für eine Art von Schaden das sein könnte, aber ich werde gewiß mein Bestes tun, um das herauszufinden und seine Wünsche zu erfüllen. Sag mir: Wie viele Leute außerhalb der Familie wissen außer mir von der Existenz des Siegels?«

Rachel blickte ihn verständnislos an, dann wandte sie sich hilfesuchend an ihren Sohn. Peter schüttelte den Kopf und zuckte hilflos mit den Achseln.

»Vermutlich können allerhand Leute *irgend etwas* darüber gewußt haben«, antwortete er. »Dad war nie ein besonders geheimniskrämerischer Mensch. Wenn Sie damit meinen, ob jemand ein besonderes Wissen darüber hatte …«

»Wie steht es mit besonderem Wissen aus *jüngster* Zeit«, fragte Adam, »vielleicht im Lauf des letzten Jahres oder so?«

Peter verzog das Gesicht und seufzte. »Vermutlich sollte ich Ihnen erst einmal neuere Hintergrundinformationen geben«, sagte er. »Da Dad Ihnen das Siegel zeigte, hat er Ihnen wahrscheinlich auch erzählt, daß es sich dabei immer um so etwas wie ein Familiengeheimnis gehandelt hat. Als ich klein war, pflegte mir mein Großvater Geschichten zu erzählen, das Siegel habe dem Königshaus von Israel gehört und besitze die Macht, böse Geister auszulöschen. Sie kennen ja die Geschichten, die Erwachsene den Kindern manchmal erzählen, um etwas auszuschmücken.«

Adam nickte. Sein Gesicht zeigte keine Regung, doch die Erwähnung böser Geister hatte eine neue Befürchtung ausgelöst.

»Auf jeden Fall versuchte Dad im Lauf der Jahre, mehr über das Siegel herauszufinden«, fuhr Peter fort, »wahrscheinlich angeregt von den Geschichten, die *sein* Großvater ihm erzählt hatte, als er ein Junge war. Es begann als eine Art akademisches Spiel, glaube ich – und Sie wissen ja, wie hartnäckig er sein kann, wenn er einmal seine Zähne in ein Forschungsprojekt geschlagen hat –, aber vor etwa achtzehn Monaten kam ein neuer Faktor in die Gleichung.«

»Was ist vor achtzehn Monaten geschehen?« fragte Adam.

»Nun, da ist Großvater Benjamin gestorben. Es kam nicht unerwartet – er war siebenundachtzig und ist ganz sanft entschlafen, *so*.« Er schnalzte mit den Fingern. »Nach der Beerdigung fuhr Dad hinauf in das alte Haus in Perth, um die letzten persönlichen Habseligkeiten von Großvater auszuräumen. Während er damit beschäftigt war, stieß er auf eine ganze Kiste voller alter Familienpapiere, die auf dem Speicher aufbewahrt worden war. Darin war ein wirklich arg mitgenommenes altes Dokument aus Pergament. Es war schon schlimm vergilbt, und die Schrift war vor Alter braun verblaßt, eigentlich unlesbar, aber Dad konnte noch genug erkennen, um zu wissen, daß es auf Latein abgefaßt war und sich auf eine Art Siegel zu beziehen schien.«

»Auf das Siegel Salomons?« fragte Adam.

»Das glaubte er. Die Möglichkeit allein reichte schon aus, um ihn dazu zu bringen, daß er alles stehen und liegen ließ und zur Universität von St. Andrews hinüberfuhr, um zu sehen, ob jemand in der Abteilung für mittelalterliche Geschichte es für ihn entziffern könnte. Es stellte sich heraus, daß es sich bei dem Dokument um einen Schuldschein handelte, der im Jahr 1381 von jemandem namens James Graeme an einen Reuben Fennes aus Perth verpfändet wurde!«

Er richtete einen fragenden Blick auf Adam, als lade er ihn zu einem Kommentar ein, doch Adam schüttelte nur den Kopf.

»Das ist alles neu für mich«, sagte er. »Aus deinem Ton schließe ich, daß das Siegel für eine beträchtliche Summe verpfändet wurde.«

»So ist es«, erwiderte Peter. »Man könnte sagen, es war praktisch soviel wie ein Lösegeld für einen Herzog. Die Zahl, die genannt wurde, war so außerordentlich hoch, daß Dad erpicht darauf war, herauszufinden, wer dieser James Graeme gewesen sei und warum das Siegel unserem fernen Vorfahren soviel Geld wert gewesen sein sollte.«

»Und hat er es herausgefunden?«

»Das weiß ich nicht«, sagte Peter. »Es war jedoch um diese Zeit, da fing er an, alle Arten von mittelalterlichen Archiven durchzustöbern, nicht nur im Vereinigten Königreich, sondern auch auf dem Kontinent. Das wuchs sich zu einem großartigen Unternehmen aus. Ich bin sicher, er muß Forschungsassistenten eingesetzt haben, die ihm halfen, einen Teil des dokumentarischen Materials zu sieben. Nicht wahr, Mutter?«

»O ja«, stimmte ihm Rachel zu. »Im Lauf der Jahre waren es einige Dutzend. Es gefiel ihm, seine Studenten in die Arbeit einzubeziehen.«

Adam lächelte. »Das kann ich bezeugen. Sag mir, könntest du mir vielleicht eine Liste zusammenstellen?«

»Du meine Güte, du meinst doch nicht etwa ...«

»Leider ist es noch viel zu früh, um dir zu sagen, was ich meine«, bemerkte Adam leichthin. »Eine Liste von Leuten, die von dem Siegel wissen, ist jedoch ein guter Ausgangspunkt. Peter, glaubst du, du könntest deiner Mutter dabei helfen?«

Peter schüttelte den Kopf. »Ich besitze selber kein Wissen, Adam, aber vielleicht könnten Dads persönliche Notizen uns einige Hinweise geben. Sie sollten eigentlich zu Hause in seinem Schreibtisch eingeschlossen sein, nicht wahr, Mutter?«

Rachels Gesicht hellte sich etwas auf. »Ja, natürlich«, sagte sie. »Und glücklicherweise haben die Diebe sich am Schreibtisch nicht zu schaffen gemacht.«

Sie hätte vielleicht noch mehr gesagt, aber in diesem Augenblick rührte sich der Verletzte im Bett und stöhnte laut.

Kapitel 3

Adam und die anderen merkten sofort auf und beugten sich zum Bett. Nathan Fiennes rührte sich wieder. Seine verletzten Augenlider flatterten und öffneten sich mühsam einen Spalt weit. Der Blick wanderte verschwommen umher.

»Rachel?« murmelte er heiser.

Sein Frau unterdrückte ein leichtes Schluchzen, bückte sich und faßte seine Hand fester. »Ich bin hier bei dir, Nathan. Und Peter ist auch da. Larry wird in Kürze kommen. Und Adam – Adam Sinclair. Du hast mich gebeten, ihn anzurufen.«

Die bläulichen Lippen des Verletzten verzogen sich zu einem schiefen Lächeln. »Alle hier«, brummte er schläfrig. »Das ist gut. 's ist immer schön, wenn die Jungen zu den Feiertagen heimkommen …«

Rachel richtete einen wortlosen Blick der Verzweiflung an Adam, der leise sagte: »Das kommt leider nicht unwerwartet. Bei Kopfverletzungen ist es sehr normal, daß das Gedächtnis des Patienten sich irrt.«

»Können Sie etwas tun, um ihm zu helfen, sich zu konzentrieren?« fragte Peter. »Er war so unnachgiebig, daß Mutter Sie anrufen sollte.«

Adam überlegte und nickte vorsichtig. »Es ist durchaus möglich, daß er auf Hypnose anspricht, so daß er zumindest teilweise seine Umgebung wahrnimmt.«

»Ja, aber würde das in einem Fall wie diesem gelingen?« wollte Peter wissen. »Der Chirurg sagt, man habe eine Schädigung des Gehirns lokalisiert.«

»Laß mich deine Frage mit einer Gegenfrage beantworten«, sagte Adam. »Glaubst du, daß dein Vater eine unsterbliche Seele hat?«

Die Frage ließ Peter stutzen. Er blinzelte, dann sagte er: »Ja. Ja, natürlich glaube ich das.«

»Dann glaub mir«, sagte Adam, »wenn ich dir sage, daß der wahre Sitz des Gedächtnisse dort liegt, im Reich des Geistes, nicht in den vergänglichen biochemischen Strukturen des Hirns.«

Noch während er sprach, stieß der Mann im Bett einen schweren Seufzer aus.

»Ich hoff' ja, diese Grippe vergeht bald«, murmelte er und bewegte seinen Kopf unruhig hin und her. »Hab' den Jungen doch versprochen, daß wir nach Perth hochfahren ... alle zelten ...«

Rachel hob den Kopf. Ihr Gesicht zeigte einen Ausdruck gequälter Zärtlichkeit. »Er redet über einen Vorfall, der sich vor mehr als zwanzig Jahren ereignet hat«, sagte sie leise. »Du erinnerst dich doch noch, nicht wahr, Peter?«

Ihr Sohn nickte wortlos.

»Das waren glückliche Zeiten«, sagte Rachel, und ihre Stimme zitterte, als würde sie gleich brechen. »In seiner Erinnerung ist er jetzt dort. Haben wir das Recht, ihn in die Gegenwart zurückzurufen – zu dem Schmerz und der Erkenntnis, daß er fast sicher sterben wird?«

»Das ist natürlich deine Entscheidung«, sagte Adam ruhig. »Doch angesichts der offensichtlichen Dringlichkeit seiner Bitte, daß ich kommen sollte, würde ich es gerne wenigstens versuchen, ihn zu befragen. Ich verspreche dir, daß nichts, was ich vorhabe, deinem Gatten in irgendeiner Weise schaden wird, weder physisch noch geistig. Tatsächlich kann es sogar möglich sein, etwas von seinem Schmerz zu lindern, ihm ein wenig von seinen Beschwerden zu nehmen.«

Es folgte ein Augenblick des Schweigens, das nur von Nathans mühsamen Gemurmel unterbrochen wurde, während sein Geist ziellos durch die Räume seines Gedächtnisses schweifte. Dann holte Rachel tief Luft und straffte mit einem Ausdruck der Entschlossenheit die Schultern. Ihre Hand umfaßte die ihres Mannes noch fester.

»Vergib mir, Adam, ich dachte nicht an Nathans Wünsche. Er hat dir immer vertraut. Du mußt tun, was du für am besten hältst. Wenn ich mich in sein letztes Geheimnis einmischte, das er dir anvertrauen wollte, dann würde ich dem Vertrauen untreu werden, das er und ich den größten Teil unseres Lebens zueinander hatten.«

Adam lächelte sanft und berührte ihre Hand. »Danke, Rachel. Ich weiß, daß das keine leichte Entscheidung war. Könntet ihr, du und Peter, mich ein paar Minuten lang mit ihm allein lassen? Es wird höchste Konzentration von mir verlangen, und je weniger Ablenkungen, desto besser.«

»Ich glaube, ein bißchen frische Luft würde Mutter und mir gerade guttun«, sagte Peter und erhob sich. »Vielleicht auch ein Bissen zu essen. Können wir Ihnen etwas bringen, Adam? Vielleicht eine Tasse Kaffee? Tee?«

Adam schüttelte den Kopf und stand auf. »Im Augenblick nicht, danke. Laßt mir zwanzig oder dreißig Minuten Zeit, ja?«

»Natürlich.«

Während Mutter und Sohn Arm in Arm die Intensivstation verließen, trat Adam näher an das Kopfende des Bettes heran und zog beiläufig den Vorhang zwischen Nathans Bett und dem Rest des Raums teilweise vor, um sich und seinen alten Freund gegen flüchtige Blicke der Familie abzuschirmen, die zwei Betten weiter um eine bewußtlose ältere Frau versammelt war. Nathan war noch verschwommen bei Bewußtsein, wenn auch sein Denken fern herumirrte, aber man konnte nicht voraussehen, wann er wieder ins Koma fallen würde. Adam wußte, daß er rasch handeln mußte. Sonst würde er riskieren, seine einzige Chance zu verlieren, Nathan zu befragen und zu erfahren, was immer der alte Mann ihm mitteilen wollte.

Bei den Schwestern, die sich am anderen Ende des Raums um Patienten kümmerten, hatte seine Maßnahme keine ungebührliche Aufmerksamkeit geweckt. Nachdem er demonstrativ, aber zurückhaltend Nathans Puls geprüft und die Anzeigen auf den Monitoren abgelesen hatte, griff er in die Innentasche seiner Anzugsjacke und holte eine kleine, bleistiftgroße Taschenlampe heraus. Für eine schnelle Induktion der Trance würde ihr Strahl Nathans umherwandernde Aufmerksamkeit viel besser einfangen und festhalten als das übliche, indirektere Konzentrationsmittel, seine Taschenuhr, und so war es auch weniger auffällig.

Er beugte sich über das Bett, drehte Nathans Gesicht sanft zu sich und richtete das Licht erst auf die eine Pupille, dann auf die andere, und begann schließlich mit einer rhythmischen Pendelbewegung zwischen beiden.

»Nathan«, rief er leise. »Ich bin's, Adam Sinclair. Hör mir zu, Nathan. Schau mich bitte an.«

Der zerstreute Blick des Verletzten strebte langsam zum Licht und zum Klang von Adams Stimme. Er blinzelte zweimal, dann richtete er die Augen mühsam auf das starke Gesicht hinter dem sich bewegenden Lichtstrahl.

»Adam ... Das bist *du*, nicht wahr?« murmelte er und versuchte flüchtig ein Lächeln. »Es ist immer eine Freude, dich zu sehen. Meine Güte, du wirst ja grau – aber vermutlich kommt das von der medizinischen Fakultät. Was kann ich für dich tun?«

»Nichts, was schrecklich schwer wäre, Nathan. Ich bin gekommen, um dir zu helfen.« Während er fortfuhr, wurde Adams Stimme etwas tiefer. »Ich möchte, daß du dich entspannst. Wenn du es schaffst, hätte ich gerne, daß du auf das Licht schaust, das ich in meiner Hand halte. Kannst du es sehen?« Er fuhr fort, es hin und her zu bewegen, leuchtete erst in das eine Auge, dann in das andere.

»Das ist gut. Entspanne dich einfach, mein Freund. Höre auf meine Stimme und folge dem Licht. Hin und her … so ist es richtig. Entspanne dich. Höre auf meine Stimme und spüre, wie du zu schweben beginnst. Sehr entspannt. Das ist gut, Nathan. Sag mir, wie fühlst du dich?«

Nathans blasse Lippen zuckten, seine Augenlider begannen zu sinken, während er weiterhin dem pendelnden Licht folgte.

»Nicht sehr gut«, murmelte er. »Der Kopf tut verdammt weh. Das ist die Grippe, glaube ich …«

»Nein, es ist nicht die Grippe«, sagte Adam leise. Seine Stimme nahm einen beruhigenden, singsangartigen Rhythmus an. »Aber ich glaube, wir können etwas gegen die Beschwerden tun. Stell dir vor, der Schmerz in deinem Kopf gleicht einem Hut, der zu eng ist. Stell dir vor, wie du den Hut abnimmst und beiseite legst. Sobald du ihn abgenommen hast, wird der Schmerz nachlassen und dein Geist wird klar sein. Es wird sein, wie wenn du in einem ruhigen Teich schwimmst – keine Geräusche, keine Unruhe, nur Frieden. Nimm den Hut ab, Nathan …«

Er wartete einen Augenblick lang und beobachtete Nathans gespanntes Gesicht. Nach ein paar Herzschlägen schlossen sich die zitternden Lider, und die Falten des Schmerzes und der Anspannung glätteten sich nach und nach.

»Das ist gut, Nathan«, murmelte Adam, schaltete seine Lampe aus und steckte sie wieder in seine Brusttasche. »Der Schmerz ist weg. Du bist sehr entspannt. Sag mir, schwimmst du jetzt?«

»Ja … ich schwimme …«

»Sehr gut«, sagte Adam. Er dämpfte seine Stimme zu einem Flüstern und sagte: »Nathan, ich möchte, daß du dir etwas vor deinem geistigen Auge vorstellst – einen vertrauten Gegenstand. Ein Bronzesiegel, in das der Stern Salomons eingraviert ist. Kannst du es sehen?«

»Ja.«

»Ich wußte ja, daß du das kannst. Nathan, da war etwas, was du mir über dieses Siegel sagen wolltest, etwas, woran du dich nur schwer erinnern konntest. Ich nehme jetzt dein Handgelenk und zähle rückwärts von fünf bis eins. Wenn ich bis eins gezählt habe, werde ich dich auf dein Handgelenk klopfen. In diesem Augenblick werden sich die Wolken von deiner Erinnerung heben und du wirst in der Lage sein, dich an die Nachricht zu erinnern, die du mir mitteilen wolltest. Bist du bereit? Fünf ... vier ... drei ... zwei ... *eins*.«

Er klopfte zweimal leicht auf Nathans Handgelenk gleich unterhalb des Daumenballens. Zuerst reagierte der alte Mann nicht, doch dann versteifte sich auf einmal sein ganzer Körper. Er öffnete die Augen, doch was sie sahen, war weder Adam noch der Raum dahinter.

»Der Schatz des Tempels!« krächzte er heiser. »Das Siegel bewacht das Geheimnis. Adam, es *muß* wiedergefunden werden, hörst du mich? Das Siegel *muß* wiedergefunden werden!«

Adam verstärkte seinen Griff um das Handgelenk des Älteren beruhigend und fuhr ihm mit der anderen Hand besänftigend über die Stirn. »Ich höre dich, Nathan, aber ich kann dir noch nicht folgen? Was bewacht das Siegel? Welches Geheimnis? Um welchen Schatz geht es? Und um welchen Tempel?«

»Um Salomons Schatz«, murmelte Nathan, »aus dem Tempel in Jerusalem. Das Siegel ist von dort gekommen ... Teil eines geheiligten Treuhandgutes. Große Macht und große Gefahr ... königliches Erbe des Hauses Davids.«

Hinter seinem ruhigen Äußeren begann Adams Geist rasch zu arbeiten. Nathan schien anzudeuten, daß es sich bei dem geraubten Siegel tatsächlich um das legendäre Siegel Salomons handelte! Die Tradition hatte Salomon immer die Macht und Autorität über böse Geister zugeschrieben, und Adam ertappte sich dabei, wie er überlegte, ob ein gewisses Maß dieses beherrschenden Einflusses in dieses Siegel übertragen worden war, von dem sie sprachen. Wenn das der Fall war, dann konnte es durchaus jemanden geben, der bereit wäre, zu stehlen und sogar zu töten, um es sich anzueignen.

»Nathan, was war der Zweck des Siegels?« fragte er leise. »Weißt du das?«

»Es war ein Schlüssel«, flüsterte Nathan. »Ein Schlüssel, um ein tödliches Übel vor dem Rest der Welt verschlossen zu halten. Aber das Siegel ist nur ein Teil des Geheimnisses. Ich glaube ... die Ritter wußten ... Die Ritter vom Tempel wußten ...«

»Die Ritter vom Tempel?« wiederholte Adam. »Du meinst die Tempelritter?«

Nathan tat einen mühsamen Atemzug und nickte schwach. »Das glaube ich. Das Siegel wurde verpfändet ... Kam als Pfand zu meinem Vorfahren ... 1381 ... Graeme von Templegrange ...«

Die Bedeutung dieses Namens entging Adam nicht. Das Wort ›temple‹, das in vielen schottischen Ortsnamen auftauchte, bezeichnete im allgemeinen, daß die jeweilige Örtlichkeit einmal mit den Rittern vom Tempel in Jerusalem verknüpft gewesen war. Tatsächlich spielten die Templer in Adams eigener Familiengeschichte eine prominente Rolle. Die Turmruine von Templemor, die jetzt auf einem Hügel oberhalb von Strathmourne Manor restauriert wurde, war einst ein Außenposten der Templer gewesen.

»Dann glaubst du also, daß die Templer dieses Geheimnis gehütet haben?« fragte Adam.

»Ja, das glaube ich ... Viele Verbindungen«, flüsterte Nathan, und seine Atmung begann sich zu beschleunigen. »Ich kam der Sache schon so nahe ... Versuche es mit Dundee ... Dundee kann vielleicht mehr Antworten liefern ...«

Nathan verstummte, und sein Puls begann plötzlich unter Adams Fingern unregelmäßig zu flattern. Mit demselben Herzschlag meldeten sich die Monitore neben ihm mit Piepsen und warnenden Lichtsignalen, während sich der Puls des alten Mannes beschleunigte. Als ob er spürte, daß sich sein Körper den Grenzen des Erträglichen näherte, versuchte Nathan den Kopf vom Kissen zu heben.

»Finde das Siegel!« murmelte er heiser. »Halte die auf, die es gestohlen haben! Das Böse, das sie freisetzen können ... Adam, du mußt sie aufhalten! Bitte, Adam, um der Liebe Gottes willen ...«

»Ich verstehe, Nathan«, erwiderte Adam in einem Ton ruhiger Autorität, drückte ihn sanft wieder in die Kissen und versuchte ihn zu beruhigen. »Das reicht einstweilen. Ich werde tun, was getan werden muß. Du hast mir gesagt, was ich wissen muß. Hör auf zu kämpfen und entspanne dich. Hör auf zu ringen und ruhe dich in Frieden aus. Diese Sache muß dich nicht mehr bekümmern.«

Unter dem Einfluß von Adams Stimme und dem Streicheln einer besänftigenden Hand auf seiner Stirn ließ Nathans Erregung allmählich nach. Sein Puls wurde langsamer, blieb jedoch sehr schwach, und die Monitoranzeigen stabilisierten sich etwas, doch sein Zustand verschlechterte sich sichtlich. Nathan hatte nicht mehr viel Zeit, und Adam wußte, er mußte versuchen, den Weg für das Scheiden der Seele zu bereiten.

»Dir geht es jetzt einfach gut, Nathan«, fuhr er leise fort, während Schwestern und ein Intensivarzt zu Nathans Bett kamen und er sie mit einem Blick und einem Kopfschütteln abwehrte. »Laß alle Gedanken an das Siegel fallen. Laß alle Gedanken an das Kämpfen fallen. Fühle, wie du ohne Schmerz in einem ruhigen Strom treibst. Spüre, wie eine sanfte Strömung dich in der Zeit zurückzieht. Irgendwo in der Vergangenheit wartet ein sicherer Hafen, um dich aufzunehmen – ein Ort der Sanftheit und des Friedens und der Freude. Finde einen Augenblick deiner Wahl und sage zu ihm: *Bleibe …* Und bleibe dort in Frieden, bis die Tür sich ins LICHT öffnet …«

»*Licht …*«, flüsterte Nathan schwach und unerwartet, es war kaum mehr als ein Seufzer.

»Ja, Nathan«, murmelte Adam, ermutigt, daß er überhaupt eine Reaktion bekommen hatte, und er war sich plötzlich bewußt, welchen letzten Dienst er noch erweisen konnte, der seinem alten Freund viel bedeuten würde. »Das LICHT wird dich umarmen und in Sicherheit halten. Höre mir zu und versuche zu wiederholen, was ich sage. Das ist sehr wichtig. Du selbst hast es mich gelehrt. Wenn du die Worte nicht sprechen kannst, dann opfere sie im Tempel deines Herzens auf. *Schema Jisrael.*«

Nathans Augenlider flatterten, und seine Hand faßte Adams Hand etwas fester.

»*Schema … Jisrael …*«

»*Adonai Elohenu.*«

»*Adonai Elohenu …*«

»*Adonai Echad.*«

»*Adonai … Echad …*«

Kurz darauf glitt Nathan Fiennes sanft wieder in ein Koma, aus dem er nicht mehr erwachte. Obwohl er anscheinend keine Beschwerden mehr hatte, wurden seine Lebenszeichen im Lauf des Abends immer schwächer. Seine Ärzte hatten wenig Hoffnung, daß er die Nacht überleben würde.

Kurz nach zehn Uhr abends traf sein Sohn Lawrence ein, blaß und besorgt. Superintendent Phipps und McLeod hatten ihn vom Flughafen abgeholt, und der Inspector blieb im Krankenhaus, um auf Adam zu warten. Nathan lebte noch bis kurz vor Mitternacht, umgeben von seiner Frau, seinen Söhnen und dem Freund, den er gerufen hatte, damit er Zeuge seines Hinscheidens werde und seine letzten Wünsche ausführe. Adam stand am Bett seines alten Freundes wie ein Ritter, der Wache an einem Altar hielt, und er neigte den Kopf, als am Ende Lawrence voller Trauer ein kleines Gebetbuch aus seiner Tasche zog und zu lesen begann, zuerst auf hebräisch und dann mit leichtem Akzent in English.

»*Schema Jisrael, Adonai Elohenu, Adonai Echad*. Höre, o Israel, der Herr ist unser Gott, der Herr ist Einer ... Gehe, da der Herr dich schickt; gehe, und der Herr wird mit dir sein; der Herrgott ist mit ihm und er wird emporsteigen.«

Als Lawrence diese Ermahnung noch zweimal intonierte – und als gegen Ende seine Stimme versagte, griff Peter hinüber, nahm ihm das Gebetbuch sanft ab und fuhr fort zu lesen, während Adam ruhig und tröstend einen Arm um die Schultern des jüngeren Sohnes legte.

»Möge der Herr dich segnen und bewahren«, las Peter. »Möge der Herr sein Angesicht über dir leuchten lassen und dir gnädig sein. Möge der Herr sein Antlitz über dir erheben und dir Frieden geben. Zu deiner Rechten steht Michael, zu deiner Linken Gabriel ...«

Adam hob den Kopf, als die Engelnamen aufgesagt wurden, denn obwohl die Reihenfolge leicht unterschiedlich war, gab es die Anrufung der vier Erzengel auch in seiner eigenen Tradition.

»Vor dir steht Uriel und hinter dir Raphael, und über deinem Haupt schwebt die heilige Anwesenheit Gottes«, fuhr Peter fort. »Der Engel des Herrn lagert um die, die ihn fürchten, und er befreit sie. Sei stark und guten Mutes, erschrick nicht und sei nicht verzweifelt. Denn der Herr, dein Gott, ist bei dir, wohin auch immer du gehst ...«

Als es vorbei war, sprach Adam kurz mit dem behandelnden Arzt, der sich während der letzten Augenblicke zu ihm gesellt und hilflos beobachtet hatte, wie die Signale auf den Monitoren erloschen. Dann ging Adam auf den Korridor hinaus zu McLeod, um der Familie einige Minuten stiller Trauer zu gewähren.

»Er ist also gestorben?« fragte McLeod, als Adam erschien. Der Inspector hatte seine Krawatte gelockert und seine Anzugsjacke über eine Schulter gehängt.

Adam nickte mit düsterem Gesicht. »Vermutlich könnte man sich unter diesen Umständen kein sanfteres Sterben wünschen. Doch sein Tod kam zu früh. Er hätte noch zehn oder zwanzig Jahre leben dürfen, um zu sehen, wie seine Enkelkinder heranwuchsen, und um seine Forschungen fortzusetzen.«

»Nun, wir werden sehen, ob wir die Leute finden, die dafür verantwortlich sind«, sagte McLeod. »Haben Sie mehr über dieses gestohlene Siegel herausgefunden?«

Adam blickte zurück auf die gläserne Doppeltür, die zur Intensivstation führte.

»Ja, und Nathans Dringlichkeit war offenbar wohlbegründet.« Mit ernstem Gesichtsausdruck zog er McLeod weiter den Korridor hinab, weg vom Stationszimmer zu einer Stelle, wo niemand mithören würde.

»Ich fürchte, Nathan war ratlos«, sagte er ruhig. »Ich wünschte mir, er wäre früher zu mir gekommen, aber ich bezweifle, daß er wirklich wußte, was er da besaß. Er war zu der Auffassung gelangt, daß das Siegel einen Schatz oder ein Geheimnis schützte, das irgendwie mit König Salomon und dem Tempel in Jerusalem zu tun hatte. Ich habe den entschiedenen Eindruck, daß es etwas Mächtiges und Gefährliches versiegelt – ob in Jerusalem oder an einem Ort, der uns näher liegt, konnte ich nicht herausfinden. Die Tempelritter kommen irgendwie in der Geschichte vor, vielleicht als Wächter des Siegels. Seinem Sohn zufolge besitzt Nathan ein Dokument aus dem späten vierzehnten Jahrhundert, das einen Schuldschein für Geld darstellt, das mit dem Siegel als Sicherheit geliehen wurde, und zwar von einem Mann namens James Graeme, den Nathan als Graeme von Templegrange bezeichnete.«

»Das klingt ja durchaus wie der Name eines Templerortes«, brummte McLeod. »Aber ist das nicht ein bißchen spät für Templer?«

»Aye, wenigstens ein halbes Jahrhundert zu spät«, stimmte ihm Adam zu. »Aber vergiß nicht, daß das päpstliche Dekret zur Auflösung des Ordens in Schottland niemals öffentlich verkündet wurde. Selbst in England dauerte es Monate, bevor die Behörden einen halbherzigen Versuch unternahmen, das Dekret in die Tat umzusetzen. Dieser James Graeme könnte ein Templer oder der Nachkomme eines Templers gewesen sein – und Templegrange deutet gewiß auf eine frühere Templerverbindung seines Gutes hin, genau wie Templemor.«

»Aber was würden Templer mit dem Siegel Salomons anfangen?« fragte McLeod.

»Vielleicht brachten sie es mit sich aus Jerusalem, als sie ihr Hauptquartier nach Paris verlegten«, sagte Adam leichthin. »Ich weiß es nicht. Schließlich habe ich keine Ahnung, ob es wirklich Salomons Siegel ist. Er hat auch Dundee erwähnt, und ich weiß nicht, welche Verbindung die Templer dazu hatten. Ich hatte nie den Eindruck, daß sie in der Gegend von Dundee über ausgedehnte Besitztümer verfügten, aber ich hatte auch noch keinen Grund, in dieser Hinsicht besonders nachzuforschen. Ich weiß natürlich eine Menge über Templemor, und dann gibt es noch das Dorf Temple unten bei Gorebridge, das das wichtigste Präzeptorium der Templer in Schottland war. Ich glaube allerdings, daß davon nicht mehr viel übrig ist …«

Er brach ab, als Peter Fiennes, der erschüttert wirkte, aus der Intensivstation herauskam, in ihre Richtung blickte und dann auf sie zukam.

»Da sind Sie ja«, sagte er. »Ich war mir nicht sicher, wohin Sie gegangen waren. Sie müssen Inspector

McLeod sein«, fügte er hinzu und reichte McLeod die Hand zum Gruß. »Danke, daß Sie mit Adam gekommen sind.«

»Ich hoffe nur, daß ich Ihrer örtlichen Polizei helfen kann, die Schuldigen zu finden«, sagte McLeod. »Ihr Verlust tut mir sehr leid, Mr. Fiennes. Ich wünschte, ich hätte Ihren Vater gekannt. Ich habe Adam oft von ihm sprechen hören, und das in begeisterten Worten.«

»Sie sind sehr freundlich«, sagte Peter, der offensichtlich seine Gefühle nur mit Mühe unter Kontrolle hielt. Dann blickte er wieder auf Adam und tat einen Atemzug, um Kraft zu schöpfen. »Adam, falls Sie und der Inspector noch keine anderen Pläne gemacht haben, wäre ich sehr dankbar, wenn Sie beide mitkämen und heute im Haus meiner Mutter übernachteten. Leider müßten Sie sich ein Zimmer teilen, aber ich hätte ein besseres Gefühl, wenn Sie ihr am Morgen Gesellschaft leisteten, wenn der Schock allmählich nachläßt.«

Adam schaute zu McLeod, der nüchtern nickte.

»Wie immer es Ihrer Meinung nach am besten ist, Adam. Wir haben auch ein Angebot von Walter, aber es klingt, als würden Sie bei Mrs. Fiennes dringender gebraucht.«

»Wenn du dir sicher bist, daß es keine Belastung für euch bedeutet«, sagte Adam zu Peter. »Ihr werdet in den nächsten paar Tagen ernsten Familienverpflichtungen ausgesetzt sein. Ich möchte euch nicht stören.«

»Das ist keine Störung, glauben Sie es mir«, erwiderte Peter. »Außerdem können Sie, wenn Sie in unserem Haus übernachten, am Morgen gleich damit beginnen, Vaters Papiere durchzuschauen. Bei Gelegenheiten wie dieser fühlt man sich immer so hilflos. Vielleicht kann etwas in seinen Aufzeichnungen für die polizeilichen Ermittlungen hilfreich sein.«

Kapitel 4

Nach einem kräftigen Frühstück, das Peters Frau zubereitet hatte, machten sie sich am nächsten Morgen kurz nach zehn Uhr an Nathans Archiv. Rachel schlief noch, dank des leichten Beruhigungsmittels, zu dem Adam sie am Abend vorher überredet hatte. Ihr jüngerer Sohn, Lawrence, hatte die Verantwortung für die Bestattungsvorbereitungen übernommen, die Beisetzung sollte am nachfolgenden Morgen stattfinden. Als das Haus sich mit dem geschäftigen Treiben der Besucher belebte, die im Erdgeschoß eintrafen, um ihr Beileid zu übermitteln, führte Peter Adam und McLeod hinauf in Nathans Studierzimmer und gab ihnen eine kurze Einführung in die allgemeine Anordnung der Forschungsunterlagen seines Vaters.

»Da sind die beiden Kästen mit den Karteikarten«, sagte er und stellte zwei grüne Archivkästen auf den Schreibtisch, »und dann gibt es drei, nein *vier* gebundene Notizbücher.« Er holte sie aus der untersten Scheibtischschublade und klatschte sie neben den Karteikästen auf den Tisch. Nathan hatte die Notizbücher mit Kugelschreiber geführt, und dessen Druck auf das dünne Papier hatte die Seiten zwischen den grau marmorierten Buchdeckeln etwas ausgebeult.

»Hier ist noch mehr«, fuhr Peter fort und zog einen schmalen Stapel von Aktenordnern und großen Umschlägen aus Manilapapier heraus. »In einem davon sollten – ja: Fotos vom Siegel sein. Ich wußte doch, daß sie hier irgendwo waren. Er schickte mir eins, vor Jahren, und ich hatte es mit Reißzwecken an meinem Schwarzen Brett im College angeheftet. Natürlich hatte ich damals keine Ahnung, wie alt es war. Dad wußte es vermutlich auch nicht.«

Adam blickte auf das Foto, das Peter ihm hinhielt, dann bedeutete er ihm mit einer Geste, er solle es McLeod zeigen, nahm aufs Geratewohl eines der Notizbücher in die Hand und blätterte versuchsweise die Seiten durch.

»Zumindest sieht es so aus, als hätte er seine Notizen in gewöhnlichem Englisch abgefaßt«, bemerkte er. »Ich hatte schon etwas Angst, wir würden es mit einer Art persönlicher Geheimschrift zu tun bekommen.«

»Tja, da kann es durchaus noch etwas Schlimmeres geben«, sagte Peter, griff in eine andere Schreibtischschublade und holte einen sehr kompakten Laptop-Computer heraus. »Ich weiß, daß er in den letzten paar Jahren begonnen hat, dieses Ding hier zu benutzen. Ich würde darauf wetten, daß vom neuesten Material das meiste hier drin ist.«

Während er den Computer auf einer freien Stelle auf dem Tisch abstellte, schob McLeod seine Pilotenbrille auf der Nase zurecht und wies mit einer Geste, die auch den Computer mit einbezog auf den Bürosessel vor dem Schreibtisch.

»Darf ich?« fragte er.

»Natürlich.«

McLeod setzte sich, klappte den Laptop auf und schaltete ihn ein. Mit einer Serien von Standardbefehlen wurde das Betriebssystem gestartet und zum Laufen gebracht, und schließlich zeigte es ein Dateienverzeichnis an, das so faszinierende Dateinamen wie *Britmus, Dundee, Forasst* und *Tmplgrng* auflistete, verlangte jedoch für weiteren Zugriff auch die Eingabe eines Paßworts.

»Wissen Sie zufällig, wie das Paßwort Ihres Vaters für diese Dateien lautete?« fragte McLeod Peter, während er es zuerst mit SIEGEL und dann mit SALOMON versuchte, jedoch ohne Erfolg.

Peter schüttelte er den Kopf. »Leider nein. Vielleicht weiß es Mutter, aber ich bezweifle es.«

»Tja, ich habe keine Ahnung, wie es Noel damit geht«, meldete sich Adam, »aber ich fürchte, meine Computerkenntnisse reichen nicht aus, um ohne die Hilfe eines Experten in geschützte Dateien einzudringen. Hätten Sie etwas dagegen, wenn wir dieses Ding da mal mitnehmen, Peter?«

»Überhaupt nicht, wenn Sie meinen, daß es etwas nützt«, erwiderte er. »Du lieber Gott, das muß entnervend sein, wenn man weiß, daß da möglicherweise nützliches Material gespeichert ist und man doch nicht darankommen kann.« Er blickte auf die Karteikästen und Notizbücher. »Glauben Sie, die werden uns etwas helfen?«

»Wir werden sie einmal schnell durchschauen und dann sehen«, sagte Adam, während McLeod den Laptop wieder abschaltete und zusammenklappte. »Wenn du inzwischen mal gehen und schauen möchtest, ob deine Mutter schon auf ist oder dein Bruder Hilfe braucht ...«

»Ich verstehe den Wink schon«, sagte Peter mit einem verlegenen Lächeln. »Ich lasse Sie beide jetzt in Ruhe. Lassen Sie es mich wissen, wenn ich Ihnen mit irgend etwas anderem helfen kann.«

Als Peter gegangen war und die Tür des Studierzimmers hinter sich geschlossen hatte, zog Adam einen weiteren Stuhl heran und nahm die Durchsicht des am wenigsten abgegriffenen Notizbuchs wieder auf. McLeod hatte seine Aufmerksamkeit schon auf den ersten Karteikasten verlagert und blätterte die darin enthaltenen Karten durch.

»Was meinen Sie?« fragte Adam.

McLeod schüttelte den Kopf. »Es wird nicht leicht sein. Das ist nicht mein Gebiet.«

»Vielleicht überraschen Sie sich selbst«, sagte Adam. »Was haben Sie denn da?«

»Tja, das hier scheinen bibliographische Angaben zu sein«, erwiderte McLeod. »Er hat Bücher, Artikel, Manuskripte und diverse andere Dokumente vermerkt, meistens über biblische Archäologie und eine Menge über die Tempelritter und die Kreuzzüge. Eine beträchtliche Anzahl der Zitate scheinen aus Bibliotheken auf dem Kontinent zu stammen.

Aha, das hier könnte sich als interessant erweisen«, sagte er, zog eine Karte heraus und benutzte einen Finger als Platzhalter, während er die Karte in das Licht hielt, das vom Fenster kam. »Schauen Sie hier, in der rechten unteren Ecke. Würden Sie meinen, das seien Initialen? Vielleicht die Initialen des Rechercheurs, der das Zitat exzerpiert hat?«

Adam blickte auf und nickte.

»Das würde ich vermuten. Gibt es viele verschiedene Initialen?«

McLeod steckte die Karte wieder an ihren Platz und fingerte weiter durch den Kartenstapel, dann knurrte er zustimmend.

»Sieht so aus, als wären es etwa ein Dutzend. Die Einträge selbst sind auf verschiedenen Maschinen getippt, anscheinend im Verlauf einer beträchtlichen Zeitspanne. Einige dieser Karten sehen ziemlich alt aus und haben Eselsohren. Soll ich mal versuchen, eine Liste der Initialen zusammenzustellen?«

»Ja, und es wäre vielleicht gut zu sehen, ob welche zu den Namen in Nathans Adreßbuch passen«, erwiderte Adam, legte das Notizbuch beiseite, das er gerade durchgeschaut hatte, und beugte sich herüber, um eine Schreibtischschublade zu öffnen. Während er sich bückte, hineinsah und bis nach hinten zwischen den unordentlichen Haufen von Umschlägen und Karteikarten tastete, führte McLeod die gleiche Art Suche in den Schubladen auf der linken Seite durch.

In der obersten rechten Schublade fand sich das gesuchte Adreßbuch. Adam blätterte es in der widersinnigen Hoffnung kurz durch, daß ein Name seine Aufmerksamkeit wecken würde, dann reichte er es McLeod.

»Schauen Sie, was Sie damit anfangen können«, sagte er und nahm sich den Stapel Notizbücher vor. »Wenn Sie es in den nächsten ein oder zwei Stunden schaffen, eine Liste der Initialen zusammenzustellen, dann werde ich Peter in der Mittagspause bitten, sie sich einmal anzuschauen. Inzwischen kann das Adreßbuch vielleicht ein paar vorläufige Anhaltspunkte liefern.«

Während McLeod einen gelben Schreibblock heranzog und aus einer Innentasche seiner Jacke einen Kugelschreiber hervorholte, nahm Adam den Stapel Notizbücher hinüber zu dem Lehnsessel, der näher am Fenster stand, und ließ sich dort nieder, um mit ernsthafter Lektüre zu beginnen. Das neueste Buch wies nur ein halbes Dutzend Einträge auf, die sich vor allem mit Informationen über Siegel wie jenes beschäftigten, das bis vor kurzem in Nathans Besitz gewesen war. Anscheinend hatte Nathan in jüngster Zeit eine Bestätigung des hohen Alters seines eigenen Siegels erhalten.

Adam bereitete sich auf eine lange und wahrscheinlich fruchtlose Suche vor, legte das Notizbuch beiseite und nahm das zweitneueste zur Hand. Als er es am Ende aufschlug, da er vorhatte, sich von dem schon gelesenen Material aus rückwärts vorzuarbeiten, fiel ein gefaltetes Stück Papier heraus, das in den Falz der Bindung gesteckt gewesen war. Es erwies sich als die Fotokopie des Briefes eines gewissen Dr. Albrecht Steiner in der Abteilung Kunstgeschichte der Sorbonne an jemanden namens Henri Gerard unter einer Pariser Adresse. Dem Datum nach stammte das Schreiben aus dem vergangenen März.

»Noel, erscheinen die Initialen ›H.G.‹ auf irgendwelchen von Ihren Karten?« fragte Adam, während er den auf französisch getippten Text mit wachsendem Interesse überflog.

»Ja, ziemlich viele«, erwiderte McLeod. »Was haben Sie gefunden?«

»Die Kopie eines Briefes aus der Sorbonne an einen Henri Gerard«, erwiderte Adam. »Es scheint sich um einen Bericht über eine Metallprobe zu handeln, die von Nathans Siegel genommen wurde und an das dortige Labor geschickt wurde, um – na ja.«

McLeod blickte auf. »Und was steht drin?«

»Tja, wenn mein Französisch mich nicht ganz im Stich läßt, so datiert der Mann, der diesen Brief schrieb, das Stück auf die Zeit um 950 v. Chr. – die man als die Periode des Ersten Tempels bezeichnet. Anscheinend arbeitete er nach detaillierten Fotografien des Siegels. Und hören Sie sich das an«, sagte er und übersetzte: »Die chemische Analyse der vorgelegten Probe stimmt überein mit Bronzeproben, die man von den prähistorischen Bergwerken bei Tell el-Kheleifeh, auch bekannt als König Salomons Minen, nahm.«

»König Salomons Minen?« wiederholte McLeod. »Adam, glauben Sie, daß das gestohlene Siegel wirklich das Siegel Salomons ist?«

Adam schüttelte den Kopf. »Aufgrund der Beweise, die ich bisher gesehen habe, würde ich nicht so weit gehen. Aber ich würde diese Möglichkeit auch nicht ausschließen. Ich frage mich, welche anderen faszinierenden Leckerbissen wir wohl noch finden werden. Ach, Nathan, ich wünschte, du hättest mir mehr darüber sagen können, was da vor sich ging ...«

Sie setzten den restlichen Vormittag lang ihre Suche fort, bis Peter Fiennes kam und sie zum Mittagessen ins Erdgeschoß holte. Lawrence war mit Peters Frau zum Flughafen gefahren, um Nathans Schwester und ihre Familie abzuholen, und so saßen sie nur zu viert um den Tisch.

»Was kannst du mir über Henri Gerard erzählen?«

fragte Adam bei grünem Salat, Sandwiches mit überbackenem Käse und prickelndem Riesling. »Ich nehme an, daß er einer der Rechercheure deines Vaters war.«

Peter tauschte einen Blick mit seiner Mutter aus, die am ersten vollen Tag ihrer Witwenschaft beruhigend gefaßt wirkte.

»Warum fragen sie nach *ihm*?« gab Peter zurück.

»Nur, weil ich die Kopie eines Briefes an ihn gefunden habe. Anscheinend hat er Laboruntersuchungen an einer Metallprobe von dem Siegel durchführen lassen.«

Er zeigte den Brief herum, während er die allgemeinen Erkenntnisse des Berichts wiedergab.

»Abgesehen davon, daß diese Information sehr wichtig ist, interessiert mich jedoch auch der Name«, sagte er, während er den Brief wieder an sich nahm. »Henri Gerard ist der erste Name, auf den wir gestoßen sind und von dem wir wissen, daß er mit Nathans Forschungen verknüpft ist. Noel hat eine Liste von Initialen zusammengestellt, die er Ihnen nach dem Essen gern einmal zeigen würde, um zu sehen, ob Sie Namen damit verbinden können. Wir vermuten, daß es sich um andere Rechercheure handelt, die mit deinem Vater zusammengearbeitet haben, und die Polizei wird wahrscheinlich mit einigen von ihnen sprechen wollen, um ein Profil der Persönlichkeit zu erstellen, die vielleicht gewünscht hat, das Siegel zu stehlen.«

»Nun, ich kann mir nicht vorstellen, daß irgendeiner von ihnen in eine solche Sache verwickelt wäre«, sagte Peter. »Gerard ist ein bißchen älter als die meisten der Assistenten, mit denen Vater im Lauf der Jahre gearbeitet hat – ein wenig exzentrisch in der Art vieler engagierter Gelehrter, aber ich bin sicher, daß er harmlos ist.«

»Das ist er auch wahrscheinlich«, erwiderte Adam. »Wie ist er deinem Vater begegnet?«

Peter zuckte unbestimmt mit den Achseln. »Gerard hat vor ein paar Jahren hier einen Studienurlaub verbracht, gleich nachdem ein Team von Archäologen im mittelalterlichen Judenviertel der Stadt einen zuvor unbekannten Friedhof entdeckt hatte. Zu jener Zeit ging er einer spinnigen Theorie nach, daß die Tempelritter gründliche Studien der jüdischen Nekromantie betrieben hätten. Das meine ich mit ›exzentrisch‹«, fügte er auf Adams überraschten Blick hinzu. »Der Templerprozeß ist sein spezielles Fachgebiet. Er hoffte, das Gräberfeld könnte eine Unterstützung seiner Theorie liefern. Er brauchte etwas Hilfe bei einigen Übersetzungen aus dem Hebräischen, und so schickte ihn der Ausgrabungsleiter zu meinem Vater.«

»*Gab* es dort Beweise für jüdische Nekromantie?« fragte Adam.

»Natürlich nicht. So weit ich weiß, kam bei dieser Forschungsarbeit nie etwas heraus. Aber er begann sich für das zu interessieren, was Dad machte, damals in dem Sommer, als er hier war, und er wurde für Dad so etwas wie ein Kontaktmann auf dem Kontinent, um obskure Referenzen aufzuspüren. Ich weiß, daß er Zugang zu Teilen des Vatikanarchivs hat, in die die meisten Leute nicht hineinkommen. Allerdings kann ich Ihnen nicht viel mehr erzählen.«

»Nun, das reicht wahrscheinlich einstweilen, was ihn betrifft«, sagte Adam und blickte auf McLeod. »Wie wäre es, wenn du dir mal Noels Initialenliste anschauen würdest, um zu sehen, ob du uns noch mehr Namen liefern kannst?«

»Gewiß. Lassen Sie mal sehen«, sagte er und richtete seine Aufmerksamkeit auf die Liste, die McLeod ihm reichte. »Aha, ›N.G.‹. Das dürfte Nina Gresham sein. Sie war ein Engel. Sie hat vor ein paar Jahren bei Dad promoviert. Ich glaube, sie ist jetzt an einem privaten Institut in Italien. Sie ist keine Jüdin, aber ihr Hebräisch ist fast so gut wie das von Dad. Ich weiß nicht, wo sie es gelernt hat. Sie beherrscht sechs oder acht alte Sprachen. Arbeitet an Dokumenten aus der Zeit der Kreuzzüge.«

»Wie steht's mit ›T.B.‹?«

»Das dürfte Tevye Berman sein. Er ist Israeli und arbeitete an einer Ausgrabung in Jerusalem in der Nähe der Stelle des alten Tempels. Ein guter Kerl. Ich glaube allerdings, daß er inzwischen verstorben ist.«

»Und ›M.O.‹?«

»Kann ich Ihnen nicht sagen.«

»Was ist mit ›K.S.‹?«

»Vielleicht Karen Slater. Oder es könnte Keith Sherman sein. Sie haben beide im Lauf der Jahre für Dad gearbeitet.«

Im Lauf der nächsten Viertelstunde konnte Peter Fiennes fast allen Initialen, die McLeod den Karteikarten entnommen hatte, Namen zuweisen, wobei seine Mutter einige wenige lieferte, die er nicht gekannt hatte. Nach dem Kaffee gingen Adam und McLeod wieder nach oben, um ihre Ermittlungen fortzusetzen und der Familie ihre Privatsphäre zu lassen.

Die meisten der Namen entsprachen denen, die McLeod Nathans Adreßbuch hatte entnehmen können und in einer zweiten Liste mit Adressen und Telefonnummern zusammengestellt hatte. Die zusammenpassenden Initialen und Adressen hakte McLeod ab und kopierte sie auf eine Hauptliste, während Adam fortfuhr, in Nathans Notizbüchern zu lesen. Gegen vier Uhr, als es klar war, daß McLeod alles getan hatte, was er hier tun konnte, rief er Walter Phipps im Polizeipräsidium von York an und vereinbarte mit ihm, daß man ihn zum Rückflug nach Edinburgh (ab Leeds-Bradford 17.50 Uhr) zum Flughafen brächte.

»Es hat wirklich keinen Sinn, noch zum Begräbnis hier herumzuhängen, da ich Ihren Nathan ja nicht gekannt habe«, sagte er, als er den Anruf gemacht hatte. »Wahrscheinlich kann ich von zu Hause aus viel mehr tun. Wenn Walter mich abholt, gebe ich ihm die Liste mit den Namen und Adressen der Forschungsassistenten und lasse seine Burschen den konventionellen Aspekten des Falles nachgehen. Inzwischen werde ich heute Abend versuchen, diese Computerdateien zu knacken.«

»Das könnte uns Zeit sparen«, pflichtete ihm Adam bei. »Seit dem Frühjahr steht nichts mehr im letzten Notizbuch, also ist es durchaus möglich, daß ein Teil seiner jüngsten Korrespondenz da drin steckt – irgend etwas, das uns vielleicht einen Hinweis gibt, womit wir es zu tun haben. Was ist mit diesem Henri Gerard? Klammere ich mich an einen Strohhalm, bloß weil Peter gesagt hat, Gerard sei ein bißchen exzentrisch, oder glauben Sie, er spielt in diesem Fall eine Rolle? Es *gibt* eine Verbindung zu den Templern.«

McLeod lehnte sich im Sessel zurück, nahm mit einem Seufzer seine Brille ab und massierte seinen Nasenrücken.

»Ich glaube, er kann eine Rolle spielen. Nennen Sie es den sechsten Sinn eines Bullen, wenn Sie wollen, aber um einen Bullenausdruck zu verwenden, den ich in den Staaten aufgeschnappt habe, an ihm ist etwas ›hinky‹.«

»Sie meinen es also auch, was?«

»Gut, dann bin ich froh, daß ich nicht der einzige bin«, erwiderte McLeod. »Wenn ich nach Hause komme, werde ich ein paar Anrufe nach Paris machen. Mein Freund Treville bei der Sûreté schuldet mir einen Gefallen. Ich würde gerne hören, ob er etwas über unseren Mann weiß.«

Er setzte die Brille wieder auf, schloß die Deckel der beiden Karteikästen, dann schob er sie auf dem Schreibtisch weiter nach hinten. »Haben Sie vor, morgen abend den gleichen Flug zu nehmen?«

Adam nickte. »Die Bestattung ist um elf Uhr, also wäre das Timing nahezu perfekt. Danach werden eine Menge Leute ins Haus der Fiennes kommen, so daß ich keine Schwierigkeiten haben dürfte, jemanden zu finden, der mich zum Flughafen fährt. Wenn Sie nach Ihrer Rückkehr Humphrey anrufen und ins Bild setzen könnten, wäre ich Ihnen sehr dankbar.«

»Wird gemacht.«

Als McLeod mit Phipps abgefahren war, leistete Adam wieder der Familie Fiennes Gesellschaft. Man vollzog das wohltuende und zivilisierte Ritual des Nachmittagstees, das durch die dunkle Kleidung und die gedämpfte Konversation der daran Teilnehmenden noch formeller wirkte. Den ganzen Nachmittag über waren aus allen Ecken der Welt Mitglieder des Fiennes-Clans eingetroffen. Rachel und Risa, Peters Frau, lenkten sich von ihrem Kummer ab, indem sie ihre Gäste bewirteten. Um der Familie etwas Privatsphäre einzuräumen, unternahm Adam nach dem Tee einen Spaziergang in die Altstadt von York, nachdem er Peter mitgeteilt hatte, er würde sein Abendessen auswärts einnehmen. Er brauchte Zeit, um das zu verdauen, was er gelesen hatte, und mußte ein oder zwei Stunden allein sein, um mit seiner persönlichen Trauer um Nathans Tod fertig zu werden.

Seine verschlungenen Pfade brachten ihn bald zum Gelände der Kathedrale und dann zu ihrem Hintereingang. In dem Gotteshaus wurde gerade eine Abendandacht abgehalten. Diese Darbringung von Dank und Lob zog ihn nach dem Kummer der vergangenen vierundzwanzig Stunden besonders an, er schlüpfte hinein, setzte sich auf eine der hinteren Bänke und lauschte still, denn er wollte den Gottesdienst nicht stören. Der reine Klang der Knabenstimmen schwebte ergreifend und lieblich durch das große Kirchenschiff. Als Adam sich zurücklehnte, um zu hören, was sie tatsächlich sangen, erkannte er, daß der Text nicht hätte besser ausgewählt werden können, wenn man gewußt hätte, daß er des Hinscheidens von Nathan Fiennes gedachte.

»Gedenke, o Herr, wie kurz das Leben ist,
Wie schwach du alles Fleisch geschaffen hast.
Wer kann leben und nicht den Tod schauen?
Wer kam sich vor der Macht des Grabes retten …?«

Sehr bewegt glitt Adam auf die Knie und brachte ein stilles Dankgebet für das Leben des Nathan Fiennes dar, wohlwissend, daß es seinem alten Freund nichts ausmachen würde, daß dieses Gebet an einer christlichen Kultstätte gesprochen wurde. Die Worte der dann folgenden Schriftlesung waren an seinem Platz nicht deutlich zu hören, und so ließ er sich von der eintönigen Stimme des Lektors einfach tiefer in das Einssein mit dem All tragen. Nach einer Weile, die er da mit geschlossenen Augen gekniet hatte, sah er das Bild von Nathans Siegel vor seinem geistigen Auge, und es verschwand erst, als der Chor das *Nunc dimittis* zu singen begann: »Nun entläßt du deinen Diener, o Herr, in Frieden, gemäß deinem Wort ...« Auch das war ein passender Abschied für seinen alten Freund.

Als der Gottesdienst aus war, verweilte Adam noch ein wenig, um die Schönheit der Kathedrale zu genießen; er ging bis zum Querschiff und reckte seinen Hals rückwärts, um zum emporstrebenden Gewölbe des Laternenturms hinaufzuschauen, der der größte seiner Art in England war. Kurz darauf begannen Kirchendiener die Besucher in aller Ruhe zur Tür zu weisen, und so verließ er die Kirche und stieg am Bootham Bar auf die Stadtmauer, spazierte auf ihrer Esplanade entlang und schaute im Licht des sterbenden Tages auf die Stadt.

Nachdem er so spät am Tag den Tee eingenommen hatte, hatte er keine Lust zum Abendessen und kehrte etwa um halb zehn ins Haus der Fiennes zurück. Er erkundigte sich, ob er der Familie irgendwie behilflich sein könnte, dann erklärte er, er wolle sich zu Bett begeben, um nach dem geringen Schlaf der vorhergehenden Nacht einmal richtig zu schlafen. Bevor er sich jedoch zurückzog, machte er an dem Telefon in einer Nische am Fuß der Treppen halt und rief kurz McLeod an.

»Hallo, Noel«, sagte er ohne lange Vorrede, als McLeod selbst sich meldete. »Ich weiß, Sie sind erst wenige Stunden zu Hause, aber gibt es schon Fortschritte?«

»Nicht in puncto Gerard«, erwiderte der Inspector, »allerdings habe ich schon mit Treville gesprochen. Er wird morgen irgendwann zurückrufen. Ich hatte jedoch etwas Glück mit Nathans Computer. Haben Sie eine Minute Zeit?«

»Was haben Sie herausgefunden?«

»Tja, er hat da einige sehr interessante Dateien«, sagte McLeod. Adam konnte das sanfte Klicken der Tastatur hören, während McLeod Daten auf seinen Bildschirm holte. »Eine Menge davon sind tagebuchartige Eintragungen, wahrscheinlich denen ähnlich, die Sie in den Notizbüchern gelesen haben; aber er hat tatsächlich auch Abschriften und Übersetzungen einiger seiner Dokumente. Wollen Sie mal etwas davon hören?«

»Geben Sie mir eine Probe«, erwiderte Adam, zog einen Notizblock hervor und nahm einen Füller heraus. »Ich möchte das Telefon nicht zu lang belegen, für den Fall, daß Verwandte die Familie erreichen wollen, aber vielleicht könnte ich etwas bekommen, an dem ich arbeiten kann, während ich schlafe. Ich weiß nicht, wie es Ihnen geht, aber ich bin nach der letzten Nacht etwas erschöpft.«

»Ich auch«, stimmte ihm McLeod zu, und man hörte weitere Tasten klicken. »Ich bin auf dem Rückflug eingenickt und habe bis zur Landung geschlafen. Das ist mir noch nie passiert. Auf jeden Fall sehe ich jetzt hier eine Kette von Verweisen, die die Templer mit unserem Graeme von Templegrange zu verbinden scheint, dem Mann, der das Siegel verpfändet hat. In einem Brief von König Alexander III. an den Bischof von Dunkeld aus dem Jahr 1284 wird eine kleinere Domäne namens Templegrange erwähnt. Die Formulierungen lassen im unklaren, ob Templegrange dem König oder dem Bischof gehörte, aber Nathan führt spätere Belege an, die den Gedanken nahelegen, daß das Gut zum Zeitpunkt der Auflösung des Templerordens im Jahr 1314 eine kleinere Templerkomturei war. Wie Sie wissen, hatte der Orden eine Menge Grundbesitz in Schottland.«

»Ja, Templemor hat eine ähnliche Geschichte«, sagte Adam, während er sich Notizen machte. »Fahren Sie fort.«

»Ein bißchen später verweist Nathan auf eine Übertragung von Ländereien durch Robert the Bruce an einen Sir James Graeme aus Perthshire, aus Dankbarkeit für die Unterstützung, die er dem König bei der Schlacht von Bannockburn hat zukommen lassen. Es gibt keine direkte Abschrift des Dokuments, aber selbst ich weiß, daß Bannockburn 1314 stattfand. Danach fehlt offensichtlich etwas anderes, aber irgendwie stellt Nathan die Verbindung her, daß Templegrange der Landbesitz war, der Sir James Graeme übertragen wurde, und er kommt zu dem Schluß, daß dieser Sir James vielleicht ein Vorfahr des Graeme von Templegrange war, der das Siegel 1381 verpfändete. Haben Sie alles mitbekommen?«

»Es kommt einem wie eine gerade logische Kette vor, falls sich alles beweisen läßt«, erwiderte Adam. »Der wichtige Punkt ist die Verbindung mit den Templern – allerdings haben wir ja schon aufgrund des Namens Templegrange angenommen.«

»Es gibt da noch mehr«, fuhr McLeod fort, »und Sie werden sich bei der nächsten Sache wirklich albern vorkommen. Mir ist es jedenfalls so gegangen.«

»Fahren Sie fort.«

»Nun, ich habe also die Dundee-Datei geknackt. Ich glaube, Nathan meinte damit die Person, nicht die Stadt – wie in ›Bonnie Dundee‹, dessen voller Name war …?«

»John Grahame of Claverhouse, Viscount Dundee«, ergänzte Adam, der sich, wie vorhergesagt, albern vorkam – doch er hatte keine Ahnung, welche Verbindung vom Siegel Salomons und einem Templer-Geheimnis zu einem royalistischen General des siebzehnten Jahrhunderts bestehen sollte.

Der Mann, der als Bonnie Dundee im Gedächtnis der Schotten fortlebt, war vielleicht eine der extravagantesten und umstrittensten Gestalten der frühen jakobitischen Epoche der schottischen Geschichte gewesen. Claverhouse, den jeder gebildete Schotte als Sieger der Schlacht von Killiecrankie kennt, die 1689 gegen eine überlegende englische Streitmacht geschlagen wurde, war von seinen Feinden als ›Bluidy Clavers‹, d. h. Blutiger Clavers, gefürchtet und von seinen Gefolgsleuten aus den Highlands als ihr ›Dark John of the Battles‹, Dunkelhaariger John der Schlachten, verehrt worden. Obwohl er seinen berühmten Triumph nicht überlebt hatte, hatten sein unbezweifelter Mut und seine Tapferkeit ihn zum Helden vieler Lieder und Geschichten gemacht – bislang jedoch, soweit Adam wußte, ohne eine Verbindung zu Tempelrittern oder mysteriösen Siegeln. Ihm kam kurz der Gedanke, ob sich Nathans ganze Geschichte nicht genauso phantastisch anhörte wie Henri Gerards historische Phantasien – abgesehen von der Dringlichkeit, mit der Nathan ihn im Sterben um Hilfe gebeten hatte.

»Ich weiß, daß Sie wahrscheinlich einer Verbindung nachjagen, genauso wie ich es getan habe«, sagte McLeod und mischte sich in Adams kurzes Nachdenken ein. »Abgesehen von der Ähnlichkeit der Namen – Greame und Grahame – habe ich keinen Hinweis, worin die Verbindung bestehen könnte, da das Siegel gut dreihundert Jahre vor Dundees Tod verpfändet worden war. Und seitdem sind *weitere* dreihundert Jahre vergangen.

Aber Nathan dachte offensichtlich, es *gebe* da eine Verbindung«, fuhr McLeod fort, »sonst hätte er seine Festplatte nicht mit diesen ganzen Dundee-Dateien vollgestopft. Wir müssen annehmen, daß Graeme of Templegrange das Siegel nie mehr ausgelöst hat, da es sich am Schluß im Besitz der Familie Fiennes befand; wo also kommt John Grahame of Claverhouse ins Spiel?«

Adam schüttelte den Kopf, obwohl er wußte, daß McLeod es nicht sehen konnte.

»Ich habe nicht die leiseste Idee«, sagte er wahrheitsgemäß. »Nicht mal eine Ahnung. Gibt es in dem ganzen Dundee-Material nichts, was irgend einen Hinweis enthält?«

»Ich weiß es ehrlich nicht«, erwiderte McLeod. »Ich brauchte eine Weile, bis ich diese Dateien knacken konnte, und ich hatte bisher nur die Gelegenheit, sie zu überfliegen. Soll ich Ihnen die Sachen ausdrucken? Ich könnte Donald morgen mit dem Ausdruck nach Strathmourne schicken, dann liegt das Material schon für Sie da, wenn Sie heimkommen. Ich selbst werde im Büro bleiben müssen, um auf den Rückruf in Sachen Gerard zu warten.«

»Ich denke, das ist eine gute Idee. Ja, machen Sie es bitte so.«

Sie vereinbarten, daß Adam versuchen würde, sich zwischen der Bestattung und dem Aufbruch zum Flughafen noch einmal zu melden. Während er ins Obergeschoß hinaufging, tadelte er sich erneut dafür, daß er bei Dundee nicht sofort an John Grahame of Claverhouse gedacht hatte.

Und was hatte der jakobitische Held mit den Templern und dem Siegel Salomons zu tun? Das war völlig unklar. Dundee war ein treuer Anhänger der Hauses Stuart gewesen – doch was hatte das wiederum mit den Templern zu tun?

Während er sich die Zähne putzte und sich zum Schlafen bereit machte, grübelte er über diese Fragen nach und merkte, daß ihm eine alte Melodie wie ein Ohrwurm durch den Kopf ging, die von den unsterblichen Worten Sir Walter Scotts begleitet wurde:

Zu den Lords of Convention John Claverhouse sprach:
Bevor die Königskron' fällt, bricht manch' Schädeldach,
Drum komme jeder Ritter, dem Ehre noch wert,
und folge Bonnie Dundee mit seinem Schwert.

Die Melodie verfolgte ihn auch noch, als er dem Schlaf entgegentrieb, Fetzen des Textes kamen und gingen, bis er schließlich ins Unbewußte sank. Die ersten paar Stunden verbrachte er traumlos, da er den entgangenen Schlaf der letzten Nacht nachholte. Doch dann begannen Bilder von zunehmender Lebhaftigkeit das Halbbewußtsein zu reizen.

Die Quelle der ersten Eindrücke war nicht schwer zu bestimmen: Bilder von Dundee, der auf einem großartigen, sich nach vorn werfenden kastanienbraunen Schlachtroß saß und, das Schwert in der Hand, seine Anhänger anspornte – der archetypische royalistische Held. Dann wurde die Highland-Reiterei im Lederwams, die ihm folgte, zu Kreuzrittern, die sich in die Schlacht stürzten. Rote Kreuze leuchteten auf ihren weißen Mänteln, und der schwarz-weiße Beauceant, das Banner des Templerordens, flatterte über ihren Köpfen im hellen Licht einer Wüstenlandschaft.

Doch da baute sich eine Spannung auf. Plötzlich wichen die Bilder der Reiter der geisterhaften Erscheinung von König Salomon selbst: bärtig und mächtig, majestätisch in fließende scharlachrote Gewänder gekleidet, die mit kabbalistischen Symbolen verziert waren, und gekrönt mit einem schimmernden goldenen Diadem, das wie ein sechszackiger Stern aussah, dessen Spitzen nach oben gebogen waren. In seiner linken Hand hielt er Nathans Siegel als schützenden Talisman. Seine Rechte führte ein Zepter oder einen Stab, dessen Spitze so hell leuchtete, daß Adam kaum darauf schauen konnte.

Adams Traum-Ich warf einen Arm hoch, um die Augen abzuschirmen, aber ein befehlendes Wort des großen Königs hieß ihn, dorthin zu schauen, wohin das Zepter wies. Zitternd gehorchte Adam – und fand sich in das Gebrodel einer aufgewühlten gelben Wolke gezogen, die von dem widerwärtigen Geflacker eines grünlich-gelben Lichts belebt war. Aus dem Inneren der Wolke kamen solche Wogen des Schreckens, daß sich ihm der Magen umdrehte.

Schweißgebadet und keuchend wachte er auf, und sein Herz pochte, während er instinktiv tiefen Schutz herbeirief, der ihn umhüllte und beschützte. Er schaltete das Licht nicht ein, denn an dem Schein, der durch den Spalt unter der Schlafzimmertür aus dem Korridor hereinfiel, konnte er sehen, daß dort nichts physisch zugegen war. Doch der Traum war sicher eine Warnung gewesen – ob lediglich von seinem Unterbewußtsein, das ausschmückte, was er über Nathans Spekulationen hinsichtlich des verschwundenen Siegels gelesen hatte, oder von einer externen Quelle, das wußte er nicht.

Aber es war hier nicht der Zeitpunkt und der Ort, um das herauszufinden, allein und in einer unbekannten Umgebung, ohne daß er überhaupt schon ein klares Bild des Problems, geschweige denn der Lösung hatte, und gewiß nicht unter der zusätzlichen Spannung der greifbaren Trauer im Haus der Fiennes. Die Dringlichkeit war unmißverständlich, aber aktivere Nachforschungen mußten bis zum nächsten Tag warten, wenn er nach Hause zurückkehrte und der Hintergrund der Sache vielleicht deutlicher wurde.

Doch der Nachhall der Bedrohung blieb, und zwar so stark, daß er schließlich aufstand und aus der Tasche seiner Anzugsjacke einen schönen goldenen Siegelring hervorholte, der mit einem dunklen Saphir besetzt war. Während er wieder zum Bett tappte, steckte er den Ring an den Finger, sprach gleichzeitig ein förmliches Gebet um Schutz und führte dann den Stein grüßend an die Lippen. Der Ring war ein äußeres Zeichen seiner esoterischen Berufung, manchmal auch deren Werkzeug, und das kleine Ritual erdete ihn wieder fest im Reich der Vernunft.

Ein weiteres Ritual, das er vollzog, bevor er sich wieder hinlegte, machte aus seinem Bett einen Mittelpunkt himmlischen Schutzes – ein einfacher Ritus, der als Versiegeln der Aura bekannt war und die großen Erzengel anrief, sie sollten die vier Himmelsrichtungen beschützen. Er wurde schließlich mit einem sechszackigen Stern abgeschlossen. Danach blieb sein Schlaf von Träumen verschont, doch er schlief nur leicht, da ein Teil von ihm Wache hielt und erwog, was da an die Oberfläche gekommen war.

Kapitel 5

Nathan Fiennes' Beisetzung fand am nächsten Tag kurz vor Mittag statt. Zugegen waren seine Familie und eine große Zahl von Freunden und Kollegen, die in Bestürzung und Schmerz zusammengekommen waren, um ihn zu betrauern. In Übereinstimmung mit den jüdischen Sitten war die Feier ganz einfach und schlicht, doch um so ergreifender durch das Gewicht der uralten Tradition, nach der sie gestaltet wurde. Adam, der in der Kapelle neben dem Friedhof unmittelbar hinter der Familie saß, war wie immer beeindruckt von den Gemeinsamkeiten, die alle Männer und Frauen guten Willens vereinigten, besonders zu Zeiten eines Verlusts.

»O Herr, was ist der Mensch, daß du seiner gedenkst, was ist des Menschen Kind, daß du dich seiner annimmst?« las der Rabbi. »Der Mensch ist wie ein Hauch, seine Tage sind wie ein vorüberziehender Schatten. Du raffst die Menschen hinweg. Sie sind wie ein Traum, wie Gras, das am Morgen neu sprießt. Am Morgen blüht es und wächst, doch am Abend welkt es dahin ...«

Gefesselt von den Rhythmen eines uralten Rituals, das zwischen Hebräisch und Englisch abwechselte, folgte Adam der Zeremonie im Gebetbuch, und er war sich doch der materiellen Umgebung dieses Abschiedes und dieser Gedächtnisfeier für seinen verstorbenen Freund bewußt. Die Kapelle selbst enthielt kein religiöses Symbol irgendeines Glaubens. Im Mittelpunkt stand vor den Versammelten der einfache und ungeschmückte Holzsarg, der mit der altertümlichen wollenen Drapierung eines *tallit* bedeckt war, wie es alle gesetzestreuen Juden für gewöhnlich bei ihren Gebeten trugen. Dieses war, wie Adam wußte, von Lawrence aus Jerusalem mitgebracht worden – in der Hoffnung, er könnte es vielleicht als Danksagung bei der Genesung seines Vaters tragen; jetzt lag es als Zeichen der Hochachtung auf dem Sarg. Nathans eigenes *tallit* war liebevoll um seinen in ein Leichtentuch gehüllten Leichnam gewickelt worden, bevor man ihn in das Grab legte; zuvor hatte man eine der Fransen abgeschnitten, damit es nicht länger zum Gebrauch geeignet war – denn Nathan bedurfte seiner nicht länger.

Eine einzelne Kerze brannte hinter dem Sarg, doch Sarg oder Kapelle waren nicht mit Blumen geschmückt, denn die jüdische Sitte hielt das in einer Zeit der Trauer für nicht passend. Die Männer trugen alle Käppchen auf dem Kopf, auch Adam hatte aus Respekt vor der jüdischen Sitte eines aufgesetzt.

»O Gott voller Erbarmen«, betete der Rabbi. »Du, der du in der Höhe wohnst, gewähre vollkommene Ruhe unter den schützenden Schwingen deiner Gegenwart, inmitten der Heiligen und Reinen, die leuchten wie der Glanz des Himmels, gewähre sie *Nathan*, dem Sohn des *Binyamin*, der in die Ewigkeit gegangen ist, und in dessen Gedächtnis Mildtätigkeit geübt wird. Möge seine Ruhe im Paradies sein. Möge der Herr des Erbarmens ihn für immer unter den Schutz seiner Schwingen nehmen, und möge seine Seele in das Band ewigen Lebens aufgenommen werden. Möge der Herr sein Besitz sein, und möge er ruhen in Frieden. Amen.«

Nach einer kurzen, aber bewegenden Lobrede und weiteren Gebeten gehörte Adam zu denen, die zusammen mit Nathans Söhnen den Sarg schulterten und ihn hinaus auf den Friedhof trugen, wobei ihre langsame Prozession von dem feierlichen Gesang des Kantors begleitet wurde, der den schönen und bewegenden einundneunzigsten Psalm rezitierte.

»Wer im Schutz des Allerhöchsten wohnt, der ruht im Schatten des Allmächtigen. Ich sage vom Herrn, er ist meine Zuflucht und meine Burg, mein Gott, auf den ich vertraue. Denn er rettet dich aus der Schlinge des Jägers und aus allem Verderben. Er beschirmt dich mit seinen Flügeln, und unter seinen Schwingen findest du Zuflucht …«

Der Ritus am Grab war schlicht, während ein rauher Wind seufzend von den Yorkshire Downs hereinwehte.

»*Tzidduk ha'din* … Der Fels, sein Werk ist vollkommen, denn all seine Wege sind gerecht: Ein Gott der Treue und ohne Fehl, gerecht und recht ist er … Der Herr hat gegeben, und der Herr hat genommen, gesegnet sei der Name des Herrn … Möge er zu seinem Ort in Frieden gelangen.«

Mit schlichter Endgültigkeit wurde der Sarg in die Erde gesenkt. Danach traten, beginnend mit Peter und Lawrence, diejenigen nach vorn, die ihm die letzte Ehre erweisen wollten, indem sie drei Schaufeln Erde auf den Sarg warfen; die Schaufel wurde nicht vom einen zum anderen weitergegeben, sondern aufrecht in dem Erdhaufen neben dem Grab stecken gelassen. Als Peter Adam vor der Feier darüber unterrichtet hatte, was ihn erwartete, hatte er erklärt, diese Geste drücke die Bitte aus, daß die Tragödie des Todes nicht weitergegeben werden möge.

Das Schweigen wurde nur durch den Laut der Schaufel unterbrochen, wenn sie in die Erde gestoßen wurde und dabei gelegentlich klirrend an einen Stein stieß, und durch das Geräusch der fallenden Erde, das zuerst auf dem hölzernen Sarg hohl klang und dann, als sich das Grab allmählich füllte, dem leiseren, kompakteren Geprassel von Erde auf Erde wich. Als Adam an die Reihe kam, machte er aus jedem seiner drei Erdopfer ein Gebet und entnahm die Worte seines stummen Abschieds seinem keltischen Erbe.

Segen im Namen des Vaters von Israel,
Segen im Namen des Rabbi Jesus,
Segen des Geistes, der über den Wassern schwebte –
So mögest du gesegnet sein, auf der Reise deines Weges …

Er stieß die Schaufel in den Erdhaufen neben dem Grab und neigte den Kopf, trat zurück und verschmolz mit der Menge.

Die Zeremonie ging weiter, bis das Grab vollständig gefüllt war, wobei die Männer sich bei der ernsthaften Arbeit des Schaufelns ablösten, sobald die symbolischen Gesten vollzogen waren. Nachdem dann der Rabbi ein weiteres Gebet gesprochen und die versammelten Trauernden bei der Rezitation eines Psalms angeführt hatte, traten Peter und Lawrence vor, um zum ersten Mal für ihren Vater Kaddisch zu sprechen – ein uraltes Gebet, das Adam vor vielen Jahren von Nathan gelernt hatte und das er nun zusammen mit den Menschen, die um ihn standen, betete, indem er ernst die Responsorien als Antworten auf Nathans Söhne sprach.

»*Yisgadal v'yiskadash sh'me rabbah*«, lasen die beiden, »*b'olmo d'hu asid l'is-chadosho …*« Verherrlicht und geheiligt sei sein großer Name in der Welt, die er erneuern wird, indem er die Toten wiederbelebt und sie zu ewigem Leben auferstehen läßt … Möge er rasch sein Königreich während deiner Lebenszeit errichten und während des Lebens des ganzen Hauses Israel, und laßt uns Amen sagen. Sein großer Name sei gesegnet für immer und in Ewigkeit! Gesegnet, gepriesen, verherrlicht und erhöht sei der Name des Heiligen, gesegnet sei er. Er ist größer als alle Segnungen, Hymnen, Loblieder und Trostworte, die in dieser Welt geäußert werden können, und laßt uns Amen sagen. Es sei reichlicher Friede vom Himmel und Leben für uns und für ganz Israel, und laßt uns Amen sagen.

»Oseh shalom bimeromav, Hu ya'aseh, alenu v'al Kol yisroel; v'imru amen.«

Als das letzte Gebet gesprochen und der letzte Psalm rezitiert worden war, bildeten die Anwesenden eine Doppelreihe, zwischen der die Familie hindurchging, wobei ihr mit einer uralten Formel Trost zugesprochen wurde: *»Ha'mukom yenachem et'chem b'toch she'ar avelei Tziyon vi'Yerushalayim.«* Möge der Allgegenwärtige euch trösten zusammen mit allen Trauernden von Zion und Jerusalem.

Adam verweilte noch ein wenig, während der Rest sich langsam in Richtung auf die Autos zu zerstreuen begann, und er beobachtete, wie einige der Anwesenden Gras abrupften und es hinter sich warfen. Andere hielten inne, um kleine Steine auf das Grab zu legen, wobei sie den Kopf senkten – eine israelische Sitte, wie Lawrence ihm erklärt hatte, mit der man um Verzeihung aller Ungerechtigkeiten bat, die man dem Verstorbenen gegenüber begangen haben mochte. Adam neigte den Kopf und versprach Nathan stumm, an der Aufgabe festzuhalten, die ihm gestellt war, selbst wenn sie im Augenblick überwältigend zu sein schien. Er hatte sich gerade umgewandt, um sich zu den Übrigen zu gesellen, und wollte auf das Auto zugehen, in dem er mit einigen von Nathans entfernteren Verwandten gekommen war, als Peter Fiennes sich von der engsten Familie löste, wobei er seine Mutter in der Obhut seines Bruders zurückließ, und neben Adam trat.

»Noch einmal Dank dafür, daß Sie gekommen sind«, sagte er ruhig. Er zögerte ein bißchen, dann fügte er hinzu: »Ich wußte nicht, daß Sie mit dem hebräischen Ritual so vertraut sind. Ihr Akzent ist fast besser als meiner.«

»Ich verdanke meine Belehrung deinem Vater«, sagte Adam mit einem leichten Lächeln. »Als wir beide in

Cambridge waren, ertrank ein enger Freund von mir bei einem Bootsunglück, und ich bat deinen Vater, mich zu lehren, für ihn Kaddisch auf Hebräisch zu beten. Es ist eines dieser universellen Gebete, die aus dem Herzen der Menschheit sprechen. Nathan war immer der Auffassung, daß ein gemeinsamer Durst nach der Vereinigung mit dem Göttlichen alle wahrhaft spirituellen Menschen vereint, ganz gleich, welcher formellen Religion sie angehören mögen.«

Peter nahm diesen Tribut mit einem matten Lächeln entgegen. »Das klingt gewiß nach Dad. Er hatte Glück, daß er Sie als Freund hatte. Wenn überhaupt jemand das Siegel für ihn zurückholen kann, dann sicher Sie. Ich wünschte, ich könnte mehr tun, um Ihnen zu helfen, als Sie nur einfach in ein paar Stunden zum Flughafen zu fahren.«

»Bete einfach für unseren Erfolg«, sagte Adam, »und das meine ich ganz buchstäblich.« Er lächelte und fügte hinzu: »Eigentlich gibt es etwas Konkreteres, was du tun könntest, nämlich mich den Rest der Aufzeichnungen deines Vaters zum weiteren Studium mitnehmen zu lassen. Es sieht allmählich so aus, als müßten wir mit Henri Gerard reden, aber wir wissen immer noch nicht genau, womit wir es zu tun haben. Und wenn in den nächsten paar Tagen noch etwas zum Vorschein kommen oder dir etwas einfallen sollte, das von Bedeutung sein könnte, dann laß es mich bitte wissen.«

»Das werde ich natürlich tun«, stimmte ihm Peter zu. »Und nehmen Sie die Notizen auf jeden Fall mit. In Ihren Händen können sie vielleicht noch etwas Gutes bewirken.«

»Das hoffe ich von Herzen«, erwiderte Adam. Ihn beherrschte der Gedanke, daß er und McLeod schwer zu tun haben würden, wenn Nathan friedlich in seinem Grab ruhen sollte.

Als er wieder im Haus der Fiennes war, wohin sich viele der Teilnehmer an der Bestattung zurückgezogen hatten, um ihre Kondolenz auszusprechen und einen leichten Imbiß, bestehend aus Ringkrapfen und Kaffee, einzunehmen, entschuldigte sich Adam und begab sich ins Obergeschoß hinauf, um zu packen. Dann ging er in Nathans Studierzimmer, wo er dessen restliche Aufzeichnungen in eine Aktentasche packte, die er dort fand, und dann McLeod im Büro anrief.

»Hallo, Noel«, sagte er ohne lange Einleitung. »Gibt es schon Fortschritte in Sachen Gerard?«

»Ein wenig – wenn man es so sagen kann«, erwiderte McLeod ohne große Begeisterung. »Die Adresse und die Telefonnummer, die wir unter seinem Namen in Nathans Unterlagen fanden, sind richtig, aber Gerard ist nicht zu Hause. Um es kurz zu machen: er ist vermutlich zu einem vierwöchigen Camping-Urlaub nach Zypern gefahren.«

»Das paßt ja.«

»Ja, das dachte ich auch«, pflichtete ihm McLeod säuerlich bei. »Meinem Freund Treville zufolge hat unser Mann ein Rückflugticket nach Nikosia gekauft und am Montag letzter Woche beim Reisebüro abgeholt. Gezahlt hat er mit einer Kreditkarte. Seine Bankauszüge zeigen, daß er am selben Tag eine beträchtliche Summe von seinem Festgeldkonto abgehoben hat.«

»Wie beträchtlich?«

»Fast zehntausend Pfund – mehr, als er für einen Camping-Urlaub brauchen würde«, antwortete McLeod. »Aber es ist bekannt, daß Gerard Antiquitäten sammelt. Man könnte argumentieren, daß er einfach genügend Bargeld dabei haben wollte, für den Fall, daß er im Urlaub auf einen unwiderstehlichen Fund stößt. Trevilles Leute versuchen noch herauszufinden, ob er kürzlich Camping-Gerätschaften gekauft hat, aber da könnte man wiederum argumentieren, daß er schon die ganze Ausrüstung hatte, die er braucht. Also entscheiden Sie.«

»Falls es sich um eine Tarnung handelt, dann ist sie

ziemlich nützlich«, meinte Adam. »Ich würde nicht gerne den Aufenthaltsort eines Campers auf der Reise ermitteln müssen. Hat jemand verifiziert, ob Gerard die Reise tatsächlich angetreten hat?«

»Treville hat es von Interpol überprüfen lassen«, sagte McLeod, »und man hat bei den zypriotischen Behörden nachgefragt. Die Leute von der Fluggesellschaft wie auch die von der Paßkontrolle zeigen in ihren Unterlagen, daß am Mittwoch, dem 11., ein Monsieur Henri Gerard in Paris das Flugzeug bestiegen und in Zypern wieder verlassen hat. Aber Sie und ich wissen, daß das nicht unbedingt etwas bedeutet. Mit ausreichend Geld und einem gefälschten Paß könnte sich unser Mann binnen Stunden nach seiner Ankunft auf zyprischem Boden ein weiteres Ticket nach London gekauft haben und dorthin abgereist sein, ohne daß jemand in Nicosia es merkte.«

»Soviel also zu dieser Spur«, erwiderte Adam. »Was gibt es noch?«

»Oh, ich bin noch nicht fertig«, sagte McLeod. »Da ich mich daran erinnerte, daß Peter Fiennes über Gerard sagte, er sei so etwas wie ein Spinner, bat ich Treville, ob er jemanden Erkundigungen über Gerards Persönlichkeit anstellen lassen könnte. Er unternahm die Ermittlungen selbst, und es stellte sich heraus, daß unser Mann eine Vorgeschichte emotionaler Instabilität hat. Seine Kollegen in den Kreisen französischer Altertumsforscher sagen, Gerards Interesse an den Tempelrittern grenze schon fast an eine Obsession; er ist fanatisch davon überzeugt, daß die Anklagen, die damals gegen sie vorgebracht wurden, wahr gewesen seien, und er hat sich vorgenommen, das zu beweisen. Er gründet diese Behauptung auf den Glauben, er sei tatsächlich die derzeitige Inkarnation eines mittelalterlichen französischen Adeligen, der damals diese Ereignisse miterlebte.«

»Sehr interessant«, murmelte Adam. »Wirklich sehr

interessant. Wenn an dieser Behauptung mehr dran ist als nur eine bloße romantische Phantasie, dann könnte sie viel erklären. Ich wäre neugierig zu erfahren, ob er eine esoterische Vergangenheit hat oder nicht. Wenn sein Interesse für Nathans Siegel auf ein früheres Leben zurückgeht, dann haben wir es vielleicht mit jemandem zu tun, der weit gefährlicher ist als ein bloßer Exzentriker.«

»Das war auch mein Gedanke«, erwiderte McLeod. »Haben Sie inzwischen mehr Erkenntnisse über das Siegel selbst bekommen? Wofür es schließlich da war und so weiter?«

»Noch nicht, aber ich arbeitete daran. Ich hatte einen interessanten Traum, den ich Ihnen erzählen werde, wenn ich wieder zu Hause bin. Inzwischen meine ich, es wäre am sichersten, wenn wir von der Annahme ausgehen, daß Gerard sich tatsächlich hier auf britischem Boden befindet. Zumindest würde ich gerne wissen, was er der Polizei von York über seine Bewegungen von vor zwei Tagen erzählt, falls man ihn ausfindig machen kann. Haben Sie Ihre Informationen schon an die Behörden hier in York weitergegeben?«

»Alle konventionellen Informationen, ja. Und Treville wird mir später noch ein Foto faxen. Was wollen Sie hinsichtlich der anderen Dinge unternehmen?«

»Einfach stillsitzen, bis ich nach Hause komme«, erwiderte Adam. »Haben Sie die Ausdrucke nach Strathmourne geschickt?«

»Ja, Donald ist gerade zurückgekommen. Ich habe mir die Freiheit genommen, ihn das Päckchen bei Peregrine abliefern zu lassen, und zwar mit der Anweisung, Peregrine solle die Sachen durchlesen, falls er eine Gelegenheit dazu hätte, und sehen, was für kalte Eindrücke er vielleicht bekäme. Sie haben doch nichts dagegen, oder?«

»Natürlich nicht. Ich hätte selbst daran denken sollen. Ich habe das Gefühl, daß wir ihn bei dieser Sache brauchen werden, bevor sie noch weiter vorankommt.« Er blickte auf seine Taschenuhr. »Sonst noch was? Ich sollte jetzt eigentlich hinuntergehen und mich noch etwas mit der Familie unterhalten, bevor Peter mich zum Flughafen fährt.«

»Nein, nichts weiter. Wir unterhalten uns, wenn Sie zu Hause sind.«

Der Flug nach Edinburgh startete in Leeds um 17.50 Uhr. Diesmal hatte Adam außer seiner Reisetasche eine lederne Aktentasche dabei, die mit Nathans Forschungsunterlagen vollgestopft war. Als er auf dem Flugsteig ankam, wartete kein Humphrey auf ihn, aber als er aus dem Terminalgebäude trat, entdeckte er seinen silberblauen Range Rover, der mit Humphrey am Steuer am Randstein stand.

»Leider habe ich den Verkehr falsch eingeschätzt, Sir«, sagte Humphrey, als er ausstieg und den Fond öffnete, damit Adam sein bescheidenes Gepäck hineinwerfen konnte. »Ich hätte Sie wie gewöhnlich am Flugsteig abgeholt, aber ich bin gerade erst angekommen.«

»Kein Grund zur Sorge, Humphrey. Fahren wir am Polizeipräsidium vorbei, damit ich den Jaguar mitnehmen kann.«

»Sehr wohl, Sir.«

Kurz nach sieben kamen sie nach Hause. Nachdem er den Jaguar abgestellt und Nathans Aktentasche in der Bibliothek abgelegt hatte, ging Adam nach oben, um sich kurz zu duschen, während Humphrey sich in die Küche begab, um ein schnelles Abendessen zu bereiten. Zwanzig Minuten später ging Adam erfrischt und entspannt in einem sauberen weißen Hemd und grauen Freizeithosen unter seinem gesteppten blauen Morgenmantel wieder hinunter in die Bibliothek, um vor dem Essen die Post auf seinem Schreibtisch durchzuschauen.

Das meiste war nicht dringend, doch ein Schreiben

fesselte seine Aufmerksamkeit besonders – eine formelle Einladung, gedruckt auf steifen cremefarbenen Karton, mit dem Wappenschild des modernen Ordens vom Tempel zu Jerusalem am Briefkopf. Er betrachtete sie einige Sekunden lang und fuhr geistesabwesend mit dem Daumen über die erhabene Prägung, dann nahm er das Telefon und tippte die Nummer ein, die unter der Zeile *RSVP Chev. Stuart MacRae* gedruckt stand. Er kannte MacRae durch ihr gemeinsames Interesse an der Restaurierung von Burgen. MacRae wohnte in einer teilweise restaurierten Burg weiter im Osten, in der Nähe von Glenrothes, und hatte Adam immer wieder bei der Restaurierung von Templemor beraten. Er war auch ein Experte in Sachen Templergeschichte.

»Hallo, Stuart, hier ist Adam Sinclair«, sagte er, als sich MacRaes herzhafte Baßstimme am Telefon meldete. »Ich hoffe, ich störe Sie nicht beim Abendessen.«

»Überhaupt nicht!« lautete MacRaes freundliche Antwort. »Ich hatte gehofft, bald etwas von Ihnen zu hören. Haben Sie unsere Einladung zur Investitur erhalten?«

»Ja, in der Tat«, erwiderte Adam. »Verzeihen Sie mir, daß ich mich nicht eher gemeldet habe, aber ich wurde am Montag unerwarteterweise weggerufen und bin erst jetzt wiedergekommen. Ich werde versuchen, daß ich es am Samstag schaffe, aber es hängt viel davon ab, wie die Dinge sich im Krankenhaus entwickelt haben, während ich weg war. Ich habe mich dort noch nicht einmal sehen lassen. Ich bin mir nicht sicher, ob ich es überhaupt wissen möchte.«

Am anderen Ende ertönte ein herzliches Lachen. »Das kann ich Ihnen nachfühlen«, antwortete MacRae. »Aber machen Sie sich wegen uns keine Sorgen. Kommen Sie, wenn Sie können – und wenn Sie nicht können, dann schicken Sie uns Ihre guten Wünsche. Da Sie ja eine Templerburg restaurieren, hoffe immer noch, daß wir Sie am Ende dazu überreden können, sich dem Orden anzuschließen.«

»Nun, ich fühle mich geehrt, daß Sie mich immer wieder danach fragen, aber ich habe schon zu viele Dinge, die meine Zeit in Anspruch nehmen«, sagte Adam unbefangen. »Jedoch können Sie mich gewiß zu den Freunden des Ordens zählen. Und ich hoffe, am Samstag diese Freundschaft durch meine Anwesenheit bestätigen zu können.«

»Tja, das hoffe ich auch.«

»In der Zwischenzeit rufe ich an, weil ich da eine Art Rätsel am Hals habe«, fuhr Adam fort. »Es hat mit der Geschichte der Templer zu tun, und ich hoffe, Sie können mir vielleicht ein paar Informationen geben.«

»Aha, nun denn«, sagte MacRae. »Über dieses Thema weiß ich etwas. Was wollen Sie wissen?«

»Ich brauche eine Verbindung«, sagte Adam und wählte seine nächsten Worte sorgfältig aus. »Haben Sie jemals etwas von einem gefährlichen Templergeheimnis gehört, das in Verbindung mit Dundee steht?«

»Ich nehme an, Sie meinen Bonnie Dundee, nicht die Stadt«, lautete MacRaes prompte Antwort, der sofort – im Gegensatz zu Adam – die Verbindung zu der Person hergestellt hatte. »Sie wissen natürlich, daß er zum Zeitpunkt seines Todes Großprior von Schottland war?«

»Wirklich?« sagte Adam und notierte sich *G.p. Schottland* auf der Rückseite eines Umschlags. »Erzählen Sie mir mehr.«

MacRae lachte leise. Offensichtlich genoß er die Gelegenheit, sein Wissen an einen aufnahmebereiten und verständnisvollen Zuhörer weiterzugeben.

»Nun, ein Teil davon würde die konventionellere Geschichtsschreibung wohl als Kryptohistorie betrachten, aber es gibt eine starke Tradition, daß Grahame of Claverhouse ein Templerkreuz am Hals trug, als er bei Killiecrankie fiel. Was nach der Schlacht aus dem Kreuz wurde, ist ungewiß, aber es wird einige Jahre später als im Besitz eines französischen Priesters namens Dom Calmet befindlich erwähnt. Ich würde vermuten, daß er es von David Grahame, Dundees jüngerem Bruder, erhielt. Ich würde viel darum geben zu wissen, wo es schließlich gelandet ist«, sagte er etwas wehmütig. »Das ist ein Gegenstand, der sich wirklich in der Obhut der Templer von Schottland befinden sollte.«

Adam schwieg einen Augenblick. Die Gedanken schwirrten ihm durch den Kopf. MacRaes Eröffnungen hatten ein völlig neues Licht auf seine Ermittlungen geworfen.

»Gibt es sonst noch etwas, das Sie wissen möchten?« fragte MacRae.

»Nein, Sie haben mir gerade reichlich Stoff zum Nachdenken gegeben«, sagte Adam. »Aber sagen Sie mir, wo könnte ich mehr über diese Verbindung zwischen Claverhouse und den Templern herausfinden?«

»Nun, falls Sie die Bücher von Michael Baigent und Richard Leigh verfolgt haben – sicher kennen Sie ihr Werk *Der Heilige Gral und seine Erben*, das sie zusammen mit Henry Lincoln verfaßt haben –, so ist viel in einem Buch mit dem Titel *Der Tempel und die Loge* davon die Rede. Es ist vor ein paar Jahren erschienen.«

Adams Blick war schon nach oben gewandert und hatte das Bücherregal zur seiner Rechten abgesucht. Er stand auf und kippte ein Buch in einem schwarzen Schutzumschlag heraus, auf dessen Rücken zwischen der roten Schrift des Titels und den weißen Lettern der Autorennamen das Quadrat und der Zirkel der Freimaurerei abgebildet war.

»Ja, ich habe ein Exemplar hier«, sagte Adam und klemmte den Hörer zwischen Schulter und Ohr, während er sich hinsetzte und zum Index des Buches zurückblätterte. »Danke, Stuart. Das ist vielleicht genau, was ich brauchte.«

»Es freut mich, Ihnen einen Dienst erwiesen zu haben«, erwiderte MacRae. »Können Sie mir vielleicht verraten, hinter was Sie her sind?«

»Einfach ein bißchen Forschung«, sagte Adam zurückhaltend. »Vielleicht kommt nichts dabei heraus. Ich denke daran, einen Artikel zu schreiben«, fügte er an, um jede weitere unnötige Neugier zu dämpfen.

»Aha, nun denn. Lassen Sie es mich wissen, falls ich Ihnen sonst noch mit etwas helfen kann.«

»Das werde ich bestimmt tun.«

Mit einem abschließenden Wort des Dankes und der Hoffnung, daß sie einander tatsächlich am Samstag sehen würden, legte Adam auf und lehnte sich in seinem Sessel zurück, um das Material über John Grahame of Claverhouse zu verschlingen. Er hatte den ganzen Band schon überflogen, als das Buch erschienen war, doch damals hatte er sich auf spätere Kapitel konzentriert, die mit den Verbindungen seiner eigenen Familie Sinclair mit der Begründung der Freimaurerei in Schottland und ihrer Rolle bei der Errichtung der Rosslyn Chapel südlich von Edinburgh zu tun hatten. Während er jetzt das leichte Abendessen einnahm, das Humphrey ihm auf einem Tablett gebracht hatte, las er die Abschnitte, die sich mit den Verbindungen von Claverhouse zu den Templern befaßten.

Als er mit beidem fertig war, schob er sein Tablett beiseite und ging zum Bücherregal zurück, um nach etwas Spezifischerem über das Leben und die Zeit von Bonnie Dundee zu suchen. Von all den Büchern auf seinen Borden, die sich mit verschiedenen Aspekten der schottischen Geschichte befaßten, war nur eins eine detaillierte Biographie von Dundee. Adam zog es heraus und ging zu seinem Liebslingssessel vor den Kamin, um darin zu lesen, dankbar für das Feuer, das Humphrey angezündet hatte, während er aß.

Das Buch war schon alt, was durch die Tatsache bezeugt wurde, daß das Exlibris auf der Innenseite des

Deckels den Namen von Adam Sinclairs Vater trug. Das Erscheinungsjahr war 1937. Adam nahm sich vor, etwas Neueres zu erwerben und suchte dann im Index nach einem Verweis auf die Templer – es gab keinen –, dann machte er sich an die Lektüre des Berichts über Dundees letzte Schlacht und deren Folgen. Er war gerade bei den letzten Seiten, als das Telefon läutete. Er ließ deshalb Humphrey in einem anderen Zimmer abnehmen – war allerdings nicht überrascht, als Humphrey ihn durchrief. Adam steckte einen Finger als Lesezeichen zwischen die Seiten, ging zum Schreibtisch hinüber und hob ab.

»Mr. Lovat ist in der Leitung, Sir«, erklärte Humphrey.

»Danke, Humphrey. Stellen Sie ihn bitte durch.«

Er setzte sich, während mehrfaches Klicken anzeigte, daß das Gespräch durchgestellt wurde.

»Hallo, Peregrine«, sagte Adam und wandte sich wieder dem Frontispiz seines Buches zu – einem verblaßten Schwarzweiß-Foto des Porträts eines gut aussehenden jungen Kavaliers. »Ich wollte Sie gerade anrufen. Hat Donald Cochrane heute nachmittag bei Ihnen vorbeigeschaut und einige Computerausdrucke von Noel gebracht?«

»Ja, das hat er«, antwortete die helle, fröhliche Stimme. »Ein faszinierendes Zeug. Da möchte ich am liebsten gleich anfangen, ein Porträt von John Grahame of Claverhouse zu malen. Aber was soll die ganze Sache von wegen dem gestohlenen Siegel?«

»Das ist eine lange Geschichte«, sagte Adam. »Wenn Sie bereit wären, das Material ins Haus heraufzubringen, würde ich Ihnen alles erzählen. Die Sache wird wahrscheinlich ohnehin Ihre Dienste erfordern, wahrscheinlich eher früher als später, und da könnte ich Ihnen genauso gut eine schnelle Einführung geben.«

»Gut!« erwiderte Peregrine. »Ich komme gleich hinauf. Vermutlich wird das einige Zeit erfordern?«

»Ich fürchte schon«, sagte Adam. »Hatten Sie andere Pläne für den Abend?«

»Überhaupt nicht. Ich wollte nur sichergehen, daß es sich lohnen würde, einen passenden Trank mitzubringen. Ich habe am Wochenende das Porträt von Janet Fraser fertiggestellt, und Sir Matthew schenkte mit eine Flasche mit hundert Jahre altem Portwein, die geradezu darum bettelt, verkostet zu werden. Julia macht sich nichts daraus, und der Wein ist viel zu gut, um ihn allein zu trinken.«

»Hundertjähriger Portwein?« fragte Adam mit einem anerkennenden Glucksen. »Soll ich Humphrey mit dem Bentley zu Ihnen hinunterschicken, um Sie und den Wein abzuholen? Ich möchte nicht einmal daran denken, daß der Wein herumgeschüttelt oder aufgeschreckt wird.«

Peregrine lachte. »Er ist gut in Stroh verpackt, aber ich verspreche Ihnen, ich werde sehr langsam fahren. Brauchen Sie sonst noch etwas?«

»Ja, es gibt tatsächlich etwas, was Sie mitbringen könnten«, sagte Adam und blickte wieder auf das Buch auf seinem Schoß. »Gehen Sie einmal Ihre Kunstbücher durch und schauen Sie, ob Sie irgendwo eines der Dundee-Porträts finden. Ich habe hier eins, aber das ist das von Melville, das gemalt wurde, als er Anfang Zwanzig war. Ein charmantes Porträt, aber ich suche ein späteres, das ihn mehr so zeigt, wie er etwa zur Zeit seines Todes aussah.«

»Sie wollen also das Glamis-Porträt haben«, sagte Peregrine. »Das ist das, was man üblicherweise sieht. Ich bin mir sicher, ich habe hier irgendwo einen Druck davon. Ich schaue mal, was ich sonst noch finden kann. In fünfzehn bis zwanzig Minuten bin ich bei Ihnen oben.«

Kapitel 6

Dann war es doch eher eine halbe Stunde, bis Peregrine mit einem überdimensionalen Kunstbuch, einem großen Versandumschlag im Arm und einem erwartungsvollen Blick im Gesicht eintraf. Humphrey folgte ihm mit der dunkelgrünen Flasche alten Portweins; er trug den Strohkorb mit einer feierlichen Ehrfurcht, wie man sie gewöhnlich für heilige Reliquien aufbietet.

»Ach, da sind Sie ja«, sagte Adam lächelnd, während er sich erhob und die Hand des Jüngeren schüttelte. »Und ich sehe, daß Humphrey mit der ernsten Verantwortung betraut wurde, den Port zu tragen. Sollen wir ihm erlauben, die Flasche zu öffnen?«

»Auf jeden Fall«, sagte Peregrine mit einem Grinsen und deponierte seine Sachen auf dem Tisch vor dem Feuer, wo Adam Platz machte. »Und gießen Sie auch ein Glas für sich selbst ein, Humphrey.«

»Vielen Dank, Sir«, erwiderte dieser. Ein vergnügtes Lächeln huschte über seine sonst so gleichmütigen Züge.

Während der Butler sich zurückzog, um den Portwein auf einem Sideboard aus der Zeit James VI. abzusetzen und die notwendigen Requisiten wie Korkenzieher und Kristallgläser zusammenzutragen, ließ sich Peregrine in dem Sessel nieder, der Adam gegenüberstand, und legte den Umschlag beiseite, dazu ein schmales Büchlein über Gemälde in Gebäuden, die dem National Trust for Scotland gehörten. Er nahm das große Kunstbuch in die Hand und senkte den Kopf auf der Suche nach der Stelle, die er markiert hatte.

Peregrine Lovat war ein schlanker, blonder junger Mann von mittlerer Größe und eleganter Haltung. Gerade dreißig geworden, hatte er sich schon einen Namen als einer der wichtigsten jungen Porträtmaler in Schottland gemacht und bekam zunehmend bedeutsame Aufträge. Seine Kleidung spiegelte den Instinkt eines Künstlers für Farbe und Textur wider: ein knubbeliger Fair-Isle-Pullover in gedämpften Grau- und Cremetönen über einem cremefarbenen Seidenhemd und gelbbraunen Freizeithosen – ein subtiler Hintergrund für das helle Haar, das ihm lang in die Stirn hing. Die haselnußbraunen Augen hinter der goldgefaßten Brille strahlten mit einer Freude und Zielstrebigkeit, die in dem Jahr, seit er Adam kennengelernt hatte, zum Vorschein gekommen und ständig gewachsen waren.

Denn Peregrine Lovat besaß auch die Gabe des *Sehens*, die Fähigkeit, sein Künstlerauge auf eine Szenerie vergangener psychischer Intensität zu richten und sich Bilder ins Bewußtsein zu rufen – und diese Bilder dann in Trance zu zeichnen oder zu malen. Derartige Visionen waren ziemlich belastend gewesen, bevor er gelernt hatte, sie zu beherrschen; doch weit verstörender war das Auftreten eines parallelen Talents gewesen, nämlich manchmal in die Zukunft zu schauen – eine niederschmetternde Erfahrung, wenn sie bedeutete, daß er den Tod eines seiner Modelle vorhersah.

Die Verzweiflung über einen solchen Tod hatte ihn dazu getrieben, vor fast einem Jahr Adam in seiner beruflichen Eigenschaft als Psychiater um Hilfe zu bitten. Seit jener Zeit hatte er mit Adams Unterstützung gelernt, seine Gaben zu lenken, so daß sie jetzt nur noch auf Befehl hervortraten, und das vor allem, wenn er mit Adam und McLeod als forensischer Zeichner sehr besonderer Art zusammenarbeitete. Die Fähigkeit, am Ort eines Verbrechens einen Blick auf frühere Ereignisse zu erhaschen, war von unschätzbarem Wert, wenn sie mit der einzigarten Weise der Gesetzesvollstreckung verknüpft wurde, in der Adam und McLeod – und jetzt auch Peregrine – so oft engagiert waren.

»Hier haben wir's«, sagte Peregrine, öffnete das Buch bei einer ganzseitigen Farbtafel und drehte es so, daß Adam die Abbildung betrachten konnte. »Ich glaube, das ist das Bild, das Sie haben wollen.«

Adam nickte, zog das Buch auf seinen Schoß und studierte den Mann, der ihn aus der Buchseite heraus anschaute. Das Gesicht auf dem Bild war ein wenig in der Art aller Porträts des späten siebzehnten Jahrhunderts stilisiert, es gehörte einem eleganten royalistischen Edelmann, der in hellbraunen Seidensamt gehüllt war, lange weiße Hemdärmel und am Hals ein Spitzenjabot trug, und an dessen Taille ein Brustpanzer hervorschimmerte. Das ovale Gesicht, gutaussehend und kultiviert, war von üppigem kastanienbraunem Haar umrahmt, die Sensibilität des fein geschnittenen Mundes fand einen Kontrast in den schwerlidrigen dunklen Augen. Die Legende unter der Farbtafel identifizierte den Dargestellten als John Grahame of Claverhouse, Viscount Dundee, gemalt von Sir Godfrey Kneller.

»Es ist allgemein als das Glamis-Porträt bekannt«, erklärte Peregrine, »da es Teil der auf Glamis Castle untergebrachten Sammlung ist. Es wurde nur zwei Jahre vor seinem Tod in London gemalt. Ich habe auch den Druck eines anderen Gemäldes gefunden, das auf Fyvie Castle aufbewahrt wird«, fuhr er fort, öffnete das kleinere Buch und legte es auf das erste. »Dies ist ein ziemlich kleines Foto, und es ist schwarzweiß, aber man bekommt einen allgemeinen Eindruck. Ich habe das Original gesehen. Es stammt von einem ziemlich unbekannten schottischen Künstler namens John Alexander, der damit ein Original von Sir Peter Lillie kopiert hat. In den Unterlagen, die ich zu Hause habe, konnte ich keine weitere Erwähnung des Lillie-Porträts finden, aber wenn es wichtig ist, kann ich morgen immer noch nach Edinburgh fahren und mich in der Kunstabteilung der Universitätsbibliothek umschauen.«

Adam drehte die zweite Reproduktion zu einem besseren Blickwinkel ins Licht. Sie zeigte eine etwas jüngere Version desselben Gesichts, gekrönt von einem oval gemalten Kranz. Von den beiden Versionen schien die zweite technisch weniger brillant, aber in ihrer Zeichnung der Gesichtszüge menschlicher.

»Nein, ich glaube, die reichen aus«, murmelte Adam und lehnte sich in seinem Sessel zurück, als Humphrey mit einem Silbertablett kam, auf dem drei mit rubinrotem Wein gefüllte Gläser standen, die wie Kristalldisteln geformt waren. »Keines von beiden zeigt, wonach ich wirklich suche. Und das Melville-Porträt, das ich schon gesehen habe, ist viel zu jung. Ah, danke, Humphrey«, fügte er hinzu, als der Butler das Tablett zuerst Peregrine, dann Adam hinhielt und schließlich selber das dritte Glas nahm. Während Adam sein Glas hob, klemmte Humphrey das Tablett unter seinen freien Arm.

»Darf ich einen Toast aussprechen?« fragte Adam Peregrine.

»Ja, bitte.«

»Dann also auf Sir Matthew Fraser – den Geber der Gabe«, sagte er mit einem Lächeln, »und auf Peregrine, dessen Künstlerschaft zweifellos den Wein verdient hat und dessen Großzügigkeit ihn veranlaßt hat, ihn mit uns zu teilen.«

»Und vergessen Sie nicht Janet, Lady Fraser, deren Schönheit die Kunst inspirierte«, fügte Peregrine galant hinzu.

»Hört, hört«, pflichtete ihm Adam bei. »Auf alle, die einen Anteil daran hatten, uns diesen exzellenten Wein zu bringen – auch auf Humphrey, der ihn eingegossen hat. *Slàinte mhór!* Auf Ihr Wohl, meine Herren!«

Alle drei nippten prüfend. Zufriedene Gesichter verrieten ihren Genuß, dann schaute Humphrey Adam an und hob fragend sein Glas.

»Wenn es sonst nichts weiter zu tun gibt, Sir, dann überlasse ich Sie und Mr. Lovat Ihrer Arbeit. Und darf ich hinzufügen, Sir – auf gute Jagd?«

»Sie dürfen in der Tat, Humphrey. Danke«, erwiderte Adam.

Sie tranken darauf, und als Humphrey gegangen war, wobei er die Flasche auf dem Tablett neben Adams Ellbogen zurückgelassen hatte, schaute Peregrine seinen Mentor erwartend an und nahm einen weiteren Schluck von seinem Portwein.

»Also, was hat Dundee mit diesem verschwundenen Siegel zu tun?« fragte der junge Künstler. »Und stimmt es, daß das Siegel genug Geld einbrachte, um den ganzen Bauernaufstand zu finanzieren?«

Adam zog überrascht eine Augenbraue hoch. »Bringt Nathan das Siegel mit dem Bauernaufstand in Verbindung?«

»Gewiß doch.« Peregrine klopfte auf den großen Umschlag. »Davon handelt teilweise dieses Dokument. Hat Noel es Ihnen nicht gesagt?«

Adam schüttelte den Kopf. »Ich denke, er hatte noch gar nicht die Gelegenheit, die Ausdrucke gründlich zu lesen. Erzählen Sie mir mehr davon.«

»Nun, Ihr Freund Nathan berichtet über eine Theorie, daß geheime Überlebende aus der Auflösung des Templerordens eine Art Untergrundbewegung gebildet hatten und die treibende Kraft hinter dem Bauernaufstand von 1381 waren. Es gibt Indizien, die darauf hinweisen, daß diese Revolte nicht ganz spontan war, und daß viele Aspekte im voraus geplant waren.«

»Was veranlaßt ihn zu einer solchen Aussage?« fragte Adam, stellte sein Glas beiseite und zog den Umschlag zu sich.

»Anscheinend eine Menge Dinge. Zum Beispiel trugen viele der Rebellen eine Livree, fast eine Art Uniform – ein weißes Umhängetuch mit Kapuze und einer roten Quaste. In einer einzigen Stadt allein – ich glaube, es war in Beverly – sollen es *fünfhundert Mann* getragen haben. Denken Sie nur daran, was das allein erfordern würde, selbst heutzutage. Und vor sechs Jahrhunderten, als alles Tuch erst hergestellt werden mußte: zuerst das Garn spinnen, dann das Tuch weben, dann die Dinger zusammenfügen und von Hand nähen ... Und Nathan zeigt die interessante Ähnlichkeit zwischen diesen ›Umhängetüchern mit Kapuzen‹ und den weißen Mänteln mit rotem Kreuz auf, die die Templer trugen.«

Während Peregrine sprach, hatte Adam den Umschlag geöffnet, jetzt bedeutete er dem Künstler mit der Hand, er möge einen Augenblick innehalten, während er die Ausdrucke herauszog und sie durchzublättern begann. Er war mit dem allgemeinen Hintergrund des Bauernaufstandes vertraut. Überlastet durch hohe Steuern und ungerechte Arbeitsbeschränkungen hatte sich im Juni 1381 die Bauernschaft von England gegen ihre harte Regierung erhoben und das Land mit der Rebellion in Brand gesteckt, angeführt von einem abtrünnigen Priester namens John Ball und einem weiteren Mann ungewisser Abstammung, der nur als Wat the Tyler bekannt war. Die Bauernarmee war nach London marschiert, hatte die Stadt im Sturm erobert und hätte vielleicht die englische Monarchie gestürzt, wenn Tyler nicht während einer Unterhandlung mit dem jungen König Richard II. und dessen Ministern verräterischerweise ermordet worden wäre.

Das war der Kern der üblichen Geschichte des Aufstands. Doch während Adam überflog, was Nathan geschrieben hatte und sich dabei vornahm, dessen Quelle zu überprüfen, ein Buch mit dem Titel *In Blut geboren* von einem gewissen John J. Robinson, da tat sich eine weitere Interpretation auf – daß praktische Beratung und Anleitung durch die Templer den Aufstand unterstützt hatte und daß Geldmittel der Templer Ausrüstung und Informationen beschafft hatten. Die Theorie der Intervention durch Nachfolger der Templer ergab einen Sinn, denn keine frühere Templereinrichtung war dem Zorn der marschierenden Bauern zum Opfer gefallen – obwohl die Männer sich große Mühe gegeben hatten, die Besitztümer der Johanniter niederzubrennen und zu plündern; die Hospitaliter hatten von der Auflösung der Templer profitiert und viel früheren Templerbesitz erworben. Und was die Idee betraf, daß Nathans Siegel die Geldmittel geliefert hatte …

»Es ergibt einen Sinn«, murmelte Adam und ließ die Blätter sinken. »Wir wissen schon, daß Graeme of Templegrange, der das Siegel verpfändete, Land besaß, das früher den Templern gehört hatte. Falls es noch eine Untergrundorganisation früherer Templer und ihrer Nachkommen gab und Grame of Templegrange ihr angehörte, so folgt daraus, daß er vielleicht Befehle von seinen Oberen bekommen hatte, das Siegel zu verpfänden, um Geld zu beschaffen für einen letzten Versuch der Templer, ihre frühere große Bedeutung zurückzugewinnen.«

Peregrine nickte. »Nathan scheint überzeugt gewesen zu sein, daß dies der Grund war, warum das Siegel verpfändet – und warum es nie mehr ausgelöst wurde, da der Bauernaufstand scheiterte. Unser Graeme of Templegrange wurde vielleicht getötet, und niemand sonst wußte, wohin das Siegel verpfändet worden war. Oder man war nicht in der Lage, das Geld dafür aufzubringen. Und so kam es, daß das Siegel all die Jahre im Besitz von Nathans Familie blieb.« Er seufzte. »Aber das erklärt immer noch nicht, warum das Siegel so wertvoll sein soll, damals oder heutzutage. Was ist es wirklich? Und was hat es mit Grahame of Claverhouse zu tun?«

Adam setzte sich bequemer in seinem Sessel zurecht

und verschränkte seine Finger. Er wählte seine Worte mit Sorgfalt, denn er arbeitete in Gedanken immer noch an einer Lösung.

»Diese letzte Frage kann ich nicht beantworten«, sagte er. »Claverhouse war offenbar ein Templer, aber ich kann noch keine Verbindung zwischen ihm und dem Siegel herstellen. Was das Siegel selbst angeht ...« Er blickte den jungen Künstler nachdenklich an.

»Ich nehme an, daß Noel Ihnen einiges von den Umständen des Todes von Nathan Fiennes erzählt hat. Was er Ihnen vielleicht nicht sagte – und was anscheinend nicht in den Aufzeichnungen zur Sprache gekommen ist, die Sie gelesen haben –, ist, daß es sich bei dem Siegel, von dem wir sprechen, um kein gewöhnliches archäologisches Artefakt handelt. Nathan selbst schien davon überzeugt zu sein, daß es das wahre Siegel Salomons ist.«

Peregrine blinzelte und stieß einen leisen Pfiff aus.

»Du lieber Himmel, glauben Sie, das stimmt?«

»Das muß man noch sehen«, erwiderte Adam grimmig. »Nathan sprach von einer großen Macht und einer drohenden Gefahr, und beschrieb das Siegel als *einen Schlüssel, um ein tödliches Übel vor der Welt verschlossen zu halten*. Er teilte auch mit, daß das Siegel irgendwie mit einer geheimen Verantwortung verbunden ist, die einmal die Bürde der Tempelritter war. Er glaubte, das Siegel besitze gewisse geheime Kräfte.«

»Was für – Kräfte?« fragte Peregrine zögernd.

»Das muß man auch noch sehen. Nathan wurde ermordet, bevor er es herausfinden konnte. Aufgrund eines Traums, den ich letzte Nacht hatte, würde mich nur wenig überraschen. Wenn ich jedoch von einem esoterischen Standpunkt aus spreche, so kann ich Ihnen sagen, daß es immer eine Tradition gegeben hat, König Salomon habe Autorität und Herrschaft über böse Geister gehabt. Wenn das stimmt und Nathans Siegel tatsächlich das Siegel Salomons ist, dann zögere ich, mir überhaupt vorzustellen, was es binden sollte, daß sein Besitz so viele Jahrhunderte hindurch ein wohlgehütetes Geheimnis gewesen war – und was da wohl lauern mag, bereit Schaden anzurichten, falls jemand lösen sollte, was das Siegel bindet. Ich habe einfache keine Ahnung.«

»Und die Obhut über das Siegel und sein Geheimnis war den Templern anvertraut worden?« fragte Peregrine nach ein paar Sekunden des Schweigens.

»So sieht es aus. Lassen Sie mich eine kurze Passage aus einem von Nathans Tagebüchern vorlesen.« Nathans Aktentasche stand neben seinem Sessel auf dem Boden. Adam zog einen der Bände heraus und öffnete ihn an einer Stelle, die durch einen Zettel markiert war.

»Dies ist der Verweis auf ein Dokument, das angeblich einen Teil der Aussage eines gewissen Renault le Clerque darstellt, eines Zeugen der französischen Krone, der gegen die Präzeptoren der Tempelritter in Paris aussagte. Nathan bekam es von jemandem mit den Initialen ›H. G.‹, von dem Noel und ich glauben, daß es sich bei ihm um Henri Gerard, einen von Nathans Rechercheuren, handelt. Die Polizei versucht ihn aufzuspüren, um ihn zu befragen. Auf jeden Fall ...« Er richtete seinen Blick auf den vor ihm liegenden Text.

»›H. G. kam heute morgen an‹«, las er, »›und brachte eine Kopie des versprochenen Manuskriptfragments bezüglich der Aussage von Renault le Clerque mit. In der Hauptsache sagt Renault lediglich zur Untermauerung der oft wiederholten Behauptungen aus, daß die Templer die üblichen Laster der Götzenanbetung praktizierten, das *Osculum Infame*, Sodomie, Teufelsanbetung und die allumfassende Sünde der Häresie. Aber es gibt auch ein faszinierendes Stück neuer Information – nämlich die Behauptung, der Generalpräzeptor des Ordens *habe schriftliche Verträge mit bösen Geistern abgeschlossen und diese Verträge mit einem bronzenen Siegel von hohem Alter beglaubigt, das ein geheimes Symbol trug.*

Die Beschuldigung selbst ist phantastisch, trotzdem scheint sie ein bedeutsames Körnchen Wahrheit zu enthalten‹«, fuhr Adam zu lesen fort. »›Obwohl Renault das Siegel nicht in genauen Einzelheiten beschreibt, scheint es wenig Zweifel zu geben, daß die Templer tatsächlich die Bewahrer eines solchen uralten Siegels waren. Wenn ich alles in Betracht ziehe, was ich habe herausfinden können, seit ich mit den Untersuchungen begann, so bin ich zunehmend davon überzeugt, daß es sich bei dem Siegel, das mein Vorfahr vor so langer Zeit von Graeme of Templegrange erhielt, um dasselbe handelt, das in Renaults Aussage erwähnt wird und das mit anderen Templerschätzen nach Großbritannien gebracht wurde, als die Templerflotte kurz vor den Verhaftungen von 1307 La Rochelle verließ.

Das hinterläßt uns immer noch viele interessante Fragen, die weiter ungelöst bleiben. Was war der ursprüngliche Zweck des Siegels? Was schützte es? Falls das Siegel nicht bei den Templern entstanden war: woher kam es? Und wie wurden diese Kriegermönche zu seinen Bewahrern?‹« Adam blickte auf.

»Er berichtet dann weiter, wie Gerard vorschlägt, ihm eine Metallprobe von dem Siegel zur Untersuchung zu schicken – und ich habe tatsächlich die Kopie eines Briefes gefunden, den er zu diesem Thema von der Sorbonne erhielt, und dieser Brief erhärtet das Alter des Siegels. Natürlich beweist das nicht, ob es wirklich Salomon gehörte«, schloß er.

Als er das Notizbuch zuklappte und beiseite legte, stieß Peregrine einen leisen Seufzer aus und schüttelte den Kopf.

»Tja, damit ist die Geschichte alles andere als ein einfacher Einbruchdiebstahl, nicht wahr?« bemerkte er.

»Und dieses Dokument könnte sicher die Verbindung zu den Templern erklären. Aber wo kommt Dundee ins Spiel?«

»Diese Frage stelle ich mir auch schon dauernd«, erwiderte Adam. »Abgesehen von der Tatsache, daß Dundee anscheinend ein Templer war, gibt es eine Lücke von dreihundert Jahren zwischen ihm und dem Siegel, die ich noch nicht überbrücken konnte.«

Er berichtete kurz, was er von MacRae über Dundee und das Templerkreuz, das dieser bei seiner letzten Schlacht trug, gehört hatte. Als er endete, waren Peregrines nußbraune Augen hinter der goldgefaßten Brille so groß wie die einer Eule.

»In dem Material, das ich gelesen habe, steht nichts davon«, sagte er. »Ich frage mich, ob Nathan von dieser Verbindung überhaupt etwas wußte.«

»Ich würde vermuten, daß er zumindest in die richtige Richtung ging«, sagte Adam. »Er glaubte sicher, daß Dundee irgendwo in diesem Puzzle eine Rolle spielte. Selbst wenn das alles hier nicht wäre«, er wies auf die Computerausdrucke, »so hatten seine letzten Worte damit zu tun, daß Dundee irgendwie der Schlüssel war oder ihn hatte. Damals dachte ich, er meinte die Stadt. Wenn ich darüber nachdenke, dann gibt es wirklich eine Burg in Dundee, die mit Bonnie Dundee verknüpft ist: Claypotts Castle.«

»Nun, ich glaube, es ist klar, daß er die Person meinte«, sagte Peregrine.

»Wahrscheinlich stimmt das«, pflichtete ihm Adam bei. »Aber verfolgen wir einmal diese Verbindung zu den Templern weiter. Wenn Dundee wirklich damals Großprior von Schottland war, folgt daraus, daß er – vielleicht sogar als *einziger* – von den höchsten Geheimnissen des Ordens wußte. Falls zu diesen Geheimnissen auch irgendein Wissen bezüglich des kollektiven Amtes des Ordens als Bewahrer des Siegels Salomons – oder dessen, worüber es wachte – gehörte, dann könnte unser Bonnie Dundee in der Tat über die Antworten verfügen, nach denen wir suchen.«

»Denken Sie etwa daran, einen Kontakt mit der historischen Persönlichkeit herzustellen, die John Grahame of Claverhouse war?« fragte Peregrine.

Adam nickte. »Das ist der kürzeste Schritt, der mir einfällt – allerdings stellt er in sich selbst eine gewisse Herausforderung dar. Wie Sie wissen, geht der wirksamste Weg bei einem solchen Vorhaben über einen materiellen Fokus, der uns mit Dundees persönlicher Vergangenheit verbinden würde.«

»Wie zum Beispiel das Templerkreuz, das Dundee trug, als er starb«, stellte Peregrine fest.

»Oder wenn das nicht zu finden ist, über einen anderen persönlichen Gegenstand, der eng mit Dundee verknüpft ist«, stimmte ihm Adam zu und wies auf die offenen Bücher. »Das war zum Teil der Grund, warum ich die Porträts haben wollte: um zu sehen, ob es etwas gab – ein Stück persönlichen Schmuck oder einen Ausrüstungsgegenstand –, das Dundee vielleicht immerzu bevorzugt trug. Wie Sie selbst sehen können, zeigen die drei Porträts keine gemeinsamen Merkmale dieser Art.«

»Aber gewiß muß doch ein Mann seines Formats *irgend etwas* als persönliches Erinnerungsstück hinterlassen haben«, überlegte Peregrine.

»Dem stimme ich zu«, erwiderte Adam. »Aber was? Wenn wir das Templerkreuz – das es vielleicht gar nicht mehr gibt – nicht mitzählen, dann kenne ich zwei Dinge. Auf Blair Castle werden ein Brustharnisch und eine Sturmhaube aufbewahrt, die angeblich Dundee gehört haben sollen. Ich habe sie einige Male gesehen. Leider wurden einige Jahre nach seinem Tod die ursprünglichen Gegenstände aus seinem Grab gestohlen. Schließlich fand man sie wieder, aber ihre Provenienz war nicht mehr ununterbrochen dokumentiert. Daher ist es überhaupt nicht sicher, daß die jetzt in der Burg ausgestellten Stücke echt sind.«

»Ich verstehe, worauf Sie hinauswollen«, bestätigte Peregrine und verzog das Gesicht. »Wie steht es mit anderen Gegenständen, die vielleicht mit ihm verknüpft waren? Ist es vielleicht möglich, daß wir das Templerkreuz ausfindig machen, das Sie erwähnt haben?«

»Das ist eine gute Frage«, sagte Adam, stand auf und ging zum Telefon. »Um sie zu beantworten, brauchen wir, glaube ich, den Rat von jemandem, der mit der Welt der britischen Antiquitäten und ihrer Sammler gründlich vertraut ist.«

Peregrine wußte nicht, wen Adam anrief, aber er bemerkte, daß sein Mentor sein Adreßbuch nicht zu Rate zu ziehen brauchte, bevor er die Nummer eintippte. Nachdem es am anderen Ende zweimal kurz läutete, kam ein gedämpftes Klicken, gefolgt vom fernen Gemurmel einer weiblichen Stimme. Adams enttäuschter Gesichtsausdruck und seine schnelle Sprechweise deuteten darauf hin, daß er es mit einem Anrufbeantworter zu tun hatte.

»Lindsay, hier ist Adam. Ich versuche persönliche Andenken ausfindig zu machen, die mit John Grahame of Claverhouse, das heißt: Bonnie Dundee, zu tun haben. Ich bin besonders daran interessiert herauszufinden, was aus einem Templerkreuz geworden sein mag, das Dundee angeblich zur Zeit seines Todes trug. Existiert ein solches Kreuz noch, und wenn ja, wer ist jetzt sein Besitzer?

Falls es keine Informationen über dieses spezielle Objekt gibt«, fuhr er fort, »würde ich mich freuen, von anderen diesbezüglichen Gegenständen zu hören, die Sie vielleicht kennen. Ich weiß schon von dem Brustharnisch und der Sturmhaube auf Blair Castle. Bitte rufen Sie in dieser Angelegenheit so schnell wie möglich zurück. Ich glaube, die Sache ist von einiger Dringlichkeit.«

Er legte den Hörer auf die Gabel zurück und ließ sich wieder in seinem Sessel neben dem Kamin nieder.

Peregrine hatte das Buch mit dem Kneller-Porträt genommen und blickte nachdenklich auf das gelassene Gesicht des Bonnie Dundee.

»Ich habe ein wenig nachgedacht«, verkündete er, als Adam wieder saß. »Es kann eine Weile dauern, bis sich Ihre Lindsay meldet, und selbst dann gibt es vielleicht nichts zu berichten. Eigentlich könnte ich doch morgen nach Killiecrankie hinauffahren und mich mal auf dem Schlachtfeld umschauen. Wer weiß, vielleicht wäre ich in der Lage, visuelle Resonanzen aufzufangen, die Dundee zum Mittelpunkt haben. Vielleicht könnte ich sogar verifizieren, ob er an jenem Tag ein Templerkreuz getragen hat. Ich könnte diese beiden Porträts als Fokus benutzen.«

Adam überdachte das Angebot, dann schüttelte er den Kopf. »Ich habe eine bessere Idee«, sagte er. »Sie sind auf der richtigen Spur, was die Technik angeht, aber richten wir die auf die St. Bride's Church im alten Blair. Dort wurde Dundee bestattet, auf dem Gelände von Blair Castle. Wenn wir uns in Killicrankie der genauen Stelle sicher sein könnten, wo er gestorben ist, dann wäre dies die bessere Wahl – doch selbst dann würde ich wegen der allgemeinen Nachwirkungen einer größeren Schlacht zur Vorsicht neigen.«

»Daran hatte ich nicht gedacht«, gab Peregrine zu.

»Nur deshalb, weil Sie nicht wußten, wo er bestattet wurde«, sagte Adam mit einem Lächeln. »Wenn Sie wollen, können wir auch einen Blick auf den Brustharnisch und die Sturmhaube werfen, wenn wir sowieso schon dort sind. So oder so dürften die Bilder, die Sie dort vielleicht auffangen, weit klarer und spezifischer sein als alle, auf die Sie in Killiecrankie selbst stoßen mögen.«

Peregrine nickte begierig. »In Ordnung, dann also nach Blair. Wie früh möchten Sie am Morgen losfahren?«

Adam mußte über diese ungetrübte Begeisterung unwillkürlich lachen.

»Immer mit der Ruhe. Es gibt Leute, die müssen erst ihre Morgenvisite machen, bevor wir irgendwohin fahren können. Denken Sie dran, ich bin zwei Tage weggewesen. Außerdem hätte ich gerne, daß Noel mit uns kommt, falls er sich freimachen kann. Ich werde ihm jetzt gleich mal anrufen und schauen, wie sein Plan für morgen aussieht. Wir können uns hier zum Lunch treffen, bevor wir losfahren, ganz gleich, ob er mitkann oder nicht.«

Kapitel 7

Kurz vor Mittag des nächsten Tages warf Peregrine Lovat eine rehbraune Lederjacke und einen leichten tragbaren Skizzenkasten auf den Beifahrersitz seines Morris Minor Traveller und fuhr die buchengesäumte Auffahrt zum Herrenhaus hinauf. Es hatte eine Zeit gegeben, da hatte er die visionären Schauungen seines Künstlertums als Fluch betrachtet, und in jenen dunklen Tagen hatte er es vermieden, irgendwelches Zeichenmaterial bei sich zu tragen, da er hoffte, auf diese Weise jede zufällige Herbeirufung der tiefen Sicht, die er so fürchtete, zu vermeiden.

Seither hatte er mit Adams Hilfe gelernt, dieselben Fähigkeiten der Wahrnehmung zu kontrollieren – und zu schätzen. Neuerdings verließ er selten seine Wohnung, ohne wenigstens einen Skizzenblock von Taschenbuchgröße mitzunehmen. Vor allem dann, wenn er einen Ausflug mit Adam Sinclair unternehmen sollte.

Er hielt im Schatten des Herrenhauses auf dem Hof an und parkte den Morris auf dem Kies außerhalb des Zugangs zum Stallhof, wo Adams Autos und sein eigens Alvis-Kabriolett in den Garagen untergebracht waren. Unten am Torhaus hatte er nur Platz für ein einziges Auto, und der alternde grüne Morris Minor war sein Arbeitspferd für den Alltag. Den Alvis hatte er von einer wohlhabenden Gönnerin geerbt, die ihn gern gehabt hatte – Lady Laura, Gräfin von Kintoul, die ihn mit Adam bekannt gemacht hatte und deren Tod der

Auslöser dafür gewesen war, Adams Hilfe zu suchen. Er steckte den Kopf in die Garage und bewunderte das alte Auto. Er dankte Lady Laura in Gedanken, wo immer sie jetzt auch sein mochte, dann meldete er sich am Seiteneingang, der für gewöhnlich von Adams engen Freunden und Bekannten benutzt wurde. Er wurde sogleich von Mrs. Gilchrist eingelassen, Adams tüchtiger und mütterlicher Haushälterin, die eine Schwäche für den ›jungen Mr. Lovat‹ hatte und ihm Tee und Brötchen anbot, bevor sie ihn in die Bibliothek geleitete, wo er auf Adam warten sollte. Peregrine lehnte das Angebot widerstrebend ab, denn sobald Adam mit McLeod eintraf, würde der Lunch nicht lange auf sich warten lassen, und danach mußten sie sich ziemlich schnell auf den Weg machen, falls sie genügend Zeit auf Blair Castle haben wollten, bevor das Licht nachließ.

Zwanzig Minuten später kündete das tiefe Brummen eines mächtigen Autos auf der Auffahrt die Ankunft von Adam in seinem Jaguar an. Peregrine trat an das Bibliotheksfenster und beobachtete, wie der Wagen vorüberfuhr, in Richtung auf die Garage, wo er gegen den praktischeren Range Rover ausgetauscht werden würde. Peregrine sah eine vertraute breitschultrige Gestalt auf dem Beifahrersitz, bei der es sich nur um Inspector Noel McLeod handeln konnte.

Während er zur Vordertreppe hinausging, um ihre Ankunft zu erwarten, dachte Peregrine über die beiden Männer nach. Ein Außenseiter hätte sie für unpassende Gefährten und Mitarbeiter gehalten. Sir Adam Sinclair, Baronet, Psychiater und Antiquitätensammler, war ein Vorbild würdevoller Schicklichkeit, groß und wohlproportioniert, immer elegant gekleidet und von einer zurückhaltenden Selbstsicherheit, von der Peregrine nie erlebt hatte, daß sie von ihm abfiel, selbst nicht in den belastendsten Situationen, die sie zusammen erlebt hatten. Im Gegensatz dazu war McLeod drahtig, kräftig und manchmal schroff in seinen Worten, mit einem hitzigen Temperament, das Peregrine ihm gegenüber ein wenig vorsichtig gemacht hatte, bis er den Inspector besser kennengelernt hatte.

Doch unter der Oberfläche waren die beiden enger miteinander verbündet, als es jemand außerhalb ihrer Gemeinschaft auch nur vermutet hätte. Beide waren okkulte Jäger von beachtlichem Geschick und erwiesener Tüchtigkeit, die sich einer Gerechtigkeitspflege widmeten, die für gewöhnlich von den konventionellen Vollstreckungsbehörden nicht wahrgenommen wurde. Obwohl Peregrine inzwischen oft bei ihren Unternehmungen dabeigewesen war, hegte er doch die Vermutung, daß er den vollem Umfang ihrer Macht und ihrer Jurisdiktion erst noch ausloten mußte. Als jüngstes Mitglied der Jagdloge war er sich nicht einmal sicher, ob er überhaupt schon alle Mitglieder der Gruppe kennengelernt hatte.

Eines war jedoch deutlich: daß diese Aufgabe mit einem Gutteil Gefahren verbunden war. Aber schließlich handelte es sich bei der Gefahr um das Komplement zur Herausforderung der Jagd.

Kurz darauf gesellten sich Adam und McLeod zu ihm. Adam zog sich kurz zurück, um seinen dreiteiligen Anzug gegen Kordhosen und ein kariertes Hemd mit einer Strickkrawatte auszutauschen – dies war ziemlich genau das, was auch Peregrine trug. McLeods Tweedanzug hatte schon ein ländliches Flair und würde ihn sicher durch den Nachmittag bringen.

»Tut mir leid, daß Sie warten mußten«, sagte Adam, als er in den Salon im Erdgeschoß kam, wo Humphrey schon den Tisch für den Lunch gedeckt hatte.

Bei Tandoori-Hühnchen, Kedgeree und Salat – dazu für jeden ein Glas weißen Zinfandel – berichtete McLeod, was im Lauf der Nacht im Hinblick auf die Suche nach Henri Gerard herausgekommen war.

»Bis jetzt konnte die zypriotische Polizei Gerards Anwesenheit in ihrem Gebiet nicht bestätigen«, informierte er die anderen, zog ein gefaltetes Stück Papier aus einer Innentasche und reichte es Adam und Peregrine, damit sie es anschauten. »Treville von der Sûreté konnte uns dieses Foto von Gerard faxen, das aus den Paßunterlagen stammt. Ich habe es vergrößern und vervielfältigen lassen und Kopien an Phipps unten in York sowie an die Sicherheitsleute auf den Flughäfen Heathrow, Gatwick, Manchester und Prestwick schicken lassen. Es ist eine ungewisse Vermutung, das gebe ich zu, aber irgend jemand könnte unseren Mann im Vorübergehen bemerkt haben. Vorausgesetzt natürlich, daß wir nicht einfach auf dem Holzweg sind. Es ist durchaus möglich, daß er in aller Unschuld auf Zypern kampiert.«

Adam tat diesen Gedanken mit einem Kopfschütteln ab. »Meine Instinkte sagen mir etwas anderes.«

»Meine auch«, stimmte ihm McLeod zu, »aber wir werden mehr als Instinkte brauchen, um mit diesem Fall voranzukommen.«

Als sie mit dem Lunch fertig waren, brachte sie eine Fahrt von zwanzig Minuten auf der A90 zur westlichen Umgehung von Perth. Von dort aus fuhren sie auf der A9 weiter nach Norden und Westen in Richtung Pitlochry, wobei die Straße allmählich in die Highlands hinaufkletterte. Der Tag war hell und trocken, und der Range Rover fraß in einer halben Stunde fast fünfzig Kilometer. Gleich hinter Pitlochry verließen sie die A9 und nahmen die Nebenstraße, die parallel dazu verlief, kamen durch den Paß von Killiecrankie und fuhren an den grünen Feldern entlang, die einst vom Blut der Schlacht getränkt gewesen waren.

»Sie können sehen, daß es da draußen nicht viel gibt, was als Fokus dienen könnte«, sagte Adam und zeigte auf die Abhänge, während sie daran vorüberfuhren. »Im Besucherzentrum des National Trust gibt es eine Ausstellung über die Schlacht, aber die wäre für das, was Sie vorhatten, nicht von großem Nutzen.«

Gleich hinter Killiecrankie führte die Straße unter der A9 hindurch und brachte sie in das Dorf Blair Atholl. Ein paar Minuten später kamen sie durch das Haupttor des Anwesens von Blair Castle, dem Sitz des Herzogs von Atholl, der auch der erbliche Chief des Clans Murray war. Die Burg erhob sich königlich über die Linden, die die Hauptallee säumten; seine dunklen Schieferdächer und der schneeige Rauhputz verliehen ihm eine verblüffend märchenhafte Erscheinung, die über die Jahrhunderte grimmiger Geschichte hinwegtäuschte. An einer Fahnenstange auf einem der Türme der Burg flatterte die hellblaue schottische Flagge mit dem weißen Andreaskreuz, nicht aber das herzogliche Banner, was bedeutete, daß der Herzog selbst nicht zu Hause war.

Mit der Unbefangenheit der Vertrautheit steuerte Adam den Range Rover auf den Besucherparkplatz und stellte den großen Wagen nahe dem Gehweg ab, der zum Besuchereingang hinaufführte. Als Peregrine hinter Adam und McLeod ausstieg, tat er einen tiefen Atemzug von der frischen, nach Holz duftenden Luft und beschloß, seine Lederjacke anzuziehen. In der Sonne war es warm genug, aber er hatte inzwischen schon bei genügend adeligen und länderreichen Familien gemalt, um zu wissen, wie kalt es in ihren stattlichen Wohnsitzen sein konnte. Ein kleiner Skizzenblock und eine Auswahl bevorzugter Bleistifte ruhte schon in der Innentasche der Jacke und erübrigte bei diesem Teil des Nachmittagsausfluges die Mitnahme seines Skizzenkastens.

Adam ging auf dem Weg zum Besuchereingang voran. Bevor er sich noch der jungen Frau am Schalter als Sponsor des National Trust vorstellen konnte, kam ein älterer Mann im dunkelgrün-blauen Kilt der Murrays of Atholl geschäftig aus dem dahinterliegenden Büro, und als er Adam entdeckte, erschien ein breites Lächeln auf seinem Gesicht.

»Sir Adam Sinclair! Ich hatte keine Ahnung, daß Sie vorhatten, bei uns vorbeizuschauen. Wie geht es Ihnen?«

»Danke, sehr gut, Davy«, antwortete Adam freundlich, und sie schüttelten einander die Hände. »Schön, Sie wiederzusehen. Noel, Peregrine – das ist David Alexander, der stellvertretende Verwalter der Burg. Davy, darf ich Ihnen zwei meiner Freunde vorstellen: Detective Chief Inspector Noel McLeod aus Edinburgh und Mr. Peregrine Lovat, dessen Porträts eines Tages durchaus hier auf Blair Castle hängen könnten, falls Seine Gnaden ein so scharfsichtiger Kenner künstlerischen Talents ist, wie ich von ihm annehme.«

»Erfreut, Sie kennenzulernen, Inspector. Und auch Sie, Mr. Lovat«, sagte Alexander, während er beiden die Hand schüttelte. »Leider haben Sie Seine Gnaden um ein paar Stunden verpaßt, Sir. Er ist heute morgen zu einem langen Wochenende nach London gefahren und wird vor Montag nicht zurücksein.«

»Das macht nichts«, erwiderte Adam. »Ich hatte gar nicht erwartet, Seine Gnaden zu Hause anzutreffen. Eigentlich sind wir drei heute unterwegs, um Touristen zu spielen, wenn ich das gestehen darf. Peregrine wollte einige Skizzen anfertigen. Könnte wir einfach mit den übrigen Besuchern in der Burg herumwandern?«

»Natürlich können Sie das. Nichts ist einfacher«, sagte Alexander freundlich. »Gibt es etwas, was Sie bevorzugt anschauen wollen? Ich wäre sehr glücklich, Ihnen als Führer dienen zu dürfen.«

»Das ist sehr freundlich«, sagte Adam. »Na, Peregrine?«

»Eigentlich würde ich gern die Erinnerungsstücke an Bonnie Dundee sehen«, erwiderte Peregrine und nahm geschickt sein Stichwort auf. »Wie ich höre, haben Sie hier in der Burg seinen Brustharnisch und seinen Helm. Er war für mich immer so etwas wie ein Held.«

»Da haben Sie recht«, sagte Alexander und nickte. »Die beiden Stücke sind in Earl Johns Zimmer ausgestellt. Kommen Sie mit mir, und ich führe Sie hin.«

Das fragliche Zimmer war ziemlich klein und dunkel und wurde von einem großen Bett dominiert, das mit altem rotem Samt behängt war. Eine schöne Sammlung von Porträts schmückte die Wände, darunter war auch eins von Earl John selbst, der zu seiner Zeit ein glühender Royalist gewesen war, sowie eines des Marquis von Montrose, der 1644 in Blair die Standarte des Königs aufgerichtet hatte. Die Dundee-Reliquien, die mit Draht am linken Fensterladen eines der Fenster befestigt waren, bestanden aus einer trüb angelaufenen Sturmhaube und einem zerbeulten Brustpanzer, in dem eine Kugel ein Loch hinterlassen hatte, das tatsächlich, wie Peregrine wußte, von einem der späteren Herzöge von Atholl hinzugefügt worden war, und zwar in der irrigen Annahme, daß damit die Rüstung authentischer aussähe. Eine Plakette, die unter dem Helm am Fensterladen befestigt war, bestätigte mit Details die Echtheit.

Eine andere Besuchergruppe war schon vor ihnen da, ging aber fast sofort weiter. Um Peregrine etwas Ungestörtheit zu ermöglichen, damit er die Reliquien untersuchen konnte, richtete Adam es so ein, daß er David Alexander mit Fragen über eine schön gearbeitete Großvateruhr in der anderen Ecke des Zimmers beiseite zog. Als Peregrine näher an das Fenster herantrat, ging McLeod hinter den anderen Besuchern her und postierte seinen Körper beiläufig zwischen Peregrine und dem Führer der Gruppe.

Peregrine verschloß seine Ohren vor den höflich gedämpften Stimmen seiner Begleiter und hielt einen kurzen Augenblick inne, um sich zu sammeln. Dann konzentrierte er seine Aufmerksamkeit eingehender auf die Rüstungsteile, die vor ihm am Fenster hingen. Sein passiv empfänglicher Blick konnte keine geisterhaften visuellen Resonanzen entdecken. Er rief sich ein Bild

Dundees in Erinnerung, wie er auf dem Kneller-Porträt dargestellt war, und wartete, um zu sehen, ob sich ein lebhafterer Eindruck einstellte. Einen kurzen Moment lang sah er den Brustharnisch ganz, ohne die kosmetische Ergänzung des Einschußloches, aber er konnte keine Spurenbilder des Mannes entdecken, der den Harnisch vielleicht getragen hatte. Enttäuscht holte er erneut tief Luft und schloß kurz die Augen, damit sein Blick sich wieder an die materielle Welt anpassen konnte.

»Schade, daß diese alten Stücke nicht sprechen können«, bemerkte er laut. »Aber es ist doch interessant, daß man sie wenigstens anschauen kann.«

Adam wandte sich um und blickte in seine Richtung. Offensichtlich hatte er dieser beiläufigen Bemerkung entnommen, daß sein junger Mitarbeiter nichts beobachtet hatte, was ihr Interesse wecken konnte.

»Haben Sie dann genug gesehen?« fragte er fröhlich. »Wenn dem so ist, dann gehen wir weiter.«

Um der Form Genüge zu tun, ließen sie sich von David Alexander auf einem schnellen Rundgang durch die Burg führen. Sie schienen nie in Eile zu sein, doch Peregrine mußte die Art und Weise bewundern, mit der Adam die Konversation so lenken konnte, daß sie sich flott durch die vielen Räume bewegten, die zur öffentlichen Besichtigung freigegeben waren. Der Rundgang endete eine halbe Stunde später am Lärchengang, der seinen Namen dem Holz verdankte, mit dem er getäfelt war. Dort schlug Adam höflich Alexanders Einladung zum Tee aus.

»Ich danke Ihnen für das Angebot, Davy, aber leider müssen wir wirklich weiter«, sagte er im Ton höflichen Bedauerns. »Ich wünsche mir besonders, daß Peregrine die alte Kirche sieht, wo Dundee bestattet ist, und das Licht wird zu schwach, wenn wir dort nicht rechtzeitig ankommen. Aber es ist schön gewesen, Sie wieder einmal zu sehen.«

Sie stiegen auf dem Parkplatz in ihr Auto und fuhren auf einer schmalen, waldgesäumten Nebenstraße zum alten Verwalterhaus und zur Str. Bride's Kirk, von der nur noch eine Ruine übrig war. Als sie dort parkten und den alten Kirchhof betraten, wurden die Schatten tatsächlich schon länger. Ein Stück weiter weg betrachteten ein paar andere Besucher einige Grabsteine, doch die schienen ganz in ihre eigenen Aktivitäten vertieft zu sein. Während Peregrine Adam und McLeod auf dem Grasstreifen neben den Grabmälern folgte – diesmal hatte er seinen Skizzenkasten dabei –, wurde er sich plötzlich eines feinen Prickelns seiner Sinne bewußt – und des klaren Gefühls, das er in der Burg nicht gehabt hatte –, daß er sich jetzt auf der richtigen Spur befand.

Sein Herzschlag beschleunigte sich, als sie sich durch den Friedhof fädelten und der Westseite der kleinen Kirchenruine näherten, einer von Flechten überzogenen Umfriedung, die zum Himmel hin offen lag. Sie gingen unter dem Rundbogen des Eingangs hindurch und folgten der schmalen Linie von Bodenplatten des einstigen Mittelgangs bis zu einer Gedenkplakette, die auf einem der Steine an der rechten Seite befestigt war, nahe bei einer Tür, die nach Süden zu wieder auf den Kirchhof hinausführte.

»Das hier ist der Gedenkstein«, sagte Adam, hielt an und zeigte auf den Stein mit seiner gemeißelten Inschrift. »Die eigentliche Bestattung dürfte in der Krypta unter dieser Stelle stattgefunden haben.« Er zeigte auf eine stählerne Falltür, die unmittelbar vor dem Stein in das Bodenpflaster eingelassen und mit einem schweren Vorhängeschloß gesichert war.

Peregrine blickte auf die Falltür, dann richtete er seinen Blick auf die steinerne Plakette und las den daraufstehenden Text als Übung zur Bündelung seiner Aufmerksamkeit laut vor.

»In dem Gewölbe unter dieser Stelle sind bestattet

die sterblichen Überreste von John Grahame of Claverhouse, Viscount Dundee, der am 27. Juli 1689 im Alter von 46 Jahren bei der Schlacht von Killiecrankie fiel. Dieser Gedenkstein wurde hier errichtet von John, 7. Herzog von Atholl, Ritter des Ordens der Distel, 1889.« Peregrine blickte Adam an. »War er wirklich schon sechsundvierzig? Ich dachte immer, er sei jünger gewesen.«

»Tatsächlich legen neueste Forschungen nahe, daß er im Sommer 1648 geboren wurde«, erwiderte Adam. »Damit wäre er nur einundvierzig gewesen.«

Peregrine nickte und ließ seinen Blick durch die Kapelle schweifen, bis er schließlich wieder zu der Falltür zu seinen Füßen zurückkehrte.

»Näher kommen Sie nicht heran, glaube ich«, sagte Adam. »Fangen Sie an, stimmen Sie sich ein, und wir werden sehen, was Sie *sehen* können. Noel, sorgen Sie doch dafür, daß es keine Störungen gibt, zumindest nicht, bis er in Gang gekommen ist.«

Während McLeod wortlos den Mittelgang zurückging, reichte Peregrine Adam seinen Skizzenkasten, öffnete ihn und nahm einen Zeichenblock und das Buch mit dem Kneller-Porträt von Dundee heraus. An der Wand gegenüber der Gedenkplakette lehnte ein niedriger, abgerundeter Stein, der wie der obere Teil eines Grabsteins aussah. Peregrine setzte sich vorsichtig darauf und schaute auf die Falltür, die zur Krypta hinabführte, während Adam den Skizzenkasten hochkant neben sich abstellte und sich neben Peregrine hinkauerte. Nachdem er den Kunstband an der entsprechenden Stelle geöffnet hatte, balancierte Peregrine ihn auf seinen Knien, schlug in seinem Skizzenblock ein frisches Blatt auf und positionierte es auf der dem Porträt gegenüberliegenden Seite, während er in einer Innentasche seiner Lederjacke nach einem passenden Bleistift suchte.

»Ich bin bereit, wenn Sie es sind«, sagte er und schaute zu Adam hinüber.

»Also gut, wir machen es diesmal etwas anders als sonst«, sagte Adam ruhig. »Sie werden das Porträt als Fokus benutzen, damit es Ihnen hilft, sich auf Dundees Verbindung zu diesem Ort einzustellen. Richten Sie Ihren Blick auf das Bild und sagen Sie mir, was Sie sehen, während Sie allmählich Ihren Blickpunkt *durch* das Porträt *hindurch*gehen lassen.«

Peregrine holte tief Luft und ließ sich in das schwebende Zwielicht der Trance treiben.

»Ich sehe einen Mann, der mitten in einem dunklen Wald steht«, murmelte er nach ein paar Sekunden. »Sein Name ist John Grahame of Claverhouse, Viscount Dundee. Er ist gekleidet wie ein adeliger Soldat, in Rüstung und Spitze, und sein Gesicht hebt sich von den Schatten ab.«

Während er sprach, spürte er Adams leichte Berührung auf seiner Stirn. Er holte erneut seufzend Atem und fühlte, wie die übliche Wachwahrnehmung von ihm wich. Er blieb allein zurück mit dem Bild von Claverhouse, dem Dunkelhaarigen John von den Schlachten ...

»Dunkel ist der Wald, durch den Sie reisen müssen«, ertönte Adams ruhige Stimme, ein leiser Singsang in seinen Ohren. »Hell ist das Gesicht des Mannes, den Sie dort suchen. Betreten Sie den Wald, wo er wartend steht. Sein Gesicht leuchtet vor Ihnen wie ein Leuchtturm und zieht Sie zu ihm inmitten der Schatten seines Lebens ...«

Eine Landschaft aus Schatten nahm vor Peregrines verzücktem Blick dunstige Gestalt an. Verankert durch Adams Stimme und die Empfindung seiner Anwesenheit, ließ der junge Künstler seine Wahrnehmung vorsichtig zwischen den Schatten umherschweifen. Während er dies tat, wurden die Schatten vor ihm schärfer und klarer. Er war immer noch von den Steinen von St. Bride's Kirk umgeben, aber die Szene gehörte in ein anderes Zeitalter.

Das Grabgewölbe stand offen. Dahinter stand eine kleine Gruppe von Männern in Harnischen und mit Fackeln in den Händen – dichtgedrängt um einen grob gefertigten hölzernen Sarg, der auf zwei hölzernen Böcken ruhte. Einige Tartan-Plaids waren in den Sarg gebreitet, um den Leichnam aufzunehmen, und hingen über den Rand hinaus. Peregrine fühlte, wie sein Blick zu der Gestalt hingezogen wurde, die auf den Wolldecken lag.

Das bleiche, stille Gesicht ähnelte dem des Kneller-Porträts sehr, doch es erinnerte auch noch an den eleganten jüngeren Dundee des Melville-Gemäldes. Das Spitzenjabot am Hals erinnerte an beide Darstellungen, und das dunkle Haar war sorgfältig auf seinen Schultern und auf seiner Brust in Locken zurechtgelegt. Im Tod trug er dieselbe lederne Kavalleriejacke und die schenkelhohen Lederstiefel, die in Augenzeugenberichten der Schlacht von Killiecrankie beschrieben wurden. Im tanzenden Fackellicht konnte Peregrine deutlich den dunklen, rostroten Fleck und das schartige Loch sehen, die die Jacke des Toten an der linken unteren Seite verunzierten und zeigten, wo er seine tödliche Wunde empfangen hatte: zwei Handbreiten innerhalb des Bereichs, den der Brustharnisch bedeckt hätte.

Ohne es bewußt zu wollen, hatte Peregrines Hand schon begonnen zu skizzieren, was sein tiefer Blick berichtete. Die Gesichter der Trauernden bedeuteten ihm wenig, aber die Berichte über die Bestattung, die er gelesen hatte, legten für einige der Anwesenden Identitäten nahe. Einen von ihnen, einen gutaussehenden Mann, der wie Dundee eine lederne Kavalleriejacke trug, hielt Peregrine für den tapferen und loyalen Earl of Dunfermline, James Seton, der einer von Dundees treuesten Anhängern und engsten Freunden gewesen war. Von einem anderen vermutete er, er sei Lord Murrays Verwalter, Patrick Steuart of Ballechin, in dessen

Haus der Leichnam aufgebahrt gewesen war, bevor man ihn hierhergebracht hatte.

Der, dessen Identität kaum in Frage stand, nach seiner Ähnlichkeit mit dem Toten wie auch der Tiefe seiner Trauer zu schließen, war David Grahame, Dundees Bruder. Grahame weinte offen, sein hageres Gesicht war naß von Tränen. Doch was Peregrine wie ein Magnet anzog, war etwas, das Grahame fest in seiner rechten Hand hielt – etwas Kleines und Helles, das karminrot schimmerte, als er die geschlossene Faust an die Lippen führte und einen Kuß auf das drückte, was in ihr enthalten war.

Den Bleistift bereit zu zeichnen, was er sah, trat Peregrine im Geiste näher heran, um zu sehen, was dieser Gegenstand wohl sein mochte. Leicht zitternd vor Erregung erkannte er, daß es sich um ein rot emailliertes Kreuz handelte, das vielleicht sieben bis acht Zentimeter lang und breit und an einer robusten goldenen Kette befestigt war.

Noch während ein anderer Teil seines Geistes diese Entdeckung vermerkte und seine Hand sich bewegte, um das Kreuz zu skizzieren, beobachtete sein Trance-Ich verzückt, was als nächstes geschehen würde. Während die Trauernden die Plaids über den Leichnam zu ziehen begannen, um dann den Sarg zu schließen und ins Gewölbe zu verbringen, gab der Earl of Dunfermline jäh ein Zeichen, sie sollten innehalten. Sein Blick der Trauer war fast so durchdringend wie der des Bruders des Toten. Dunfermline zog eine kleine, scharfe Klinge aus einer Scheide an seinem Handgelenk, beugte sich nieder und schnitt ehrerbietig eine lange Locke vom Haar des Toten ab. Er wickelte sie in sein seidenes Taschentuch, bedeutete den anderen mit einem Nicken, sie sollten fortfahren, und ließ die Reliquie in seine Lederjacke gleiten, während er zuschaute, wie sie den Sarg in die Krypta senkten.

Als der Sarg aus seinem Blickfeld verschwand,

wurde Peregrines Sicht der Szene verschwommen und löste sich in Dunkelheit auf. Seine Hand skizzierte noch einige Minuten lang automatisch weiter und beendete, was er begonnen hatte, doch als sie sich schließlich nicht mehr bewegte und nur noch den Bleistift über dem Papier hielt, fand er sich in einem Übergangsstadium treiben. Es schien zuviel Anstrengung zu bedeuten, etwas dagegen zu tun.

Nach ein paar weiteren Sekunden hörte er, wie Adams Stimme ihn leise rief, als käme sie aus einer großen Entfernung. Dem Ruf gehorchend, ergriff er die Flucht aus den Tiefen der Vision und flog in langsamen Spiralen der Schwelle des Wachbewußtseins zu. Als er an der Oberfläche auftauchte, spürte er, wie Adams starke Finger seine Hand kurz in einer Berührung umfaßten, die seine Lösung aus dem Trancezustand signalisierte. Mit dem Seufzen eines Schläfers, der erwachte, schüttelte er sich leicht und blinzelte.

Adam kauerte immer noch neben ihm, McLeod stand über ihn gebeugt, die Hände auf die Knie gestützt, und beobachtete ihn erwartungsvoll. Der sorgenvolle Ausdruck wich aus ihren Gesichtern, als sie sahen, daß er aufs neue seiner gegenwärtigen Umgebung gewahr wurde. McLeod kauerte sich ebenfalls neben Adam nieder. Peregrine fühlte sich mehr als nur ein wenig erschöpft, lächelte schwach und senkte seinen Blick auf das Skizzenbuch auf seinem Schoß. Er war leicht überrascht, als er sah, daß es ihm gelungen war, drei ganze Seiten mit Bildern zu füllen.

»Aye, in den letzten zwanzig Minuten waren Sie ein sehr beschäftigter Junge«, bemerkte McLeod mit einem feinen Lächeln.

Peregrines Finger zitterten leicht, wie immer, wenn seine Visionen erforderten, daß er schnell zeichnete; er steckte den Bleistift ein und schüttelte seine Hände leicht aus, um sie zu entspannen, während er Adam gestattete, zur ersten Seite zurückzublättern. Die erste

Skizze zeigte eine Gesamtansicht der Szene der Trauerversammlung, zusammen mit lebhaften kameenartigen Porträts einiger Trauernder am Rand und einer Studie von Dundee selbst, wie er im Sarg lag. Die nächste zeigte David Grahame mit dem Kreuz in der Hand, und eine lebensgroße Einzeldarstellung des Kreuzes selbst – es war ein *croix formée*, ein Tatzenkreuz, wie es die Templer zur Zeit der Kreuzzüge benutzten, anders als das Malteserkreuz oder das Patriarchenkreuz, das die heutigen Templer trugen.

»Nun, da ist Ihr Kreuz«, sagte Peregrine leise. »Es muß fast das sein, das er in der Schlacht getragen haben soll. Vermutlich bestätigt dies seine Verbindung zum Templerorden.«

»In der Tat«, stimmte ihm Adam zu. Als er die letzte Seite aufschlug, wurde sein Blick von der Zeichnung gefesselt, auf der der Earl of Dunfermline eine Locke von Dundees Haar abschnitt. Dieser Vorfall schien ihm eine Bedeutung zu haben, die der der Auffindung eines Templerkreuzes im Besitz der Grahames of Claverhouse gleichkam. Das Gefühl war stark genug, um ihn zu überzeugen, die Sache sei vielleicht weiterer Untersuchung wert. Inzwischen wurden die Schatten länger. Und Peregrine sah fraglos so aus, als bräuchte er etwas für sein leibliches Wohl.

»Ich glaube, wir haben alle Informationen gesammelt, die wir hier überhaupt bekommen können«, sagte Adam zu seinen beiden Begleitern. »Hören wir auf und schauen wir, ob wir einen Ort finden, wo ein frühes Abendessen serviert wird. Sobald wir wieder auf Strathmourne sind, werden wir den Inhalt der Zeichnungen detaillierter untersuchen.«

Kapitel 8

Adam und seine Begleiter machten im Dorf Blair Atholl Zwischenstation, um einen Imbiß einzunehmen, bevor sie den Heimweg antraten. Während der Rückfahrt schwieg Peregrine die meiste Zeit. Nun, da die Hochstimmung des Augenblicks sich verloren hatte, erkannte er, daß sie den Antworten, die sie hinsichtlich des gestohlenen Siegels Salomons suchten, immer noch nicht näher gekommen waren. Sie hatten die Existenz von Dundees Templerkreuz zwar bestätigt, aber das war von wenig praktischem Wert, es sei denn, sie bekämen den Gegenstand selbst in die Hand. Die Tatsache, daß man Dundee eine Haarlocke abgeschnitten hatte, legte eine weitere mögliche Richtung der Ermittlungen nahe – es war wahrscheinlich, daß die Locke als kostbare Reliquie aufbewahrt worden war –, aber Haar war viel leichter verderblich als Metall. Ob Kreuz oder Locke mehr als dreihundert Jahre überlebt hatten, war keineswegs sicher.

Doch nur mit einer Art physischem Fokus wie dem Kreuz oder der Locke konnten sie hoffen, Kontakt mit dem geistigen Wesen aufzunehmen, das einst John Grahame of Claverhouse gewesen war, und von ihm das Wissen über das Siegel zu erlangen, über das er vielleicht verfügt hatte. Peregrine überlegte kurz, ob es möglich wäre, eine solche Befragung auf das Grab zu konzentrieren, in dem Dundees Leichnam zur letzten Ruhe gebettet worden war, doch fast im selben Augenblick, als diese Idee ihm kam, tat er sie sofort wieder ab, da sie sowohl praktisch wie auch moralisch fragwürdig war. Es war bekannt, daß das Grab mindestens einmal, vielleicht zweimal, von Grabräubern heimgesucht worden war. Eine Überlieferung behauptete sogar, Dundees Gebeine seien in den fünfziger Jahren des vorigen Jahrhunderts in eine Kirche in Old Deer, oben in Aberdeenshire, überführt worden. Schon die bloße Existenz einer solchen Tradition stellte die Identität aller Gebeine, die noch hier ruhten, in Frage.

Und selbst wenn man annahm, daß der Geist Dundees bereit war, unter diesen Bedingungen an einem Dialog teilzunehmen, um über einen Körper zurückgerufen zu werden, der jetzt nur noch aus bloßen Knochen bestand, so scheute Peregrines eigene Seele vor dem Gedanken zurück, so etwas auch nur zu versuchen. Er hatte nicht vergessen, wie vor weniger als einem Jahr eine verbrecherische Loge von Schwarzmagiern den Geist des Zauberer Michael Scot wieder nach Melrose Abbey gerufen hatte, um ihn dann dort in dem gräßlichen Gefängnis seiner eigenen mumifizierten Leiche zurückzulassen, bis es Adam gelungen war, ihn wieder zu befreien. Selbst wenn in diesem Fall Dundee nicht unter einem solchen schrecklichen Zwang stehen würde, waren für Peregrines Geschmack diese Assoziationen zu unbehaglich.

»Adam, was geschieht, wenn wir keinen Gegenstand ausfindig machen können, der mit Dundee verknüpft ist?« fragte er, als sie die M90 verließen und sich auf den Landstraßen in Richtung Strathmourne schlängelten. »Und können wir es uns leisten, so lange zu warten, wie es vermutlich dauern wird, selbst wenn es einen solchen Gegenstand noch gibt?«

»Darüber habe ich nachgedacht«, erwiderte Adam. »Wir werden es noch nicht aufgeben, über Lindsay etwas zu erfahren, aber es gibt einen Ort mit einer starken Verbindung. Ich habe Claypotts Castle erwähnt, drüben in der Stadt Dundee. Es ist beinahe noch ganz so, wie es war, als er dort lebte – zumindest die Substanz des Gebäudes ist noch recht intakt. Natürlich sind die Möbel nicht mehr dieselben.«

»Also fahren wir dorthin und – was dann?« fragte Peregrine. »Versuchen wir ihn durch Noel als Medium zu fokussieren? Ist das möglich?«

»Oh, es ist möglich«, erwiderte McLeod. »Nicht leicht und nicht angenehm, aber mit ausreichender Zielstrebigkeit könnte man es wahrscheinlich erreichen. Ich *hoffe* jedoch, daß das erst am Ende von Adams Liste steht.«

»So ist es«, sagte Adam. »Aber ich wollte es jetzt erwähnen, damit ihr beide euch an die Idee gewöhnen könnt, für den Fall, daß dies notwendig werden sollte. Wir werden Lindsay noch ein paar Tage geben, bevor wir hektisch werden, und in der Zwischenzeit mal sehen, was mit konventionellen Polizeimethoden über unseren Monsieur Gerard herauskommt.«

Als sie die Tore von Strathmourne erreichten, wurde es schon dunkel. Da er Peregrine und McLeod eingeladen hatte, ihm beim Abendessen Gesellschaft zu leisten, fuhr Adam am Torhaus vorbei, ohne anzuhalten, und folgte weiter der buchengesäumten Auffahrt. Als sie um die letzte Biegung kamen, griff er gerade nach der Fernsteuerung am Amaturenbrett, um die Außenbeleuchtung des Hauses einzuschalten, als er sah, daß sie schon an war und ein anderes Fahrzeug beleuchtete, das vor der Vordertreppe des Herrenhauses hielt. Peregrine bekam große Augen, als er die exotischen Konturen eines schnittigen italienischen Sportwagens wahrnahm: schwungvolle Kotflügel, glitzerndes Chrom und eine prächtige cremefarbene Karosserie.

»Du lieber Himmel, das ist ja ein *ernsthaftes* Stück Autodesign!« flüsterte er. »Wer von Ihren Bekannten begeistert sich für handgefertigte Rennautos?«

Adam lachte glucksend. »Wären Sie sehr überrascht, wenn ich Ihnen sagte, daß es einer Antiquitätenhändlerin aus meinem Bekanntenkreis gehört?«

»Ich wäre platt«, sagte Peregrine offen, als sie hinter dem Auto anhielten. Er schwieg kurz und blinzelte, als der Groschen fiel. »Doch nicht Ihre Freundin Lindsay?«

»Niemand anders als sie«, sagte Adam und schaltete den Motor ab. »Und wenn sie sich die Mühe gemacht hat, persönlich hierherzukommen«, fuhr er fort, »dann kann das nur bedeuten, das sie auf Informationen gestoßen ist, die sie nicht dem Telefon anvertrauen möchte. Nehmen Sie Ihr Skizzenbuch mit, Peregrine, und wir werden mal sehen, was sie zu sagen hat.«

Humphrey hatte Adams Besucherin mit einem Drink in der Bibliothek zurückgelassen. Wenn man das Auto als Indiz dafür nahm, wie Lindsay persönlich aussehen mochte, dann war fast alles möglich, schloß Peregrine. Und so war der erste Blick, den er von ihr erhaschte, so aufschlußreich wie ihr Transportmittel. So beeindruckt war er von ihrer Erscheinung, daß er nur verspätet daran dachte, daß sie einander vorgestellt wurden. Er erfaßte gerade noch ihren Nachnamen, als Adam ihn aussprach, und stotterte: »Ich freue mich, Ihre Bekanntschaft zu machen, Ms. Oriani.«

Lindsay Oriani, so schätzte er, war vielleicht knapp 1,80 m groß – und so schlank wie eine Vollblutrennstute, ein Eindruck, der noch von dem eleganten cremefarbenen Hosenanzug betont wurde, den sie trug. Als wäre das noch nicht genug, war ihr schulterlanges Haar von einem kraftvollen Tizianrot, in verwirrendem Kontrast zu dem tiefen, kühlen Blau ihrer Augen. Sie erwiderte seinen Blick mit einem Funken Amüsement und sagte: »Ich freue mich auch, Ihre Bekanntschaft zu machen, Mr. Lovat« – und hielt ihm eine elegante, langfingrige Hand hin.

Sein erster Impuls war, sie an die Lippen zu führen, doch bevor er das tun konnte, verwandelte sie die Geste geschickt in ein Händeschütteln. Der Griff ihrer Hand war trotz ihrer Schlankheit fest und sicher wie der eines Mannes. Obwohl die Kleidung ihre Weiblichkeit phantastisch vorteilhaft kundtat, gab es in ihrem Verhalten eine verschwommene Unterströmung von etwas anderem, das er irgendwie nicht zu deuten wußte. Doch bevor er seine Eindrücke vertiefen konnte, trat Adam dazwischen und schlug vor, sie sollten sich alle setzen.

Zusammen gingen sie zum Kamin, wo Humphrey ein Feuer entzündet hatte. Der Butler blieb noch zur Stelle, um den Neuankömmlingen ihre Drinks zu servieren, bevor er sich in die Küche zurückzog, um die Vorbereitungen für das Dinner zu überwachen. Zwei Fingerbreit *The Macallan* in einem Whiskytumbler aus geschliffenem Kristallglas halfen Peregrine, seine Fassung wiederzugewinnen. Lindsay gestattete Adam, ihren Campari Soda aufzufüllen. Als Adam das Gespräch auf den Kern seines Anliegens lenkte, hatte sich Peregrine wieder gefangen und war bereit zu hören, was die fabelhafte Lindsay zu sagen haben würde.

»Wie Sie zweifellos erraten haben, bringe ich Ihnen Informationen«, sagte sie zu Adam. Ihre Aufmerksamkeit konzentrierte sich allein auf ihn. »Mir ist es gelungen, zwei Gegenstände ausfindig zu machen, die mit der Person von John Grahame of Claverhouse verknüpft sind. Ich kann nicht persönlich für die Echtheit der beiden Stücke garantieren, aber ich kann meine schlichte Information anbieten.

Der erste Gegenstand ist ein Ring, der angeblich eine Locke von seinem Haar enthält; er gehört einer Miss Fiona Morrison, die in Inverness wohnt. Bei dem anderen Stück handelt es sich um ein goldenes Kreuz, das mit roter Emaille überzogen ist und sehr genau der Beschreibung des Kreuzes entspricht, nach dem Sie sich erkundigt haben. Es befindet sich im Besitz einer jüngeren Linie der Familie Graham, unten in Kent, genauer gesagt eines im Ruhestand lebenden Brigadegenerals namens Sir John Graham.«

Im Feuerschein des Kamins wirkte Adams Gesicht

sehr gespannt. Bei der Erwähnung des Rings war Peregrine der Kinnladen heruntergefallen, und er starrte Lindsay weiter mit offenem Mund an, während sie das Kreuz beschrieb.

»Ausgezeichnet«, murmelte Adam und warf Peregrine einen recht amüsierten Blick zu. »Haben Sie schon mit jemandem von den beiden Kontakt aufgenommen?«

»Ja, ich habe mit beiden telefonisch gesprochen«, sagte Lindsay. »Da Miss Morrison in Schottland lebt, habe ich sie zuerst angerufen. Nachdem ich sie mit meinen Referenzen bekannt gemacht hatte, sagte ich ihr, daß ich in Ihrem Auftrag gewisse bislang unveröffentlichte Dundee-Erinnerungsstücke ausfindig machen soll, die Sie zu untersuchen hofften, um dann einen gelehrten Artikel über Dundee für die Royal Society of Antiquaries zu verfassen. Die Gesellschaft würde, da bin ich mir sicher, einen solchen Artikel willkommen heißen«, fügte sie mit einem amüsierten Lächeln hinzu, »und somit Ihren Ruf als Mann von Wort bewahren. Miss Morrison hat sich bereit erklärt, Sie den Ring anschauen zu lassen, auf unsere gemeinsame Versicherung hin, daß Sie damit auf keinen Fall willkürlich umgehen werden.«

Diese seltsame indirekte Wiedergabe der Aussage, bei der es sich offensichtlich um Miss Morrisons eigene Worte handelte, entlockte McLeod ein Schnauben, aber er gab keinen weiteren Kommentar ab.

»Und was ist mit diesem Sir John Graham?« fragte Adam Lindsay.

Die elegante Dame, die ihm gegenübersaß, lächelte etwas grimmig.

»Sir John Graham ist eine ganz andere Geschichte«, sagte sie. »Ich war mit mir selbst nicht darüber einig, ob ich mit ihm Kontakt aufnehmen sollte oder nicht, bevor ich mich zuerst mit Ihnen beraten hätte.«

Adam zog eine Augenbraue hoch. »Warum so vorsichtig? Sie dürften inzwischen wissen, daß ich absolutes Vertrauen in Ihre Diskretion habe.«

»Sie müssen die ganze Geschichte hören«, sagte Lindsay sanft mit einem heftigen Aufblitzen in ihren saphirblauen Augen. »Der Name kam mir bekannt vor, und so zog ich einige sehr diskrete Erkundigungen ein. Es scheint, daß Sir John weit mehr ist als nur ein vielfach dekorierter Militär, der sich aufs Land zurückgezogen hat. Zum einen war er einmal beim Geheimdienst. Und dann zögerten meine anfänglichen Kontaktpersonen sehr, konkret zu werden, aber man gab mir zu verstehen, daß er in einer Anzahl von esoterischen Disziplinen gearbeitet hat.«

»In der Tat?« Adams Miene verdüsterte sich, als er diesen Bericht überdachte. »Wollen Sie damit sagen, daß er auf der Gegenseite steht?«

»Keineswegs«, erwiderte sie. »Eine weitere Erkundigung brachte ans Licht, daß er es im allgemeinen vorzieht, in einer ganz anderen Tradition als der unseren zu arbeiten, doch meine Quellen versichern mir, daß er seine Ergebenheit rückhaltlos dem LICHT gelobt hat. Seine Fähigkeiten sollen insgesamt gewaltig sein, doch seine Integrität ist über jeden Tadel erhaben. Jedoch ist er kein Mann, mit dem sich spaßen läßt.«

»Und was hier auf dem Spiel steht, ist auch keine spaßige Angelegenheit«, sagte Adam. »Ich hoffe, Sie waren völlig offen, als Sie mit ihm sprachen.«

Diese Bemerkung trug ihm einen weiteren unerwarteten Blitz aus Lindsays tiefblauen Augen ein.

»Ich habe ihm erzählt, was ich von der Angelegenheit weiß – daß Sie daran interessiert sind, diese in seinem Besitz befindliche Reliquie zu untersuchen, und zwar aus Gründen, die sich von einer gewissen Dringlichkeit außerhalb der konventionellen Schranken des Gesetzes erweisen könnten. Was für Schlüsse er daraus für sich gezogen haben mag, kann ich nicht sagen. Es kann sein, daß er ebenfalls schon von Ihnen gehört hat, zumindest in Ihrer beruflichen Kapazität. Er schlug es aus, sich zu einem Treffen mit Ihnen zu verpflichten, bevor er mit Ihnen gesprochen hätte – und wer kann ihm das unter diesen Umständen übelnehmen? –, aber ich hatte den Eindruck, daß er wohlwollend eingestellt ist, vorausgesetzt, dieses Gespräch sagt ihm zu. Er deutete an, heute abend zu Hause zu sein, um einen Anruf von Ihnen entgegenzunehmen, aber am Wochenende ist er wohl verreist.«

Adam blickte auf die Stutzuhr auf dem Kaminsims und lächelte grimmig. »Ganz gleich, wieviel Vertrauen wir einander schenken werden, ich sollte dann wahrscheinlich den Herrn lieber nicht auf meinen Anruf warten lassen, zumal ja ich es bin, der sich einen Gefallen von *ihm* wünscht. Haben Sie seine Telefonnummer dabei?«

»Natürlich.« Sie ließ eine wohlmanikürte Hand in ihre Jackentasche gleiten und holte eine Visitenkarte heraus. Als sie die Karte Adam überreichte, sah Peregrine, daß zwei Telefonnummern sauber mit Bleistift auf die Rückseite geschrieben waren.

»Die erste ist die von Sir John«, sagte sie. »Die andere ist von Miss Morrison.«

Adam blickte auf die Nummern und nickte, während er sich erhob.

»Nutzen wir die Stunde. Wenn ihr anderen mich einen Augenblick entschuldigt, werde ich gleich mal beide anrufen. Peregrine, zeigen Sie doch Lindsay die Skizzen, die Sie heute nachmittag angefertigt haben. Lassen Sie sie erst mal gut anschauen, bevor Sie etwas erklären. Ich habe Ihnen ja gesagt, daß er gut ist, Lindsay«, fügte er hinzu und wies nachdrücklich auf sie, während er die Bibliothek verließ.

Während Adam sich zu einem anderen Telefon begab, um seine Anrufe zu machen, öffnete Peregrine ohne ein Wort sein Skizzenbuch bei der ersten Seite dieses Tages und reichte den Block der exquisiten Lindsay.

Als sie die Zeichnungen anschaute und gelassen und ruhig umblätterte, lehnte sich Peregrine zurück und blickte sie an. Er gab vor, seine Brille zu putzen, verengte dabei seinen Blick und ließ seinen tieferen Wahrnehmungen die Zügel schießen. Durchaus nicht zu seiner Überraschung legte das nachfolgende Geflacker einander überlagernder Bilder den Gedanken nahe, daß er es mit jemandem zu tun hatte, der schon mehrere Leben hinter sich hatte. Was ihn überraschte, war, daß die dominanten visuellen Eindrücke, die er von Lindsay Oriani empfing, eher männlich als weiblich waren.

Die Stärke der geschlechtlichen Orientierung war unerwartet. Während Adam Sinclairs überragende historische Identitäten einen ägyptischen Priesterkönig und einen Tempelritter einschlossen, die beide vollkommen mit seiner gegenwärtigen Inkarnation harmonierten, schien Lindsay Orianis machtvollste frühere Persönlichkeit die eines hageren Mannes in der Uniform eines Husarenoffiziers zu sein. Die begleitende Aura der Maskulinität war stark genug, um die Persönlichkeit und sogar einige der Eigenarten der gegenwärtigen weiblichen Inkarnation zu färben. Mit einem Mal begann Peregrine sich zu fragen, ob das die Erklärung dafür war, daß Lindsay seinen Impuls, ihr die Hand zu küssen, abgelenkt hatte.

Es ergab einen Sinn. In den frühen Tagen ihrer Bekanntschaft hatten er und Adam einmal die Frage der Geschlechtsidentität im Hinblick auf die Reinkarnation erörtert. Bei der Gelegenheit hatte Adam behauptet, es sei nicht ungewöhnlich, daß sich das Geschlecht eines einzelnen historischen Individuums von einem Leben zum nächsten änderte. Seit damals hatte Peregrine diese Behauptung einmal im Falle des Zauberers Michael Scot verwirklicht gesehen, dessen derzeitige Inkarnation ein junges Mädchen namens Gillian Talbot war. Es erschien wahrscheinlich, daß Lindsay Oriani ein weiteres Beispiel für dieses Prinzip lieferte, wobei die Geschlechtsresonanzen aus ihren früheren Leben ungewöhnlich stark zu sein schienen.

Welche Belastung diese Resonanzen auf ihre gegenwärtige weibliche Persönlichkeit ausüben mochten, darüber konnte Peregrine nur spekulieren. Es erhob sich für ihn die Frage, ob Lindsay vielleicht – wie er selbst – zuerst veranlaßt gewesen war, Adam in seiner beruflichen Rolle aufzusuchen, um mit dieser Belastung fertig zu werden. Falls dem so war, war sich Peregrine ganz sicher, daß sie bei Adam Trost und Beratung gefunden haben würde, verbunden mit einem einzigartigen Ausmaß an Verständnis. Wenn überhaupt jemand einem anderen bei einem derartigen Problem helfen konnte, dann war Adam Sinclair diese Person.

»Sehr interessant, Mr. Lovat«, sagte sie plötzlich und schaute ihn mit ihren saphirblauen Augen an. »Sie haben meine Entdeckungen genau vorausgesehen. Es ist ganz offensichtlich, daß wir im selben Team zusammenspielen.«

Peregrine lächelte und zuckte mit den Achseln. »Das ist das, was ich tue«, sagte er. »Es ist eine Gabe, die ich jetzt zu schätzen weiß, aber es war Adam nötig, um mir beizubringen, wie ich sie benutzen kann, anstatt mich von ihr zerreißen zu lassen.«

»Darin ist er gut«, gab Lindsay zu. Ein zartes Lächeln erschien auf ihren Lippen. »Und Sie sind *darin* gut. Ich nehme an, daß Sie schon von dem Kreuz wußten, bevor Sie nach Blair aufbrachen, da Adam mich vor allem nach diesem Gegenstand befragt hat, aber wußten Sie auch von dem Ring mit dem Haar?«

Als Peregrine den Kopf schüttelte, kam Adam vom Telefon zurück.

»Nun, bis jetzt haben wir Glück«, verkündete er. »Sir John wartete schon auf meinen Anruf, und er hat uns sehr freundlich eingeladen, ihn am Montag zu besuchen. Noel, können Sie sich da freinehmen? Wir sollten lieber zwei Tage einplanen, einfach um sicherzugehen.«

McLeod nickte. »Ich muß übers Wochenende in London an einer Konferenz teilnehmen, aber am Montag kann ich Sie in Gatwick abholen.«

»Gut. Peregrine, wie steht's mit Ihnen?«

Peregrine grinste. »Ich hatte schon gehofft, daß Sie fragen würden.«

»Das nehme ich als ein Ja«, sagte Adam mit einem amüsierten Lächeln.

Ein glucksendes Lachen von Lindsay ließ Peregrine errötend verstummen.

»Sollten wir nicht in der Zwischenzeit unser Glück bei Miss Morrison versuchen?« fragte McLeod und brachte sie damit wieder zum Thema zurück.

»Ich habe sie ebenfalls angerufen, aber es hat niemand abgehoben«, sagte Adam. »Ich werde es nach dem Dinner noch einmal versuchen. Lindsay, darf ich Sie bitten, sich uns anzuschließen? Humphrey sagt, es dauert nur noch fünf Minuten.«

Sie schüttelte nachdrücklich den Kopf mit dem tizianroten Haar und trank ihren Drink aus.

»Danke, nein. Ich muß nach Glasgow zurückfahren. Val und ich haben Pläne für ein romantisches Dinner zu Hause gemacht, und ich habe versprochen, rechtzeitig zurückzusein.«

»Tja, es sei fern von mir, einer Romanze im Weg zu stehen«, sagte Adam lächelnd. »Richten Sie Val meine herzlichsten Grüße aus.«

Sie lächelte und warf erneut nervös ihr feuriges Haar zurück. »Das werde ich tun«, sagte sie. »Und wenn es sonst noch etwas gibt, was ich für Sie tun kann, so rufen Sie mich an. Ich frage meinen Anrufbeantworter regelmäßig ab. Sie brauchen mich nicht nach draußen zu begleiten. Und es war schön, Sie endlich kennengelernt zu haben. *Ciao*, Noel.«

Mit immer noch etwas geblendeten Augen beobachtete Peregrine, wie sie wegging.

»Was für eine Frau«, murmelte er, als er gehört hatte,

wie die Vordertür zufiel. »Und wer immer dieser Val ist, er ist ein Mann mit verdammt viel Glück!«

»Ja, Lindsay hat sicher eine Partnerschaft gefunden, die ihrer Wert ist«, sagte Adam. »Sie sind schon seit vielen Jahren zusammen.«

Sein Ton war absichtlich ausdruckslos. Verspätet kam Peregrine der Gedanke, daß ›Val‹ genauso gut auch ein Frauenname sein konnte. Bei dem Gedanken bekam er große Augen, aber natürlich ergab das Ganze im Lichte seiner vorherigen Beobachtungen einen Sinn.

»Ich sehe, daß Sie das Richtige erraten haben«, sagte Adam. »Bereitet Ihnen der Gedanke Schwierigkeiten?«

»Schwierigkeiten? Nein, nicht wirklich«, sagte Peregrine, ein wenig überrascht, als er entdeckte, daß er die nackte Wahrheit sprach. »Ich konnte ihre Vorgeschichte in ihrem Gesicht sehen. Aber ...«

»Fragen Sie sich, warum sie von ihrer Vergangenheit in genau dieser Weise verfolgt werden sollte? Ich bin mir selbst nicht sicher«, sagte Adam. »Aber sie versteht und akzeptiert sich, wie sie ist, und hat begonnen, ein Maß an Freude in diesem Leben zu finden. Für jeden Menschen ist das ein beträchtlicher Triumph. Begeben wir uns jetzt zum Dinner?« schloß er fröhlich. »Ich glaube, Humphrey wartet schon auf uns.«

Kapitel 9

Während Adam und seine Gefährten auf Strathmourne dinierten, meldete sich an der Tür einer Edinburgher Pension ein schmächtig gebauter Mann mit glattem dunklem Haar und einem bleistiftdünnen Schnurrbart und wünschte Unterkunft für die Nacht. Sobald die Einzelheiten geklärt waren und der Besitzer wieder ins Erdgeschoß hinuntergegangen war, sperrte der Gast seine Tür ab und zog die Vorhänge vor. Dann machte er sich daran, den leichten Handkoffer zu öffnen, den er aus seinem gemieteten Auto mitgebracht hatte.

Das gedämpfte Licht der Sechzig-Watt-Birne an der Decke fiel auf die Initialen ›H. M. G.‹, die in Messinglettern auf dem Deckel des Koffers angebracht waren. Der Name, der in das Gästebuch am Empfang eingetragen war, lautete Hilaire Maurice Grenier, aber in Wahrheit standen die Initialen für Henri Marcel Gerard. Gerard legte den Koffer flach auf das Bett und betrachtete abschätzend seine Umgebung. Das Zimmer mit seinen schlichten Möbeln und der etwas altmodischen Ausstattung entsprach nicht dem Standard, den er gewählt hätte, wenn die derzeitigen Umstände ihn nicht dazu gezwungen hätten, aber es würde ihm für ein paar Nächte dienen müssen. Wenn alles gut ging, würde es nicht lange dauern, bis er über die Mittel verfügte, all den Luxus zu verlangen, der ihm schon immer hätte zustehen sollen.

Mit dieser tröstenden Überlegung öffnete er den Koffer und holte einen gestreiften Pyjama und ein Ledertäschchen mit seinem Rasierzeug und anderen persönlichen Gegenständen heraus. Zwischen seine restlichen Kleider waren sorgfältig zwei schwere, ledergebundene Bücher gepackt, dazu ein gewichtiger, handgroßer Gegenstand, der in einige Seidentaschentücher eingewickelt war und den er herausnahm und neben dem Koffer auf die Tagesdecke des Bettes legte. Seine behenden Finger verharrten kurz auf dem seidenen Bündel, bevor er sich aufrichtete und das restliche Zimmer in Augenschein nahm.

Neben dem Einzelbett und einem Nachtschränkchen mit Lampe wies der Raum noch einen mit einem Spiegel versehenen Kleiderschrank, zwei nicht zusammenpassende Sessel und einen billigen, zweckmäßigen Couchtisch auf. Letztere drei waren vor einem kleinen offenen Kamin aufgestellt, der jetzt einen modernen Elektroofen beherbergte. Nachdem er die beiden Bücher zu dem Couchtisch getragen hatte, schaltete Gerard die Heizung ein, wartete mit ausgestreckter Hand, bis er sicher war, daß der Ofen sich erwärmte, dann ging er zum Bett zurück und nahm das Seidenbündel hoch. Er trug es zum Kamin, ließ sich in dem bequemer aussehenden der beiden Sessel nieder und gestattete sich, alten Träumen nachzuhängen, während er durch die Falten kostbarer Seide hindurch fühlte, was das Bündel enthielt.

Sein Erwerb kennzeichnete den Höhepunkt vieler Monate der Planung. Seit Gerard die Geschichte und die Bedeutung des Siegels herausgefunden hatte, hatte er es so leidenschaftlich begehrt wie noch nichts anders in seinem ganzen dreißigjährigen Leben. Es war ein krimineller Irrtum des Schicksals, so sagte er sich jetzt, daß Nathan Fiennes und dessen Familie einen solchen Schatz so lange in dumpfer Unkenntnis seines Wertes besessen hatten. So war es nur gerecht, daß er, Henri Gerard, auf der Bildfläche erschienen war und ihn den Fiennes abgenommen hatte.

Gewiß gehörte ein so mächtiges Objekt wie das Siegel Salomons von rechts wegen in die Hände eines Menschen, der wußte, wie man seine Kräfte zu einem guten Zweck einsetzte. Nathan Fiennes war ein Narr gewesen, daß er versucht hatte, sie davon abzuhalten, das Siegel mitzunehmen – um so mehr, weil er, wie der sprichwörtliche Hund in der Futterkrippe, versucht hatte, etwas in seinem Besitz zu halten, das für ihn persönlich ohne Nutzen war. Es war nur gerecht, daß man ihn gezwungen hatte, das Siegel herzugeben. Wenn der alte Mann dabei mehr abbekommen hatte, als er verdiente, so mußte die Schuld dafür Logan zugeschrieben werden. Gerard hatte gewiß nie vorgehabt, Nathan zu töten; in dieser Hinsicht hatte er saubere Hände.

Während er diese Beteuerungen noch für sich selbst wiederholte, erschien vor seinem inneren Auge ungebeten das Bild, wie Nathan Fiennes auf dem Boden zusammenbrach und Blut aus einer Quetschwunde an einer Schläfe strömte. Um dieses Bild aus seinen Gedanken zu vertreiben, nahm Gerard Zuflucht zu Betrachtungen über den Reichtum und die Macht, die bald wieder ihm gehören würden – als glorreiche Erfüllung eines Traums aus der Vergangenheit.

Dieser Traum, der ihm zum ersten Mal in seiner Kindheit gekommen war, hatte sich seitdem so oft wiederholt, daß er allmählich begonnen hatte, ihn als ein Orakel zu betrachten. In dem Traum war er nicht als bescheidener Gelehrter mit beschränkten Mitteln und begrenztem Ruf vorgekommen, sondern als mächtiger Berater von Königen. Er bildete sich sogar ein, er wisse den Namen, den er in jenem anderen Leben trug: Guilleaume de Nogaret, Siegelbewahrer und vertrauter Berater von König Philipp dem Schönen von Frankreich. Nogaret, ein Mann von unermeßlichem Reichtum und weitreichendem Einfluß, war von allen geringeren Männern gefürchtet und umworben worden, und seine politische Macht war derart gewesen, daß es niemandem je gelungen war, ihm ungestraft zu widerstehen.

Nicht einmal den Tempelrittern.

Von ihm stammten die Einflüsterungen, die Philipp den Schönen ermutigt hatten, seinen Angriff auf die Templer zu starten, eine Kampagne, deren Ergebnis die offizielle Auflösung des Ordens gewesen war. In den Enthüllungen des Traums hatte Gerard/de Nogaret den Gerichtsverhandlungen und Folterungen vieler Tempelritter vorgesessen, und er hatte die Zeugenaussagen gehört, aufgrund derer eine Anzahl Templer wegen Zauberei und Sodomie verurteilt worden waren. Im Wachzustand wie im Schlaf war Gerard zu einem unerschütterlichen Glauben an die Schuld der Templer gelangt und hatte dementsprechend seine wissenschaftliche Karriere in diesem Leben eingerichtet. Er hatte kaum vermutet, daß in der Geschichte noch mehr steckte – bis seine Verbindung mit Nathan Fiennes ihm die Existenz des Siegels enthüllt hatte, und seine weiteren Recherchen für Fiennes hatten ihn veranlaßt, nach neuem dokumentarischem Material zu suchen, das sich vielleicht im besonderen auf Templerschätze bezog, die vor Jahrhunderten Philipp dem Schönen und Guilleaume de Nogaret verweigert worden waren, aber Henri Gerard vielleicht noch zugänglich waren.

Der Traum hatte auf solche Wunder hingedeutet – und hatte Gerard nicht nur zu der bislang noch unentdeckten Aussage des Renault le Clerque geführt, die er törichterweise Fiennes mitgeteilt hatte, sondern auch zu zwei zusätzlichen unveröffentlichen Zeugenaussagen, die Gerard seitdem entdeckt hatte. Darin hatten beide Zeugen die Existenz einer geheimnisvollen Truhe beschworen, die die Templer seit den Tagen ihrer Gründung mit unablässiger Wachsamkeit bewacht hatten. Diese Truhe, so versicherten sie, war auf magische Weise verschlossen und konnte nur vom Wächter des Siegels geöffnet werden. Einer der Zeugen hatte darüber spekuliert, daß die Truhe einen kleinen Vorrat ausgewählter Schätze enthalte, die mehr wert seien, als alle übrigen Besitztümer der Templer zusammengenommen: Zauberbücher und magische Utensilien, die den Orden befähigt hatten, zur reichsten und mächtigsten Organisation in der ganzen bekannten Welt zu werden.

De Nogaret dürfte die Aussagen gekannt haben; vielleicht, so überlegte Gerard, hatte ihr Versprechen auf Reichtum teilweise dazu beigetragen, daß de Nogaret den König gedrängt hatte, den Orden anzugreifen. Doch keine Truhe und kein anderer großer Templerschatz war jemals gefunden worden. Als die Seneschalle des französischen Königs in die früheren Bollwerke der Templer eindrangen, fanden sie die Schatzkammern leer vor. Anscheinend hatte in jenen Tagen niemand, nicht einmal de Nogaret selbst, vermutet, was Gerard inzwischen entdeckt hatte – daß das Siegel Salomons, das Geheimnis und der Schatz, den es schützte, der Schlüssel zu dem Rätsel waren. Nach fast siebenhundert Jahren war Gerard im Begriff, dort Erfolg zu haben, wo er als de Nogaret gescheitert war – und sein Vermögen würde noch weit größer sein als das seines Vorgängers.

Denn er besaß das Siegel. Nun mußte er nur noch die Truhe ausfindig machen. Nach den Forschungen, die Nathan Fiennes betrieben hatte, und den Informationen, die Gerard inzwischen hatte sammeln können, deuteten alle Indizien darauf hin, daß die Truhe und ihr Inhalt, wie das Siegel selbst, in sichere Verwahrung nach Schottland geschafft worden waren, als die Templerflotte aus Frankreich geflohen war. Gerard war überzeugt, daß er dem Schatz jetzt näher kam. Noch fehlten ihm alle konkreten Hinweise auf dessen Aufenthaltsort, aber glücklicherweise gab es ja Methoden, an die Wahrheit zu gelangen, ohne daß man zu Nathans qualvoll langweiligen Forschungsmethoden Zuflucht nehmen mußte. Gerard hatte nicht seine ganze Zeit lediglich damit verbracht, auf der Suche nach historischen Bruchstücken über obskuren, schimmelnden Manuskripten zu brüten; er hatte ebenso bei einigen der besten, wenn auch amoralischsten Geistern des Kontinents studiert.

Er wickelte das Siegel wieder in seine seidenen Hüllen und legte es vor sich auf den Kaffeetisch. Dann griff er nach dem obersten der beiden uralten Bücher, die er mitgebracht hatte. Es handelte sich dabei um eine in Hebräisch abgefaßte Abhandlung über die Kunst und Praxis der kabbalistischen Weissagung. Nathan Fiennes, so wußte er, hätte niemals die Kabbala in einer Weise profaniert, wie er es jetzt vorhatte.

Aber Nathan war tot, und Gerard hatte sein ganzes restliches Vermögen auf den Erfolg dieses gegenwärtigen, entscheidenden Schrittes gesetzt …

Kapitel 10

Der nächste Tag war ein Freitag. Auf Strathmourne beendete Adam sein übliches leichtes Frühstück, während er einen Blick auf die Schlagzeilen von *The Scotsman* warf. Er wartete auf den schicklichen Zeitpunkt, um jemanden anzurufen, den er nicht kannte, dann wählte er genau um neun Uhr die Invernesser Nummer von Fiona Morrison. Am Abend zuvor hatte niemand abgehoben, doch nach dem dritten Läuten meldete sich fröhlich eine weibliche Stimme.

»O ja, Sir Adam«, sagte sie, als dieser sich vorgestellt hatte. »Miss Oriani sagte, Sie würden anrufen. Falls Sie schon gestern abend angerufen haben, so habe ich leider Ihren Anruf verpaßt. Ich habe einen sehr leichten Schlaf, und deshalb ziehe ich den Telefonstecker heraus, bevor ich zu Bett gehe. Wie ich hörte, würden Sie gern den Dundee-Ring sehen.«

»Ja, in der Tat, Miss Morrison«, erwiderte Adam. »Ich glaube, Miss Oriani muß erwähnt haben, daß ich einen Artikel für die Royal Society of Antiquaries schreibe. Würde es Ihnen passen, wenn ich heute nachmittag vorbeikäme, um mir den Ring anzuschauen?«

»O nein, das ist nicht möglich«, erwiderte sie. »Meine Nichte bringt nach der Schule ihre Kinder herüber, und die habe ich schon seit Monaten nicht mehr gesehen. Außerdem habe ich schon geplant, dieses Wochenende wegen einer Templerinvestitur nach Edinburgh zu fahren«, fügte sie hinzu, gerade als Adam Luft holte, um es auf einem anderen Weg zu versuchen. »Vielleicht könnten wir uns irgendwo treffen und ich zeige Ihnen dann den Ring. Sie wissen natürlich, daß Dundee ein Tempelritter war? Es heißt, er soll das Großkreuz des Ordens getragen haben, als er bei Killiecrankie fiel.«

»Ja, diese Geschichte habe ich schon gehört«, sagte Adam, »und wenn Sie schon nach Edinburgh herunterkommen, dann wäre das wirklich großartig. Übrigens hatte ich vor, selbst bei dieser Investitur zugegen zu sein. Die findet doch morgen nachmittag in der St. Mary's Cathedral statt, nicht wahr?«

»Ja, genau. Ja, natürlich werde ich den Ring mitbringen und Ihnen zeigen – ach du liebe Zeit, da ist jemand an der Tür. Ich muß jetzt Schluß machen, Sir Adam, aber ich sehe Sie ja dann morgen in St. Mary's. Ich freue mich darauf, Sie kennenzulernen.«

Sie legte auf, bevor Adam ja oder nein sagen konnte, doch als er seinerseits auflegte, überlegte er, daß ein Tag Aufschub wahrscheinlich keinen so großen Unterschied machte, zumal er das Templerkreuz ohnehin nicht vor Montag sehen konnte. Außerdem schien das zufällige Zusammentreffen von Miss Morrisons schon geplanter Reise nach Edinburgh zu bestätigen, daß er wahrscheinlich in die Richtung geführt wurde, in die er gehen sollte.

Inzwischen gab es prosaischere Verantwortlichkeiten, die nach einer zweitägigen Abwesenheit von seinen beruflichen Pflichten seiner Aufmerksamkeit bedurften. Adam widerstand der Versuchung, sich über die erzwungene Verzögerung bei den Nachforschungen Sorgen zu machen, er fuhr ins Krankenhaus und verbrachte den Vormittag mit der Betreuung seiner Patienten und Studenten. Am späten Vormittag rief er McLeod an und erfuhr, daß der Inspector ein Polizeibulletin über Henri Gerard herausgegeben hatte und jetzt auf Reaktionen wartete, die vielleicht nicht kamen, und ähnlich wie Adam gezwungen war, mit einem Teil seiner sonstigen Arbeit weiterzumachen, während er auf der Stelle trat. Peregrine hatte vorgehabt, an diesem Vormittag mit einem neuen Porträtauftrag zu beginnen; somit hatte er wenigstens etwas, was an diesem Tag seine Aufmerksamkeit beschäftigte.

Nach dem Mittagessen nahm Adam die Vorlesung wieder auf, die er am Montag hatte abbrechen müssen. Trotzdem schien sich der Nachmittag dahinzuschleppen und wurde nur einmal von einer lebhaften Tutorensitzung mit einigen seiner begabteren Studenten kurz aufgelockert. Es wurde vier Uhr, ohne daß eine neue Nachricht von McLeod kam, woraus Adam schloß, daß es nichts Neues zu berichten gab. Er unterdrückte den Impuls, seinen Stellvertreter von sich aus anzurufen, und beendete seinen Arbeitstag mit einer Personalkonferenz um 16.30 Uhr. Dann fuhr er nach Hause, um sich zu duschen und zu rasieren.

Zumindest versprach der Abend eine gewisse Ablenkung, wenn auch nicht so, wie er es sich ursprünglich vorgestellt hatte. Wochen zuvor hatte er geplant, eine Vorstellung der *Walküre* zu besuchen, die an diesem Abend im Playhouse Theatre stattfinden sollte. Diese Pläne hatten auch eine Verabredung zum Dinner vor der Vorführung mit Sir Matthew Fraser und dessen Frau Janet vorgesehen, die alte Freunde waren – sie bildeten ein angenehmes Trio, auch wenn Janets fortlaufende Versuche, für einen der begehrtesten Junggesellen Edinburghs eine gute Partie zu finden, Adam gelegentlich auf die Nerven gingen.

Er hatte auf Matthews Anwesenheit gezählt, damit Janet davon abgehalten würde, die Sache zu energisch voranzutreiben. Aber da Matthew unerwartet abberufen wurde, um für jemanden bei einer medizinischen Konferenz in Boston einzuspringen, hatte Adam prompt Peregrine und Julia eingeladen mitzukommen, so daß Janet einen Teil ihrer Ehestiftungsenergien auf die beiden verwenden konnte. Das Paar war inzwischen fast ein Jahr zusammen, und Adam vermutete, daß hier möglicherweise eine Heirat ins Haus stand. Man hatte vereinbart, daß die beiden Paare sich in Edinburgh zum Dinner treffen und von dort zum Theater gehen würden.

Adam ließ sich von Humphrey im Bentley fahren. Sie holten Janet vom eleganten Wohnsitz der Frasers in der Nähe von Dunfermline ab, dann fuhren sie weiter zum Caledonian Hotel, wo Adam einen Tisch hatte reservieren lassen, von dem aus man einen Ausblick auf die von Lampen beleuchteten Flächen der Princes Street und der Princes Street Gardens hatte. Peregrine und Julia waren noch nicht eingetroffen.

»Das muß eine der romantischsten Szenerien von ganz Edinburgh sein!« rief Janet aus, als sie sich anmutig auf ihrem Stuhl niederließ und ihre mit Perlen verzierte Handtasche ablegte. »Doch es erscheint einem wirklich wie Verschwendung, daß du sie nur mit mir genießt. So gern ich deine Gesellschaft auch habe, Adam, so muß ich doch daran denken, wie schade es ist, daß deine schöne Ximena nicht hier auf meinem Platz sitzt. Doch ich habe den Verdacht, daß du wahrscheinlich ziemlich genau dasselbe denkst«, fügte sie schelmisch hinzu und nahm sich eine Speisekarte.

Zurückhaltung legte sich über Adams feingeschnittenes Gesicht, als er an diese noch nicht lange zurückliegende Enttäuschung erinnert wurde. »Du stellst mich als sehr unhöflich hin«, sagte er ruhig.

»Überhaupt nicht«, erwiderte sie. »Ich stelle dich als das hin, was du bist: als einen Mann, der an eine Frau denkt. Jetzt schauen wir mal, was heute abend hier geboten wird. Meinst du, es sei noch zu früh in der Saison für Wild?«

Während sie ihre Aufmerksamkeit auf die Speisekarte richtete, tat Adam so, als studierte er die seine. Bei der Dame, von der Janet gesprochen hatte, handelte es sich um Dr. Ximena Lockhart, eine amerikanische Chirurgin, die bis vor drei Monaten aufgrund eines Vertrages als Fachberaterin für Notfallchirurgie in Edinburgh gearbeitet hatte. Adam war ihr im vorigen Dezember in der Notaufnahme des Edinburgh Royal Infirmary begegnet, als er dort nach einem Autounfall als Verletzter eingeliefert worden war. Sie hatten sich von Anfang an stark zu einander hingezogen gefühlt, woraus sich die erste intime romantische Beziehung entwickelte, die Adam sich seit langer Zeit gestattet hatte. Sie hatten sogar von Heirat gesprochen, obwohl sie nicht die Augen vor den Schwierigkeiten verschließen konnten, die gelöst werden mußten, um beider Karrieren in Einklang miteinander zu bringen.

Dann war sie wegen der unheilbaren Krankheit ihres Vaters gezwungen gewesen, ihren Vertrag vorzeitig zu beenden und nach Kalifornien zurückzukehren. Die Beziehung hing nun in der Schwebe, allerdings erzwang das fast makabre Warten auf den Tod ihres Vaters eine Frist gegenseitiger Neueinschätzung. Leider lag die Last zum großen Teil auf Ximenas Schultern; denn obwohl Adams Qualifikation als Psychiater ihn in die Lage versetzt haben würde, so gut wie überall in der westlichen Welt zu praktizieren, waren seine Bindungen an Schottland von solcher Art, daß er sie nicht leicht brechen konnte, ohne eine Verpflichtung zu verletzen, die so ernst und unverletzlich war wie die Weihegelübde eines Priesters. Diesen Aspekt seiner Bedingungen hatte er Ximena noch nicht offenbart.

»Tja, auf der Speisekarte steht kein Wild«, sagte Janet munter. »Und hier herumsitzen und schmachten bringt sie auch nicht zurück, Adam.«

Ein wehmütiges Lächeln spielte in seinen Mundwinkeln, als Janets Worte ihm die ganze Bittersüße von Verlust und Verlangen in Erinnerung riefen. Statt ihr die

Tiefe seiner Gefühle zu offenbaren, nahm er zu einem verlegenen Achselzucken Zuflucht.

»Ich leugne nicht, daß mir Ximenas Gesellschaft fehlt«, sagte er leichthin, »aber das Leben muß weitergehen.«

Wegen dieser offensichtlichen Schnoddrigkeit wollte Janet schon schmollen, doch dann blickte sie Adam aufmerksamer in die Augen.

»Du solltest sie dir wirklich nicht entgehen lassen«, sagte sie ruhig. »Alle deine Freunde würden sich freuen, dich glücklich verheiratet zu sehen – selbst mit einer Amerikanerin, wenn du das wirklich willst.«

Das war ein ehrliches Wort. Während Adam nach einer passenden Antwort suchte, hörte er irgendwo in seinem Hinterkopf wieder ein Echo der Stimme seiner Mutter.

»Der Weg eines Adepten ist manchmal vom Schicksal dazu bestimmt, einsam zu sein«, hatte Philippa ihm früh in den Tagen seiner Einweihung gesagt. »Er ist keine Straße, auf der man leicht in Gesellschaft gehen kann – ebenso sehr denen zuliebe, die du liebst, wie dem Werk zuliebe, das getan werden muß. Es geht auch gemeinsam, aber nur, wenn beide Seiten bereit sind, beträchtliche Opfer zu bringen.«

Seit damals hatten seine Erfahrungen ihn gelehrt, daß seine Mutter durchaus die Wahrheit gesagt hatte.

»Was ich will«, sagte er laut, »ist nicht das einzige, was hier zur Debatte steht.«

»Das ist sicher wahr«, bemerkte Janet mit einem Anflug schwesterlicher Strenge. »Aber deine Wünsche *sind* wichtig. Vermutlich wirst du mir gleich sagen, daß es hundertundein andere Dinge gibt, die Vorrang haben. Selbst angenommen, daß du recht haben magst, so würde ich es doch gern sehen, daß du wenigstens einmal versuchst, dich an die erste Stelle zu setzen.«

Es war selten, daß Janet so eindringlich sprach. Doch

bevor Adam antworten mußte, wurde er vom Oberkellner erlöst, der sich ihnen mit Peregrine und Julia im Gefolge näherte.

»Julia, Sie sehen ja blendend aus heute abend«, sagte Adam unbefangen und erhob sich, nahm ihre behandschuhte Hand und küßte sie auf die Wange, während ein strahlender Peregrine Janet begrüßte und der Oberkellner ihnen half, sich zu setzen.

Wie Adam und Janet trugen die beiden Abendkleidung: Peregrine eine schwarze Krawatte und eine Smokingjacke, Julia ein knöchellanges Kleid aus blaßblauem Seidenkrepp mit weißen Glacéhandschuhen. Als sich die beiden auf ihren Stühlen niedergelassen hatten und der Oberkellner wieder gegangen war, spürte Adam, daß das Paar etwas im Schilde führte. In den Blicken, die sie über den Tisch hinweg austauschten, war ein gemeinsames schelmisches Glitzern, das Janet offenbar ebenfalls bemerkt hatte.

»Ihr beide seht aus wie zwei Siamkatzen, die gerade gemeinsam einen Kanarienvogel verspeist haben«, rief sie aus. »Seid ihr bereit, aus freiem Willen zu beichten, oder müssen Adam und ich es erst aus euch herauskitzeln?«

Peregrine blickte grinsend zu Julia. »Sagst du es ihnen, oder soll ich?«

Das Funkeln in Julias blauen Augen war dem Gefunkel der saphirbesetzten Haarklammern ebenbürtig, die ihre rotgoldenen Locken zurückhielten.

»Ich würde es ihnen lieber *zeigen*«, sagte sie Peregrine und zog den Handschuh von der linken Hand.

Das Aufblitzen des zarten herzförmigen Rubins, der von Diamantsplittern umsäumt war, verkündete ihre Neuigkeit besser als alle Worte.

»Ihr seid verlobt!« rief Janet begeistert aus, während Adam mit einem kleinen Seufzer und leicht wehmütigen Lächeln nickte.

»Wann ist das passiert?«

Peregrine grinste – und errötete. »Wir haben schon seit einiger Zeit mit dem Gedanken gespielt, aber erst heute nachmittag ist es offiziell geworden. Der Ring war der Verlobungsring meiner Großmutter.«

»Ach, wie schön für euch beide!« sagte Janet, beugte sich hinüber zu Julia und drückte ihr impulsiv die Hand. »Habt ihr euch schon das Hochzeitsdatum überlegt?«

»Irgendwann im Frühling, meinen wir«, sagte Julia, »allerdings wissen wir den Tag noch nicht.« Während sie Peregrine einen weiteren lachenden Blick zuwarf, fügte sie hinzu: »Wir werden es Sie sicher wissen lassen, sobald das Datum feststeht.«

Adam, der bisher geschwiegen hatte, stand jetzt auf und reichte Peregrine lächelnd die Hand.

»Meine Glückwünsche, mein Freund«, sagte er mit Wärme, »und zwar von ganzem Herzen. Und Julia, meine Liebe«, fuhr er fort, wandte sich ihr zu und küßte sie erneut auf die Wange, »ich freue mich sehr für euch beide. Was immer die Zukunft bringen mag«, sagte er, setzte sich wieder hin und gab dem Kellner ein Zeichen, »ich glaube, der heutige Abend verlangt nach Champagner ...«

Das nachfolgende Dinner nahm eine bislang unerwartete festliche Stimmung an, die während des ganzen Mahls anhielt und sie ins Theater begleitete. Bis die Lichter erloschen, ließ sich Adam auf der Woge der Hochstimmung und des Glücks seiner jungen Freunde mittragen, und er weigerte sich, seine Stimmung dadurch dämpfen zu lassen, daß er sich entweder mit seinen eigenen Enttäuschungen in Liebesdingen oder den Ungewißheiten der ihnen derzeit bevorstehenden Aufgabe befaßte. Doch die stürmische Musik der *Walküre* lenkte ihn zurück zu seinen eigenen Sorgen, und er ertappte sich dabei, wie er unentrinnbar über die dunkle Verantwortung nachgrübelte, die weiterhin über ihm hing.

Das Siegel war noch immer verschwunden, Gerard war immer noch auf freiem Fuß. Zwei der vielen Gründe, warum er sich die wunderbaren Ablenkungen des Herzens nicht leisten konnte, besonders wenn es im Augenblick nichts gab, was er tun konnte, um seine eigene Situation zu lösen. Und doch verweilte der Gedanke an Ximena bei ihm, wie das Echo einer Melodie.

Später am Abend trug er diesen Gedanken mit sich nach Hause. Als er und Humphrey Janet wieder vor ihrem Haus abgesetzt hatten und sich auf dem Heimweg nach Strathmourne befanden, konnte er sich nicht davon abhalten, diesen Abend mit den vielen anderen zu vergleichen, an denen es Ximena gewesen war, die neben ihm in der Dunkelheit saß und die Magie der Musik in sich aufnahm oder lediglich die Anwesenheit des anderen im gleichen Raum genoß. Ihr Bild vor seinem geistigen Auge machte ihm plötzlich intensiv die seidige Resonanz bewußt, die sie in seinem Auto, in seinem Haus zurückgelassen hatte, überall, wo sie beide zusammen gewesen waren, unvergeßlich wie ein zurückbleibender Hauch eines seltenen Parfüms. Als Humphrey durch das Tor zum Herrenhaus fuhr, ertappte sich Adam dabei, daß er mit dem achtstündigen Zeitunterschied zwischen Schottland und Kalifornien rechnete.

Er lehnte das Angebot seines Butlers, ihm Tee zu machen, ab, ging hinauf in sein Schlafzimmer und setzte sich auf das Bett. Einen Augenblick lang betrachtete er das Telefon auf dem Nachttisch, dann griff er impulsiv nach dem Hörer. Ein schneller Tanz seiner Fingerspitzen auf den Wähltasten brachte ihm das Geräusch eines Telefons ans Ohr, das auf der anderen Seite des nordamerikanischen Kontinents läutete.

Er ließ es dreimal läuten, dann zwang er sich, schnell aufzulegen. Gerade jetzt ging es um dringendere Aufgaben. Sich einem Gefühl der Einsamkeit hinzugeben, das – zumindest jetzt – nicht befriedigt werden konnte, würde ihn nur für die Konfrontation, die ihm bevorstand, abstumpfen – und es würde bestimmt eine Konfrontation mit dem Unbekannten geben, der das Siegel gestohlen hatte. Er hoffte nur, daß er und die Seinen den Dieb finden konnten, bevor irreparabler Schaden angerichtet wurde, sowohl an dieser Person als auch in einem umfassenderen Sinn. Falls Nathans Siegel wirklich das Siegel Salomons war, wie Adam befürchtete, dann war das Potential für ein Desaster so schrecklich, daß man es sich fast nicht vorstellen konnte.

Kapitel 11

Der Samstag der Templerinvestitur brach mit klarem Himmel an, aber gegen Mittag, als Adam seine Visite im Krankenhaus abschloß, war ein Wind aufgekommen und Wolken waren aufgezogen, die die Möglichkeit von Regenschauern mit sich brachten. Die Ungewißheit des Wetters spiegelte sich in einer allgemeinen Stimmung der nervösen Unruhe unter Adams Patienten. Doch mit Sanftheit und dem Geschick langer praktischer Erfahrung konnte er die Symptome von Erregung lindern, wo immer er ihnen begegnete. Nach einem schnellen Mittagessen mit zweien seiner Arztkollegen konnte er das Krankenhaus rechtzeitig verlassen und nach Strathmourne zurückfahren, um sich schnell zu duschen und eine Kleidung anzulegen, die den Beschäftigungen des Nachmittags besser entsprach.

Wie erfolgreich der zweite Teil des Tages werden sollte, würde von dem Dundee-Ring abhängen, und davon, ob Miss Morrison dazu bewegt werden könnte, ihnen den Ring zu leihen. Vorausgesetzt natürlich, daß die Locke, die in dem Ring aufbewahrt wurde, tatsächlich vom Haupte Dundees abgeschnitten worden war. Falls dem so wäre, würde sie eines der mächtigsten möglichen Verbindungsglieder für den Versuch abgeben, einen esoterischen Kontakt über den Abgrund der astralen Leere herzustellen, da Haar von dem tatsächlichen materiellen Körper stammte, den eine Seele während eines bestimmten Lebens bewohnte. Nur Blut war noch mächtiger – und dies zu beschaffen schien unmöglich, da der Leib, der einst als Dundee bekannt gewesen war, schon mehr als dreihundert Jahre tot war. Jedoch stellte die Benutzung einer solchen Reliquie das unmittelbarste und wahrscheinlichste Mittel dar, um Zugang zu dem Wissen zu erlangen, das Dundee über das mysteriöse Siegel Salomons und das Geheimnis, das damit bewacht wurde, gehabt haben mochte.

Und wenn Miss Morrison es ablehnte, den Ring aus ihrer Obhut zu entlassen? Das würde die Sache komplizieren, aber sie könnten immer noch *gewisse* Einblicke gewinnen. Ob sie nun privaten Zugang zu dem Ring bekamen oder nicht, Adams Reserveplan sah vor, daß Peregrine den Ring auf der Stelle *sehend* untersuchen und später alle nachklingenden Bilder zeichnen würde, die dabei ans Licht kamen. Zumindest dies war ein Vorgehen, das wahrscheinlich keine unwillkommene Aufmerksamkeit oder Kritik auslösen würde – falls sich der Ring jedoch als echt herausstellen sollte und ihnen ein nützlicher Zugriff verweigert würde, dann wurde dadurch das Dundee-Kreuz für ihre Pläne sogar noch wichtiger.

Adam dachte über solche Alternativen nach, als er zum Torhaus hinunterfuhr, um Peregrine abzuholen. Da das Wetter noch nicht gänzlich unfreundlich geworden war, hatte er das Verdeck des Jaguars für die Fahrt in die Stadt unten gelassen. Eine graue Tweedjacke mit gleichfarbiger Weste dämpfte das Rot des Sinclair-Tartans seines Kilts, eine Schottenmütze mit einem weißrot karierten Band bändigte sein Haar, zwei Adlerfedern, die hinter das Sinclair-Abzeichen an der Mütze gesteckt waren, verkündeten seinen Status als Chieftain eines Zweigclans. Im Bund seines grauen Kiltstrumpfes stak sein *sgian dubh*, und dessen Knauf mit dem hellblauen Stein von der Größe eines Taubeneis befand sich beim Fahren in der Nähe seiner rechten Hand. Der *sgian dubh*, das ›dunkle Messer‹, war ein allgemeiner Bestandteil der Highland-Tracht, doch Adams Dolch war ein ebenso vertrautes Instrument seiner esoterischen Berufung wie der Siegelring mit dem Saphir an seiner rechten Hand.

Als er am Torhaus vorfuhr, drückte er auf die Hupe, und die Tür öffnete sich fast sofort.

»Hallo, Adam«, grüßte ihn Peregrine fröhlich und klemmte eine Mappe mit Reißverschluß unter einen Arm, während er die Tür hinter sich zuzog.

Er machte eine elegante Figur, als er die Stufen herunterkam, makellos gekleidet in eine gelbbraune Tweedjacke mit Weste zu seinem Kilt im braunen Hunting-Fraser-Tartan. Nachdem er die Mappe auf den Rücksitz geworfen hatte, steckte er die Türschlüssel in seinen braunen ledernen Sporran, dann öffnete er die Autotür und ließ sich auf dem Beifahrerseitz nieder.

»Tja, ich sehe, daß ich die korrekte Uniform für diesen Anlaß gewählt habe«, bemerkte er grinsend, als er kurz hin und her rutschte, um die Falten des Kilts richtig unter sich zu ordnen.

»In der Tat«, erwiderte Adam. »Hinter dem Sitz liegt eine Mütze, falls Sie eine wollen. Wir werden das Verdeck hochklappen, bevor wir in die Kirche gehen, aber es wäre eine Schande, den schönen Nachmittag nicht auszunutzen. Wer weiß, wann das Wetter wieder so wird.«

Mit einem dankbaren Nicken angelte sich Peregrine die Mütze, setzte sie sich auf und schob sie im Spiegel auf der Sonnenblende keck zurecht. Dann gurtete er sich an, während Adam den Jaguar zur Straße lenkte und dann auf die einige Kilometer entfernte Autobahn zufuhr.

»Also«, sagte Peregrine, während er sich mit einem Arm an der Tür aufstützte. »Ich war noch nie bei einer solchen Veranstaltung dabei. Gibt es irgendwelche Hinweise zum Protokoll, die ich wissen sollte, bevor wir dort ankommen?«

»Eigentlich nicht«, sagte Adam lächelnd. »Es handelt

sich meiner Erinnerung nach grundsätzlich um einen Gottesdienst – alles ziemlich einfach.« Er warf einen Blick über die Schulter auf die Mappe. »Ich sehe, Sie sind vorbereitet.«

Peregrine grinste. »Das ist nur das offizielle Arsenal. Ich habe mir auch die Freiheit genommen, ein Taschenskizzenbuch und ein paar Bleistifte in meinem Sporran zu verstecken. Ich war mir nicht sicher, ob es die Leute nicht vielleicht aus der Fassung bringen würde, wenn ich während der Investitur selbst skizziere.«

»Ich glaube nicht«, sagt Adam mit einem glucksenden Lachen. »Es ist sicher nicht aufdringlicher, als wenn Fotos gemacht werden – eigentlich sogar weniger aufdringlich –, und ich glaube, damit gibt es keine Probleme. Ganz offen gesagt, die meisten Ritter, die ich kenne, würden Ihr künstlerisches Interesse als Kompliment auffassen.«

»Das ist gut, denn abgesehen von der ernsten Arbeit, die wir zu tun haben, sind solche Ereignisse für einen Künstler eine Fundgrube an Inspirationen«, sagte Peregrine. »Es ist, als träte man auf die Bühne eines historischen Kostümdramas, und das alles noch in echten Farben.«

»Ich vermute, man *könnte* es so betrachten«, stimmte Adam zu.

Während sie über die Fort Road Bridge sausten und dann der langen Kurve der Queensferry Road folgten, setzten sie die Erörterung ihrer Strategie für den Nachmittag fort und ignorierten dabei zum größten Teil die freundlichen Blicke, die sie unterwegs auf sich zogen – denn der Anblick des offenen Sportwagens mit zwei attraktiven schottischen Gentlemen in traditioneller Kleidung veranlaßte ständig andere Verkehrsteilnehmer, sich nach ihnen umzudrehen, und ließ dafür empfängliche Damen aller Altersstufen ihnen gelegentlich zuwinken.

Als sie sich in südlicher Richtung zum Palmerston

Place vor der Kathedrale von St. Mary durchfädelten, hatte ein leichter Nebel zu sinken begonnen. Sie hatten Glück, als sie entdeckten, daß ein anderes Auto gerade aus einem guten Parkplatz in einer Seitenstraße wegfuhr. Adam salutierte andeutend in Richtung des anderen Fahrers, bevor er den Jaguar in die freigewordene Parklücke manövrierte.

Sie warfen ihre Mützen auf die Rücksitze, zogen ruckzuck das Verdeck hoch und schlossen den Wagen ab, dann gingen sie flott zurück zum vorderen Portal der prachtvollen neugotischen Kathedrale. Peregrine war, die Mappe unter dem Arm, schon in seinem Element und bemerkte erfreut interessante Details an der Kleidung der anderen Gäste, die da eintrafen. Fast alle Männer kamen im Kilt, doch viele von ihnen trugen Highland-Accessoires aus früheren Zeiten und erinnerten somit an die echte Geschichte, die solchen Abenteuerromanen wie *Rob Roy* und *Der Herr von Ballantrae* zugrundelag.

Unter einem grauen Himmel, der zunehmend mit ernsthaftem Regen drohte, schritten sie die Haupttreppe hinauf. Als sie durch das große Portal eintraten und durch die Vorhalle in das weite Innere der Kathedrale gingen, wurde sich Peregrine sofort einer Stimmung ehrfürchtiger Erwartung bewußt, die die Luft mit einer unsichtbaren Energie auflud, anders als bei allen seinen früheren Besuchen in der Kathedrale. Zu seiner Linken, in den zurückweichenden Schatten des nördlichen Ganges, sah er, wie sich eine Prozession aufstellte. Er kam zu dem Schluß, daß es sich bei der Handvoll Männer und Frauen, die die Prozession anführten, um Postulanten handeln mußte, denn sie trugen noch keine Insignien. Doch hinter ihnen erblickte er andere Gestalten, die sich in weißen Mänteln umherbewegten, die an der linken Schulter mit dem roten Templerkreuz verziert waren – Mitglieder der neuzeitlichen Ritterschaft des Ordens.

Er verlangsamte seinen Schritt, um bessere Sicht zu bekommen, doch da erschien um die Ecke des Chorlettners ein großer Mann mit gewölbter Brust und begrüßte sie, indem er mit seiner fleischigen Hand winkte.

»Aha, da ist der Mann, der uns eingeladen hat«, sagte Adam und wechselte die Richtung. »Kommen Sie, ich stelle Sie Stuart MacRae vor.«

MacRae hätte, schloß Peregrine, ein eindrucksvolles Modell für ein Porträt abgegeben. Überdurchschnittlich groß und stämmig wie eine Eiche, trug er den roten Tartan seines Clans mit der ungezwungenen Selbstsicherheit eines geborenen Highlanders. Die Wirkung wurde noch dadurch erhöht, daß sein angegrautes kastanienbraunes Haar im Stil eines jakobitischen Gutsherrn mit einem samtenen Band zu einem Zopf zurückgebunden war. Ein breites Lächeln ließ weiße Zähne durch einen üppigen kastanienbraunen Bart schimmern, während er auf sie zutrat und Adams Hand schüttelte.

»Ah, da sind Sie ja!« sagte er herzlich. »Willkommen, Sir Adam! Ich freue mich, daß Sie es möglich machen konnten!«

»Ganz meinerseits«, erwiderte Adam. »Stuart, ich würde Ihnen gern Mr. Peregrine Lovat, einen meiner Mitarbeiter, vorstellen. Er ist auch ein sehr guter Künstler und hofft, hier heute einige Inspirationen zu bekommen. Peregrine, das ist Stuart MacRae.«

»Nun denn, willkommen, Mr. Lovat«, sagte MacRae und schüttelte Peregrine herzhaft die Hand. »Ich glaube, ich habe schon einmal von Ihnen gehört.«

»Nur Gutes, hoffe ich«, antwortete Peregrine und lächelte. »Ich bin sehr froh, daß Adam mich mitgenommen hat. Ich habe mich schon darauf gefreut.«

»Tja, ich hoffe, wir werden Sie nicht enttäuschen«, sagte MacRae fröhlich. »Auf jeden Fall freue ich mich immer, einen von Sir Adams Freunden kennenzulernen. Ich hoffe, er hat Ihnen gesagt, daß das Datum dieser Investitur an eine ganz besondere jakobitische Verbindung mit den Templern erinnert.«

»Nein, ich glaube nicht«, erwiderte Peregrine und blickte Adam an, der leicht mit den Achseln zuckte.

»Nun denn. Am 27. September 1745 empfing Prinz Charles Edward Stuart schottische Ritter des Ordens vom Tempel bei einem besonderen Empfang im Palast von Holyrood, und bei dieser Gelegenheit wurde der Prinz selbst ein Templer. In einer der Galerien der Königin gibt es ein schönes Gemälde, von dem ich gern annehme, daß es das Ereignis darstellen sollte. Da Sie ein Künstler sind, kennen Sie es vielleicht, Mr. Lovat. Es zeigt den Prinzen flankiert von Lochiel und Pitsligo, den Chiefs der Clans Cameron und Forbes – ein grüblerisches, dunkles Bild.«

»Falls es dasselbe ist wie das, an das ich denke, dann kenne ich es gut«, sagte Peregrine. »Der Künstler war John Pettie. Es ist eines der eleganteren Bilder, die ich von dem Prinzen gesehen habe, aber als Künstler war ich immer von den anderen beiden Gesichtern noch mehr fasziniert. Der Hintergrund ist sehr dunkel, wie Sie schon sagten, aber das sind sie – loyal und tapfer im Rücken ihres Prinzen. Die Gesichter sind reizvoll.«

»Aye, das ist es«, stimmte ihm MacRae zu. »Sie kennen es also! Übrigens werden wir später am Abend einen formellen Empfang abhalten, um an jenes Ereignis zu erinnern – die Soirée der Weißen Kokarde, wie wir es nennen. Wir veranstalten sie jede Jahr. Sie sind beide herzlich eingeladen, wenn Sie wollen.«

»Ich würde gern kommen, Stuart, aber wir müssen leider ablehnen«, sagte Adam unbefangen. »Mr. Lovat hat sich gerade mit einer äußerst attraktiven jungen Dame verlobt, und ich versuche einige Nachforschungen für einen Artikel einzuholen, den ich gerade schreibe. Was mich daran erinnert, ich soll hier eine

Miss Fiona Morrison treffen. Könnten Sie sie mir zeigen und uns vielleicht miteinander bekanntmachen?«

»Schon, aber ich glaube, das wird bis nach dem Gottesdienst warten müssen«, sagte MacRae. »Sie ist hinten in der Sakristei und hilft gerade noch bei den Insignien und Mänteln und dergleichen. Und es wird gleich losgehen.«

»Stimmt«, erwiderte Adam nach einem Blick auf seine Taschenuhr. »Vielleicht sollten wir dann lieber unsere Plätze einnehmen. Wir können sie sicher nachher abfangen.«

»Ich werde dafür sorgen, daß sie nicht weggeht«, sicherte ihm MacRae zu.

Auf seinen Wink hin kam ein Zeremonienmeister im weißen Mantel und geleitete Adam und Peregrine zu ausgewählten Plätzen im oberen Chorgestühl ganz rechts. Vielleicht zwei Dutzend Leute saßen schon im Chor mit dem Blick zum Mittelgang, zumeist Freunde und Familienmitglieder der Leute, die hier investiert werden sollten. Peregrine hatte gerade noch genug Zeit, sich mit Bleistift und Block im Schoß niederzulassen, als es auf der anderen Seite des Lettners, wo sich im nördlichen Chorgang die Prozession aufstellte, eine größere Unruhe gab.

Eine Strom wortloser Erregung lief wie ein aufkommender Windstoß durch das Schiff der Kathedrale. Die vorbeiwehende Brise rührte Peregrine an, und er erlebte zusammen mit der Erwartung die überraschende Spannung eines Mysteriums.

Der Gottesdienst begann in feierlichem Schweigen, während die Prozession in den weißen Mänteln ruhig durch den langen nördlichen Gang zur Rückseite der Kirche schritt und dann abbog, um durch den Mittelgang zurück zum Altar zu kommen. Die wartende Gemeinde erhob sich, um die Prozession zu begrüßen und zu empfangen, als die ersten Ritter die zwei Stufen zum Chor emporstiegen – der Schwertträger des Ordens, der einen großen Zweihänder trug, paarweise gefolgt von den Standartenträgern der verschiedenen Templerkomtureien aus ganz Schottland.

Als nächstes kam das Prozessionskreuz des Ordens, gefolgt von einem Ritter, der eine offene Schatulle trug, die einen völlig verrosteten Sporn und ein geschwärztes Metallstück enthielt, das vielleicht einmal Teil einer Schwertklinge gewesen war – Templerreliquien, die dem Orden gehörten, wie Adam auf Peregrines fragenden Blick hin vermutete. Den Reliquien folgten Geistliche von einem halben Dutzend verschiedener Konfessionen, dann kamen fünf ernst dreinblickende Postulanten, die in Kürze den Ritterschlag, das Zeichen und Siegel der Ritterschaft, erhalten würden. Die drei Männer trugen Kilts, die beiden Frauen plissierte Röcke. Der Ausdruck gespannter Entschlossenheit auf den fünf ernsten Gesichtern erinnerte Peregrine an seine eigene Einweihung in die Jagdloge, die noch kein Jahr zurücklag, jedoch in einem etwas anderen Rahmen stattgefunden hatte. Hinter den Postulanten marschierten paarweise die Ordensritter selbst, vierzig oder fünfzig, Männer wie Frauen, angetan mit ihren weißen Mänteln, die das rote Kreuz des Ordens trugen.

Als letzter kam der Großprior, zusammen mit den Trägern seiner persönlichen Standarte und seines Schwertes, eskortiert von acht Rittern im weißen Mantel mit gezogenen Schwertern. Die Würde der Prozession wurde noch erhöht durch den langsamen, stummen Schritt der Teilnehmer, den Schmuck der leuchtenden Banner und das Rauschen der weißen Mäntel über den vielfarbigen Kilts. Als der letzte an seinem Platz im Altarraum und im unteren Chorgestühl angekommen war, legte sich eine erwartungsvolle Stille über die Anwesenden.

Die Feier begann mit einem Eröffnungslied – höchst passend mit ›Vorwärts, Christi Krieger‹. Peregrine, der mit allen Übrigen seine Stimme erklingen ließ, war beeindruckt davon, wie einzigartig die Zeilen der dritten Strophe paßten:

Wir sind nicht getrennt, wir sind all' ein Leib,
Eins in Hoffnung und im Glauben, in der Liebe eins …

Diese Worte, einfach und mitreißend zugleich, schienen eine Wahrheit zu unterstreichen, die Peregrine schon bei seiner eigenen Berufung zum Jäger begriffen hatte – daß es eine wesenhafte Einheit zwischen allen gab, die zum Dienst des LICHTES gerufen waren, und daß sie sich über alle äußeren Zufälligkeiten der Form hinwegsetzte.

»Genau wie alle Farben des Spektrums in einem Strahl reinen Lichts vereint sind«, hatte Adam einmal gesagt, »so werden alle Seelen mit guten und edlen Absichten vom Göttlichen LICHT zu ihrem Entschluß gebracht. So ist jeder, der diesem LICHT dient, eins mit uns, und wir sind eins mit ihm.«

Als der Choral endete, empfand Peregrine ein starkes Gefühl der Verwandtschaft, das durch diese Einheit hervorgerufen wurde. Während die Orgel das abschließende *Amen* begleitete und sich alle setzten, fand er sich überwältigt von der Empfindung eines größeren Nachhalls, als hätten die Stimmen der hier Versammelten Echos wachgerufen, die über den Bereich gewöhnlicher Klänge hinausgingen. Die Resonanzen schienen – eher gefühlt als gehört – in der Luft zu verweilen, wie der volle Tonumfang der Harmonik, der durch das Zupfen einer einzigen Harfensaite erzeugt wurde.

Das Gewebe der Echos erschien zugleich reich und tief, dichter, als es bei dieser relativ kleinen, ausgewählten Versammlung hätte sein dürfen. Es war ein Klanggewebe, das Peregrine mit dichtgedrängten Sängerscharen assoziierte – Echos von einer Kathedrale, die bis auf den letzten Platz gefüllt war, nicht zu drei Vierteln leer, wie St. Mary im Augenblick. Trotzdem wurde er das merkwürdige Gefühl nicht los, daß die Kathedrale voller war, als es den Anschein hatte. Er blickte sogar zu den Türen am anderen Ende des Schiffes zurück und erwartete dabei fast, eine ganze Menge von Zuspätkommenden zu sehen, die sich über die Schwelle drängten; doch jenseits der Grenzen des Chorgestühls und des Altarraums war nichts zu sehen als leere Stühle. Die Empfindung einer unsichtbaren Anwesenheit blieb während der ganzen nachfolgenden Gebete und Bibellesungen erhalten.

Dieses Gefühl einer unsichtbaren Anwesenheit machte sich auch an der Peripherie von Adams Wahrnehmungen bemerkbar und wurde noch stärker, als eine Bewegung unter den Postulanten anzeigte, daß die Feier zur tatsächlichen Investiturzeremonie überging. Als der erste der fünf Kandidaten nach vorn geleitet wurde, niederkniete und – das Haupt vor dem Großprior geneigt und die Hände auf einen alten Band der Heiligen Schrift gelegt – den Ritterschlag erhielt, spürte Adam, wie sich in ihm Erinnerungen aus seiner eigenen tiefen und fernen Vergangenheit an eine ähnliche Zeremonie regten.

Ohne die Hilfe einer tief konzentrierten Trance, die unter den gegenwärtigen Umständen unpassend war, war die Vergangenheit selbst außerhalb der Reichweite seines Bewußtseins, aber ihre sensorischen Resonanzen umspielten ihn wie Brisen, die die hereinkommende Flut begleiteten. Und sie schlug tief in seiner Seele eine verwandte Saite an, als das Schwert von den Händen des Großpriors gehoben wurde und dann herniederblitzte, um den knienden Kandidaten auf jeder Schulter und auf dem Haupt zu berühren.

»*Sois Chevalier, au Nom de Dieu. Avances, Chevalier* … Sei ein Ritter, im Namen Gottes. Erhebe dich als Ritter …«

Als das Halskreuz um den Hals des neuen Ritters befestigt und ihm der Mantel um die Schultern gelegt wurde, spürte Adam kurz das Gewicht eines ähnlichen Mantels auf seinen eigenen Schultern und spürte den Griff eines Schwerthefts in seiner rechten Hand. Unaufgefordert hob sich sein Herz in kriegerischer Antwort auf einen fernen Ruf zu den Waffen. Obwohl nur dessen Echos seine äußeren Sinne erreichten, waren sie schon kräftig genug, um ihn zu bannen – wie die Klänge eines fernen Schlachtgesangs.

Wider die eigene Absicht auf der Schwelle zur Trance stehend, wurde sich Adam bewußt, daß er plötzlich ein einzelner einer in großen Gemeinschaft war, die sich über viele Jahrhunderte hindurch zurückerstreckte. Obwohl er den körperlichen Blick nicht von dem neuen Ritter abwandte, der sich jetzt zurückzog, um dem nächsten Kandidaten Platz zu machen, nahm er plötzlich ein wahres Meer von Gestalten in Kettenhemden und weißen Gewändern wahr, die vor seinen Augen und um ihn herum schimmerten wie Nebel im Sonnenlicht. Die Heerschar der Ritter war so riesig, daß sie sein ganzes Blickfeld ausfüllte, als hätte sich das Innere der Kathedrale durch ihre Anwesenheit mystisch verwandelt und vergrößert. Ihm war, als wären alle Tempelritter, die jemals gelebt hatten, in dieser Stunde und an diesem Ort seltsam zugegen, um die Neuankömmlinge in ihren Reihen zu begrüßen.

Als der letzte Ordensritter den Ritterschlag erhalten hatte, schloß Adam die Augen und vereinte seinen Willen mit dem ihrer Vorgänger und brachte mit ihnen ein gemeinsames Gebet für das Wohl und die Führung dieser neu ernannten Krieger des LICHTS dar. In sein Gebet mischte sich die feierliche Verlesung des alten Treueschwurs der Ritter vom Schottischen Tempel. Die Tradition behauptete, der Eid sei zum ersten Mal Rittern des schottischen Priorats im Jahr 1317 abgenommen worden, drei Jahre, nachdem sie an der Seite von König Robert the Bruce in der Schlacht von Bannockburn gekämpft hatten. Wenn auch die Sprache dieses Schwurs seither modernisiert worden war, so war doch der Schwur selbst nie aufgehoben worden, weder durch eine päpstliche Bulle noch durch den Befehl eines Großmeisters. Der Ritter, der ihn jetzt vorlas, damit die neu aufgenommen Ritter ihm zustimmten, tat dies in Gemeinschaft von Tausenden, die vor ihnen gewesen waren.

»In Anbetracht der Tatsache, daß das alte Königreich Schottland die Brüder des Alten und Edlen Ritterordens vom Tempel von Jerusalem unterstützte und aufnahm, als viele Beschlagnahmungen ihrer Güter erfolgten und ihnen viele gräßliche Bosheiten zugefügt wurden, legen die Ritter des Ordens hier Zeugnis ab.

Die Ritter des Ordens verpflichten sich, die Rechte, Freiheiten und Privilegien des alten und souveränen Königreichs Schottland zu bewahren und zu verteidigen. Des weiteren bestätigen sie, daß sie unter Einsatz ihres Lebens das von Gott eingesetzte Königshaus des Königreichs Schottland unterstützen.

Die Ritter werden mit all ihrer Macht allen Versuchen jeglicher Person oder Gruppen von Personen widerstehen, wo und wie immer diese außerhalb des Königreichs Schottland bevollmächtigt sein mögen, das alte Königreich Schottland oder Teile desselben an sich zu reißen.

Da wir Ritter die unseren unsterblichen Seelen drohenden Gefahren fürchten, bezeugen wir das Vorerwähnte bei unserer ritterlichen Ehre, und wir beschwören es vor Gott.«

»Wir beschwören es vor Gott«, wiederholten die versammelten Ritter einstimmig, die neuen und die alten gleichermaßen.

Von ihnen allen vor dem Altar in der Gegenwart des

Großpriors und der ganzen versammelten Gemeinschaft bekräftigt, besiegelte der Schwur ihre Ergebenheit, dem Souverän und dem Land zu dienen. Im erweiterten Sinn war er auch ein Versprechen, einem höheren Königreich und einer höheren Ordnung und Souveränität zu dienen, denn der höchste Herr dieser irdischen Ritter war Gott selbst, und sie alle waren zu seinem Dienst eingeschworen.

Die tiefere Bedeutung des Eides berührte auch Peregrine, der neben Adam stand und seinen Mentor von der Seite anschaute, als der Schwur endete. Das Bild, das sich seinen Augen bot, überraschte ihn so sehr, daß er fast laut ausgerufen hätte, und es ließ ihn einen Schritt zurücktreten, denn in diesem Bruchteil eines Augenblicks der Wahrnehmung erschien ihm Adam nicht als schottischer Gentleman der Gegenwart, sondern als bärtiger Ritter in einem Kettenhemd, der den weißen Wappenrock und das scharlachrote Kreuz eines Tempelritters trug.

Es war nicht das erste Mal, daß Peregrine Adam mit seiner *tiefen Sicht* historisch verwandelt gesehen hatte. Doch bei den früheren Gelegenheiten war die historische Erscheinung halb durchsichtig gewesen, wie ein fotografisches Negativ, das auf einen voll entwickelten Abzug gelegt wurde. Diesmal jedoch war die visuelle Verwandlung nahezu vollständig – als hätte Adam keineswegs ein Kostüm angelegt, sondern unbewußt die Maske seiner Gegenwart sinken lassen und einem verborgenen Aspekt seines Seins aufzuscheinen erlaubt. In einer plötzlich aufblitzenden Einsicht erkannte Peregrine, daß das Erscheinen von Adams Templerpersönlichkeit eine unmittelbare Reaktion auf die Investiturzeremonie selbst sein mußte.

Es war eine eindrucksvolle Demonstration der beschwörenden Macht des Rituals. Gleichzeitig war es ein Hinweis auf die Stärke der historischen Bindung

Adams an den Orden. Ob sich nun Adam der Veränderung, die über ihn gekommen war, bewußt war oder nicht, so hatte Peregrine doch das Gefühl, daß dies wert sei, dem Gedächtnis eingeprägt zu werden. Als sie sich nach Abschluß der Schwurzeremonie setzten, nahm er seinen Bleistift wieder in die Hand und begann erneut zu zeichnen …

Kapitel 12

Die Investiturfeier schloß mit einer Folge von Gebeten für das Wohl des Ordens und der Welt allgemein und dann mit einem Schlußchoral. Danach begleitete ein stürmisches Orgelnachspiel den Auszug der Ritter durch den Mittelgang und hinauf zur Nordseite, wo sich dann die Teilnehmer zerstreuten.

Als Peregrine seine letzte Skizze vollendet und seine Mappe wieder geschlossen hatte – Adam war in den Gang getreten, um mit einem Bekannten zu plaudern –, gingen beide wieder in das Kirchenschiff, wo Stuart MacRae in ein Gespräch mit einer korpulenten, rosenwangigen Dame unbestimmten Alters vertieft war, deren üppigen Busen Spitzenrüschen zierten. Ihre robuste, energische Erscheinung erinnerte Adam sehr an eine seiner Großtanten väterlicherseits, und der grünblaue Tartan ihres langen plissierten Rocks überzeugte ihn, daß es sich bei ihr nur um Miss Morrison handeln konnte.

Diese Vermutung wurde bestätigt, als MacRae sie einander vorstellte. Sie schüttelte ihnen fest die Hand, erst Adam, dann Peregrine, und betrachtete beide prüfend mit ihrem scharfen, bebrillten Blick.

»Ja, Sie sind wirklich der, für den ich Sie hielt, Sir Adam«, bemerkte sie mit einem Lächeln, und ihre Bifokalgläser funkelten zu ihm empor. »Oh, wir haben uns noch nicht kennengelernt, aber Sie sind doch ein förderndes Mitglied des Royal Scottish Preservation Trust, nicht wahr?«

Adam zog überrascht eine Augenbraue hoch, lächelte sein Gegenüber an und sagte: »Schuldig im Sinne der Anklage, Miss Morrison. Darf ich daraus schließen, daß Sie ebenfalls am Trust interessiert sind?«

»In der Tat«, erwiderte Miss Morrison. »Ich habe es mir zum Prinzip gemacht, jeden vom Trust geförderten Vortrag zu besuchen, wann immer ich kann. Sie haben letztes Jahr in Gleneagles über die Beziehung zwischen Intuition und Archäologie gesprochen.«

»Ich hoffe, es hat Ihnen gefallen«, sagte Adam sichtlich beeindruckt. »Sie haben ein ausgezeichnetes Gedächtnis.«

»Es war ein denkwürdiger Vortrag«, entgegnete sie. »Einer der erstaunlichsten, an die ich mich auf Anhieb erinnern kann. Ich war fasziniert von Ihrer zentralen These, daß die Intuition ein wirksames Instrument archäologischer Forschung darstellt.«

»Nun, ich freue mich sehr zu hören, daß meine ziemlich verrückten Ideen zumindest an einer Stelle gut angekommen sind«, sagte Adam mit einem leisen Lachen. »Ich fürchte, daß eine Reihe der konservativeren Mitglieder des Trusts eher dazu neigen, mich als eine Art Exzentriker zu betrachten.«

»Die sollten sich dann was schämen«, erklärte Miss Morrison wacker. »Wenn es exzentrisch ist, die Themen und Probleme der historischen Forschung unter einem reizvollen neuen Blickwinkel zu betrachten, dann kann ich nur sagen, wir könnten durchaus ein bißchen mehr Exzentrikertum in unseren Reihen vertragen.«

Sie unterbrach sich und schnalzte mit der Zunge. »Aber ich plappere hier etwas daher, während Ihr wahres Interesse doch meinem Ring gilt! Nun, lassen Sie mich ihn mal herausholen und Ihnen zeigen.«

Mit diesen Worten öffnete sie die sporranähnliche Tasche an ihrem Arm und holte ein besticktes weißes Taschentuch heraus, das um etwas Kleines, Kompaktes gewickelt war. Als sie den Gegenstand auswickelte, trat

Peregrine wortlos näher heran und blickte über Adams Schulter. Ein schwerer Goldring, den sie erwartungsvoll in Adams ausgestreckte Hand legte, reflektierte kräftig das Licht des Kronleuchters, der über ihnen hing.

Die Form des Rings zusammen mit der Größe seines Steges und dem Gewicht des Edelmetalls legten den Gedanken nahe, daß er eher für einen Mann als für eine Frau angefertigt worden war. Der Steg war breit und ungemustert und trug einen ovalen Cabochon aus durchsichtigem Bergkristall, der in einem robusten Ringkasten saß. Unter dem Kristall befand sich, flach an das Gold der Kastenwand gedrückt, eine fest zusammengedrehte Locke dunklen Haars. Nachdem er den Ring einen Augenblick lang eingehend untersucht hatte, reichte Adam ihn an Peregrine weiter, um seinen Kommentar zu hören.

»Er scheint sicher aus der damaligen Zeit zu stammen«, sagte er, als Peregrine den Ring ebenfalls untersuchte. »Was können Sie mir über seine Herkunft sagen?«

»Nun, der Ring befindet sich seit etwa hundert Jahren im Besitz unserer Familie«, sagte Miss Morrison gelassen, während Peregrine die Augen in der Hoffnung zusammenkniff, ein verräterisches Aufflackern einer geisterhaften Resonanz zu erhaschen.

»Der Tradition nach ist er das Erbstück des ältesten Sohns, aber in meiner Generation gab es nur Mädchen, und so hat ihn mein Vater – Gott hab' ihn selig – mir vermacht. Er wußte, wissen Sie, daß ich diejenige bin, die sich am meisten für historische Objekte und Kuriosa interessiert.«

»Hundert Jahre«, sagte Adam, als Peregrine ihm den Ring mit einem fast unmerklichen Kopfschütteln zurückgab, um anzudeuten, daß er nichts aufgefangen hatte. »Das ist eine ziemlich lange Zeit, aber damit kommen wir noch nicht in Dundees Epoche zurück.

Wie ist denn dieser Ring überhaupt in die Hände Ihrer Familie gelangt?«

»Oh, das ist ziemlich einfach. Mein Ururgroßvater erwarb ihn mit dem Mobiliar und sonstigen Inhalt eines Hauses, das er oben in Huntly kaufte. Das war in den achtziger Jahren des vorigen Jahrhunderts. Ich sollte vielleicht erwähnen, daß der frühere Besitzer des Hauses ein älterer Herr namens Mackintosh gewesen war, vermutlich vom gleichen Zweig des Clans, der in der Rebellion von 1715 an der Seite des Herzogs von Argyll kämpfte. Es gab eine Familientradition, daß damals ein Mackintosh den Ring aus Frankreich nach Schottland gebracht habe. Denken Sie bitte daran, daß zu jenem Zeitpunkt Killiecrankie noch nicht so lange her war. Viele Leute in jenen Tagen hätten einen solchen Ring als ein Glückszeichen betrachtet, weil er eine Locke vom Haar des berühmten Bonnie Dundee enthielt.«

Einen Augenblick lang erinnerte sich Adam lebhaft an die Zeichnung, die Peregrine bei Blair Castle angefertigt hatte: wie James Seton, Earl of Dunfermline, unter Tränen eine Locke seines getöteten Freundes abschnitt, um sie zur Erinnerung zu behalten. Diese Locke konnte durchaus als Glückstalisman in einen Gedächtnisring geraten sein. Doch einstweilen gab es noch reichlich Raum für Zweifel.

»Verzeihen Sie mir, falls meine nächste Frage unverschämt klingt«, sagte er entschuldigend zu Miss Morrison, »aber ich sehe mich verpflichtet zu fragen, welche Grundlage Sie für die Annahme haben, daß diese Locke unter dem Kristall wirklich von Dundee stammt – abgesehen von der Familientradition.«

Miss Morrison schürzte nachdenklich die Lippen. »Nun, zum einen wird der Ring in einer Anzahl von Testamenten aus diesem bestimmten Zweig der Mackintoshes als ›Dark Johnny's Taiken‹, also als Andenken an den Dunklen John erwähnt. Ich brauche Sie nicht daran zu erinnern, daß Dundees Highlanders den

Viscount gern als ihren ›Dark John of the Battles‹ bezeichneten. Außerdem bestätigen die Datierungen der Testamente, daß sich der Besitz des Rings durch die Familie mindestens bis auf die Periode zwischen der Rebellion von 1715 und dem Aufstand von 1745 zurückverfolgen läßt. Zugegeben, einige professionelle Historiker könnten die Beweise als ein wenig schwach ansehen. Wenn ich jedoch für mich selber spreche, dann bin ich bereit, meiner Intuition zu folgen und zu behaupten, daß der Ring echt ist.«

Adam antwortete nicht sofort. Während er den Ring hin und her drehte, um ihn von allen Seiten zu untersuchen, wurde er sich gleichzeitig einer prickelten Empfindung in seinen Fingerspitzen bewußt. Sie wurde immer deutlicher, je länger er den Ring in Händen hielt. Es schien ihm fast, als wecke seine persönliche Berührung einige bislang schlummernde Resonanzen, die mit der Geschichte des Ringes verbunden waren. Und doch hatte Peregrine keine besondere Reaktion auf den Ring angedeutet.

Der scheinbare Widerspruch reichte aus, um seine Neugier aufs äußerste zu reizen. Er verbarg das wahre Ausmaß seines Interesses, gab den Ring wieder in das Taschentuch, das Miss Morrison ihm reichte, und bot ein Lächeln auf.

»Wenn Sie die Intuition zu Hilfe rufen, dann sehe ich mich in der Gefahr, in meiner eigenen Falle gefangen zu werden«, sagte er leichthin. »Ich kann wohl kaum Ihre Position in Frage stellen, ohne einige meiner eigenen Argumente zu kompromittieren.«

Miss Morrison gluckste verständnisvoll. »Wenn ich die Intuition zu Hilfe rufe, Sir Adam, dann bedeutet das nur, Ehre zu geben, wem Ehre gebührt.«

»Ich nehme das als Kompliment, weil ich hoffe, daß es als solches beabsichtigt ist«, sagte Adam und lachte leise. »Sagen Sie mir bitte, dürfte ich mich Ihnen so weit aufdrängen, daß ich mir den Ring auf ein paar Tage ausleihe? Abgesehen davon, daß ich einige Aufnahmen für den Artikel machen möchte, an dem ich schreibe, würde ich gern Mr. Lovat den Ring detaillierter untersuchen und die Einschätzung eines Künstlers über die handwerkliche Arbeit abgeben lassen.«

Mit einem Mal sah sich Peregrine als Ziel eines beunruhigend durchdringenden Paars blauer Augen.

»Sie sind also ein Künstler, Mr. Lovat?« bemerkte Miss Morisson. »Mir ist gerade eingefallen, daß Sie ebenfalls bei Sir Adams Vortrag in Gleneagles anwesend waren. Ich hatte mich schon gefragt, ob Sie wohl eine Art Medium seien.«

Peregrine fiel um ein Haar der Kinnladen herab. »Ich hoffe, Sie sind nicht enttäuscht«, sagte er und bot sein aufrichtigstes Lächeln auf.

»Nur ein wenig«, erwiderte sie. »Ich habe oft gedacht, es wäre interessant zu hören, was ein Medium über diesen meinen Ring zu sagen haben würde.«

»Das kann ich einrichten, wenn es Ihnen wirklich ernst damit ist«, sagte Adam mit einem ungezwungenen Lachen. »Ich kenne nämlich ein oder zwei Medien. Aber wären Sie bereit, sich für ein paar Tage von dem Ring zu trennen?«

»Oh, ich glaube schon, da Sie es sind«, sagte sie. Sie beobachtete, wie Adam einen Füllhalter und eine Visitenkarte aus seiner Tasche zog und eine Quittung zu schreiben begann. »Vor dem nächsten Samstag brauche ich ihn allerdings wieder. Könnten Sie mich wirklich mit einem Medium bekanntmachen?«

Adam reichte ihr lächelnd die Karte.

»Natürlich. Lassen Sie mich ein paar Tage darüber nachdenken. Und ich verspreche Ihnen, daß Sie den Ring noch vor dem nächsten Samstag wiederhaben werden. Wenn ich ihn nicht persönlich zurückgeben kann, dann wird mein Butler als mein Kurier dienen.«

»Das wäre großartig«, sagte Miss Morrison. »Eigentlich könnten Sie oder Ihr Butler uns eine Reise zwischen hier und Inverness ersparen, wenn Sie den Ring hier in Edinburgh bei der National Gallery ablieferten. Dort bereitet man eine besondere Ausstellung jakobitischer Erinnerungsstücke vor, und ich habe schon zugestimmt, daß mein Ring in der Ausstellung gezeigt wird.«

»Nun denn, ich werde ihn nicht später als – sagen wir – Donnerstag bei der National Gallery abliefern lassen«, sagte Adam und steckte den Ring samt seinem Taschentuch in eine Jackentasche. »Wird das für die Leute von der Galerie früh genug sein?«

»Oh, ich denke, das wird reichen«, erwiderte Miss Morrison. »Und Sie vergessen nicht das Medium?«

Adam unterdrückte sein Grinsen besser als Peregrine, der sein Amüsement hinter einem geheuchelten Husten verstecken mußte.

»Oh, ich werde es nicht vergessen«, versicherte er ihrer Wohltäterin. »Wir werden einen Termin vereinbaren, wenn die Ausstellung vorbei ist.«

Nachdem sie sich von Miss Morrison verabschiedet hatten, blieben Adam und Peregrine noch lange genug, um von Stuart MacRae dem Großprior und einigen seiner Würdenträgern vorgestellt zu werden, bevor sie sich ihrerseits verabschiedeten. Während sie durch einen leichten Nebel zum Auto zurückgingen, konnte Peregrine kaum an sich halten.

»Du lieber Himmel, um ein Haar!« rief er aus und blickte eulenhaft über die Schulter. »Glauben Sie, Miss Morrison hatte eine Ahnung von der Wahrheit?«

»Ich muß ihr auf jeden Fall ein mehr als gewöhnliches Maß an Intuition zubilligen«, sagte Adam mit einem leichten Lächeln. »Wie dem auch sei, diese Tatsache hat sich wahrscheinlich zu unseren Gunsten ausgewirkt. Fühlen Sie sich heute abend noch in der Lage zu arbeiten?«

»Natürlich«, sagte Peregrine. »Ich bin mir allerdings nicht sicher, wieviel ich werde herausholen können.

Vorhin kam nicht viel durch, aber das mag daran gelegen haben, daß Miss Morrison zugegen war, und ich fühlte mich nicht wirklich so sicher, um mich zu öffnen. Doch *Sie* haben ein wenig merkwürdig ausgesehen.«

»So?« sagte Adam.

»Ach, nicht, daß es jemand anders bemerkt hätte«, beruhigte ihn Peregrine, als sie wieder in den Jaguar stiegen. »Ich wußte nicht, daß Sie in der Lage seien, etwas von Objekten aufzufangen.«

»Gewöhnlich tue ich das auch nicht«, erwiderte Adam. »Ich bin mir nicht einmal sicher, ob ich es vorhin getan habe. Aber wenn wir zu Hause sind, werden wir zuerst einmal sehen, was *Sie* auffangen. Und vielleicht werde ich es dann auch einmal versuchen.«

Kurz nach sechs trafen sie wieder in Strathmourne ein. Adam erfuhr von Humphrey, daß während ihrer Abwesenheit McLeod von London aus angerufen hatte, aber die Nachricht war enttäuschend: immer noch keine Spur von dem schwer faßbaren Henri Gerard. Adam unterdrückte die Frustration, die in ihm aufstieg, wenn er daran dachte, was der Franzose wohl vorhaben könnte, und ging in die Bibliothek voran, warf seine Jacke ab und lockerte seine Krawatte, während er Peregrine zu seinem gewohnten Sessel vor dem Kamin wies.

Es war zu warm für ein Feuer, doch Adam nahm einen Kerzenständer vom Kaminsims und stellte ihn auf den Rosenholztisch, den Peregrine vor seinen Sessel schob, zündete die Kerze an und holte den Dundee-Ring aus seiner Jackentasche. Er vermied es, ihn zu berühren, während er ihn aus dem Taschentuch wikkelte und am Fuß des Kerzenständers auf den Tisch legte. Peregrine hatte schon begonnen, sich in schweigender Meditation zu sammeln, das Skizzenbuch auf seinem Schoß und die Augen hinter der goldgefaßten Brille geschlossen, doch er bewegte sich ein wenig, als er spürte, wie Adam sich in den Sessel links neben ihm setzte. Dann öffnete er die Augen und fixierte sofort die Kerzenflamme.

»Ich sehe, Sie sind mir schon einen Schritt voraus«, sagte Adam ruhig und betrachtete seinen Probanden. »Sind Sie bereit, tiefer zu gehen?«

Mit einem leichten Nicken murmelte Peregrine: »Ja.«

»Dann holen Sie einmal tief Luft«, sagte Adam und berührte vorsichtig Peregrines linkes Handgelenk.

Angetrieben von dem inzwischen vertrauten Signal ließ Peregrine seinen Halt an Zeit und Raum der Gegenwart los und glitt mühelos in Trance. Wie immer brachte die Veränderung seiner Sinnesorientierung eine Empfindung bevorstehender Tiefen mit sich. Mit einem Mal nahm er Dimensionen war, die über die sonstigen Begriffe seines Wachbewußtseins hinausgingen, obwohl er sich noch nicht tief genug befand, um sie auch zu *sehen*.

Immer, wenn er so weit kam, fühlte er sich wie ein Archäologe am Eingang zu einer unerforschten Pyramide – halb ängstlich, halb belebt angesichts der Aussicht, das Unbekannte auszuloten. Er ließ sich einen Augenblick Zeit, um sich zu beruhigen und zu zentrieren, tat einen weiteren tiefen, entspannten Atemzug und atmete dann langsam aus. Während sein Herzschlag und seine Atmung sich verlangsamten und ruhig wurden, klang Adams volltönender Bariton von den Grenzen der gewöhnlichen Wahrnehmung her.

»Jetzt sind Sie bereit, tiefer zu gehen. Auf mein Signal hin …«

Wie in Zeitlupe hob sich die Hand, die sein Handgelenk berührt hatte, und drückte leicht auf seine Stirn. Peregrine schloß die Augen und erlebte ein kurzes Gefühl des Stürzens in seiner Magengrube, und eine flüchtige psychische Empfindung, wie wenn auf allen Seiten Mauern von ihm wegfielen. Befreit flog sein astrales Selbst wie ein Falke auf, der sich von der Faust seines Falkners in die Luft erhob. Adams Stimme klang noch in seinen Ohren, als er in Spiralen aufstieg und verweilte und dabei unter sich eine Stelle zum Landen suchte.

»Öffnen Sie jetzt Ihre Augen und richten Sie sie auf den Ring«, wies Adam ihn ruhig an. »Lassen Sie den Ring Ihren Leuchtturm in der Zeit sein.«

Er konnte nicht anders als zu gehorchen. Ein Kreis aus blankem Gold schwebte leicht verschwommen vor seinem unter Trance stehenden Blick. Wie die Peregrin-Falken, nach denen er benannt war, steuerte er ihn automatisch an. Der Kreis schien sich auszudehnen, bis er sein Blickfeld ausfüllte, so daß ihm plötzlich war, als blickte er durch ihn hindurch, wie durch ein Bullauge. Allmählich nahmen die brodelnden Formen dahinter Gestalt an und wurden scharf.

Es war dunkle Nacht unter einem Baldachin von Baumkronen. Ein großer Mann in einem Reitmantel stand an der Kreuzung zweier Waldpfade und eine nicht abgeschirmte Laterne schimmerte auf dem festgetrampelten Boden zu seinen Füßen. Der trübe Schein der Lampe beleuchtete das Gesicht des Mannes unter einem breitkrempigen Hut mit einer schwungvollen Feder. Peregrine wußte, wer er war, noch bevor er den Kopf hob und sich halb umdrehte, so daß das Licht ganz auf seine Züge fiel – die aristokratische Nase, die festen, fein geformten Lippen über einem starken Kinn – und über einem Templerkreuz vor dem Spitzenjabot an seinem Hals.

Bonnie Dundee!

Gerade als der royalistische General sein edles Haupt fragend in die Richtung wandte, aus der ein Geräusch gekommen war, gesellten sich an der Kreuzung zwei Frauen zu ihm, die so vermummt waren, daß man ihre Gesichter nichts sehen konnte, bis sie ihre Kapuzen zurückwarfen. Beide waren jung und schlank, mit schwerem dunklem Haar und noch dunkleren Augen in ihren blassen, feingeschnittenen Gesichtern. Selbst beim trüben Licht der Laterne konnte Peregrine sie für Schwestern halten, so groß war die Ähnlichkeit zwischen beiden.

Dundee begrüßte die ältere mit einem Kuß, dabei wirkte sein Gesichtsausdruck so ernst, daß es deutlich war, daß diese Geste wenig oder überhaupt nicht mit bloßen höfischen Konventionen zu tun hatte. Als das jüngere Mädchen vortrat und ihr Gesicht hob, um den Gruß des Viscounts zu empfangen, wurde Peregrine von einer plötzlichen, mächtigen Überzeugung ergriffen, daß es sich bei ihr um jemanden handelte, den er kannte. Der Stich des Wiedererkennens, scharf wie ein Dolchstoß, reichte aus, um ihn die Luft anhalten zu lassen. Doch bevor er sich einen klareren Eindruck von ihrem Aussehen und ihrer Identität bilden konnte, zog sie sich wieder in die Schatten zurück und ließ Dundee im Mittelpunkt seines Blicks. Erst jetzt erkannte er, daß der Viscount etwas hinter seinem Mantel verborgen hielt.

Dundee kauerte neben der Laterne nieder, die Mädchen knieten mit ihm, und Peregrines Blick wurde von den behandschuhten Händen des Viscounts angezogen, als er ein leichtgewichtiges Bündel herauszog, das in weiße Seide eingewickelt war. Mit einer Sorgfalt, die fast an Ehrfurcht grenzte, reichte er es der Schwester, die ihn als erste begrüßt hatte. Sie gestattete ihm, das Bündel in ihre Hände zu legen, dann hob sie ihren Blick fragend zu seinen Augen. Als er wortlos und ermutigend nickte, schlug sie die Umhüllung zurück und zeigte etwas, das mit einem warmen, metallischen Glanz im Laternenlicht schimmerte.

Es schien eine Art Krone zu sein – ein Diadem, dessen breiter, gemusterter Reif mit sechs großen, nach oben gebogenen Spitzen aus gehämmertem Gold besetzt war. Die Einfachheit der Form und die Qualität des Metalls zeugten von einem hohen Alter.

Begeistert versuchte Peregrine, einen genaueren Blick auf den Gegenstand zu bekommen. Als er seinen Fokus verengte, schien das Diadem mit einem Mal lebendig zu werden und schimmerte, als besäße es eine eigene innere Wärme.

Der Schimmer wurde heller bis zu einem heißflüssigen Glühen. Umgeben von diesem Glühen schien das Gold sich zu verflüssigen, zu bewegen und zu fließen, ohne seine Form zu verlieren. Jede der sechs Spitzen schien wie eine Feuerzunge zu tanzen, sich nach außen auszubreiten, wobei geschmolzenes Licht zwei ineinander verflochtene Dreiecke zeichnete, die in einem Rhythmus pulsierten, der ein Echo von Peregrines eigenem Herzschlag war. Geblendet von dem lodernden Glanz des feurigen Metalls, verlor er sich in eine inbrünstige Betrachtung ihrer geläuterten und fließenden Symmetrie ... bis eine Stimme ihn scharf bei seinem Namen rief.

»Peregrine.« Die Autorität der Stimme reichte aus, um eine zarte Verbindung mit der Welt jenseits seiner Vision herzustellen. »Peregrine, was immer Sie jetzt sehen, bemühen Sie sich, Ihre Wahrnehmungen durch Ihre Hand zu kanalisieren. Versuchen Sie nicht, zu analysieren. Lassen Sie nur die Bilder durch Ihre Hand fließen, und zeichnen Sie, was Sie sehen.«

Seinem Mentor gehorchend, holte Peregrine tief Luft und vollzog die bewußte Verlagerung, wobei er das leichte Zucken in seiner rechten Hand spürte, als der Übergang vollständig wurde, und kaum blinzelte, damit er nicht die Bilder dessen verlor, was seine Hand zu skizzieren begann. Es kam ihm verschwommen anders vor als das, was er für gewöhnlich tat, wenn er versuchte, Resonanzen von einem *Ort* okkulter Bedeutung einzufangen. Dies war zwingender, weniger unter seiner Kontrolle. Als er begonnen hatte, war er sich nicht mehr sicher, ob er sich noch hätte zurückziehen können, selbst wenn er es gewünscht hätte. Die Krone hielt ihn in ihrem Bann – drängend, mächtig ...

Und Adam, der sich vorbeugte, um zu beobachten, wie jetzt unter Peregrines schnellen Bleistiftstrichen Bilder zu erscheinen begannen, merkte, wie seine eigene Aufmerksamkeit zunehmend von dem gleichen Zwang gefesselt und gebannt wurde, der seinen jungen Kollegen antrieb.

Kapitel 13

Die ersten paar Bleistiftstriche schufen den allgemeinen Schauplatz – die kühne Impression dreier kniender Gestalten, von denen es sich bei der einen – nach dem markanten Profil und der unverkennbaren Form des Templerkreuzes am Spitzenjabot zu schließen – um Dundee handelte. Doch es war der Gegenstand, den Dundee und seine beiden Begleiterinnen betrachteten, was Adams Aufmerksamkeit schnell fesselte und in seinen Bann schlug, während Peregrines Bemühungen sich darauf konzentrierten. Der Künstler war jetzt selbstbewußter, geschmeidiger und sicherer – und übernahm die bedächtige Flüssigkeit des automatischen Schreibens.

Das Bild, das schließlich unter Peregrines Bleistift Gestalt annahm, hätte fast aus einem heroischen Gemälde von Rembrandt stammen können: ein orientalisches Diadem, das fest, fast schützend, von zwei ausgestreckten Händen gehalten wurde. Es waren ohne Zweifel die Hände einer Frau – und es schien, als sollte dies Adam etwas bedeuten. Doch es war die Form des Diadems, die wie ein Magnet seinen Blick anzog. Die sechs nach oben gebogenen Spitzen der Krone sahen aus wie die halb entfalteten Blütenblätter der Wildblume, die ›Salomonssiegel‹ genannt wird.

Diese Erkenntnis katapultierte Adam kurz zurück in den Traum von Salomon, den er in der Nacht nach Nathans Tod gehabt hatte. Gewiß war die Krone von Peregrines Zeichnung nicht die Krone seines Traums. Was hatte John Grahame of Claverhouse mit König Salomons Siegel zu tun? Und doch schien sich vor seinem verwunderten und gebannten Blick ein geisterhaftes Bild der Krone aus seinem Traum über die Zeichnung der Krone zu legen – zwei ineinander verschlungene Dreiecke, die einen sechszackigen Stern bildeten, wenn die Zacken der Krone abgeflacht wurden.

Die Krone auf der Skizze *war* Salomons Krone. Plötzlich wußte Adam dies mit der gleichen Sicherheit, mit der er sich verpflichtet fühlte, Nathans Siegel zu finden, bevor die Diebe das schreckliche Geheimnis entfesseln konnten, das es beschützte. Irgendwie waren das Siegel und die Krone miteinander verbunden – und die Offenbarung der Verbindung war von dem Ring herbeigerufen worden, der Dundees Haar enthielt, was bedeutete, daß Dundee selbst mit der Krone oder dem Siegel oder beiden rätselhaft verbunden war. Die Krone wurde nun zu einem möglichen Faktor bei der Rückgewinnung des Siegels – oder möglicherweise für den Schutz dessen, was es bewahrte, falls die salomonische Bilderwelt stimmte.

Er überdachte diese Möglichkeit, selber schon in leichte Trance versunken, als Peregrine plötzlich einen schweren Seufzer ausstieß und plötzlich wieder ins Wachbewußtsein zurückkehrte, den Kopf schüttelte, als wollte er seinen Blick klären, und seinen Bleistift hinlegte, um die Zeichenhand zu entspannen.

»Tja, *das* war auf jeden Fall ganz anders«, sagte er, während Adam sich ebenfalls in den Zustand gewöhnlicher Wachheit zurückblinzelte und ihn anschaute. »Ich war mir nicht sicher, was ich zu erwarten hatte, aber gewiß nicht das.«

Er warf einen Blick auf die Zeichnung, die auf seinem Schoß lag, kniff die Augen zusammen und guckte wie jemand, der versuchte, eine Augenschwäche zu kompensieren.

»Das ist ja interessant«, fuhr er fort. »Ich war mir nicht sicher, wie die Krone aussah.«

Diese Bemerkung ließ Adam überlegen, ob Peregrines innere Vision wohl seiner eigenen entsprochen hatte.

»Sie haben nicht gezeichnet, was Sie sahen?« fragte er.

»Tja, ja und nein«, erwiderte Peregrine mit gerunzelter Stirn. »Ich – glaube, so sah sie physisch aus, aber da gab es noch eine andere Realität. Es war, als ob – als ob in der Krone, die ich zeichnete, noch eine andere Krone enthalten wäre. Ein bißchen wie etwas aus einem ägyptischen Grab, dachte ich zuerst – aus dem Mittleren Osten, zumindest. Sehr alt, fast primitiv in seiner Einfachheit: ein Reif aus purem Gold mit sechs dreieckigen Zacken.

Dann – *veränderte* sie sich. Das Gold – wurde lebendig. Vermutlich kann ich es nur so beschreiben. Es schien fast Feuer zu fangen, doch das Feuer behielt die Form bei ...«

Die Runzeln auf seiner Stirn wurden noch tiefer. »Irgendwie erinnerte sie mich an die biblischen Berichte über Pfingsten – als hätte es etwas zu tun mit einer Herabkunft Göttlicher Weisheit.«

Diese stockende Bemerkung reichte aus, um die Überzeugung zu bestätigen, die sich schon in Adams Geist gebildet hatte.

»Die Krone Salomons«, stellte er kategorisch fest.

Peregrine hob seinen Blick und starrte ihn mit offenem Mund an. »Du lieber Gott!«

»Lieber Gott, in der Tat«, stimmte ihm Adam zu. »Ich träumte von König Salomon und seiner Krone in der Nacht nach Nathans Tod. Ich dachte bisher nicht daran, es zu erwähnen, weil es genauso gut eine übliche Ausschmückung von Bildern hätte gewesen sein können, die mit den jüngsten Ereignissen zusammenhingen. Ich war mir nicht sicher, daß der Traum irgendeine direkte Bedeutung hatte.

Aber er trug *diese Krone.*« Er tippte mit dem Zeigefinger auf die Zeichnung. »Und er hielt in der einen Hand etwas, das wie das Siegel aussah, und eine Art Zepter in der anderen. Hier ist auch wieder das Kreuz«, betonte er. »Allmählich erscheint ein Muster, und Dundee ist ein Teil davon.«

»Vielleicht. Ich glaube, Sie haben recht«, stimmte Peregrine zu. »Aber warum sollte er die Krone diesen beiden Frauen gegeben haben?«

Auf Adams scharf fragenden Blick hin erzählte der Künstler, was sich in der Eingangsphase seiner Vision ereignet hatte.

»Ich kann Ihnen nicht sagen, woher ich das weiß, aber ich bin mir sicher, daß Dundee bis zu diesem Zeitpunkt der Hüter der Krone war«, sagte er. »Als er sie der älteren der beiden Schwestern überreichte, hatte ich den deutlichen Eindruck, er vertraue sie den beiden zur Aufbewahrung an. Leider weiß ich nicht, was danach geschah«, endete er entschuldigend. »Ich war so in den Anblick der Krone selbst vertieft, daß ich für etwas anderes keine Aufmerksamkeit mehr hatte. Irgendwie bin ich erstaunt, daß ich tatsächlich soviel gezeichnet habe.«

»Nun, vermutlich ist das unter den Umständen nicht überraschend«, sagte Adam. »Ich würde meinen, was Sie *sahen*, war die Aura, die mit der Krone verbunden ist – das okkulte Bild ihrer Wesens, wenn Sie so wollen. Die Tatsache, daß Ihre Vision davon einen so tiefen Eindruck hinterließ, legt den Gedanken nahe, daß die Krone ein Objekt beträchtlicher Macht ist – was sicher der Fall sein dürfte, wenn es sich bei ihr tatsächlich um die Krone Salomons handelt.«

»Aber was hat das mit dem Siegel zu tun?« fragte Peregrine.

Adam schüttelte den Kopf. »Das kann ich Ihnen nicht genau sagen, aber angesichts dessen, was wir über Dundee zusammengetragen haben, würde ich sagen, daß es sehr wahrscheinlich ist, daß er und die Krone unmittelbar – historisch und metaphysisch – mit dem Siegel verbunden sind, das wir suchen.«

Peregrines Lippen formten ein ehrfürchtiges kleines *o* und er stieß einen leisen Pfiff aus.

»Da wir bis jetzt weder über das Siegel noch über die Krone verfügen, klingt das dann so, als wäre Dundee immer noch unsere beste Hoffnung darauf, mehr herauszufinden. Ich verstehe aber die Sache mit dem Ring noch nicht«, fuhr er fort und blickte auf das Kleinod, das sanft schimmernd am Fuß des silbernen Kerzenständers auf dem kleinen Rosenholztisch lag. »Aus der Tatsache, daß ich Dundee auf der astralen Ebene *sah*, schließe ich, daß die Locke in dem Ringkasten von ihm stammen muß. Doch wenn das so ist, warum hat er sich dann nicht direkter manifestiert? Ich dachte, Haar und Blut seien die mächtigsten Verbindungsglieder.«

»Es gibt zwei mögliche Erklärungen«, sagte Adam nachdenklich. »Zu allererst einmal sind Ihre hauptsächlichen Talente der Wahrnehmung nicht die eines Mediums. Noel hätte vielleicht völlig anders reagiert – und wir werden das sehen, wenn wir ihn mit dem Templerkreuz unten in Kent arbeiten lassen. Es könnte auch sein, daß die Assoziationen des Ringes selbst viel stärker auf jemanden eingestellt sind, der später den Ring besaß. Vielleicht eine der Frauen, die Sie erwähnt haben.«

»Nun, *das* ist sicher eine Möglichkeit«, sagte Peregrine. »Es würde erklären, warum die Bilder der Frauen so stark waren.«

»Aber Sie haben überhaupt keine Ahnung, wer sie gewesen sein könnten?« fragte Adam.

»Nein«, sagte Peregrine offen. »Das beschäftigt mich auch, weil die jüngere mir sehr bekannt vorkam. Ich erinnere mich, daß ich dachte, ihr schon früher begegnet zu sein, aber ich konnte nicht herausfinden, wo und wann. Gibt es vielleicht eine Möglichkeit, das herauszufinden?«

»Nicht ohne etwas Konkreteres, als Sie mir bisher geliefert haben«, sagte Adam mit Bedauern, denn er hatte gerade dieselbe Frage erwogen. »Ich muß gestehen, diese Sache, daß sich noch eine andere Identität auf den Ring auswirkt, lähmt mich. Auf so etwas bin ich noch nie gestoßen. Wenn ich Zeit hätte, das durchzudenken und einige Nachforschungen anzustellen, könnte ich vielleicht eine Erklärung finden, aber das ›Warum‹ ist hier nicht wirklich das Thema. Weit nützlicher wäre das ›Wer‹ oder ›Was‹. Tatsächlich glaube ich jedoch, daß wir die Beantwortung dieser Fragen noch aufschieben müssen, bis wir Zugang zu dem Kreuz haben – und bis Noel da ist, um mit beiden Gegenständen zu arbeiten und um zu sehen, ob er wirklich etwas herausfinden kann.«

»Aber das ist ja erst am Montag!« bemerkte Peregrine etwas ernüchtert. »Bis dahin kann ja alles mögliche passieren!«

»Dessen bin ich mir durchaus bewußt«, sagte Adam. »Aber ich sehe nicht, wie wir etwas dagegen tun können.«

»Ich auch nicht«, gab Peregrine zu, doch sein Gesichtsausdruck blieb verbissen. Nach kurzem Nachdenken sagte er: »Überlegen Sie mal: Wir vermuten, daß Dundee eine Krone – möglicherweise König Salomons Krone – in die Obhut der zwei Schwestern gab, die ich gesehen habe. Wir sind uns einig, daß die Krone vielleicht eine Templerreliquie gewesen ist, die möglicherweise mit dem Siegel in Verbindung stand. Besteht grundsätzlich die Möglichkeit, daß Dundee sein Wissen an einen Nachfolger weitergegeben hat, bevor er starb?«

»Ich würde das für höchst unwahrscheinlich halten«, erwiderte Adam. »Es war Dundees Ruhm und zugleich seine Torheit, daß er dem Gedanken, er könnte bei Killiecrankie im Kampf getötet werden, wenig Beachtung schenkte. Vor der Schlacht flehten ihn seine Männer an, er solle sich zurückhalten und sich nicht in Gefahr bringen, da sie fürchteten, die ganze Kampagne wäre verloren, wenn er getötet würde – was ja dann tatsächlich auch geschehen ist, obwohl sie die Schlacht gewannen. Es war der Anfang vom Ende der Sache der Stuarts. Sein einziges Zugeständnis an jenem Tag war, daß er seine gewohnte rote Jacke gegen eine braune Kavallerielederjacke unter seinem Brustharnisch tauschte – gegen die Jacke, die Sie bei Blair Castle gezeichnet haben.

Was die Frage betrifft, ob er seine Geheimnisse einem anderen Templer anvertraut hat, so haben wir keinerlei Hinweise, wer damals sonst noch ein Templer gewesen sein könnte – zumindest weiß ich keinen –, und wir haben sicherlich keinen Hinweis darauf, daß er jemals die Vorsichtsmaßnahme ergriffen hätte, das Wissen, das er treuhänderisch bewahrte, einem anderen mitzuteilen. Vielleicht gab er dem Risiko, sein Wissen könnte verlorengehen, den Vorzug vor dem, daß es – wenn es überlebte – in falsche Hände fiele. Oder vielleicht hatte er den zwei Schwestern etwas anvertraut, als er ihnen die Krone übergab.«

Peregrine seufzte und blätterte müßig die anderen Einträge in seinem Skizzenbuch durch, die er zuvor am Tag gemacht hatte. »Ich sehe schon, ich werde sie zeichnen müssen«, sagte er. »Es wird immer deutlicher, daß sie Schlüsselfiguren in diesem Puzzle sind. Wissen Sie, angesichts der Kontinuität der Templertradition selbst ist es doch schade, daß es keine Möglichkeit gibt, die Dinge so zu arrangieren, daß irgendein moderner Templer in unserem Namen mit Dundee kommunizieren kann, auf der Grundlage der Stärke ihrer gemeinsamen Bindung im Ord …«

Er hielt inne, als er die Zeichnung aufschlug, die er von Adam in der Gestalt eines Tempelritters gemacht hatte.

»Donnerwetter, Adam«, murmelte er. »Mir ist gerade etwas eingefallen. Schauen Sie sich das einmal an.«

Er reichte ihm sein Skizzenbuch, so daß sein Mentor sehen konnte, was er am Nachmittag gezeichnet hatte, und Adam betrachtete die schnelle Studie, die Peregrine von ihm als Tempelritter angefertigt hatte.

»Es ist nicht zum ersten Mal, daß ich Sie als Tempelritter *gesehen* habe«, sagte er, während Adam die Zeichnung anschaute. »Wir wissen beide, daß Sie eigene historische Verbindungen zu dem Orden haben, sowohl auf spiritueller Ebene als auch durch Ihr Erbe. Könnte es nicht eine Möglichkeit geben, diese Verbindungen zu nutzen? Schließlich war Dundee nur einer in einer langen Reihe von Großprioren der Templer. Selbst wenn er sein Wissen mit sich ins Grab genommen hat, was ist mit all denen, die vor ihm kamen? Ist es nicht möglich, daß Sie selbst einer davon gewesen sind?«

»Das bezweifle ich sehr«, sagte Adam. »Wenn ich es gewesen wäre und wenn es eine Bedeutung für unsere gegenwärtige Lage hätte, so wäre höchstwahrscheinlich ein solches Wissen inzwischen schon spontan ans Licht getreten.«

»Trotzdem, offenbar *waren* Sie einmal ein Ritter«, beharrte Peregrine. »Wenn Sie sich als solcher auf der Astralebene offenbarten, könnte nicht der Großmeister Ihrer Zeit vielleicht bereit sein, Ihnen mitzuteilen, was immer er über Salomons Schätze und ihre Macht gewußt haben mag?«

»Sie nehmen an, ich sei wichtig genug gewesen, um solche Informationen anvertraut zu bekommen«, sagte Adam mit einem Lächeln. »Außerdem glaube ich, daß der Tod meiner Templer-Inkarnation schon einige Zeit vor der Ankunft von Salomons Schätzen in Schottland stattfand – oder daß sie zumindest keinen Anteil an deren Verlagerung hatten. Jauffre de St. Clair starb in Paris kurz vor dem letzten Großmeister, Jacques de Molay. Das war 1314. Wir wissen, daß das Siegel sich 1381 in Perth befand, als es an Nathans Vorfahren verpfändet wurde, und wahrscheinlich war damals das, was es schützte, auch schon irgendwo in Schottland. Doch weder Jauffre noch sein Großmeister dürften etwas darüber gewußt haben.«

»Was ist dann mit Ihrem tatsächlichen blutsmäßigen Vorfahren, der nach der Unterdrückung des Ordens Templemor wieder übernahm?« fragte Peregrine. »Das war später. Er könnte etwas gewußt haben – vielleicht sogar ein Gerücht darüber, was für ein Geheimnis der Orden bewahrte. Und vielleicht hat er es einem Nachkommen erzählt, der selbst ein Templer gewesen war.«

Adam nickte nachdenklich. »Das ist eine ungewisse Vermutung, aber vielleicht wäre sie einen Versuch wert«, stimmte er zu. »Da Noel fort ist, haben wir wirklich nichts zu tun, bis wir am Montag nach Kent hinunter fahren.«

»Gehen wir dann zur Burg hoch?« fragte Peregrine. »Ich würde meinen, das wäre der natürliche Ort, einen Kontakt aufzunehmen, falls es klappt.«

Adam nickte. »Ich stimme Ihnen zu. Einige Male, wenn ich draußen bei der Ruine war, dachte ich, ich hätte einen Tempelritter erblickt, der im Eingang stand. Ich habe das immer als eine romantische Phantasie abgetan, aber vielleicht ist da etwas dran. Wenn ich mich auf einen bestimmten Vorsatz konzentrierte, wäre es durchaus möglich, daß etwas Nützliches ans Licht käme. Sind Sie morgen frei?«

»Ich kann mich freimachen«, erwiderte Peregrine. »Welche Zeit stellen Sie sich vor? Einige Freunde von Julias Familie haben uns eingeladen, nach der Kirche zum Lunch zu kommen, aber ich glaube, ich kann mich entschuldigen, wenn Sie den Ausflug am Vormittag machen wollen.«

»Nein, ändern Sie Ihre Pläne nicht«, sagte Adam. »Sie sind frischverlobt. Es wäre Julia gegenüber nicht fair, wenn keine Notwendigkeit dafür besteht. Der Nachmittag eignet sich genauso gut – eigentlich noch besser, da ich dann am Vormittag Zeit habe, ein paar historische Dinge zu überprüfen. Sorgen Sie einfach dafür, daß sich Ihre Einladung zum Lunch nicht zu lange hinzieht.«

»Das ist kein Problem«, erklärte Peregrine. »Wann soll ich hier sein?«

»Ich denke, wir werden hinaufreiten, um in die richtige Stimmung zu kommen«, sagte Adam, »also würde ich gern spätestens um drei im Sattel sitzen. Eigentlich können Sie Julia mitbringen, wenn Sie wollen. Sie können ihr zeigen, wie die Restaurierung fortschreitet; bringen Sie doch auch Ihre ersten Skizzen mit, die Sie gemacht haben, als alles noch in Trümmern lag. Ich hätte es aus Prinzip gern, wenn Sie mit Ihrem Skizzenblock dabeiwären, aber ich erwarte eigentlich nicht, daß ich Sie um etwas bemühen muß, was sie nicht sehen sollte. Sie kann doch reiten, nicht wahr?«

»Ja«, erwiderte Peregrine, »und wenn das Wetter es erlaubt, bin ich sicher, daß es ihr gefallen wird – solange Sie ganz sicher sind, daß sie nicht gerade einem Templergespenst in voller Schlachtrüstung von Angesicht zu Angesicht begegnen wird.«

Er warf seinem Mentor einen eulenhaften Blick zu, und Adam lachte glucksend.

»Ich glaube, in dieser Hinsicht können Sie beruhigt sein«, sagte er lächelnd. »Was die sichtbaren Manifestationen unserer Arbeit betrifft, wird Julia nichts anderes sehen als ein paar phantasievolle Skizzen, die Sie anfertigen, während ich Tagträumen über die Vergangenheit meiner Familie nachhänge.«

»Ich nehme Sie beim Wort«, sagte Peregrine mit einem schiefen Grinsen. »Nachdem ich endlich Julias Familie davon überzeugt habe, daß ich in der Lage bin, mir mit dem Pinsel meinen Lebensunterhalt zu verdienen, möchte ich sie auf keinen Fall abschrecken!«

Seinem Plan folgend verbrachte Adam den größten Teil des folgenden Vormittags, indem er Namen und Orte früherer Templergüter in Schottland aufspürte. Jedermann mit einer gewissen Kenntnis der schottischen Geschichte war allgemein bekannt, daß die meisten der Ländereien, die dem Orden vom Tempel zum Zeitpunkt seiner Unterdrückung gehört hatten, in den Händen des Hospitalordens von St. Johannes von Jerusalem gelandet waren. Von sechs Baronien, die nach der Unterdrückung der Templer den Rittern vom hl. Johannes gehört hatten, waren fünf frühere Templerstützpunkte: Thankerton, Denny, Temple Liston, Maryculter und Balantrodoch; letztere war die Präzeptorei für ganz Schottland gewesen.

Es gab auch noch zahlreiche geringere Stützpunkte. Eine Quelle erwähnte nahezu sechshundert Templerbesitztümer allein in Schottland und nannte eine ziemliche Anzahl von ihnen. Als Adam die Namen in Gedanken aneinanderreihte wie Perlen auf einer Schnur, da mußte er sich die Frage stellen, ob einer dieser Orte vielleicht eine Lösung für das Rätsel bieten würde, das er und seine Kollegen zu entwirren suchten. Peregrine und Julia kamen kurz nach zwei Uhr an, beide in Reithosen und Stiefeln und mit samtüberzogenen Reitkappen ausgerüstet. Als sie in den Stallhof hinausgingen, hängte sich Peregrine einen Tornister mit seinen Malutensilien über seine Reitjacke aus Tweed. Julia, die ihre rotgoldenen Locken mit einem Band im Nacken zurückgebunden hatte, sah in ihrer waldgrünen Reitjacke und dem engen Jagdkragen um den Hals fast wie eine Dame aus dem Zeitalter der Kavaliere aus.

John, der frühere Kavallerist von der königlichen Leibgarde, der sich um Adams Pferde kümmerte, hatte dafür gesorgt, daß ihre Reittiere schon gesattelt bereitstanden, und er half Julia aufzusteigen und die Steigbügel anzupassen. Als sie aufbrachen, ritt Adam wie gewohnt auf seinem großen grauen Jagdpferd Khalid voraus, und Peregrine folgte ihm auf Kahlids Stallgenossin, einer feurigen kastanienbraunen Vollblutstute namens Poopy. Julia bildete die Nachhut auf Crichton, einem zuverlässigen, gut erzogenen graubraunen Wallach, den man mit Erlaubnis von der Tochter eines von Adams Farmern ausgeliehen hatte.

Der Nachmittag war hell und kühl. Sie ritten um ein weites Feld voller goldener Heustoppeln herum und trabten schicklich an einem Entwässerungsgraben entlang, bis sie zu einem Tor am Rand einer hügeligen Weide gelangten. Als sie das Tor durchquert hatten, beschleunigten sie ihren Schritt zu einem leichten Kanter und strebten dem Mischwaldgürtel aus Lärchen und Tannen am anderen Ende zu. Über den Tannen erhoben sich die bewaldeten Hänge des Templemor Hill, den auf seinem Gipfel die Zwillingstürmchen von Templemor Tower krönten.

Selbst aus der Entfernung konnte Adam den Unterschied feststellen, den die jüngsten Monate intensiver Restaurierung bewirkt hatten. Vor einem Jahr noch war das Turmhaus ohne Dach und von Efeu belagert gewesen, seine Treppentürmchen hatten kopflos und ausgezackt gewirkt, und aus dem Gewölbe des ersten Stocks waren Bäumchen gewachsen. Seitdem waren die Lücken in den Mauern geschlossen, der Turm wieder überdacht und die Haubendächer über den Treppentürmchen restauriert worden und boten jetzt eine pittoreske Silhouette aus Staffelgiebeln und mit graugrünem Schiefer gedeckten Dachgauben. Seit seinem letzten Besuch waren die meisten Gerüste um die Kamine verschwunden. Innen blieb noch viel Arbeit zu tun, doch Adam freute sich über alles, was bisher geleistet worden war.

Am Fuß des Hügels verlangsamten er und seine Begleiter den Schritt ihrer Pferde, als sie auf einen schmalen Saumpfad stießen, der sich bergan durch den Wald schlängelte, in den Schatten hinein und wieder heraus, wie ein Faden an einem Weberschiffchen. Als Adam Peregrine zum ersten Mal zur Besichtigung des Turmes mitgenommen hatte, war dieser Pfad der einzige Weg nach oben gewesen. Jetzt lief auf der Rückseite des Hügels eine einspurige Teermakadamstraße hinauf, die von einer 400 m entfernten Zufahrtsstraße zu einem Bauernhof abzweigte – eine notwendige Einrichtung, damit die Bauarbeiter Material und Maschinen leichter hinaufbringen konnten. Doch Adam hoffte, daß nach Abschluß der Arbeiten die häßliche Straße in eine anmutige private Allee verwandelt werden würde.

Während sie zum Gipfel des Hügels hinaufritten, wurde die Luft frischer. Oben teilte sich der Wald und gab den Blick auf das Turmhaus selbst frei, dessen neu verputzte Mauern weißlich schimmerten. Unterhalb der Lichtung bewachte auf der anderen Seite des Hügels eine geparkte Erdbewegungsmaschine den teilweise geöffneten Graben, der gezogen wurde, um die Versorgungsleitungen für Wasser, Strom, Gas und Telefon unterzubringen. Der Blick in diese Richtung wurde jedoch von einem dichten Baumwall wirkungsvoll verwehrt, dessen Laub die ersten Anzeichen der herbstlichen Verfärbung trug. Als Adam sich während des Absitzens umblickte, war er befriedigt, daß es keine sichtbaren Ablenkungen gab, die die Nachforschungen beeinträchtigen würden, die er für die nächste halbe Stunde geplant hatte.

Die drei banden ihre Pferde am Rand der Lichtung an und ließen sie grasen. Als sie zu Fuß weitergingen, machte Julia vor Freude große Augen.

»Adam, das ist ja wundervoll!« rief sie aus und legte den Kopf in den Nacken, um einen besseren Blick auf die oberen Stockwerke des Hauses zu haben. »Das sieht ja fast wie die Burg aus einem Märchen aus. Wenn man die Türen und die unteren Fenster wegläßt, hat man die passende künstlerische Kulisse für Rapunzel.«

Peregrine lachte. »Wenn du es gesehen hättest, bevor die Restaurierung begann, hättest du gesagt, es sehe aus wie eine Burg aus einem *Horrorroman*. Das war wirklich traurig. Hier, ich zeige es dir.«

Er ließ seinen Tornister von den Schultern gleiten und zog einen ziemlich großen Aktendeckel hervor, der sich über Klarsichthüllen wölbte. Als er ihn öffnete, um Julia die erste Skizze zu zeigen, erkannte Adam eine der Studien, die der junge Künstler bei seinem allerersten Besuch hier angefertigt hatte. Die Sammlung als Ganzes stellte Peregrines erste erfolgreiche Anwendung seines esoterischen Talents dar, das er seitdem so wirkungsvoll im Dienste der Jagdloge eingesetzt hatte – ein historisches Bild von Templemor Tower, beruhend auf dem, was Peregrine von seiner Vergangenheit und seiner baulichen Struktur *gesehen* hatte. Die Genauigkeit dieser Studien fand ihr Echo in der modernen Rekonstruktion des Gebäudes.

»Meine Architekten fanden Peregrines Zeichnungen äußerst nützlich, als sie ihre Pläne für die Rekonstruktion entwarfen«, sagte Adam. Er beobachtete Julias Gesicht, während sie das Notizbuch durchblätterte. »Ich muß Ihrem zukünftigen Ehemann für einen Großteil des Erfolgs dieses Unternehmens danken.«

Diese Bemerkung erntete ein warmes Lächeln auf Julias Lippen. »Er ist *schrecklich* gut, nicht wahr?« fragte sie vertraulich mit einem schelmischen Zwinkern. »Sagen Sie bloß solche Dinge nicht zu laut in seiner Hörweite, oder sie machen ihn schrecklich eingebildet!«

»Ich? Eingebildet?« rief Peregrine in einem Ton gespielter Empörung aus. »Hier bin ich und *schmachte* geradezu nach ein paar freundlichen Worten …«

Er brach mit einem gedämpften Aufschrei ab, als Julia nach seinem Ohr faßte und ihn neckisch zwickte.

»Ich sehe schon, ihr beide habt ein Leben voller Eheglück vor euch«, sagte Adam lachend. »Peregrine, zeigen Sie doch Julia einmal die Anlage von innen, jetzt sind ja die Treppen wieder aufgebaut. Ich sollte wohl das Gelände weiter unten inspizieren und schauen, wie man mit der Gashauptleitung vorankommt, aber das ist ein Anblick, den ich sonst niemandem empfehlen würde.«

»Einverstanden«, erwiderte Peregrine und tarnte sein fast unmerkliches verständnisvolles Nicken mit einem unbefangenen Grinsen. »Komm, Julia. Schauen wir mal, ob du hier Ideen für dein Traumhaus bekommst.«

Die beiden verschwanden über die Schwelle. Das fröhliche Echo ihres Gesprächs wehte hinter ihnen her, während sie sich daran machten, die Räume zu erforschen, die jetzt das Innere des Turmhauses bildeten. Befriedigt, daß er sich darauf verlassen konnte, die nächste Zeit allein zu sein, richtete Adam seinen Blick kurz auf das Sinclair-Wappen, das auf die Oberschwelle über dem Eingang gemalt war, wo lebhafte Farben das fast unkenntlich gewordene ursprünglich eingemeißelte Original hervorhoben. Über einem geflochtenen Kranz aus Rot und Gold gab es da ein Malteserkreuz, umgeben von sieben goldenen Sternen, statt des Phönixemblems, das Adams jüngerer Zweig der Familie verwendete. Das Kreuz und die Sterne zusammen legten den Gedanken an eine esoterische Verbindung noch näher, als es ihm bei früheren Besuchen erschienen war, selbst als er Peregrine vor einigen Wochen das Muster hatte aufmalen sehen.

Als Anker und Verbindungsglied zur Vergangenheit half ihm dieses Wappen sich zu sammeln, während er sich umwandte und zum Rand der Lichtung zurückzog, wo er sich auf einem großen Quaderstein mit Blick auf den Eingang des alten Bergfrieds niederließ. Unter seinem Reithandschuh trug er seinen Siegelring, nun umfaßte er ihn mit seiner linken Hand, um seine Absicht körperlich zu bekräftigen, während er seinen Kopf zu einem kurzen Gebet neigte. Dann empfahl er sich in Gedanken der Inspiration des LICHTS, richtete sich auf und legte beide Hände nach oben offen auf die Oberschenkel und sammelte sich, um auf eine wirksame Arbeitsebene der Trance zu gelangen.

Eine Empfindung der Ruhe kam über ihn, während er den Atem tief einholte und wieder ausstieß. Geerdet in dieser Ruhe rief er sich das Bild eines Ritters in Templerkleidung vor Augen, der im offenen Eingang des Turms stand. Es handelte sich dabei um ein Bild, das er schon früher gesehen und nie weiterverfolgt hatte, doch jetzt machte er es zum Mittelpunkt seiner Konzentration. Indem er sich im Geist tiefer in sich selbst zurückzog, begab er sich mit dem Willen auf noch tiefere Ebenen der Wahrnehmung, während er eine wortlose Bitte an seinen ritterlichen Verwandten aus alter Zeit richtete.

Das Schweigen, das ihn umgab, dehnte sich aus und isolierte ihn gegen alle äußeren Ablenkungen; ein schwaches Klingen in dieser Stille ließ ihn seinen Blick nach außen richten. Während er passiv wartete, manifestierte sich im Schatten des offenen Turmeingangs ein Licht, das nicht aus der Welt der Wachheit oder von der schwächer werdenden Nachmittagssonne stammte; es wurde allmählich voller und heller, schimmerte auf der Schwelle und formte sich zu dem leuchtenden Abbild einer ritterlichen Gestalt.

Der Ritter war für die Schlacht gerüstet, die Vorderseite seines Wappenrocks zierte das uralte Tatzenkreuz der Templer. Seine behandschuhten Händen umfaßten die Parierstange eines mächtigen Schwertes, dessen Klinge wie Quecksilber zwischen seinen gepanzerten Beinen flimmerte. Das Gesicht unter seiner Kettenhaube schien bärtig und streng, die Augen scharf und bezwingend.

Wer ruft Aubrey de St. Clair lautete die schroffe Frage des Ritters, die Adam mehr verstand, als daß er sie hörte. *Sprich, denn ich kann nicht lange verweilen.*

In der Vision begegnete Adam dem durchdringenden Blick des anderen, ohne mit der Wimper zu zucken. Er richtete sich auf und antwortete.

Ich bin Adam Sinclair, Nachkomme deines Blutes und dei-

nes Stammes, und im Geist Bruder deines Ordens. In dieser Zeit und an diesem Ort bin ich auch Meister der Jagd – mit einer Aufgabe, die den Orden des Tempels betrifft. Ich wage zu hoffen, daß du über Wissen verfügst, das mir zu ihrer Erfüllung verhilft.

Die Gestalt aus dem Turmeingang stand plötzlich vor ihm, nahe genug, um sie zu berühren, und ihre Helligkeit dehnte sich aus und umschloß Adam mit ihrem Glanz. In diesem Augenblick wurde er sich einer Veränderung seiner Erscheinung bewußt, eines geisterhaften Ebenbildes, das aus seinem in Trance befindlichen Leib herausstieg und nicht in die modische Reitkleidung gehüllt war, die sein Körper trug, sondern in den weißen Mantel und den schimmernden Kettenpanzer eines Tempelritters.

Diese Veränderung des Aussehens, so erkannte er, zeigte an, wie Aubrey ihre gemeinsamen Bande erkannte und bejahte. Während er die behandschuhte Hand ergriff, die Aubrey ihm reichte, öffnete Adam seinen Geist dem seines Templerverwandten und teilte ihm rückhaltlos alles mit, was er bisher über Salomons Siegel und Salomons Krone hatte in Erfahrung bringen können. Und er verschwieg keineswegs seine Furcht, daß der Dieb des Siegels einen Weg finden würde, um auch die Krone aufzuspüren, zusammen mit allen anderen Gegenständen, die mit ihr verbunden waren.

Alles, was ich in diesem Augenblick weiß, ist, daß diese Templerschätze zusammen eine Macht darstellen, die zu gefährlich ist, als daß man sie auf die Welt loslassen darf, unterrichtete er sein Gegenüber nüchtern und benutzte in Gedanken die passenden Worte, um sein eigenes Gefühl der Dringlichkeit zu unterstreichen. *Wenn du über ein Wissen von diesen Dinge verfügst, so bitte ich dich inständig, es mir zu sagen.*

Es herrschte ein kurzes Schweigen, gefolgt von einer starken, sprachlosen Flut düsteren Bedauerns von seiten Aubrey de St. Clairs. Dann kristallisierten sich die

Gedanken des anderen Ritters kurz in sprachlicher Form.

Ich habe kein Wissen anzubieten. Gewiß ist, daß unsere Flotte viele Schätze aus Frankreich brachte, aber nichts davon kam nach Templemor. Vielleicht bewahrt die Präzeptorei in Balantrodoch, was du suchst.

Leider steht Balantrodoch nicht mehr, erwiderte Adam. *Gibt es einen anderen Ort, der als geheime Schatzkammer gedient haben könnte? Ich* brauche *einen Ausgangspunkt.*

Wieder die bedauernde Verneinung, und diesmal dazu ein Unterton der Unruhe, ein Sichzurückziehen.

Adam nahm wahr, daß das ihn umgebende Licht zu verblassen begann, und fand sich damit ab, daß er gescheitert war, zumindest bei diesem Versuch. Er ließ seine Gefühle einen wortlosen Dank aussprechen und beobachtete in benommenem Schweigen, wie sich der Schatten Aubrey de St. Clairs langsam auflöste. Kurz bevor er völlig verschwand, wurde sich Adam jedoch einer sanften Berührung am Hinterkopf bewußt – es war wie eine Segnung.

Dann saß er allein auf einem harten Steinblock und blinzelte sich im vergehenden Sonnenlicht ins gewöhnliche Bewußtsein zurück. Die Luft war schon frostig und kündigte die Dämmerung an. Alles, so schien es jetzt, würde von dem Ausflug des kommenden Tages nach England abhängen, wo er dem geheimnisvollen und dem Vernehmen nach schwierigen Sir John Graham of Oakwood begegnen sollte.

Kapitel 14

Nachdem ihn Humphrey am nächsten Morgen nach Jordanburn gefahren hatte, absolvierte Adam im Krankenhaus eine verkürzte Visite und fuhr anschließend mit seiner Reisetasche im Taxi zum Flughafen. Am Flugsteig – die meisten anderen Passagiere waren schon an Bord – stand ein besorgt dreinblickender Peregrine, dessen Gesicht sich mit einem Lächeln der Erleichterung aufhellte, als Adam sich näherte.

»Ach, bin ich froh!« rief er aus und reichte Adam Bordkarte und Ticket. »Sie sind bereits komplett eingecheckt, aber ich habe schon angefangen mir Sorgen zu machen, daß Sie vielleicht im Krankenhaus aufgehalten wurden.«

»Das soll von Zeit zu Zeit vorkommen«, räumte Adam sarkastisch ein, »doch heute scheine ich Glück zu haben.«

Der Flug nach London verlief ereignislos. An Bord gab es einen kalten Lunch, und sie landeten kurz vor eins planmäßig in Gatwick. McLeod wartete am Flugsteig auf sie und geleitete sie flotten Schritts zum Randstein vor dem Terminalgebäude, wo ein uniformierter Constable neben dem roten Ford Granada stand, den McLeod gemietet hatte. Mit ihm am Steuer fuhren sie vom Flughafen aus schnell nach Osten, vermieden die weiter nördlich verlaufenden Autobahnen und setzten ihren Weg auf der A264 zügig in Richtung Royal Tunbridge Wells fort. Während der Fahrt brachte Adam McLeod auf den neuesten Stand der Ereignisse von

Samstag und Sonntag, besonders hinsichtlich des Dundee-Rings und dessen offensichtlicher Verbindungen zu den Templern.

»Sie haben ihn dabei?« fragte McLeod.

Statt einer Antwort holte Adam den Ring aus seiner Jackentasche und legte ihn in die ausgestreckte Hand des Inspectors. McLeod fingerte nachdenklich daran herum, wobei er kaum die Augen von der Straße nahm, und reichte ihn dann Adam zurück.

»Jetzt ist wirklich nicht der richtige Zeitpunkt, um ihn genauer anzuschauen, aber er kann sich als nützlich erweisen, wenn man mit uns in Sachen Kreuz zusammenarbeitet. Und Sie sagen, Peregrine hat die Skizzen mitgebracht?«

»Sie sind im Kofferraum bei meiner Reisetasche«, meldete sich Peregrine. »Glauben Sie, Sie sollten sie sich anschauen, bevor wir nach Oakwood kommen?«

»Nein, wir werden sehen, ob sie zur Bestätigung dienen, *nachdem* ich meinen Teil mit dem Kreuz und dem Ring getan habe«, erwiderte McLeod. »Auf diese Weise wird meine Erfahrung durch keinerlei vorgefaßte Meinungen gefärbt sein.« Er seufzte. »Übrigens, würdet ihr beide gern hören, was ich nach einem ganzen Wochenende mit Zugang zu allen Ressourcen der verschiedenen Londoner Polizeistellen und Interpol herausgefunden habe?«

Adam warf ihm einen Seitenblick zu. »Warum habe ich nur den Eindruck, daß alle diese Ressourcen umsonst waren?«

»Wahrscheinlich, weil sie es waren«, entgegnete McLeod säuerlich. »Nichts. *Nada*. Null. Ich fühle es in meinen Knochen, daß er sich sogar in Großbritannien aufhält, wahrscheinlich irgendwo in Schottland, doch was Beweise dafür angeht – da könnte er genauso gut von Außerirdischen gekidnappt und von der Erde entführt worden sein!«

Danach kehrten er und Adam kurz zu einer Erörterung möglicher Vorgehensweisen zur Erreichung ihres Ziels in Oakwood zurück, dann verfielen sie in ein kameradschaftliches Schweigen, während das Auto die Kilometer fraß. Gelegentlich zog Adam einen Straßenatlas zu Rate und gab Hinweise zum Weg. Peregrine war in Tagträume versunken.

Schnell wichen die Felder von Surrey der Landschaft von Kent. Ihre Route folgte der Nordgrenze des Weald, der früher einmal eine der am dichtesten bewaldeten Gegenden von ganz Britannien gewesen war. In neuerer Zeit war viel vom dem Land gerodet worden, um Platz für Obstgärten und Bauernhöfe zu schaffen, aber etliche Einheimische hielten immer noch die Erinnerung an jene früheren Tage wach, als Edward III. der Dienste von nicht weniger als zweiundzwanzig Führern bedurft hatte, um von London sicher nach Rye zu kommen.

Die Landschaft hier war völlig verschieden von den Moorlandszenerien des schottischen Grenzlandes. Peregrine, der mit dem Skizzenbuch auf dem Knie bequem auf dem Rücksitz saß, ließ sich von den vorüberziehenden Anblicken duftender Apfelgärten und goldener Hopfenfelder verzaubern. Hier und da gab es eine Reihe von Hopfendarren mit ihren typisch trichterförmigen Dächern, unter denen der Hopfen gelagert und getrocknet wurde. Wo in Schottland die Felder von Steinmauern flankiert waren, wurden sie hier von Hecken abgegrenzt, die von Heckenrosen, Geißblatt und Brombeerbüschen überwachsen waren, wobei letztere zu dieser Jahreszeit reife schwarze Beeren trugen.

Während sein Blick über die Felder schweifte, fühlte sich Peregrine an das ›grüne und angenehme Land‹ aus Blakes berühmtem Gedicht ›Jerusalem‹ erinnert, das in der gleichnamigen Hymne unsterblich gemacht worden war, die fast eine zweite Nationalhymne der Engländer darstellte. Kurz überlegte er, ob es möglich sei, daß in alter Zeit die Füße des ›heiligen Lammes Gottes‹ wirklich auf ›Englands Bergen so grün‹ gegangen waren. An Tagen wie diesem war es nicht schwer sich vorzustellen, daß der junge Jesus hier mit Joseph von Arimathäa geschritten war, wie es die alten Glastonbury-Legenden von ihm so nachdrücklich behaupteten.

Und Peregrine hatte auch keine Schwierigkeiten einzuschätzen, woher solche berühmten englischen Künstler wie John Constable und Samuel Palmer ihre Inspiration für weltlichere Themen bezogen hatten. Der ländliche Friede von Bauernhäusern und kultiviertem Waldland wurde von ständigen Veränderungen des Lichts unterstrichen. Peregrine war fasziniert vom durchsichtigen Fließen der Schatten über der Landschaft, die Details in der Ferne manchmal verschwimmen ließen, manchmal hervorhoben. Der ständige Wechsel der Muster wirkte fast hypnotisch. Nach einer Weile schwammen alle Farben zusammen, und er fiel in einen leichten Schlummer.

Er erwachte einige Zeit später und stellte fest, daß sie auf einer einspurigen Landstraße dahinfuhren, die auf der linken Seite von hügeligen grünen Weiden und auf der rechten von den schattigen Hängen eines bewaldeten Parks flankiert wurde. Unmittelbar zu beiden Seiten erhob sich das dichte Gestrüpp uralter Hecken, auf denen Wildblumen leuchteten und die nicht so hoch waren, daß sie den Blick über sie hinaus verwehrt hätten. Peregrine zuckte mit einem leichten Schuldgefühl zusammen und zog sich hoch. Als er auf seine Uhr blickte, stellte er überrascht fest, daß er fast eine Stunde geschlafen hatte.

»Der Schläfer erwacht«, sagte McLeod trocken und grinste Peregrine im Rückspiegel an, während Adam sich zu ihm umschaute. »Na, haben wir hübsch geschlummert?«

Peregrine verzog reuig das Gesicht. »Mir muß mehr

Schlaf gefehlt haben, als ich dachte. Wo sind wir denn schon?«

»Weniger als einen Kilometer vor unserem Ziel«, erwiderte Adam. »Ich würde vorschlagen, daß Sie schon mal Ihre Krawatte zurechtrücken. In ein paar Minuten sind wir da.«

Die Einfahrt in das Oakwood-Anwesen wurde von einem Paar sphinxähnlicher Steinlöwen markiert. Sie standen Wache zu beiden Seiten des massiven schmiedeeisernen Tores, das offenstand und aussah, als sei es nur selten geschlossen. Die Auffahrt dahinter war mit majestätischen Eichen gesäumt, ihre verschlungenen Zweige überspannten die Straße wie ein Baldachin. Zu beiden Seiten durchsetzten noch mehr Eichen die grasbewachsene Parklandschaft, vermischt mit kleineren Bäumen, meistens Birken und Ebereschen. Dahinter erhoben sich die mit Zinnen geschmückten Dächer und die Kamine eines stattlichen Herrenhauses aus der Tudorzeit.

Von dem Augenblick an, als sie zwischen den steinernen Torpfosten hindurchfuhren, spürte Adam schnell eine Veränderung in der Luft. Während sie die Auffahrt weiter hinauffuhren, wurde er sich einer tiefen, schützenden Ruhe bewußt, die dem Gezwitscher des Vogelsangs und dem Wehen eines leichten Windes zwischen den Bäumen die Grundmelodie gab. Da er sich daran erinnerte, was Lindsay im Hinblick auf Sir John Grahams esoterische Fähigkeiten gesagt hatte, war er nicht überrascht, die subtile Gegenwart mächtiger Schutzzauber zu spüren, die hier für immer gesetzt waren, um Oakwood und seine Bewohner zu schützen. Die schlummernden Kräfte in der Luft waren von solcher Art, daß niemand mit okkulter Begabung sie nicht wahrnehmen konnte.

McLeod warf einen wachsamen Blick um sich, wie ein Jäger, der weiß, daß er sich in unbekanntes Territorium vorwagt.

»Ein bemerkenswerter Ort«, murmelte er.

Peregrine zog die Schultern zusammen, beinahe hätte ihm geschaudert. »Ich bin froh, daß wir hier als Freunde kommen.«

Er öffnete den Mund, als wollte er eine weitere Bemerkung machen, dann gab er einen unwillkürlichen Ausruf der Bewunderung von sich, als sie die letzte Kurve der Auffahrt nahmen und er den ersten unverwehrten Blick auf das Herrenhaus selbst genießen konnte.

Der mittlere Flügel des Hauses präsentierte eine stattliche Fassade mit halb in Fachwerk aufgeführten Mauern und Giebeln sowie Erkerfenstern mit rautenförmigen Scheiben, die mit Schmucksimsen verziert waren. Als Peregrine zum Obergeschoß hinaufsah, zählte er acht Rauchfänge, von denen jeder anders gemeißelt war als die anderen. Die Steinmetzarbeiten waren alle in heimischem kentischem Kieselsandstein ausgeführt und hatten die Farbe von wildem Honig. Von Rosen aufgehellte Efeuranken ringelten und schlängelten sich an mit Spalieren versehenen Abschnitten der Mauern empor und überzogen die Ecken des Gebäudes mit zarten Netzen heller Farben.

McLeod fuhr – der Kies zischte unter den Reifen – unter den Bogen eines zweistöckigen Torhauses hindurch in einen offenen Hof im elisabethanischen Stil, wo er den roten Granada neben einem schmuckem Fiat Panda im Schatten eines Gebäudes parkte, das einmal die Wagenremise gewesen war. Ein Toy Spaniel kam auf sie zugesprungen, um sie zu begrüßen, als sie aus dem Auto stiegen; sein freudiges Gebell verkündete auch dann noch ihre Ankunft, als sie sich der Vordertreppe näherten, allerdings begleitete er sie nicht zur Tür. Ein Ruck am Glockenzug rief einen ältlichen Butler herbei, der mit der traditionellen schwarzen Jacke mit gestreifter Weste bekleidet war und Adams Visitenkarte mit der vornehmen Förmlichkeit eines alten Hausfaktotums entgegennahm.

»Guten Tag«, sagte Adam, während die Augen des Butlers über die Karte huschten. »Ich glaube, Sir John erwartet uns.«

»Ja, in der Tat, Sir«, erwiderte der Butler mit einer leichten Verbeugung, die McLeod und Peregrine ebenfalls einschloß. »Kommen Sie bitte hier entlang.«

Aus der Eingangshalle mit der hohen Decke führte er sie durch einen Vestibüldurchgang und eine lange Galerie, an deren Wänden Porträts und Landschaftsmalereien hingen. Obwohl die Sammlung vorzügliche Werke von Romney, Gainsborough und Reynolds enthielt, von denen Peregrine einige schon vorher auf Fotografien gesehen hatte, wurde sein Auge von einem unsignierten spätmittelalterlichen Temperagemälde eines stattlichen Edelmanns angezogen, der kniend seine gefalteten Hände zum Lehenseid zwischen die Hände eines Mannes mit Königskrone legte. Das Bild ließ Peregrine stehenbleiben.

Die Legende auf der winzigen Plakette an der Unterleiste des Rahmens bezeichnete die Dargestellten als König Heinrich VI. und David, den 2. Earl of Selwyn. Obwohl das Gemälde zum großen Teil vom Alter gedunkelt war, enthielten die Gesichter etwas unsagbar Ergreifendes in dem Blick, den die beiden austauschten. Selten hatte Peregrine eine deutlichere Schilderung der fast sakramentalen Beziehung zwischen Souverän und Untertan gesehen, die das mystische Wesen des Königtums darstellte. Er war sich nicht einmal bewußt, daß er angehalten hatte, bis ihm eine starke Hand auf die Schulter klopfte.

»Kommen Sie weiter, junger Mann«, murmelte McLeod ihm ins Ohr. »Am besten, wir lassen unseren Gastgeber nicht warten.«

Adams Aufmerksamkeit war inzwischen auf das bevorstehende Gespräch konzentriert. Der Dundee-Ring lag lose in seiner Jackentasche, und sein Siegelring stak an seinem Finger, aber es war die Aussicht, das Dundee-Kreuz zu sehen, die ihn jetzt antrieb – und die, seinem offenbar eindrucksvollen Besitzer zu begegnen. Als er über die Schulter des Butlers nach vorn schaute, sah er am anderen Ende der Galerie eine Tür, in deren Eichenholzpaneele Eichenblätter und Eicheln geschnitzt waren.

Durch diese Tür führte der Butler sie über einen weiteren kurzen Korridor und dann zu einer ähnlichen Tür, an der er ehrerbietig klopfte, bevor er sie öffnete und eintrat.

»Sir Adam Sinclair, Miss Caitlin«, verkündete er würdevoll, »mit seinen Gefährten.«

»Danke, Linton. Bitte führen Sie sie herein«, rief eine musikalische Altstimme aus dem Raum hinter der Tür.

Mit altmodischem Zeremoniell geleitete Linton Adam und seine Begleiter hinein. Eine gertenschlanke junge Frau mit schulterlangem kastanienbraunem Haar erhob sich aus einem dickgepolsterten Sessel vor dem Tudor-Kamin und kam ihnen entgegen, um sie zu begrüßen. Sie schien Anfang Zwanzig zu sein, ihre Haut wirkte so frisch und durchscheinend wie eine Apfelblüte. Sie war schlicht gekleidet – in eine Seidenbluse, die am Hals offenstand, und einen bequemen Rock, der halb bis zu den Knöcheln reichte und wie die Bluse vom Blau eines Rotkehlcheneis war. Um ihren Kragen lag eine einfache Perlenkette. Die Hand, die sie Adam entgegenstreckte, trug keinen Ring.

»Willkommen auf Oakwood, Sir Adam«, sagte sie und lächelte mit unbefangener Zwanglosigkeit. »Ich bin Caitlin Jordan. Sir John ist mein Urgroßvater. Es ist uns eine Freude, Sie bei uns begrüßen zu dürfen.«

»Es ist mir eine Freude, hier zu sein«, sagte Adam und lächelte seinerseits. »Dies hier sind meine Mitarbeiter, Inspector Noel McLeod von der Lothian and

Borders Police und Mr. Peregrine Lovat. Ich hoffe, wir haben Sie nicht warten lassen.«

»Überhaupt nicht«, erwiderte sie. »Eigentlich bin ich überrascht, daß Sie so schnell hierhergefunden haben. Oakwood ist etwas abgelegen, und so kalkulieren wir bei Besuchern, die zum ersten Mal kommen, immer Verspätungen mit ein. Guten Tag, Inspector McLeod. Ich bin sicher, Sie sind gefahren, und deshalb haben Sie uns so schnell gefunden. Mr. Lovat, ich hoffe, Sie hatten eine angenehme Reise.«

Als sie dann Peregrine die Hand reichte, ertappte er sich dabei, wie er tief in zwei klare dunkelbraune Augen blickte. Die Empfindung war, wie wenn man in einen klaren Waldteich schaute, wo ein Spiegel veränderlicher Reflektionen verborgene Tiefen überlagerte. Für den Zeitraum eines Herzschlages schienen die Spiegelungen sich emporzuheben, ihn zu umfassen und ihn rückwärts durch die Zeit in eine uranfängliche Lichtung zu schleudern, die von einem Ring aus hochragenden Eichen umgeben war. Anstelle der schönen Caitlin sah er sich plötzlich der Vision einer etwas älteren, aber nicht weniger schönen Frau gegenüber, die in wallendes Weiß gekleidet und wie eine Druidenpriesterin mit Mistelzweigen gekrönt war …

Er bekam sich wieder in den Griff und schloß kurz die Augen. Als er sie erneut öffnete, hatte er sein Sehen wieder unter Kontrolle. Er bemerkte, daß sie ihn fragend-erwartend anblickte, schluckte ein wenig und versuchte sich an die Frage zu erinnern, die sie ihm gerade gestellt hatte. Adam, der in Peregrines Richtung schaute und vielleicht erriet, was geschehen war, kam ihm zur Hilfe.

»Danke, die Fahrt war sehr angenehm«, sagte er. »Die Landschaft von Kent ist um diese Jahreszeit besonders schön.«

»Ja, wir, die wir hier leben, glauben das gerne«, erwiderte Caitlin. »Aber darf ich Ihnen vielleicht einen Drink anbieten? Oder Tee?«

Adam lächelte. »Ich würde es vorziehen, zuerst den Herrn General zu begrüßen, wenn Sie nichts dagegen haben. Ich möchte nicht ungesellig erscheinen, aber ...«

Sie hob die Hand und senkte den Kopf mit einem Lächeln.

»Sie brauchen nichts zu erklären, und ich bin nicht beleidigt«, sagte sie. »Kommen Sie hier entlang, und vielleicht kann ich Sie mit dem Tee verlocken, nachdem Sie Urgroßvater gesprochen haben. Er wartet draußen in der Aussichtslaube auf Sie. Er dachte, Sie würden nichts dagegen haben, da der Tag so schön ist.«

Durch eine doppelte Fenstertür gelangten sie auf eine sonnige Terrasse, die einen weiten Ausblick auf wohlgepflegte architektonische Gärten gestattete. In der Nähe war der kurzgeschnittene Rasen durchsetzt mit Beeten von Flieder und Rosen. Dahinter lag ein Irrgarten aus Buchsbaum. Über den Hecken im Herzen des Labyrinths schimmerte das gewölbte Dach einer Zierlaube weiß im Sonnenlicht.

Caitlin blickte zurück, um sicherzugehen, daß sie ihr folgten, und führte sie mit flottem Schritt über eine Flucht aus polierten Steinstufen auf eine Grasfläche, die so glatt geschnitten war wie ein Rasenplatz fürs Bowling. Adam, der mit ihr Schritt hielt, als sie auf den Eingang des Irrgartens zugingen, bemerkte: »Es war sehr freundlich von Sir John, daß er bereit war, uns so kurzfristig zu empfangen.«

»Nun, Sie haben ja zu verstehen gegeben, daß die Sache von einer gewissen Dringlichkeit sein könnte«, erwiderte sie. »Glücklicherweise ist heute nacht Vollmond. Wenn Sie also eine ernsthafte Arbeit mit dem Dundee-Kreuz beabsichtigen, dann ist heute abend die allerbeste Zeit dafür.«

Adam gelang es, seine Überraschung zu verbergen,

aber er spürte, wie McLeod hinter ihm erstarrrte, und fing Peregrines leisen, doch hörbaren Laut der Überraschung auf.

»Oh, Sie brauchen sich keine Sorgen zu machen«, fuhr sie mit einem leichten Lächeln fort. »Wir wissen, wer Sie sind, und sehr bald werden Sie wissen, wer wir sind. Heutzutage empfängt Urgroßvater selten Fremde, ohne daß er sie zuvor überprüft hat. Er ist zweiundneunzig, wissen Sie.«

Während sie ihnen unbekümmert vorausging und das Tor zu dem Irrgarten öffnete, schaute Adam beruhigend zu seinen Kollegen zurück. Ihre Bemerkung hatte bestätigt, was er schon vermutet hatte – daß die schöne Caitlin Jordan trotz ihres jungen Alters in vielen früheren Leben wie im gegenwärtigen eine Eingeweihte gewesen war. Aber es war trotzdem ein wenig beunruhigend zu hören, daß er und die Seinen ›überprüft‹ worden waren. Die bevorstehende Begegnung gewann so mehr an Bedeutsamkeit. Adam Sinclair mochte in Schottland Meister der Jagd sein, aber hier war Sir John Graham ganz deutlich der Meister. Obwohl diese Erkenntnis keine Androhung von Gefahr enthielt, machte ihn die Tatsache, daß er nicht wußte, was ihn erwartete, ein wenig besorgt, als sie am Tor des Irrgartens anhielten.

»Dies ist der Eingang zu unserem Labyrinth«, sagte Caitlin und lächelte strahlend, während sie das Tor öffnete und mit einer einladenden Geste zur Seite trat. »Wenn Sie sich immer rechts halten, können Sie nicht irregehen.«

Das hätte ein einfacher Rat sein können, doch nach ihren früheren Bemerkungen war Adam darauf vorbereitet, nach zusätzlichen Bedeutungen zu suchen. In esoterischen Begriffen wies ›rechts‹ auf den Pfad der Rechten Hand hin, der im Gegensatz zum Pfad der Dunkelheit auch der Pfad des LICHTS genannt wurde. Daher hätte die Bemerkung als Beruhigung gedacht sein können. Gleichviel, als er und seine Gefährten das Labyrinth betraten, ertappte Adam sich dabei, wie er am Steg seines Siegelringes herumfingerte, und er war froh, daß er gerade McLeod im Rücken hatte. Es wäre auch reizvoll gewesen zu sehen, wie Peregrine den Irrgarten wahrnahm, da er der jüngste von ihnen dreien war und über weniger Erfahrung verfügte.

Peregrine selbst fragte sich inzwischen, warum ihr Gastgeber wohl beschlossen hatte, sie hier draußen im Freien zu empfangen statt drinnen im Haus. Es erschien ihm auch merkwürdig, daß die schöne Caitlin sie losgeschickt hatte, damit sie allein und ohne Führerin ihren Weg fanden. Das Labyrinth selbst erschien ihm fast kindisch einfach im Vergleich mit anderen, die er schon gesehen hatte, wie zum Beispiel dem berühmten Irrgarten aus der Tudorzeit bei Hampton Court Palace. Doch gleichzeitig spürte er anscheinend, als sie tiefer zwischen die kurzgeschnittenen Hecken gerieten, ein zugrundeliegendes Muster unsichtbarer Energien, die in einer dynamischen Spannung gehalten waren. Es war fast, als wäre die äußere Form des Irrgartens nur die äußere Schalte eines komplizierten Schlosses, das nur auf eine geringe Veränderung seines Mechanismus wartete, um seine inneren Energien freizusetzen.

Die Luft im Labyrinth erschien übernatürlich still, die ländlichen Geräusche des Vogelsangs und das Rauschen der Brise im Laub waren merkwürdigerweise verstummt. Das Pulsieren einer disziplinierten Kraft in der Luft war wie das Vibrieren eines fernen Stromgenerators. Je tiefer sie in den Irrgarten eindrangen, desto schwieriger fand Peregrine es, sich zu konzentrieren. Sein körperliches Sehen blieb davon unberührt, aber sein Denken schien mit einem Mal schwerfällig und lethargisch geworden zu sein.

»Adam, was für ein Ort ist das?« flüsterte er und legte dabei eine Hand auf Adams Ärmel.

Adam blieb stehen und drehte sich um, doch er sah nicht besonders besorgt aus. McLeods Gesichtsausdruck war nicht zu deuten.

»Ich dachte, Sie hätten es schon erraten«, murmelte Adam. »Es ist ein magisches Labyrinth – ein formelles Muster, um okkulte Energie zu speichern und zu lenken. Ich habe so etwas schon früher erlebt. Ich glaube, das Muster, das wir sehen, ist nicht zur Außenwirkung bestimmt – sehr wahrscheinlich ist es ein schützendes Muster, vielleicht eine Art Abschirmung. Haben Sie Schwierigkeiten damit?«

Peregrine schüttelte benommen den Kopf, nicht zur Verneinung, sondern in dem Versuch, seine Sinne zu klären. Sein körperliches Sehen war noch klar, doch seine inneren Wahrnehmungen wurden seltsam verschwommen, fast, als hätte man ihm ein Narkotikum verpaßt.

»Ja«, gelang es ihm nur zu sagen. »Sind wir – in Gefahr?«

»Ganz und gar nicht«, beruhigte ihn Adam. »Die Energie hier ist sicherlich freundlich. Doch selbst eine freundliche Energie kann eine beunruhigende Wirkung auf diejenigen haben, die nicht mit dem Muster vertraut sind. Versuchen Sie, Ihren Ring anzustecken. Das sollte Ihnen helfen, gesammelt zu bleiben, solange wir dem Labyrinth und seinem Einfluß unterworfen sind. Ich vermute, die Wirkung wird vergehen, sobald wir die Mitte erreichen.«

Erst jetzt nahm Peregrine wahr, daß Adam und McLeod schon ihre Ringe trugen. Er nickte stumm und holte seinen eigenen Ring aus der Hosentasche. Dessen Saphir war nicht oval – wie der Stein in Adams Ring –, sondern im Smaragdschliff gearbeitet und saß in einem einfachen Ringkasten auf einem breiten Steg, in den chinesische Drachen graviert waren. Als er ihn auf den Finger steckte, hatte das eine Wirkung, als wäre ein Schalter umgelegt worden.

»Besser?« fragte Adam.

Peregrine nickte. »Viel besser.«

Der Nebel vor seinem geistigen Auge war verflogen, doch das leise Pulsieren einer unsichtbaren Macht blieb als Hintergrundbegleitung, während sie ihren Weg durch den Irrgarten fortsetzten.

Die letzte Wendung des Labyrinths führte in einen offenen Bereich, der mit Steinplatten ausgelegt war. In seiner Mitte stand die Laube, ein elegantes Bauwerk aus weißen Spalieren, die von Rosen überwuchert waren. Im überwölbten Eingang stand eine aufrechte Gestalt mit silbernem Haar in schwarzer Kleidung und wartete schweigend.

Aufgrund seiner Kriegsbiographie wußten sie schon, daß General Sir John Graham über neunzig Jahre alt sein mußte, und seine Urenkelin hatte die Zahl zweiundneunzig genannt, doch nichts an seiner Erscheinung ließ an Schwäche oder Verfall denken. Im Gegenteil: Die aufrechte Haltung seines hageren Körpers verriet, daß seine Lebenskraft anhielt, und die schrägen haselnußbraunen Augen in dem noch stattlichen Gesicht waren scharfsichtig wie die eines Adlers. Das Gesicht, so urteilte Adam, war mehr von der Sorge um andere als vom Alter gefurcht. Sir John war vollständig in Schwarz gekleidet, von dem schwarzen Rollkragenpullover und den Freizeithosen unter seinem gutgeschnittenen schwarzen Blazer bis zu dem Ebenholzstock mit dem Silbergriff, auf dem die verschränkten Hände ruhten.

Zusätzlich zu dem, was Adam schon wahrgenommen hatte, vermittelte ihm der reine visuelle Eindruck sowohl die Autorität, mit der sein Gastgeber ausgestattet war, als auch die esoterische Tradition, die er repräsentierte. Nach der Symbolik von Britanniens Alter Religion, die aus einer Zeit stammte, bevor das Christentum diese Gestade erreicht hatte, war die Gestalt des Mannes in Schwarz der unmittelbare Vertreter des

Gehörnten Gottes, des Gemahls der Großen Mutter, der Herrin des Mondes. Zusammen bildeten der Herr und die Herrin eine göttliche Dualität, die das Wohlergehen der Insel Britannien bewachte und seit unvordenklichen Zeiten ihre Fruchtbarkeit sicherte. Es bestand die Ansicht, daß dieses Wächteramt die Insel Britannien mehr als einmal vor ausländischen Invasionen geschützt habe, zuletzt während des Zweiten Weltkriegs. Adam kam sogar der Gedanke, ob Sir John dabei eine Hand im Spiel gehabt haben mochte, denn er war sicher in einem Alter, wo dies hätte der Fall sein können.

Auf jeden Fall war General Sir John Graham ganz offensichtlich ein sehr hochrangiger Mann in Schwarz, der vielleicht in ganz England keinem anderen mehr unterstand. Die streng im Zaum gehaltene Macht, die in der aufrechten Gestalt zugegen war, wirkte eindrucksvoll und ohne weiteres Adam ebenbürtig, wenn auch auf andere Weise konzentriert. Trotzdem spürte Adam in diesem Empfang mehr als nur eine Darstellung von Stärke. In ihm wuchs die Überzeugung, daß Sir John durch seinen Entschluß, sich in seiner rechtmäßigen Gewandung zu präsentieren, auch seinen Gästen das höchste Kompliment zollte und sie als Gefährten im gleichen Dienst des LICHTES anerkannte, selbst wenn sie sich dem LICHT aus verschiedenen Perspektiven näherten.

Es war eine ermutigende Geste der Höflichkeit, doch sie deutete auf ein Wissen ihrer wirklichen Absichten und Aufgaben hin, das nicht durch die beiden kurzen Telefongespräche erklärt werden konnte, von denen das eine von der immer diskreten Lindsay geführt worden war. Caitlin hatte davon gesprochen, sie seien ›überprüft‹ worden, und es war bekannt, daß Sir John Graham früher Offizier im Nachrichtendienst gewesen war; doch wenn der General nicht weit empfänglicher war als selbst Adam auf einer parallelen Ebene, dann gab es keine Möglichkeit, wie er zu seinem Wissen gekommen sein konnte, wer und was sie waren. Und doch, als sein Blick Adams Augen begegneten, schien er zu *wissen*.

»Also«, sagte er lächelnd. »Sie sind Philippas Sohn. Ich freue mich sehr, endlich Ihre Bekanntschaft zu machen. Treten Sie bitte ein und seien Sie willkommen.«

Kapitel 15

Die Erwähnung des Namens seiner Mutter überraschte Adam sichtlich, aber offenbar zerstreute sie auch alle Ungewißheit, die er noch gehabt haben mochte. Ohne einen seiner beiden Gefährten anzuschauen, neigte Adam seinen dunkelhaarigen Kopf in schicklicher Ehrerbietung und stieg die vier Stufen zum Eingang der Laube empor; gleichzeitig machte er eine kleine Bewegung, bei der es sich, nach Peregrines Auffassung, um eine geheime Geste seiner rechten Hand gehandelt haben konnte.

»Der geladene Gast ehrt immer das Regiment des Hausvorstands«, erklärte er ruhig und hob seinen Blick entschlossen zu den Augen ihres Gastgebers.

Ein fester Händedruck hieß ihn willkommen und zog ihn ins Innere der Laube, haselnußbraune Augen begegneten seinem Blick in wortloser Anerkennung. Als Adam sich umwandte und mit einem Blick seine Kollegen zu sich rief, trat McLeod vor, und Peregrine folgte hinterdrein.

»Sir John, darf ich Ihnen meinen Stellvertreter Noel McLeod vorstellen?« sagte Adam mit einer Offenheit, die Peregrine überraschte, da sie auf einer doch so kurzen Bekanntschaft beruhte. »Und dies hier ist Mr. Peregrine Lovat – unter anderem ein Künstler von seltener Begabung.«

Der Händedruck des Generals war bestimmt und fest, als er Peregrine von der letzten Stufe hereinzog und ihn mit einem rätselhaften kleinen Lächeln willkommen hieß. In dem dunstigen Schatten jenseits der

Schwelle stand ein runder, weiß bemalter schmiedeeiserner Tisch mit einer Fläche aus Glas; ihn umgaben vier dazu passende Sessel mit Kissen aus geblümtem Chintz. Das Sonnenlicht, das durch die mit Rosen umrankten Spaliere der tragenden Wände der Laube drang, malte Schattenmuster auf den Boden, die einem Belag aus Waldlaub glichen. Der Schatten bot die gleiche Art Zuflucht wie eine Waldlichtung. Das generatorartige Vibrieren in Peregrines Hinterkopf hatte in dem Augenblick aufgehört, als er die Schwelle überschritt.

»Ein eindrucksvoller Jagdtrupp«, bemerkte Sir John, der immer noch lächelte, während er mit der Hand auf die Sessel wies. »Bitte setzen Sie sich, meine Herren.«

Die offene Identifikation, wer und was sie waren, ließ Peregrine kurz zögern, doch weder Adam noch McLeod schienen sich darum zu kümmern. Als Sir John einen der Sessel ein wenig verrutschte und sich anschickte, sich zu setzen, wählte Adam den Sessel zur Rechten ihres Gastgebers und lenkte McLeod zu dem zu *seiner* Rechten, so daß für Peregrine nur noch der Platz zur Linken ihres Gastgebers übrig blieb.

»Also«, sagte Sir John, ließ sich nieder, stellte den Stock zwischen seinen Füßen auf den Boden und umfaßte mit den Händen den silbernen Griff. »Ich sehe keinen Grund, warum wir mit dem Geplänkel fortfahren sollten, da wir alle – zumindest im allgemeinen – wissen, wer und was wir sind. Vielleicht sollte ich noch ein Rätsel aufklären, bevor wir weitermachen. Adam – falls ich es mir erlauben darf, Sie bei Ihrem Vornamen zu nennen –, Sie wundern sich zweifellos, wie ich dazu kam, die Bekanntschaft Ihrer Mutter zu machen.«

»Ich muß eine gewisse Neugier gestehen«, sagte Adam vorsichtig zurückhaltend.

»Keine Sorge, mein Junge. Ich bin nicht drauf und dran, irgendwelche bislang unbekannten Details einer schmutzigen Vergangenheit zu enthüllen«, sagte Sir John mit einem Lächeln. »Ohne ein Geheimnis zu verletzen genügt es wohl, wenn ich sage, daß Ihre Mutter und ich während des Krieges gemeinsame Aufgaben hatten – eine Sache von ernstester nationaler Sicherheit. Philippa war damals noch jung – nicht einmal so alt wie Mr. Lovat hier –, doch ich hatte guten Grund, ihren Mut nicht geringer zu achten als ihre anderen Fähigkeiten, von denen ich annehme, daß Sie sie in vollem Umfang geerbt haben.«

»Sie sind sehr freundlich, Sir«, murmelte Adam ein wenig überrascht.

»Nein, ich erkenne nur dankbar eine schlichte Wahrheit an«, sagte Sir John mit einer leichten Verneigung seines silberhaarigen Hauptes. »In meinem Alter verschwendet man keine Energie mehr auf Platitüden. Ohne Philippas Beitrag auf verschiedenen Ebenen hätte sich der Krieg vielleicht ganz anders entwickelt, als er es dann tat. Wenn Sie nächstes Mal mit ihr sprechen, dann hoffe ich, daß Sie ihr meine wärmsten Grüße übermitteln werden.«

Peregrine bemerkte, daß Sir John nicht gefragt hatte, ob Adams Mutter noch lebte oder nicht; erneut schien es klar zu sein, daß der alte Mann mehr über gewisse Dinge wußte, als man selbst von dem *Adeptus senior* erwartet haben mochte, der er offensichtlich war. Adam nickte schweigend zum Zeichen der Anerkennung und Zustimmung, und der General fuhr fort.

»Danke. Dann kommen wir also zur Sache. Als wir am Donnerstagabend telefonisch miteinander sprachen, haben Sie es klugerweise unterlassen, genau zu beschreiben, von welcher Art Ihr Interesse an dem Templerkreuz ist, das ich in Obhut habe. Doch da wir uns nun anscheinend zur gegenseitigen Zufriedenheit von unseren ehrlichen Absichten überzeugt haben, bitte ich Sie um Aufklärung. Ich bin fasziniert, daß sich unsere Wege endlich gekreuzt haben, und ich würde gerne auf eine Art und Weise, die mir möglich ist, Ihnen helfen.«

»Ich glaube, keiner von uns kann an der Vorsicht, die der jeweils andere an den Tag gelegt hat, etwas aussetzen«, sagte Adam. Er war sehr erleichtert, hoffte jedoch, daß man es ihm nicht anmerkte. »*Ich* bin auf jeden Fall völlig davon überzeugt. Ich hoffe nur, daß Ihr Kreuz uns in der Tat die Hilfe bieten kann, die wir brauchen. Sonst werden wir uns alle am Ende vielleicht *post factum* mit der Heilung befassen müssen, anstatt jetzt für Vorbeugung zu sorgen.«

Er fuhr fort und erstattete einen knappen Bericht über den Diebstahl von Salomons Siegel und all die Informationen, die er und seine Gefährten hatten sammeln können, seit sie mit ihren Ermittlungen begonnen hatten.

»Inzwischen habe ich keinen Zweifel mehr, daß es sich bei dem Siegel um ein Objekt der Macht handelt«, sagte er am Schluß seiner Schilderung. »Mein Freund Nathan Fiennes war zu der Überzeugung gelangt, daß sein Mißbrauch eine besondere und tödliche Gefahr auslösen könnte, aber wir wissen noch nicht, worin die Gefahr besteht oder was sonst damit zusammenhängen mag. Ich habe allmählich den Verdacht, daß Salomon selbst bei der ursprünglichen Formung der Macht, über die das Siegel gebietet, seine Hand im Spiel gehabt haben mag.«

Er erzählte ihm dann von seinem Traum von Salomon und der Krone und von Peregrines bestätigenden Hinweisen auf eine Krone, die mit John Grahame of Claverhouse verknüpft war. Sir John zuckte nicht mit der Wimper, als Peregrines künstlerische Talente enthüllt wurden.

»Die Krone mag ein zweiter Teil des Ensembles sein, das diese Macht bindet, oder dieses Böse oder was immer das Siegel beherrscht«, endete Adam. »Peregrines Vision scheint auch unsere Theorie zu stützen, daß das Wissen über das Siegel und die Last, die es bedeutete, einst bei den Meistern der Tempelritter untergebracht war und mit dem Siegel hierherkam, als Mitglieder des Ordens nach Schottland flohen. Daher glauben wir, daß das Geheimnis an aufeinanderfolgende schottische Großpriore weitergegeben wurde, bis es anscheinend mit dem Tod von John Grahame of Claverhouse verloren ging, dem Mann, der Ihr Kreuz um den Hals trug, als er starb.«

»Ich verstehe«, sagte Sir John. »Wozu – das heißt: um was zu tun – wollen Sie dann das Kreuz als Verbindung und Fokus verwenden? Um Kontakt mit dem Geist von Claverhouse aufzunehmen?«

»Genau das. Wir haben in solchen Dingen einige Erfahrung. Noel ist ein erstklassiges Medium. Wir hoffen, daß wir durch ihn vielleicht in der Lage sein werden, uns mit Claverhouse lang genug auszutauschen, um direkt von ihm zu erfahren, was das Siegel bewacht und wie; nicht nur, damit wir wissen, was wir zu fürchten haben, sondern auch, um eine Vorstellung davon zu bekommen, welche Gegenmaßnahmen ergriffen werden müssen.«

Sir John nickte und überdachte kurz, was er soeben gehört hatte, dann wandte er seinen Blick Peregrine zu.

»Dieser Ring mit der Locke – sind Sie sich sicher, daß das Haar von Dundee stammt?«

»So sicher, wie ich unter diesen Umständen nur sein kann, Sir«, erwiderte der Künstler. »Ich bin – aufgrund früherer Erfahrungen dieser Art – zuversichtlich, daß meine Vision der Bestattung zutreffend war. Selbstverständlich habe ich keinen physikalischen Beweis, daß die Locke in dem Ring und die, von der ich sah, wie sie abgeschnitten wurde, ein und dieselbe sind – aber ich glaube, daß sie es sind.«

»Warum meinen Sie dann, daß die Resonanzen verworren waren, als Sie den Ring untersuchten?« fragte Sir John Adam.

»Glauben Sie mir, ich habe mir dieselbe Frage gestellt«, sagte Adam. »Ich vermute, daß der Ring selbst stärkere Resonanzen hervorbringt als die Haarlocke, die hinter einem Stück Bergkristall abgeschirmt ist. Ich habe überlegt, ob wir versuchen sollten, den Kristall zu entfernen, um unmittelbaren Zugang zu dem Haar zu bekommen, aber der Ring gehört mir nicht und so kann ich nicht an ihm herumpfuschen. Ich würde das Vertrauen seiner Besitzerin mißbrauchen, wenn ich das Risiko einginge, ihn zu beschädigen.«

»Ich verstehe«, sagte Sir John. »Darf ich den Ring sehen?«

Wortlos griff Adam in eine Tasche seiner Anzugsjacke, holte den Dundee-Ring heraus und legte ihn vor Sir John auf den Tisch. Der General lehnte seinen Stock an den Sessel, dann holte er eine silbergefaßte Lesebrille aus der Brusttasche seines Blazers, setzte sie auf und beugte sich vor, um den Ring aus verschiedenen Blickwinkeln zu inspizieren.

Einen Augenblick später hob er ihn auf und drehte ihn hin und her, wobei er besonders auf die Locke schaute, die unter dem Stück Bergkristall gefangen war, dann umfaßte er ihn mit der rechten Faust und schloß kurz die Augen. Als er sie wieder öffnete, schaute er erneut den Ring an, dann legte er ihn auf die gläserne Tischfläche zurück.

»Interessant«, bemerkte er, nahm seine Brille ab und steckte sie wieder in die Tasche. »Schauen Sie mal, was Sie *davon* halten.«

Mit diesen Worten langte er in eine andere Tasche, holte eine flache quadratische schwarze Schmuckschachtel von ungefähr zehn Zentimetern Seitenlänge heraus und legte sie vor Adam auf den Tisch. Auf eine ermunternde Geste ihres Gastgebers hin hob Adam sie zu – und öffnete sie. Drinnen lag, auf schwarzen Samt gebettet, ein Tatzenkreuz aus roter Emaille auf Gold, offensichtlich von einem beträchtlichen Alter, vielleicht siebeneinhalb Zentimeter lang und mit einem kleinen Ring am Kopfende, durch das man eine Kette,eine Kordel oder ein Band ziehen konnte.

»Ich kann Ihnen versichern, daß dies das Kreuz ist, das Dundee zum Zeitpunkt seines Todes trug«, erklärte Sir John überzeugt. »Einer meiner Vorfahren erhielt es von einem französischen Priester namens Dom Calmet, der es von Dundees Bruder David bekommen hatte. Mein Vorfahr stammte natürlich aus einem Seitenzweig der Familie; weder Claverhouse noch sein Bruder hinterließen Erben. Es gibt eine Familientradition, daß es 1745 verwendet wurde, um Prinz Charles Edward Stuart als Großprior von Schottland einzusetzen, als er im Holyrood Palace in den Orden vom Tempel aufgenommen wurde. Doch da er wußte, daß es sich um eine wertvolle Reliquie – wenn auch nur von Dundee – handelte und daß er sich am Beginn einer zermürbenden Kampagne befand, bei der es verloren gehen konnte, gab er es wieder in die Obhut des damaligen Hüters, Sir Malcom Grahame, zurück. Doch fühlen Sie sich nicht gehindert, es selbst auf Ihre Weise zu bewerten.«

»Danke«, sagte Adam. Er nahm das Kreuz kurz in die Hand, um es zu untersuchen, dann reichte er es in seiner Schachtel zu Peregrine hinüber. »Was halten Sie davon?«

Peregrine blickte auf das Kreuz, berührte es jedoch nicht. »Es sieht bestimmt aus wie das, das ich gesehen habe«, sagte er zu seinem Mentor und reichte es an McLeod weiter.

»Noel?«

Der Inspector rückte seine Pilotenbrille zurecht und hob die Schachtel auf Augenhöhe, um besser sehen zu können. Doch auch er berührte das Kreuz nicht.

»Es sieht alt aus«, äußerte er sich. »Aber ich enthalte mich jedes engeren Kontakts, bis ich es in einer rituellen Situation handhaben kann. Ich würde nicht gerne die Kraft dämpfen wollen, über die es verfügt, um uns zu helfen, uns mit Dundee zu verbinden.«

Er legte die Schachtel wieder vor Sir John auf den Tisch und blickte ihn offen an.

»Werden Sie uns gestatten, das zu versuchen, Sir?« fragte er.

»Natürlich«, erwiderte der General. »Meine einzige Bedingung ist, daß das Kreuz nicht von diesem Anwesen genommen wird.«

»Das versteht sich natürlich von selbst«, sagte Adam.

»Ich kann Ihnen sicher einen Ort zur Verfügung stellen, der sich zur Arbeit eignet«, fuhr Sir John fort, »wenn Sie so nett wären und mir Ihre Erfordernisse mitteilten. Natürlich wäre ich gern zugegen, und wenn auch nur als Beobachter, aber ich verstehe es gewiß, wenn Sie sich für das, was Sie vorhaben, Ungestörtheit wünschen.«

Adam war schon beeindruckt von dem Schutz, den er um die Laube gespürt hatte, ohne daß ein formeller Schutzzauber gewirkt worden war. Er war ohne vorgefaßte Meinung nach Oakwood gekommen, doch es war ein unerwarteter Gewinn zu entdecken, daß er die eindrucksvolle Gestalt in Schwarz, die neben ihm saß, mochte und zugleich – noch wichtiger – ihr vertraute. Die Entdeckung, daß Sir John und Philippa während des Krieges zusammengearbeitet hatten – und Adam war sich ganz sicher, daß diese Behauptung stimmte –, war nur eine weitere Bestätigung dafür, daß er und Sir John in Richtung auf ein gemeinsames vereintes Ziel zusammenarbeiteten, das vom LICHT geheiligt wurde, obwohl ihre jeweiligen Traditionen sich in der Praxis unterscheiden mochten.

»Eigentlich«, sagte Adam, »würde ich Ihren Rat und Ihre Unterstützung bei der Arbeit, die mir vorschwebt, willkommen heißen. Noel ist eines der besten Trance-Medien, denen ich jemals begegnet bin, und er ist in dem, was er tut, sehr gut, doch bis jetzt bestand der größte Teil unserer Erfahrungen auf diesem Gebiet darin, den Kontakt mit Wesenheiten zu erleichtern, die schon zu kommunizieren wünschten. Das ist ein ziemlich passiver Prozeß. In diesem Fall werden wir versuchen, eine bestimmte Seele zu rufen, die vielleicht – abhängig von ihrer derzeitigen Lage – unseren Ruf nicht erwarten oder willkommen heißen wird. Genaugenommen wissen wir nicht einmal, ob die fragliche Seele derzeit inkarniert ist.«

Sir Johns Blick schweifte kurz zu dem Kreuz in der Schachtel auf dem Tisch vor ihnen, und sein Gesicht zeigte dabei einen tief nachdenklichen Ausdruck. Als er den Kopf hob, strahlte aus seinen nußbraunen Augen eine neue Wärme, die noch vor wenigen Augenblicken nicht dagewesen war.

»Philippa muß sehr stolz auf Sie sein, mein Junge«, sagte er mit einem Lächeln, das die bisherige Nüchternheit seines Verhaltens durchbrach wie ein Strahl Sonnenlicht, der durch eine Wolke stößt. »Es ist mir eine Ehre und eine Freude, Ihnen zu helfen. Wenn ich darf, würde ich jedoch vorschlagen, daß wir die tatsächliche Arbeit auf den späten Abend verschieben. Da wir – wie Sie hervorgehoben haben – nicht wissen, ob der Geist von Claverhouse derzeit inkarniert ist, haben wir die beste Chance zum Erfolg, wenn Sie versuchen, den Kontakt zu einem Zeitpunkt herzustellen, da wir vernünftigerweise erwarten können, daß ein möglicher derzeitiger Körper schläft. Dies natürlich unter der Voraussetzung, daß eine derzeitige Inkarnation in ungefähr demselben Teil der Welt und damit in einer ähnlichen Zeitzone lebt wie wir«, fügte er trocken hinzu. »Wenn nicht, und wenn zufällig irgendwelche Komplikationen auftreten sollten, dann wären wir natürlich moralisch verpflichtet abzubrechen und auf einen passenderen Augenblick zu warten.«

Adam nickte und rief sich dabei seine eigenen Erfahrungen und die der Jagdloge bei der Wiedergutmachung eines Schadens in Erinnerung, der einer unschuldigen Seele zugefügt worden war, die man zu lange von ihrem Körper getrennt hatte.

»Ich stimme Ihnen völlig zu«, sagte er. »Meine Mitarbeiter und ich haben schon die Gelegenheit gehabt, aus der Nähe zu erleben, was einer Seele geschehen kann, wenn der Ruf mißbraucht wird. Ich möchte schnell noch anfügen, daß die ursprüngliche Trennung nicht unser Werk war und daß wir am Ende den Schaden, der angerichtet worden war, wieder beheben konnten.«

»Es wäre mir nicht eingefallen, das zu bezweifeln«, erwiderte Sir John. »Aber zurück zum Praktischen. Wir sollten die allgemeine Form für Ihr Vorhaben erörtern. Sie drei werden offensichtlich am unbefangensten in Ihrer eigenen Tradition arbeiten, die sich etwas von der meinen unterscheidet. Das stellt für mich kein Problem dar, wenn es Ihnen keines bereitet. Ich habe im Lauf der Jahre in einer Vielfalt esoterischer Traditionen gearbeitet.«

»Ich ebenfalls«, sagte Adam und nickte.

»Ich dachte mir schon, daß dies der Fall sein würde. Nachdem dies also gesagt ist und da ich an der Arbeit des Abends nicht persönlich teilnehmen werde, wäre es vielleicht hilfreich, wenn ich eine rituelle Umgebung herrichte, die sich für unsere beiden bevorzugten Traditionen eignet – wenn Sie einverstanden sind. Sollte das Wetter es zulassen, so ist dies der geweihte Ort, den wir für den größten Teil unserer Arbeit hier auf Oakwood benutzen.« Er wies mit einer Geste auf das Innere der Laube. »Sie haben vielleicht schon gespürt, daß die Resonanzen sich ein wenig vom dem unterscheiden, woran Sie gewohnt sind. Das kann man anpassen.«

Adam lächelte seinerseits. »Sie kommen mir zuvor. Ich hatte gehofft, ich würde die Kühnheit finden, das zu erbitten, was Sie uns schon aus freien Stücken angeboten haben. Der Nutzen Ihrer Weisheit und Erfahrung ist unschätzbar. In Ihrem Haus und unter Ihrem Schutz unterstellen wir uns rückhaltlos Ihrer Führung.«

»Danke«, sagte der General, schloß die Schachtel mit dem Kreuz und ließ sie wieder in seine Tasche gleiten. »Dann schlage ich also vor, daß wir uns alle in die Bibliothek begeben. Caitlin wird sehr ungehalten sein, wenn ich Sie noch länger bei mir behalte. Weitere Einzelheiten können wir beim Tee erörtern. Danach werde ich Ihnen Räume zeigen lassen, wo Sie sich einige Stunden ausruhen können, bevor wir uns an das Werk des heutigen Abends machen.«

Kapitel 16

Sir John führte sie wieder aus dem Labyrinth hinaus. Trotz seines Stocks ging er flott. Auf dem Weg nach draußen begleitete sie das okkulte Pulsieren der Energie nicht mehr – vielleicht, weil sie sich in seiner Gesellschaft befanden. Als sie über den Rasen auf das Haus zugingen, hielten er und Adam wie zwei langjährige Freunde miteinander Schritt und unterhielten sich kameradschaftlich über Allgemeinplätze. Peregrine, der mit McLeod hinterher ging, hielt kurz an und schüttelte den Kopf, denn gerade als sie durch das Tor des Irrgartens gingen, war ein aufreizender Wirbel von Eindrücken, die um ihren Gastgeber zentriert waren, auf ihn eingestürmt. Die Bewegung machte seinen Kopf klar, aber sie vertrieb auch die meisten Einzelheiten, die er gesehen hatte.

»Noel, was halten Sie von ihm?« flüsterte er dem Inspector zu und nickte in Sir Johns Richtung.

Die blauen Augen des Inspectors funkelten mit trockenem Humor hinter seiner Pilotenbrille, als er Peregrine einen Seitenblick zuwarf. »Warum fragen Sie mich, wenn Sie selbst *sehen* können?«

»Ich habe *gesehen*«, sagte Peregrine, »aber da gibt es zuviel zu *sehen*, und die Bilder bleiben nicht ruhig. Ich glaube, ich könnte einiges davon zu Papier bringen, wenn ich die Chance bekäme, ein wenig zu skizzieren, aber offengesagt würde ich es nicht wagen, ohne vorher um Erlaubnis zu bitten ...«

»Ich würde nicht einmal fragen, hier in seinem Revier«, murmelte McLeod. »Er ist – äh – ein *sehr* ranghoher Adept, Peregrine. Vielleicht sogar höher als Adam. Sicherlich nicht weniger erfahren. Allerdings in einer anderen Tradition. Doch die beiden scheinen einander gut genug zu verstehen. Mit etwas Glück dürften wir über einige interessante Ergebnisse verfügen, bevor die heutige Nacht vorbei ist.«

Als sie sich den Fenstertüren näherten, die zurück in die Bibliothek führten, und McLeod und Peregrine noch einige Meter hinter den Älteren zurück waren, sahen sie Caitlin Jordan, die es sich mit einem Buch auf einem der Fensterplätze mit Ausblick auf den Garten gemütlich gemacht hatte. Als sie sie erblickte, legte sie ihre Lektüre beiseite und begrüßte sie an der Tür. Nachdem sie Sir John einen zärtlichen Kuß auf die Wange gegeben hatte, wandte sie sich Adam zu. In ihren Mundwinkeln spielte ein Lächeln.

»Nun, Sie scheinen ja das Labyrinth ohne allzu große Schwierigkeiten überlebt zu haben«, sagte sie, während Sir John sich umwandte, um McLeod und Peregrine hereinzugeleiten. »Wie gefällt Ihnen unser Irrgarten?«

»Er hat einen ganz eigenen Character«, erwiderte Adam mit einem amüsierten Lächeln. »Oder sollte ich vielleicht sagen, daß er, wie dieses Haus, den Character seiner Besitzer widerspiegelt.«

In Caitlins tiefen braunen Augen flackerte trockenes Amüsement auf. »Ich hoffe, wir dürfen dies als Kompliment auffassen.«

»Ganz bestimmt«, erwiderte Adam bereitwillig. »Was hier geschaffen wurde, ist sehr zu bewundern.«

Als ihre Blicke sich trafen, wußte er, daß sie verstand, daß er nicht nur von der Architektur sprach.

»Ich bin froh, daß Sie damit einverstanden sind«, sagte sie und hängte sich bei ihrem Urgroßvater ein. »Für Leute, die hier nicht zu Hause sind, kann der Irrgarten beängstigend sein.«

Sir Johns leises Lachen lenkte die Aufmerksamkeit aller wieder auf ihn.

»Nun, sie *sind* hier zu Hause, meine Liebe, und ich glaube, wenn sie einmal die Gelegenheit gehabt haben, den Irrgarten in seinem vollen Ausmaß zu erleben, dann werden sie erkennen, wie sehr sie hier zu Hause sind. Wir werden heute abend arbeiten.«

»Aha.«

»Und ich hoffe, Sie bleiben anschließend noch über Nacht, Adam«, fuhr Sir John fort. »Ich weiß nicht, was für Pläne Sie haben, aber notwendigerweise wird es schon sehr spät sein, wenn wir fertig sind.«

»Wir sind völlig flexibel«, erwiderte Adam. »Und wenn Sie sicher sind, daß es Ihnen keine Ungelegenheiten bereitet, werden wir bestimmt Ihre Einladung annehmen. Aber wenn es für Sie angenehmer ist, dann können wir auch in ein Hotel oder eine Pension in der Umgebung gehen.«

»Unsinn. Es ist also geklärt. Caitlin, regelst du das mit Linton? Sie werden sich nach dem Tee ein paar Stunden ausruhen und auch frischmachen wollen. Bring sie doch im Ostflügel unter, wenn die dortigen Zimmer hergerichtet sind. Da haben sie dann zwei Badezimmer für sich.«

»Natürlich.«

Während sie sich anschickte zu gehen, verkündete ein diskretes Klopfen an der Tür, daß Linton selbst gekommen war. Er schob einen eleganten Teewagen aus Walnußholz herein, auf dem ein schönes Teeservice aus durchscheinendem Knochenporzellan ruhte. Peregrine, der allmählich schon einen ausgesprochenen Hunger spürte, freute sich, als er sah, daß zu den Erfrischungen auch eine Auswahl an Kuchen und Sandwiches gehörte. Während Caitlin mit dem Butler zur Seite trat, um ihm ihre Instruktionen zu geben, begann Peregrine das Angebotene zu inspizieren. Auf Sir Johns nachsichtige Geste hin bediente er sich mit einem Eiersandwich.

Sie saßen vielleicht eine halbe Stunde lang beim Tee, wobei Adam und Sir John Theorien über die Reinkarnation miteinander verglichen und McLeod gelegentlich Beobachtungen aus seinen eigenen Erfahrungen als Medium beisteuerte. Caitlin hörte meistens zu, so daß Peregrine, der weder Mittelpunkt noch Grund des Gesprächs war, reichlich Gelegenheit hatte, sie und ihren Gastgeber zu studieren. Sir John konnte er immer noch nicht ergründen. Wenn er versuchte, sein *Sehen* auf ihn zu richten, dann schien der alte Mann vor seinen Augen zu verschwimmen. Doch auch Caitlin fesselte ihn weiterhin. Er erwähnte sie Adam gegenüber, als sie Linton die Treppe hinauf folgten, um ihre Zimmer gezeigt zu bekommen.

»Ich würde sie gerne skizzieren, Adam. Glauben Sie, sie würde es erlauben?«

»Wenn Sie nicht gerade daran denken, es morgen früh beim Frühstück zu tun, dann weiß ich nicht, wann Sie die Zeit dafür finden sollen«, sagte Adam mit einem glucksenden Lachen. »Ich bezweifle, daß Sie nach unserer Arbeit heute abend noch dazu in der Lage sind, und ich möchte, daß wir alle vorher versuchen, noch ein wenig zu schlafen.«

Sie kamen auf dem Treppenabsatz zum Ostflügel an. Linton führte sie einen mit Teppich ausgelegten Korridor entlang, der mit einer viktorianischen Tapete und einer Serie von Jagddrucken aus dem 18. Jahrhundert ausgestattet war.

»Das sind die Räume, von denen Miss Caitlin meinte, daß sie sich am besten eigneten, meine Herren«, sagte der Butler gleichmütig und öffnete die Tür zu einem Schlafzimmer – und dann auch die genau gegenüberliegende. »Dieses Zimmer hier hat ein eigenes Bad, Sir Adam, deshalb habe ich es für Sie ausgewählt. Inspector McLeod und Mr. Lovat bekommen die beiden Zimmer gegenüber, und das Bad ist neben Ihrem Zimmer, Inspector.« Er hatte eine weiteres Schlafzimmer geöffnet und zeigte jetzt auf noch eine Tür. »Ich habe Ihre Reisetaschen heraufbringen lassen, und ich glaube, Sie werden alles finden, was Sie brauchen, doch wenn nicht, so läuten Sie bitte.«

»Ich bin sicher, alles wird zu unserer Zufriedenheit sein«, erwiderte Adam. »Danke, Linton.«

Als der Butler sich verneigte, sich wieder zurückzog und die drei auf dem Korridor zurückließ, blickte McLeod auf seine Uhr und öffnete die Tür des Zimmers, das ihm zugewiesen worden war.

»Wir sollten lieber schauen, daß wir etwas Schlaf abbekommen«, murmelte er und blickte Peregrine streng an. »Und Sie, junger Mann, Sie haben kein Recht, Miss Caitlin schwärmerisch anzuschauen. Haben Sie vergessen, daß Sie verlobt sind und heiraten wollen?«

Peregrine war von dieser Bemerkung so überrascht, daß er ein verlegenes Lachen ausstieß.

»Natürlich habe ich das nicht vergessen. Julia ist ein prima Mädchen. Ich versichere Ihnen, daß mein Interesse an der schönen Caitlin völlig unschuldig ist. Ich bin mehr von ihrer Vergangenheit als von ihrer Zukunft gefesselt.«

»Tja, falls Sie sich mit der Vergangenheit befassen wollen, so wären Sie besser beraten, wenn Sie sich auf Bonnie Dundee konzentrierten«, sagte McLeod und schloß die Tür hinter sich.

Die Plötzlichkeit seines Rückzugs ließ Peregrine völlig sprachlos zurück, und er blickte hilfesuchend Adam an.

»Nehmen Sie es nicht persönlich«, sagte Adam. »Er wird ein bißchen nervös, und wer könnte es ihm verdenken? Es kommt nicht oft vor, daß er vorgewarnt ist, daß er als Medium dienen soll, oder daß er vorher schon weiß, um wen es sich wahrscheinlich handelt. Ganz gleich, wie erfahren man ist, es muß schon etwas beunruhigend sein zu wissen, daß – falls wir erreichen, was wir vorhaben – eine fremde Intelligenz einen mit Leib und Seele übernehmen wird. Was wäre schließlich, wenn der ›Gast‹ sich dafür entscheiden würde, nicht mehr zu gehen? Ich gebe zu, daß dies nicht wahrscheinlich ist, aber ein Teil des menschlichen Geistes ist nicht rational – ist einfach nicht rational.«

Peregrine nickte. »An diesen Aspekt hatte ich noch gar nicht gedacht. Vermutlich wäre auch ich nervös.« Er schaute auf seine Uhr. »Was meinen Sie, wann wir anfangen?«

»Wahrscheinlich erst um zehn oder elf«, erwiderte Adam, »also haben Sie noch Zeit für einen ausreichenden Schlummer. Ich nehme an, es wird jemand kommen und etwa eine halbe Stunde vorher an unsere Türen klopfen. Übrigens, in Sir Johns Tradition ist es Gewohnheit zu baden, bevor man sich an ein Ritual begibt, und zwar ebenso, um den Geist von unpassenden Gedanken und Zerstreuungen zu befreien, wie auch um den Körper zu reinigen. Es ist möglich, daß das Bad mit Kerzen beleuchtet wird, also seien Sie nicht überrascht. Es soll helfen, den richtigen Gemütszustand zu erzeugen.«

Peregrine nickte. »Ist schon recht. Ich nehme an, ich sehe Sie dann später.«

»Ja, in der Tat. Versuchen Sie zu schlafen.«

Peregrines Zimmer lag gleich gegenüber dem von Adam, ein angenehmer, luftiger Raum, dessen Wände bis in halbe Höhe mit Eichenholz in der Farbe dunklen Honigs getäfelt waren. Als er die Tür hinter sich schloß, sah er, daß seine Reisetasche und seine Künstlermappe auf einer geschnitzten Truhe am Fußende des kunstvoll gearbeiteten Himmelbetts abgestellt waren. Er lockerte seine Krawatte, während er zu dem breiten Erkerfenster hinüberging und auf den ummauerten elisabethanischen Kräutergarten hinabschaute. Dort dufteten Beete von Salbei, Rosmarin und Thymian, die um einen grünen Lorbeerbaum in der Mitte gepflanzt waren. Selbst hier, im zweiten Stock, konnte Peregrine das Summen der Bienen in den Flecken mit süßem Lavendel an den Rabatten hören.

Er atmete tief von der Süße des Gartens ein, zog seinen Blazer aus und hängte ihn über die Lehne eines Stuhls. Dann zog er die Vorhänge vor dem Erkerfenster zu und schleuderte seine Schuhe weg, bevor er sich auf das Bett niederließ und seine Brille auf dem Nachttisch ablegte. Da er über soviel nachzudenken hatte, war er eigentlich geneigt, wachzubleiben, doch er dachte an Adams Instruktionen und berührte kurz seine Lippen mit dem Stein seines Drachenrings. Dann schloß er die Augen und durchlief eine Serie von Atemübungen, die bestimmt waren, den Geist zu beruhigen und den Körper zu entspannen. Nach einer Weile begann sich sein Gehirn von Fragen und Bildern zu leeren. Kurz darauf sank er in einen traumlosen und erholsamen Zustand zwischen Schlaf und Trance.

Einige Zeit später wurde er durch ein Klopfen an der Tür geweckt.

»Wer ist da?« rief er, setzte sich auf und tastete nach seiner Brille, denn das Zimmer war jetzt dunkel.

»Ich bin's, Noel. Ich bin mit dem Baden fertig, und Ihr Bad läuft gerade ein.«

»Danke, ich komme gleich«, erwiderte er.

Er schaltete die Nachttischlampe an und entdeckte, daß jemand – wahrscheinlich Linton – im Zimmer gewesen war, während er schlief, und einen hellblauen Frottebademantel über das Fußende des Bettes gelegt hatte. Er nahm dies als Wink, zog sich aus und den Bademantel an, bevor er den Kopf in den Korridor hinaussteckte und dann an McLeods Tür vorbei ins Badezimmer tappte. Es war tatsächlich von einer Kerze beleuchtet, und während er sich kurz im warmen Wasser zurücklegte, brachte er einige Minuten damit zu, in die Flamme zu schauen und von dem Geflacker seine Gedanken auf die Arbeit lenken zu lassen, die vor ihnen lag.

Als er eine Viertelstunde später in sein Zimmer zurückkehrte, fand er es ebenfalls von Kerzenlicht beleuchtet; seine Kleider waren in den Schrank gehängt und auf dem Bett lag ein dunkles Stück schwarzer Seide, das sich als kaftanähnliche Robe mit einer Kapuze herausstellte. Als er den Gürtel, der danebenlag, näher ans Licht hielt, erwies sich dieser als rot.

Da man zweifellos beabsichtigte, daß er dieses Gewand tragen sollte, legte Peregrine den Frotteebademantel ab und zog die schwarze Robe über. Als die Seide über die nackte Haut glitt, schauderte er ein wenig. Abgesehen von der Kapuze und der Farbe war das Gewand den saphirblauen Soutanen ähnlich, die die Mitglieder der Jagdloge trugen, wenn sie in der Kapelle im Keller von Strathmourne formelle Rituale vollzogen – aber er war sich nicht sicher, ob er zu einem Ritual gern Schwarz trug. Als er sich den Gürtel um die Leib band, um die Robe zu schließen, ließ ihn ein leises Klopfen an der Tür aufblicken. Auf seine Antwort hin öffnete sich die Tür und Adam kam herein, ebenfalls in Schwarz gekleidet.

»Wie ich sehe, sind Sie fast fertig«, sagte er. »Ich nehme an, wir werden sehr bald nach unten gerufen. Haben Sie irgendwelche Fragen, bevor wir gehen?«

»Keine, die mir auf Anhieb einfallen würde«, sagte Peregrine. Er wies auf den Gürtel um seine Taille und fügte hinzu: »Bedeutet die rote Kordel hier dasselbe wie für uns?«

»Die scharlachrote Kordel des Eingeweihten«, erwiderte Adam und nickte. »Das ist einer ganzen Anzahl von esoterischen Traditionen gemeinsam. Sie wirken nicht gerade glücklich darüber.«

»Ich glaube, es liegt eigentlich an dem schwarzen Gewand«, gab Peregrine zu. »Adam, ist das in Ordnung? Schwarz zu tragen, meine ich.«

Adam lächelte. »Christliche Priester tragen die ganze Zeit schwarze Soutanen. Ist das in Ordnung?«

»Nun, natürlich, aber ...«

»Entspannen Sie sich, Peregrine. Ich verspreche Ihnen, wir verletzen keine Tabus, indem wir von unserer üblichen Arbeitstracht abweichen. Stellen Sie sich die Gewänder, die wir tragen, als Rahmen um ein Bild vor. Sie verändern das Bild selbst nicht, aber verschiedene Rahmen können es auf verschiedene Weisen hervorheben. Wirklich wichtig bei jedem Ritual ist die Realität, die der Symbolik zugrundeliegt.«

»Das weiß ich«, sagte Peregrine etwas reumütig. »Ich vermute, ich fühle mich einfach bloß ein wenig unsicher hier.«

»Keine Angst, Sie müssen nicht mit Haut und Haar einsteigen«, sagte Adam. »Heute abend ist es vor allem Noels Sache. Ich erwarte nicht, daß Ihre Rolle sehr viel anders ist, als was Sie schon Dutzende Male gemacht haben.«

Als Peregrine sich mit dem Kamm durch sein feuchtes Haar fuhr, gesellte sich McLeod zu ihnen, der ebenfalls ein schwarzes Gewand trug und seine gewohnte Kaltblütigkeit wiedergefunden zu haben schien.

»Tut mir leid, daß ich Sie vorhin angeblafft habe«, brummte er, die Hände tief in den Taschen seiner Robe vergraben. »Es ist der Vorbedacht. Ich werde viel besser damit fertig, wenn ich nicht schon vorher daran denken muß.«

»Peregrine weiß das«, murmelte Adam und legte die Hand beruhigend auf die Schulter des Inspectors.

Er ließ die Tür einen Spalt offenstehen und bat sie dann, sich zu beiden Seiten von ihm auf den Bettrand zu setzen und die Augen zu schließen, während er sie zu einer kurzen Sammlungsübung anleitete. Das Geräusch leiser Schritte, die sich auf dem Korridor näherten, beendete die Übung und ließ sie aufstehen, als sich die Tür weiter öffnete und Caitlin darin erschien. Von ihrer Hand strömte Kerzenlicht aus und beleuchtete ihr Gesicht und die dunkle Wolke ihrer Haare, die offen um die Schultern herabfielen. Wie die drei Männer trug auch sie ein schwarzes Gewand und eine scharlachrote Kordel als Gürtel.

»O schön, ich sehe, Sie sind schon bereit«, sagte sie ruhig. »Kommen Sie bitte mit mir.«

Zusammen folgten sie ihr zur Bibliothek hinab. Peregrine brachte seine Künstlermappe mit. Als sie eintraten, erhob sich Sir John aus einem mit Leder bezogenen Ohrensessel, der fast den Eindruck eines Throns vermittelte. Der Gehstock ruhte zwischen seinen bloßen Füßen. Helles Mondlicht floß durch die Fenstertüren, die in den Garten hinausführten, und erleuchtete die Bibliothek so sehr, daß Caitlin ihre Kerze auslöschen konnte.

»Wenn niemand eine Frage hat, können wir zum Tempel gehen«, sagte Sir John und ließ seinen Blick über die drei Männer wandern. »Hier auf Oakwood benutzen wir gewöhnlich Tempelnamen, wenn wir arbeiten. Aber falls niemand etwas dagegen hat, so schlage ich vor, daß wir in diesem Fall einfach Vornamen verwenden. Übrigens, meine engen Freunde nennen mich allgemein eher ›Gray‹ als ›John‹. Wenn Sie wollen, können Sie es auch so halten.«

Nach diesen Worten bedeutete er Caitlin, sie solle hinaus ins Mondlicht vorangehen, und gestattete seinen Gästen, sich ihr anzuschließen, bevor er folgte.

Sie brauchten kein zusätzliches Licht, als sie über den Rasen wieder auf den Eingang zum Labyrinth zugingen. Das kurzgeschnittene Gras unter ihren Füßen war kühl und weich; die Nacht war lind, fast warm. Hinter der dunkleren Masse der Hecken des Labyrinths schimmerte das Dach der Laube silbrig im Mondschein.

»Wenn Sie diesmal durch das Labyrinth gehen, werden Sie einen Unterschied feststellen«, sagte Caitlin und drehte sich zu ihnen um, als sie eine Hand auf das Tor legte. »Wir können das Muster verändern, indem wir die Konfigurationen der Tore drinnen verändern. Das Muster von heute abend dient zur Abwehr und zum Schutz unserer Arbeit. Sie werden es am besten nutzen – und am meisten beitragen –, wenn Sie einfach eine innere Stille bewahren und sich von dem Muster dahintragen lassen, während es sich aufbaut. Wenn wir die Mitte erreichen, werden Gray und ich als erste den Tempel betreten. Sie drei folgen, sobald gerufen, in der Reihenfolge des Rangs. Das rituelle Gefüge wird ganz deutlich sein. Alles, was Sie tun müssen, ist zu folgen.«

Ohne weitere Umstände wandte sie sich um, öffnete das Tor und führte die kleine Prozession durch die verschlungenen Korridore aus Laub. Der Kies unter ihren Füßen war glatt, zwang sie jedoch langsamer zu gehen, als wenn sie beschuht gewesen wären.

Und die Empfindung war in der Tat anders als am Nachmittag, als sie durch das Labyrinth gegangen waren. Die Veränderung des Musters hatte die Wirkung, wie wenn ein System von Schleusentoren geöffnet worden wäre. Energie schien unmittelbar aus dem Boden hervorzuquellen und in einer zunehmenden Flut hochzusteigen, um sich in einem schimmernden Kegel über ihren Köpfen zu sammeln. Mit jedem Schritt, der sie tiefer in den Irrgarten brachte, wurde die Empfindung der Macht stärker.

Peregrine wartete darauf, daß das Gefühl der Verwirrung wiederkäme – obwohl alle drei ihre Ringe trugen –, aber diese Wirkung trat nicht ein. Statt dessen entdeckte er, daß sein schöpferischer Wille eins mit dem der Hüter des Labyrinths war, mit denen er und seine Gefährten verbunden waren. Sein Geist war klar, sein Herz ruhig. Als sie die letzte Biegung erreichten, fühlte er sich bereit zur Arbeit des Abends, ja, er war sogar regelrecht erpicht darauf.

Sie traten in das helle Mondlicht der mit Steinplatten ausgelegten Mitte des Labyrinths. Adam und seine Gefährten hielten kurz an, während Caitlin und Sir John die Stufen zur Laube hinaufgingen. Das Mondlicht ließ die weißen Spaliere aufleuchten und übersilberte die Rosenblätter, die sich daran rankten. Das Innere der

Laube wurde von Laternen beleuchtet, die auf der Innenseite an den Punkten der vier Himmelsrichtungen aufgestellt waren. Der Tisch war mit einem weißen Tuch bedeckt, auf dem zwei Kerzen brannten, eine weiße und eine schwarze, die zu beiden Seiten eines roten Votivlichts standen, das leicht zurückgesetzt war und mit ihnen ein Dreieck bildete.

Schweigend nahmen Caitlin und Sir John Plätze vor dem Tisch ein, der zu einer Art Altar geworden war, wie Peregrine erkannte. Die Entfernung machte ihre Worte unhörbar, und ihre Körper schirmten ihre Gesten ab, doch es war trotzdem nicht schwer zu erkennen, daß die beiden entsprechend ihrer Tradition einen formellen Mittelpunkt des Wirkkreises herstellten. Einen Augenblick später drehten sie sich gemeinsam um und stellten sich in den Eingang der Laube. Sir John griff nach etwas, das zu seiner Rechten hinter dem Türrahmen verborgen war. Mondlicht schimmerte wie Quecksilber auf der Klinge des schlanken Schwertes, das er jetzt in der Hand hielt und hob, während er mit der anderen Hand Adam heranwinkte.

Mit würdevoll gesenktem Kopf trat Adam vor, stieg die vier verwitterten Stufen empor und hielt oben an, wo er mit vorgehaltenem Schwert gehemmt wurde und die Spitze der Klinge leicht gegen seine Halsgrube gedrückt bekam.

»Wer da?« fragte Sir John laut genug, daß auch McLeod und Peregrine den Anruf ganz deutlich hören konnten.

Adam hob die Augen und begegnete dem festen Blick des anderen, dann antwortete er beherzt: »Adam, Meister der Jagd und ein Diener des LICHTS, gehörig eingeschworen.«

»Treten Sie ein und seien Sie willkommen in dieser Gemeinschaft, Adam, Meister der Jagd und Diener des LICHTS«, erwiderte Sir John mit einem zufriedenen Lächeln und hob die Schwertspitze.

Die Wärme seiner Einladung war unbestreitbar, ebenso die von Caitlin, als sie eine Hand auf Adams Ärmel legte, um ihn zu führen. Gleichzeitig streckte sie sich empor und küßte ihn auf den Mund, während sie ihn in die Laube zog. Ihr Duft vermischte sich mit dem der Rosen, schwer und süß, dennoch spürte er die Veränderung der Atmosphäre, als er in den zusätzlichen Schutz des Kreises trat. Nichts davon kam völlig unerwartet, außer der schieren Macht dessen, was ihn umgab. Sie wurde noch betont, als Caitlin zurücktrat und Sir John feierlich das Schwert in Adams Hände legte.

»Sie können Ihren Jägern Einlaß gewähren«, sagte er ruhig.

Mit einer leichten Verneigung wandte sich Adam wieder nach außen. Das Heft des Schwertes funkelte in seiner Hand, voll von einer Energie, die gleichsam von einer anderen Linse gebündelt wurde, aber einem gemeinsamen Ziel diente. Diese Energie aus seiner eigenen Perspektive lenkend, hob Adam das Schwert vor sich und rief McLeod mit einem Blick herbei. Der Inspector sah ein wenig blaß aus, als er über die wenigen Steinplatten ging und die vier Stufen hinaufstieg, um dann vor dem Schwert anzuhalten, das auf seinen Hals zeigte.

»Wer da?« fragte Adam.

»Noel, ein Jäger und Diener des LICHTS, gehörig eingeschworen.«

Mit einem Nicken hob Adam das Schwert und trat zur Seite.

»Treten Sie ein und seien Sie willkommen in dieser Gemeinschaft, Noel, Jäger und Diener des LICHTS.«

Als McLeod mit Caitlins Kuß eingelassen worden war, bedeutete Adam Peregrine ebenfalls vorzutreten. Der junge Künstler blickte mit großen Augen sehr ernst drein, als er näher trat, seinen Skizzenkasten in der linken Hand, aber er stieg tapfer die vier Stufen hinauf.

Doch er hielt den Atem an, als die Schwertspitze ihn zum Anhalten zwang.

»Wer da?«

»Peregrine, ein Jäger und Diener des LICHTS, gehörig eingeschworen«, sagte Peregrine nach dem Vorbild der anderen.

Mit einem zustimmenden Nicken hob Adam das Schwert und winkte Peregrine, er solle hindurchgehen.

»Treten Sie ein und seien Sie willkommen in dieser Gemeinschaft, Peregrine, Jäger und Diener des LICHTS.«

Er trat zur Seite, damit Peregrine von Caitlin hereingezogen werden konnte, und hielt immer noch das Schwert aufrecht vor sich, dann schaute er von der Seite auf Sir John, denn er spürte, was als nächstes kommen würde. Als der General in Richtung des offenen Eingangs nickte und damit seine Erwartung bestätigte, zog Adam die Spitze des Schwertes dreimal über die Schwelle, die sie gerade überschritten hatten, von links nach rechts, und stellte sich dabei die Versiegelung der Öffnung vor, die sie gerade benutzt hatten. Er war mit der Symbolik vertraut und faßte Mut, als er spürte, wie in Antwort auf seinen Befehl sich die Wand aus Energie hob und ihr ebenso leicht zu gebieten war wie in seinem eigenen Tempel.

Als er fertig war, kauerte er sich kurz nieder und legte das Schwert quer über die Schwelle, um die Imagination zu verstärken. Dann wandte er sich den anderen zu, die sich um den runden Tisch versammelten, der, wie er sehen konnte, jetzt den Dundee-Ring und das Dundee-Kreuz trug. Bei letzterem war nun eine lange, seidige schwarze Kordel durch den kleinen Ring am Kopfende gezogen.

Wortlos nahm Sir John Caitlin und Adam bei den Händen und bedeutete ihnen, McLeod und Peregrine ebenfalls bei den Händen zu nehmen.

»Bevor wir beginnen, nehmen wir uns ein paar Minuten Zeit, um uns zu zentrieren«, sagte er ruhig.

Adam atmete langsam, um fortzusetzen, was er getan hatte, seit er das Labyrinth betrat, und heftete seinen Blick auf das rote Votivlicht, das von der schwarzen und der weißen Kerze flankiert wurde – in kabbalistischen Begriffen die Mittlere Säule als Ausgleich zwischen den Zwillingssäulen von Strenge und Gnade. Sie alle mußten sich an diesem Abend um Ausgleich bemühen, ganz gleich, wie jeder einzelne ihn verwirklichte. Einen Augenblick später verriet der Druck von Sir Johns Hand Adam, daß sie bereit waren zu beginnen. Als sie die Hände fallen ließen, wandten sich Caitlin und Sir John um und zogen die Stühle, die an die Innenseite der Laube neben jede Laterne gestellt worden waren, näher heran. Ein fünfter war seit ihrem nachmittäglichen Besuch hinzugekommen.

»Adam, ich möchte vorschlagen, daß Sie und Noel einander gegenübersitzen, hier vor dem Altar«, sagte Sir John. »Ich werde Ihnen den Rücken stärken – und Peregrine, kommen Sie doch hier herum, zwischen die beiden und den Eingang, denn so haben Sie einen ungehinderten Blick auf ihre Gesichter, während Sie zeichnen. Caitlin wird uns alle von dem Platz hinter Noel aus beobachten.«

Adam nickte und half, die Stühle nach den Anweisungen ihres Gastgebers zurechtzurücken. Er postierte sich und McLeod so, daß ihre Knie einander fast berührten. Peregrine ließ sich auf einem Stuhl rechts von Adam nieder, den Schimmer des Laubeneingangs hinter sich, einen Skizzenblock auf den Knien und eine Handvoll gespitzter Bleistifte in der linken Hand. Sir John saß links von Adam und etwas hinter ihm, Caitlin hinter McLeod.

Als Adam seine Aufmerksamkeit auf seinen Stellvertreter richtete, nahm der Inspector seine Pilotenbrille ab und legte sie auf den Altartisch, dann lehnte er sich auf seinem Stuhl zurück und richtete den Blick auf Adams Augen, führte seinen Saphir kurz an die Lippen und legte dann mit einem ergebungsvollen Seufzer seine Hände auf die Oberschenkel.

»Bereit?« fragte Adam ruhig.

»So bereit wie immer.«

»Dann schließen Sie die Augen und machen Sie einen tiefen Atemzug, und bereiten Sie sich vor, auf mein Zeichen hin in die Tiefe zu gehen.«

Wortlos schloß McLeod die Augen und holte tief Luft. Als er auszuatmen begann, faßte Adam hinüber und drückte seine Finger leicht auf das rechte Handgelenk seines Stellvertreters. McLeods Atem wurde zu einem Seufzer, als er sich sichtbar entspannte und sein Kopf ihm leicht auf die Brust fiel.

»Gut«, murmelte Adam. »Jetzt atmen Sie ein und wieder aus und gehen noch tiefer ... und noch einmal. So tief, wie Sie gehen und immer noch meine Stimme hören können ... und *nur* meine Stimme hören ...«

Mit dieser Führung und unterstützt von langer Erfahrung, gelangte McLeod bereitwillig auf die gewünschte Ebene der Trance – ausgeglichen, passiv, empfänglich. Als das erreicht war, griff Adam hinüber zum Altartisch und hob das Templerkreuz hoch, dann nahm er es leicht mit beiden Händen, als er sich wieder niedersetzte und die Augen schloß. Er war jetzt bereit, mit seinem Teil der Vorbereitungen und mit dem eigentlichen Rufen des früheren Besitzers des Kreuzes zu beginnen.

Sein erster Eindruck, als er in Trance sank, war der des schimmernden Netzes der Macht, das auf und über dem Bereich der Laube und des Labyrinths gewoben war – sternweiße Linien singender Energie, deren ferne Echos ihn mit einer Empfindung ruhiger Freude durchschauerten. Als er sich tiefer in die Trance zurückzog und den Strängen von Energie hinter sich folgte, fand er sich an der Schwelle der Inneren Ebenen. Er spürte die erwärmende Gegenwart des Kreuzes zwischen seinen Handflächen – so faßbar wie das Glühen eines

Lagerfeuers – und konzentrierte sich auf dieses Glühen, als er die Worte eines bittenden Rufs formulierte, sie sowohl laut als auch im Geist sprach, so daß der Vorsatz seiner Gefährten seinen eigenen verstärken konnte.

»John Grahame of Claverhouse, Viscount Dundee und Großprior von Schottland. Bei diesem Kreuz, dem Zeichen Eures Gelöbnisses gegenüber dem Orden des Tempels von Jerusalem, ersuche ich Euch, mich zu hören, und ich bitte Euch, mir zu antworten.«

Er wiederholte die Anrufung dreimal, ohne Antwort zu bekommen. Er verlagerte seinen Griff auf die Kordel des Kreuzes, ein paar Zentimeter von der Stelle entfernt, wo sie durch den kleinen Ring am Kopfende lief, dann stützte er seine Ellbogen auf die Armlehne des Sessels und ließ das Kreuz vor seinem in Trance befindlichen Blick baumeln. Damit gab er auch seinen Gefährten einen visuellen Fokus, während er den Ruf wiederholte und jetzt die Energie des Labyrinths mit einbezog, um seine Bitte zu verstärken. Minuten vergingen, während er weiterhin seine Bitte aussandte, bis aus dem Sternenlicht der Inneren Ebenen die Antwort kam, auf die er gewartet hatte, stark vernehmbar in seinem Geist.

Wer ruft mich?

Kapitel 17

Wer ruft mich? Die Frage hallte in der aufgeladenen Atmosphäre der Laube nach und verkündete, daß eine neue geistige Präsenz in ihrer Mitte war. Vorsichtig, damit ein Gefühl der Erleichterung nicht seine Konzentration lockerte, hielt Adam seinen Blick auf das Templerkreuz geheftet.

»Ein Meister der Jagd wünscht Kontakt mit jenem aufzunehmen, der einmal John Grahame of Claverhouse war. Habt Ihr derzeit eine Inkarnation?«

Die Antwort war deutlich verneinend.

»Dann stellt mein Ersuchen für Euch keine Gefahr da«, sagte Adam. »Bei der Macht des LICHTS, dem wir beide dienen, bitte ich Euch inständig, hervorzukommen und mit mir zu sprechen. Ernste Angelegenheiten betreffs des Tempels erfordern eine Lösung, und ich möchte Führung bei Euch suchen, der Ihr der letzte Wissende in diesen Dingen wart. Ein bereitwilliges Gefäß steht bereit, um Euch als Gast zu empfangen. Es lädt Euch ein, den Tempel seines Leibes zu betreten und mit seiner Stimme zu sprechen. Wollt Ihr eintreten?«

Sogleich manifestierte sich die spirituelle Präsenz als ein schimmerndes Leuchten, das wie ein Wetterleuchten innerhalb der Laube flackerte und von den Rändern des Templerkreuzes in Adams Händen spiegelte. Mit ihm kam zugleich der ausdrückliche Befehl, Adam solle das Kreuz McLeod um den Hals hängen.

Immer noch in Trance, folgte Adam der Anweisung und ließ die schwarze Kordel über McLeods Kopf gleiten, so daß das emaillierte Kreuz auf der Brust des Inspectors zu hängen kam, dann drückte er kurz eine Hand auf McLeods Stirn und flüsterte eine Bekräftigung, er solle sich entspannen und keinen Widerstand leisten. Als er sich wieder setzte und den Blick auf McLeods Gesicht richtete, um die Veränderung zu beobachten, schrumpfte das schimmernde Flackern, das sie umgab, kurz zu einem einzigen leuchtenden Punkt zusammen, der im Herzen des Templerkreuzes zentriert war. Dann dehnte es sich erneut aus und umhüllte McLeod mit einer leuchtenden Aura.

Allmählich verschmolz die Helligkeit ihrer Essenz mit dem lebendigen Leib und verblaßte dann. Nach einigen weiteren Sekunden rollte McLeods grauhaariger Kopf zurück, dann richtete er sich mit einem Ruck auf. Als seine Augenlider sich hoben, war der Geist, der aus seinen Augen blickte, nicht mehr derjenige McLeods.

»Ich war Grahame of Claverhouse, Viscount Dundee«, sagte der Geist, der jetzt McLeods Körper bewohnte. Die Stimme war männlich und volltönend, aber heller als McLeods eigene. »Welche Not des Tempels zwingt Euch, mich von der Betrachtung des LICHTS wegzurufen?«

Adam tat einen tiefen Atemzug und behielt den Blickkontakt mit den Augen bei, die nicht länger die Seele von Noel McLeod spiegelten.

»Ich brauche Informationen über das Siegel Salomons«, sagte er. »Die Notwendigkeit ist dringend.«

Die blauen Augen zeigten Bestürzung.

»Mit wessen Autorität erbittet Ihr dies von mir?«

»Mit meiner eigenen Autorität, als Meister der Jagd und als ein Wahrer der Gerechtigkeit auf den Inneren Ebenen«, sagte Adam. »Er, dessen Gast Ihr seid, vertritt auch das GESETZ. Einer, der das GESETZ mißachtet und das LICHT verächtlich zurückweist, hat das Siegel gestohlen und jenem das Leben genommen, der es in seiner Obhut hatte. Mir wurde zu verstehen gegeben, daß großes Unheil geschieht, wenn der Dieb entdeckt und freisetzt, was das Siegel hütet. Deshalb frage ich Euch, habt Ihr Wissen über diesen Gegenstand?«

»Das Geheimnis des Siegels ist mir bekannt«, bestätigte Dundee, »aber Ihr wißt nicht, worum Ihr bittet.« In der geliehenen Stimme klang Trauer an. »Ich war der letzte meines Ordens, der die Bürde dieses Wissens trug, und aus Stolz unterließ ich es, für ihre Weitergabe zu sorgen. Zu lange habe ich gewartet und mein Geheimnis mit ins Grab genommen – nicht nur das, nach dem Ihr jetzt sucht, sondern noch viele andere darüber hinaus. Nun hält mich mein Versagen an dieser gegenwärtigen Identität fest und macht es mir unmöglich, in meiner Wanderschaft zur Vereinigung mit dem LICHT fortzuschreiten. Ich bin dazu verurteilt, ES aus der Ferne zu betrachten.«

In seiner Offenbarung schwangen Kummer und Schuldgefühl mit, eine düstere Ergebung in das, wovon diese gequälte Seele glaubte, es müsse ihr Schicksal sein. Es mochte ja ein Versagen vorgelegen haben, doch Adam, der es gewohnt war, die Krankheiten der menschlichen Psyche zu diagnostizieren, fragte sich plötzlich, ob die spirituelle Beschränkung, durch die Dundee sich für unfrei hielt, nicht selbst auferlegt war: eher die Folge einer strengen Selbstverurteilung als eine Verfügung göttlicher Gerechtigkeit.

»Was macht Euch so sicher«, fragte er leise, »daß dieses Euer ›Versagen‹ nicht wiedergutzumachen ist? Ich gebe Euch zu bedenken, John Grahame of Claverhouse, daß Ihr – wenn Ihr frei sein wollt, um Eure Wanderschaft zum LICHT wieder aufzunehmen – nur in Euch die Bereitschaft finden müßt, Euch selbst zu vergeben für das, was Ihr als diese Pflichtvergessenheit betrachtet.«

Eine Grimasse gequälter Sehnsucht verzerrte McLeods passives Gesicht.

»Wie kann ich das Unrecht verzeihen, daß ich begangen habe, wenn meine Pflicht unerfüllt bleibt?«

»Wie anders als durch einen Stellvertreter?« konterte Adam ruhig. »Wenn Ihr bereit seid, das Geheimnis des Siegels mit mir zu teilen, dann verspreche ich, es so getreu zu bewahren, wie Ihr es getan habt, und dieses Wissen nur zu benutzen, um das zu sichern, was Euch anvertraut war.«

»Wie kann ich wagen, worum Ihr bittet, Meister der Jagd?« fragte Dundee. »Ich spüre in Euch die Zunge des guten Rufes, aber ich bin durch meinen Eid gebunden, die Geheimnisse des Siegels niemandem zu enthüllen, der nicht ein Bruder des ritterlichen Ordens ist, dem als Großprior zu dienen ich das Vorrecht hatte.«

»Dann seid beruhigt, denn ich gehöre dem Orden an«, sagte Adam. »Mehr als dreihundert Jahre vor Eurer Geburt schwor ich Gehorsam dem, der damals der Meister vom Tempel war, und ich gab jenes Leben in Treue für den Tempel hin. Und durch mein Blut bin ich ebenfalls gebunden, durch Sinclair-Vorfahren, die dem Tempel dienten. Ich gelobe Euch bei jenem LICHT, dem Ihr immer noch zu dienen sucht, daß ich über die Autorität verfüge, Euer Geheimnis in gutem Glauben zu empfangen. Da Ihr nicht allein erreichen könnt, was Ihr am meisten verlangt, lade ich Euch ein, mich als Euren geistigen Nachfolger anzunehmen, Eure Bürde auf mich abzuladen und Euch selbst freizulassen.«

Er schwieg und wartete. Die Luft war mit gespannter Erwartung geladen. McLeods Kopf drehte sich hin und her, die fremde Intelligenz betrachtete die anderen und taxierte sie, dann kehrte der Blick zu Adam zurück.

»Andere sind noch zugegen, Meister der Jagd«, sagte Dundee. »Seid Ihr bereit, für deren Rechtschaffenheit zu bürgen? Denn wenn ich dieses Wissen hergebe und sie sich als nicht würdig erweisen, dann bin ich meineidig, und meine Seele ist verdammt zu weiteren Strafen für mein Versagen.«

»Alle Anwesenden haben sich rückhaltlos dem LICHT geweiht, schon viele Leben hindurch«, erwiderte Adam ruhig – und er wußte, daß er die Wahrheit sprach. »Sprecht, bitte ich Euch inständig, bevor das Gefäß ermüdet.«

Adam konnte sehen, wie die Unentschlossenheit hinter McLeods blauen Augen arbeitete, doch dann nickte der grauhaarige Kopf.

»Nun denn, Meister der Jagd. Ich will mein Vertrauen auf Eurer Gelöbnis setzen und meine Seele Eurer Obhut anvertrauen – und mögt Ihr und die Euren mein Schicksal teilen, falls Ihr meineidig würdet.«

»Ich nehme diese Bedingung an«, sagte Adam.

»Dann hört, was mir erzählt wurde«, sagte Dundee, und seine Stimme gewann an Kraft, weil sein Vertrauen wuchs. »Es heißt, das Geheimnis stamme aus der Zeit Salomons selbst, der unser geistiger Gründer und Vater war. Die Legende erzählt zurecht von ihm als Meistermagier, als Herr über Menschen und Dämonen. Dieser Ruf ist wohlverdient, denn es war Salomon der Weise, der mit seinen magischen Fähigkeiten die Dämonen Gog und Magog unterwarf und gefangensetzte und in seiner Weisheit in eine Schatulle sperrte, die er tief in den Kellern unter dem Tempel in Jerusalem vergrub.«

Adam merkte, wie er nickte, während er begierig lauschte. Er spürte, wie rechts von ihm Peregrine wie wild zeichnete. Sir John saß hinter ihm als ein Bollwerk beruhigender Kraft, und Caitlin war fast okkult unsichtbar geworden.

»Der Tempel wurde Anno Domini 70 zerstört«, fuhr Dundee fort. »Jahrhunderte später, als Hugues de Payens und seine Mitgründer unseres Ordens kamen, um die Heilige Stadt zu verteidigen, gestattete ihnen der König von Jerusalem, ihr Hauptquartier in einem alten Teil des zerstörten Tempels einzurichten, von dem man meinte, er sei der frühere Ort von König Salomons Stallungen gewesen. Als sie den Boden zum Neubau vorbereiteten, entdeckten die Gründer eine Schatulle, die in einem verborgenen Gewölbe unter den Ruinen versteckt war – eine Schatulle, die fest mit einem Siegel verschlossen war, das zusammen mit geheimnisvollen Warnungen die Symbole Salomons aufgeprägt trug.

Da sie das Siegel Salomons als ein Zeichen der Warnung achteten, nahmen Hugues de Payens und seine Gefährten davon Abstand, auch nur zu versuchen die Schatulle zu öffnen, bis sie mehr darüber erfahren konnten«, fuhr Dundee fort. »Nach fast einem Jahrhundert fanden schließlich ihre Nachfolger, was sie suchten, und zwar durch eine unwahrscheinliche Allianz mit dem geheimnisvollen Herrscher der Assassinen, der als der Alte Mann vom Berge bekannt war. In seiner Bergfeste wurden Aufzeichnungen alter Legenden aufbewahrt, die mit dieser Schatulle verknüpft waren, die als verloren galt. So kam es, daß sie erfuhren, was die Schatulle enthielt – und gleichermaßen, daß die Dämonen, die in der Schatulle gefangen waren, nur mit Hilfe dreier ›Heiltümer‹ sicher beherrscht werden konnten: Salomons Siegel selbst, Salomons Krone und König Davids Zepter.«

Schlagartig erinnerte sich Adam an seinen Traum in der Nacht nach Nathans Tod – König Salomon auf seinem Thron, die Krone auf dem Haupt und das Siegel und das Zepter in den Händen. Die Schlüssel des Rätsels hatten von Anfang an vor ihm gelegen, und er hatte sie nicht erkannt.

»Die drei Heiltümer sind von entscheidender Bedeutung«, fuhr Dundee fort. »Der Abdruck des Siegels ist natürlich das, was die Schatulle verschlossen bannt. Ohne das Siegel kann die Schatulle weder geöffnet noch geschlossen werden. Doch es *muß* zusammen mit der Krone und dem Zepter verwendet werden. Die Krone überträgt auf ihren Träger die Weisheit, dem Wahnsinn des Bösen zu widerstehen. Das Zepter verleiht gleicherweise die Macht, dieses Böse unter Aufsicht zu stellen. Falls ein Mensch die Schatulle ohne den vollen Schutz der Heiltümer öffnete, würden die Dämonen entkommen und ihn überwältigen. Sobald sie frei wären, würde sie nichts mehr davon abhalten, beutegierig durch das Land zu ziehen.«

Die Wesenheit, die Adam durch McLeods Augen betrachtete, hob eine Hand und legte sie auf das Templerkreuz, das über der Brust des Leibes hing, in der sie zu Gast war, und die Stimme wurde nachdenklicher.

»Unsere Vorgänger hätten Schritte unternehmen sollen, um die Dämonen zu vernichten, oder zumindest sicherzustellen, daß sie nie mehr freigelassen werden könnten«, fuhr Dundee fort. »Statt dessen beschlossen sie, die drei Heiltümer wieder zu erwerben, für eine Zeit, wenn es notwendig sein könnte, die Macht der Dämonen gegen die Feinde des Tempels zu richten. Die Heiltümer wurden wiedergefunden, eines nach dem anderen, und in die Obhut dreier bewährter Ritter gegeben, die durch schreckliche Eide gebunden waren, wobei der Großmeister des Ordens die Obhut über die Schatulle behielt. Nur er und seine engsten Würdenträger kannten das wahre Geheimnis der Schatulle und die Identität der Hüter der Heiltümer.

Als sich der Orden nach dem Fall von Akko aus dem Heiligen Land zurückzog, nahmen die Ritter die Schatulle und die Heiltümer mit in den Pariser Stützpunkt der Templer und bewachten sie dort, bis eine Vorwarnung über die geplante Unterdrückung des Ordens eintraf. Obwohl die Versuchung bestand, die Dämonen gegen den Papst und den König von Frankreich, die den Orden verraten hatten, loszulassen, schickte der letzte Großmeister die Schatulle und die Heiltümer nach Schottland in Sicherheit, wo die Schatulle wieder verborgen wurde und die Heiltümer auf drei verschiedene Verstecke unter verschiedener Obhut verteilt wurden. In den nachfolgenden Jahrhunderten ging viel Wissen verloren, aber die Krone gelangte schließlich in meine Obhut, zusammen mit der Legende, die ich Euch soeben übermittelt habe.«

Adam stieß unwillkürlich einen Laut der Überraschung aus und hob eine Hand an die Stirn, als Dundee ›Euch‹ sagte, denn Dundees Erwähnung der Krone hatte eine Folge lebhafter Bilder dieses Heiltums in ihm ausgelöst, zusammen mit einem hartnäckigen Schwirren am Rande seiner Wahrnehmung. Es nagte an seiner Konzentration wie das Geräusch eines Gesprächs, das man aus einem benachbarten Zimmer mithörte, aber nicht ganz verstehen konnte. Doch er konnte es weder fokussieren noch verscheuchen, selbst als er den Kopf schüttelte, um ihn zu klären.

»Adam, was ist?« fragte Sir John, und seine starke Hand faßte von hinten Adams linke Schulter.

Zunehmend desorientiert spürte Adam, wie sich auch Peregrine besorgt vorbeugte, und er klammerte sich an die Hand des Generals wie an eine Rettungsleine, noch während er versuchte, die Gegenwart dieses anderen auszumachen.

»Ich – weiß es nicht«, murmelte er. »Bilder, fast Erinnerungen – etwas, das mit der Krone zu tun hat. Ich kann sie nicht ausschließen, aber ich kann sie auch nicht fokussieren.«

Mit adlerscharfem Blick verlagerte Sir John seine Aufmerksamkeit auf die geistige Präsenz, die jetzt in McLeods Körper hauste.

»Ich spreche als Stellvertreter für den Meister der Jagd«, sagte er. »Ich bitte Euch, mit uns Nachsicht zu üben und noch etwas länger zu verweilen. Ich glaube, daß dies für Eure Lage von Bedeutung ist.«

Dundee starrte Adam merkwürdig an und nickte vorsichtig.

»Ich werde verweilen. Ein Freund möchte sich mitteilen.«

»Was bedeutet das?« flüsterte Peregrine. »Adam ist kein Medium?«

»Stimmt das?« fragte Sir John Adam.

»Ich bin nie eins gewesen.«

»Dann ist dies vielleicht eine frühere Inkarnation von Ihnen selbst, die versucht hervorzukommen«, sagte Sir John und beobachtete ihn gespannt. »Sind Sie sich eines bestimmten früheren Lebens bewußt, das Bezug zu dieser Situation hat?«

»Nein«, flüsterte Adam und schüttelte den Kopf.

»Nun, vielleicht hat bisher nie die Notwendigkeit für diese Inkarnation bestanden, sich zu melden«, murmelte Sir John. »Ich muß gestehen, dies geht über *meine* Erfahrung hinaus – eine frühere Persönlichkeit, die mit einer nicht inkarnierten Seele kommunizieren möchte, die im Leib eines Mediums zugegen ist. Offensichtlich ist es jedoch notwendig. Möchten Sie gern, daß ich Sie zurückführe, um sie herzubringen, wenn dem so ist? Es allein zu versuchen, könnte sich als ein wenig heikel erweisen, während noch der Kontakt zu Dundee aufrechterhalten wird.«

»Sind Sie immer ein solcher Meister der Untertreibung?« flüsterte Adam und blickte wieder auf McLeod, aus dessen Augen er begierig beobachtet wurde. »Sie hören sich an wie ein Mann, der in diesen Dingen Erfahrung hat.«

»Weit mehr, als mir lieb wäre«, erwiderte Sir John, als er nach vorn rutschte, um neben Adam zu kauern. »Vertrauen Sie mir, wenn ich Sie zurückführe?«

»Gewiß.«

»Danke. Ich nehme jetzt einmal an, daß Sie sich selbst darauf abgestimmt haben, auf die gleichen Signale zu reagieren, wie ich Sie sie bei Noel habe verwenden sehen«, sagte der General und legte eine Hand auf Adams Handgelenk. »Entspannen Sie sich. Atmen Sie tief ein und atmen Sie aus – und wenn ich Ihre Stirne berühre, dann möchte ich, daß Sie tief, sehr tief gehen. Schließen Sie die Augen und entspannen Sie sich, und gehen Sie tiefer – jetzt.«

Adam hatte sich schon auf einer Ebene der Trance befunden, die er seit dem Beginn ihrer Arbeit nicht mehr verlassen hatte, aber die Hand des älteren Adepten auf seiner Stirn stürzte ihn so tief, wie er noch nie für jemand anderen gegangen war, selbst nicht während der Therapie, die vor so vielen Jahren mit seiner Ausbildung zum Psychiater verbunden gewesen war. Der verschwommene Anfall von Schwindel, als der andere ihn noch tiefer führte, war eine Empfindung, die er mit sicherer und absoluter Kontrolle zu assoziieren gelernt hatte – und mit der Gewißheit, daß Brigadegeneral Sir John Graham genau wußte, was er tat.

»Gut«, flüsterte der Ältere. »Beginnen Sie nun, zurückzugehen ... zurück in Ihre Jugendzeit, zurück in die Kindheit, zurück in die Kleinkinderzeit, und darüber hinaus ...«

Von Sir Johns ruhiger Stimme geführt, fühlte sich Adam mühelos in der Zeit zurückgleiten, nur die Berührung der Hand des anderen auf seinem Handgelenk hielt einen fernen Teil seines Selbst an das Hier und Jetzt. Wie ein Floß, das von tiefen Strömungen flußabwärts getrieben wird, wurde er in Bereiche schattiger Dunkelheit hinein und wieder aus ihnen herausgetragen und bewegte sich auf eine ferne helle Insel mitten in der Flut zu. Die Insel schien sich stromaufwärts – ihm entgegen – zu bewegen.

Dann sah er, daß es sich gar nicht um eine Insel handelte, sondern um das sich nähernde Abbild des Gesichtes einer Frau ...

Peregrine, der an Adams anderer Seite alles aufmerksam beobachtete und den Bleistift über dem Skizzenblock bereithielt, hörte seinen Mentor einen schwachen Laut der Überraschung ausstoßen und sah ihn leicht auf seinem Stuhl erstarren. Als er sich selbst vorlehnte, erfuhr sein Anblick von Adams Gesicht eine plötzliche Verwandlung. Die starken männlichen Züge, die selbst in der Reaktion noch streng waren, wichen in flatternder Aufeinanderfolge dem Bild des zarteren Profils einer Frau. Als die Bilder vor Peregrines überraschtem

Blick einander schnell ablösten, fiel ihm plötzlich ein, daß er dieses Gesicht schon einmal gesehen hatte, und zwar in Verbindung mit seiner Vision von Salomons Krone.

Diese Erkenntnis traf ihn wie ein Schlag ins Zwerchfell. Während Peregrine sich noch bemühte, seiner Überraschung Herr zu werden, entspannte Adam sich und öffnete die Augen weit, dann huschte sein Blick mit einem eindringlich fragenden Blick über die Gesichter aller Anwesenden.

»Dieser Ort ist Oakwood Manor in Kent, und Ihr befindet Euch unter Freunden«, unterrichtete Sir John die geistige Präsenz, die aus Adams Augen schaute. »Könnt Ihr uns Euren Namen sagen?«

Adams Lippen bewegten sich, doch es kam kein Laut über sie. Seine linke Hand hob sich flehentlich in Richtung des Altars und faßte nach ihm. In einer blitzartig plötzlichen Einsicht begriff Peregrine.

»Der Ring!« flüsterte er. »Der Dundee-Ring ist der Fokus!«

Sir John nickte zustimmend, nahm den Ring, faßte Adams linke Hand und streifte ihm den Ring auf den Ringfinger.

»Sagt uns bitte Euren Namen«, wiederholte er leise.

Ein leichter Schauder lief durch Adams Körper, während seine Hand sich schloß und den Kristall des Rings an die Lippen führte und dann seine Wange damit berührte, wobei die Augen immer noch rastlos suchten; doch als sich die Lippen diesmal öffneten, um zu sprechen, war die Stimme, die erklang, der helle Alt einer Frau.

»Ich kenne Euch nicht, Sir. Ich bin Lady Jean Seton, die jüngere Tochter des Earl of Dunfermline. Ich suche John Grahame of Claverhouse. Bitte, sagt mir, wer von Euch ist er?«

Für Peregrine war die vollständige Veränderung der Stimme begleitet von der durchsichtigen Überlagerung eines Ebenbildes, die er mit der Resonanz einer historischen Persönlichkeit zu assoziieren gelernt hatte. Die Wirkung war unheimlich und zugleich faszinierend. Adam hatte ihm einmal erzählt, daß jede Seele zu der Zeit, da sie die Stufe eines Adepten erreichte, frühere Existenzen sowohl als Männer wie auch als Frauen erlebt haben würde, und er hatte ihm versichert, daß er – wie auch Peregrine – frühere Leben als Frauen verbracht hatte. Bis jetzt jedoch hatte Peregrine nie einen faßbaren Beweis für diese Wahrheit gesehen. Er wagte kaum zu atmen, aus Furcht, er würde stören, und lehnte sich leicht zurück, um verstohlen eine neue Seite in seinem Zeichenblock aufzuschlagen.

Inzwischen hatte sich als Antwort auf Jean Setons Frage McLeods Kopf etwas geneigt, und seine Augen blickten suchend auf Adam. Ein Anflug von Zärtlichkeit ließ die sonst schroffe Miene des Inspectors weicher wirken.

»Liebes Mädchen, ich bin hier«, erklärte der Geist von Dundee ruhig, »doch dies ist eine seltsame Wendung der Vorsehung, die uns jetzt nach so langer Zeit zusammenbringt. Nie hatte ich gedacht, ich würde nach unserem letzten Abschied deine Stimme noch einmal hören. Sag mir, wie es dir und deiner tapferen Schwester in den nachfolgenden Tagen erging.«

Adams Gesicht hatte sich beim Klang von Dundees Stimme erhellt, doch jetzt wurde es von Lady Jeans Kummer überschattet, als er den Kopf schüttelte, und seine Stimme klang traurig und zugleich wehmütig.

»Uns ging es gut und schlecht zugleich, Mylord. Die Krone wurde sicher versteckt, wie Ihr uns aufgetragen hattet, doch Grizel starb, um das Geheimnis des Ruheplatzes der Krone zu bewahren.«

Peregrine, der aufschaute, während sein Bleistift über die Seite flog und die Bilder festhielt, erhaschte gerade noch das flüchtige Geisterbild einer zweiten Frau, die über Adams Schultern schaute und in ihren Händen ein uraltes Diadem mit sechs scharfen Zacken aus Blattgold hielt. Dies war eine Erinnerung, keine Vision, wie er schnell erkannte – ein Echo der Bilder, die er zuvor nicht hatte ganz festhalten können, aus der Vision, die der Dundee-Ring ausgelöst hatte. Doch dieses Echo trug jetzt dazu bei, ihm zu bestätigen, daß das Alter Ego Adams die andere, jüngere Frau gewesen sein mußte – und Dundee hatte ihnen die Krone gegeben! Kein Wunder, daß das Bild von Salomons Krone Adam von Anfang an fasziniert hatte. Und während Peregrine versuchte zu skizzieren, was er sich noch von den Gesichtern der beiden Frauen in Erinnerung rufen konnte, setzten die Geister, die in den Personen von Adam und McLeod verkörpert waren, ihr merkwürdiges Wiedersehen fort.

»Grizel ist gestorben? Wie ist das geschehen?« fragte Dundee und beugte sich vor.

In Adams dunklen Augen glitzerten Tränen, als Jean sich an ihren Kummer erinnerte.

»Es war nach Eurem Tod, Mylord. In jenen traurigen Tagen, die darauf folgten, wo unser bitterer Verlust Eurem Sieg die Spitze raubte, nahm Grizel die Krone nach Norden auf unseres Vaters Burg zu Fyvie, um sie dort an einem geheimen Ort zu verstecken, der für sie bereitet war. Ich sollte mich schnell nach St. Andrews begeben und dort ein Schiff nach Frankreich nehmen. Sie sollte von Aberdeen absegeln, wo unser Vater sich uns anschließen wollte.

Doch bevor Grizel Fyvie verlassen konnte, kamen Covenanter – Söldner, die auf Raub aus waren. Ohne Zweifel suchten sie Schätze der gewöhnlichen Art, von denen nichts mehr auf Fyvie übrig war, da unser Vater unser Vermögen für die Sache der Stuarts geopfert hatte. Doch sie folterten sie trotzdem, überzeugt, daß sie den Schatz der Burg vor ihnen verberge. Hätte sie die Krone herausgegeben, so hätte das vielleicht die Gier der Männer befriedigt und ihr das Leben gerettet,

Mylord. Doch sie starb lieber unter der Folter, als Euch die Treue zu brechen und das uns anvertraute Gut zu verraten.«

»Diese Teufel, der süßen Grizel so das Leben zu rauben!« flüsterte Dundee, und McLeods Körper schauderte, als der Geist, der in ihm hauste, seinen Schmerz und seine Empörung über das Verbrechen ausdrückte.

»Seid ruhig, Mylord, sie werden für ihre Missetat bezahlt haben!« murmelte Sir John und legte eine Hand beruhigend auf McLeods Hand, während er seine Aufmerksamkeit wieder auf Adams Alter Ego richtete.

»Lady Jean, wir würden gern mit Grizel sprechen, wenn wir dürfen«, sagte er sanft. »Wollt Ihr sie rufen und bitten, sich uns anzuschließen?«

»Ich werde sie rufen, wenn Ihr das wünscht«, lautete die Erwiderung, »doch sie wird nicht kommen, nicht einmal zu mir.«

»Warum nicht?«

»Weil ihr Geist noch bei der Krone verweilt und über deren Ruheplatz wacht. Sie hat keine Erlaubnis, das ihr Anvertraute zu verlassen.«

»Und wo befindet sich dieser Ruheplatz?«

»In demselben Raum auf Fyvie Castle, in dem ihr Blut vergossen wurde.«

»Die Grüne Dame!« murmelte Caitlin mit überraschtem Unterton. Zum ersten Mal seit Beginn der Arbeit hatte sie etwas gesagt. Auf Peregrines fragenden Blick hin fügte sie hinzu: »Ich sammle Geistergeschichten. In einem der Zimmer auf Fyvie Castle soll ein Geist spuken, der als die Grüne Dame bekannt ist. Gray, meinst du, es könnte sich dabei um Grizel Seton handeln?«

Sir John richtete seine Aufmerksamkeit wieder auf Adam und nickte zerstreut.

»Es beginnt sich ein Muster abzuzeichnen. Lady Jean, was wäre, wenn Ihr zu Eurer Schwester gehen würdet?« fragte er Adams Alter Ego. »Würde sie bereit sein, Euch zu zeigen, wo die Krone verborgen ist?«

Adam blickte ihn an. In den dunklen Augen lag Unsicherheit. »Als wir lebten und atmeten, gab es nichts, was sie mir nicht anvertrauen würde«, sagte er. »Doch es ist nicht an ihr allein, dieses Geheimnis zu offenbaren.«

»Nein«, sagte Dundees Stimme, »es ist an mir. Ach, treue Grizel«, fuhr er fort und schüttelte den Kopf mit einem Beiklang melancholischer Zärtlichkeit. »Als ich die Krone ihrer Obsorge übergab, dachte ich wenig daran, daß ihre Treue selbst bis in den Tod auf die Probe gestellt würde. So viel und noch mehr schulde ich ihr – sie von ihrer Aufgabe zu befreien. Angenommen, du gehst zu ihr, Jean, als meine beauftragte Botin. Zeig ihr den Ring an deiner Hand und nimm das Kreuz, das ich bis zu meinem Tod getragen habe, und weise sie in meinem Namen an, sie solle dir die Krone überlassen. Richte ihr meinen liebevollen Dank aus und gebiete ihr, in Frieden zu scheiden, denn jetzt sind andere bereit, ganz die Bürde der Hüterschaft zu übernehmen.«

Adam neigte den Kopf zu feierlichem Einverständnis und antwortete erneut mit Jean Setons Stimme.

»Ich werde tun, wie Ihr mich heißt, Mylord, und das mit rechter guter Absicht.«

»Süße Jean ...«, murmelte Dundee.

Doch McLeods gutmütig-derbes Gesicht zeigte allmählich Zeichen der Anstrengung, sein Atem ging schneller als zuvor. Auf Sir Johns auffordernden Blick hin beugte sich Caitlin vor und legte eine Hand auf das Handgelenk des Inspectors, während ihr Urgroßvater ein paar Worte in Adams Ohr murmelte, woraufhin dieser die Augen schloß und sich passiv treiben ließ.

»Sein Puls ist ein wenig unregelmäßig«, murmelte Caitlin nach einigen Sekunden schweigender Prüfung. »Wahrscheinlich sollten wir dieses Gespräch zu einem Ende bringen.«

»Dem stimme ich zu«, erwiderte Sir John. »Ich

glaube, wir haben erfahren, was notwendig ist.« Dann wandte er sich Dundee zu und sagte: »Der Leib, in dem Ihr zu Gast seid, wird müde. Würde es Euch gefallen, ihn jetzt freizugeben?«

»Ja, mit meinem tiefempfundenen Dank an ihn und an jenen, der jetzt die Bürde meiner Aufgabe trägt.«

»Wir sind es, die Euch danken«, sagte Sir John. »Bewaffnet mit Eurem Wissen, werden wir das Mittel finden, um das Böse gebannt zu halten, das Ihr und Euer Orden all diese langen Jahrhunderte in Schach zu halten suchtet.« Er faßte hinüber und legte seine freie Hand auf McLeods Handgelenk. »Kehrt nun in Frieden in die Reiche des LICHTS zurück, und mögen Euch dort alle leuchtenden Segnungen erwarten.«

McLeods Augen rollten in ihren Augenhöhlen nach oben und ein langgezogener Seufzer entwich seinen Lippen, als er wie rückgratlos in seinem Sessel nach vorne sackte, wobei er den Kopf schlaff hängenließ. Sir John ließ einen Augenblick lang Adam los und beugte sich hinüber, um McLeod das Templerkreuz vom Hals zu nehmen, dann machte er ein Zeichen über McLeods Nasenrücken, bevor er eine blaugeäderte Hand leicht auf seine Augen legte.

»Der Gast ist gegangen, Noel; Sie können jetzt zurückkehren«, sagte er ruhig. »Wenn Sie sich dazu bereit fühlen, so atmen Sie tief ein und stoßen die Luft langsam wieder aus, und finden Sie sich hier und jetzt wieder, geerdet und mit voller Kontrolle, und fühlen Sie sich entspannt und erfrischt.«

Als Sir John die Hand wegnahm, holte McLeod tief Luft und atmete hörbar aus, dann öffnete er die Augen. Wie ein Mann, der gerade aus dem gesunden Schlaf einer ganzen Nacht erwacht ist, blinzelte er und schüttelte sich hoch.

»Nicht halb so schlimm«, brummte er schläfrig. »Ich wünschte, es wäre immer so leicht ...«

Sein umherwandernder Blick blieb an Adams passiver Gestalt hängen. Er wirkte dabei eher neugierig als beunruhigt und schaute, Aufklärung heischend, zuerst auf Peregrine und dann auf Sir John.

»Sie sind nicht der einzige, der heute abend den Gastgeber für einen Schatten aus der Vergangenheit gespielt hat«, sagte Sir John.

Er überließ es McLeod, selber die Schlüsse zu ziehen, und legte das Templerkreuz wieder auf den Altar, dann faßte er Adams Hand und nahm ihm den Dundee-Ring ab. Noch einmal wandte er sich an Lady Jean Steon.

»John Grahame of Claverhouse ist zum LICHT zurückgekehrt«, unterrichtete er sie feierlich, »und wir haben in seinem Namen viel Arbeit zu tun. Lady Jean Seton kann zurückkehren, woher sie gekommen ist, um wiederzukommen, wenn der Ring auf Euren Finger gesteckt wird. Geht nun tief, Adam, und beginnt wieder in der Zeit vorwärtszukommen ... Kehrt zu Adam Sinclair zurück, sanft ... wenn Ihr bereit seid ...«

Kapitel 18

Passiv in perlenfarbenen Ozeanen treibend, war sich Adam nur einer Empfindung von Frieden bewußt, bis eine Stimme ihn beim Namen rief. Er wurde ins Ichbewußtsein zurückgezogen und orientierte sich in Richtung der Stimme. Er schwamm träge aufwärts durch milchige Schichten halb durchsichtigen Lichts auf einen fernen hellen Punkt zu, bei dem es sich um den gegenwärtigen Augenblick in der Dimension der Zeit handelte. Die Empfindung war mühelos, sogar angenehm. Mit einem leichten Ruck gelangte er an die Oberfläche, öffnete seine Augen und sah Sir John Graham, der zu seinen Knien kauerte und zu ihm aufblickte.

»Willkommen zurück«, sagte sein Gegenüber. »Wie fühlen Sie sich?«

»Alles in Ordnung«, sagte er und warf McLeod einen Blick zu, um sich zu versichern, daß auch beim Inspector alles in Ordnung war. »Du lieber Himmel, Sie müssen mich tief geführt haben! Ich erinnere mich an gar nichts.«

»Ich dachte mir schon, daß das der Fall sein würde«, sagte Sir John und reichte eine Hand Caitlin, die ihm ein winziges Tonbandgerät übergab. »Wir nehmen routinemäßig unsere Sitzungen auf, wenn wir wissen, daß wir wahrscheinlich Regressionen in frühere Leben erreichen – und diesmal ist es besonders gut, daß wir das getan haben. Manchmal ist es für vier Leute schwierig genug, sich daran zu erinnern, was eine Person sagte; aber wenn drei Leute sich an die Worte von zwei Personen erinnern sollen, besonders angesichts der Natur Ihres Gespräches, dann wird es noch komplizierter. Sie können sich beide das Band anhören, während wir etwas zu Abend essen.

Und was hat Peregrine während unseres kleinen Gedankenaustauschs erfahren, frage ich mich«, fuhr er fort und richtete einen fragenden Blick auf den Künstler, während er aufstand und die vom Niederkauern steif gewordenen Kniegelenke ausschüttelte. »Sie machten einen sehr beschäftigten Eindruck, junger Mann.«

Zur Antwort beugte sich Peregrine mit einem Grinsen vor und bot seinen Skizzenblock an. Adam hielt die Skizzen ins Licht der nächsten Laterne und schaute sie durch, dann schüttelte er den Kopf und unterdrückte ein Gähnen.

»Ich bin mir sicher, daß ich darin mehr Sinn sehen werde, wenn ich erst einmal etwas zu essen gehabt und das Band angehört habe«, sagte er und schaute wieder zu Sir John. »Ich werde Sie fragen müssen, ob wir erreicht haben, was notwendig war.«

»Ich glaube schon«, erwiderte Sir John. »Fassen wir uns ein paar Minuten lang an den Händen, um sicherzustellen, daß alle geerdet sind, und dann werden wir alles abschließen. Danach kehren wir ins Haus zurück, um uns umzuziehen und einen Happen zu essen, und dann werden wir die Vorgänge des heutigen Abends durchsprechen und sehen, was zu tun ist.«

Zwanzig Minuten später versammelte sich die Gruppe konventioneller gekleidet in der Bibliothek, um eine herzhafte Suppe und Sandwiches zu sich zu nehmen. Während Sir John und Caitlin immer wieder in die ausgedehnten Bücherregale der Bibliothek abtauchten und ihre Forschungen ab und zu mit einem Bissen unterbrachen, hörten Adam und McLeod das Tonband ab, und Peregrine setzte den Dialog mit den Skizzen in Beziehung, die er angefertigt hatte. Befriedigung über das Erreichte mischte sich mit Erstaunen, denn weder

Adam noch McLeod konnte sich an das erinnern, was sie gesagt hatten. Peregrine seinerseits fand es immer noch ein bißchen schwierig, seine Skizzen der sehr femininen Lady Jean Seton mit dem zu versöhnen, was er von dem unbestreitbar maskulinen Adam Sinclair wußte.

Als das Band zu Ende war, schaltete Adam das Gerät aus und blickte Peregrine an, der verstohlen eine seiner Skizzen mit Adams derzeitiger Erscheinung verglich. Adam unterdrückte ein Lächeln und drehte den Skizzenblock herum, um einen besseren Blick auf die Studie der schöne Lady Jean zu bekommen.

»Finden Sie das verwirrend?« fragte er und zog nachsichtig eine Augenbraue hoch.

»Nun, ich hatte es eigentlich nicht erwartet«, begann Peregrine.

»Warum denn nicht? Als wir uns zum ersten Mal über Reinkarnation unterhielten, sagte ich Ihnen doch, daß einige meiner historischen Identitäten weiblich waren. Natürlich wußte ich vor dem heutigen Abend nichts über diese besondere Inkarnation, aber wir haben Glück, daß wir über die Verbindung zu Dundee verfügen.«

»Ich weiß, und Sie haben es mir ja gesagt«, gab ihm Peregrine recht, »aber das war noch solange theoretisch, bis ich tatsächlich eine weibliche Identität sehen würde. Sie war eine schöne, zierliche kleine Brünette, Adam. Ich – glaube, was mich mehr als alles andere überraschte, war die Vollständigkeit der Geschlechtsveränderung von einer Persönlichkeit zur anderen.«

»Ich weiß nicht, weshalb das eine Überraschung sein sollte«, sagte Adam. »Sie haben sich an die Vorstellung gewöhnt, daß Michael Scot und die junge Gillian Talbot Aspekte ein und derselben Seele sind, trotz des Unterschieds im Geschlecht.«

»Stimmt«, erwiderte Peregrine. »Aber ich habe keinen von beiden so gut kennengelernt wie Sie. Ich will sagen«, fuhr er etwas lahm fort, »Lady Jean war *vollkommen* weiblich, und Sie sind …«

»Wie alle anderen, eine Mischung von Eigenschaften, einigen weiblichen, einigen männlichen«, sagte Adam leichthin und lächelte, während McLeod mit den Augen rollte und in ein weiteres Sandwich biß. »Wenn ich für einen Augenblick mal in meine Rolle als Psychiater schlüpfe – C. G. Jung hat die Totalität des Selbst mit Recht als eine *coniunctio oppositorum*, eine Vermählung der Gegensätze, genannt. Es ist zum großen Teil eine Frage des Gleichgewichts, wobei die Waagschalen für gewöhnlich durch den biologischen Faktor in die eine oder andere Richtung gesenkt werden. Zwei X-Chromosomen bringen einen weiblichen Körper hervor, eine physische Umgebung, die die femininen Aspekte der Psyche ermutigt, den bestimmenden Einfluß zu gewinnen. Ersetzen Sie eines der X durch ein Y, und Sie bekommen den entgegengesetzten Effekt. Aber das Potential für beide ist immer vorhanden.

Das bedeutet, daß jeder Mann seine *anima* hat – sein weibliches Prinzip«, fuhr er fort, »während umgekehrt jede Frau ihren *animus* besitzt. Gelegentlich bekommt man so jemanden heraus wie Lindsay, in der aus einer Vielfalt von Gründen der psychologische Imperativ so mächtig ist, daß er die physische Disposition des Körpers überwiegt. Daß dies dann und wann passiert, ist kein Grund für Scham oder Verdammung. Es ist schlicht und einfach eine Tatsache der menschlichen Existenz.«

»Ich bin mir sicher, daß Sie recht haben«, sagte Peregrine mit einem schüchternen kleinen Lächeln, »und ich bestreite nichts davon prinzipiell. Es ist nur so, daß man einige Zeit braucht, um sich an die Beweise in der Praxis zu gewöhnen.«

Tatsächlich hatten die Ereignisse der vergangenen paar Stunden Peregrines Neugier hinsichtlich seiner eigenen früheren Existenzen neu geweckt. Er beschloß, die Sache weiter zu erforschen, sobald die derzeitige Krise überstanden war, denn nun kam ihm der Gedanke, es müßte interessant – um nicht zu sagen: erhellend – sein zu entdecken, wie sich das Leben vom Standpunkt einer Frau aus darstellte. Wenn er an Julia dachte, begriff er, daß eine solche Erfahrung zumindest im Rahmen einer Ehe außergewöhnlich aufschlußreich sein könnte.

Als Peregrine sich noch ein weiteres Stück Kuchen nahm, kam Sir John zu ihnen zurück, die Lesebrille wieder auf der Nase, und brachte einen Stapel Bücher, aus denen Zettel als Lesezeichen hervorschauten.

»Sie haben nach Informationen hinsichtlich der Namen Gog und Magog gefragt? Ich glaube, ich kann mit Sicherheit sagen, daß ich jetzt in der Lage bin, Ihnen weit mehr zu sagen, als Sie vermutlich jemals wissen wollten.«

Er setzte den Bücherstapel auf dem Bibliothekstisch ab und ließ sich in einen der Sessel sinken. Während sie sich um ihn herum gruppierten, legte er die Hände vor sich an den Fingerspitzen zusammen und machte die schonungslose Miene eines militärischen Befehlshabers, der sich anschickte, sofort eine Stabsbesprechung zu beginnen.

»Falls Gog und Magog wirklich Namen sind, die mit Dämonen gleichzusetzen sind – dann handelt sich bei dem, was wir hier haben, um ein sehr altes Unheil«, berichtete er seinen Zuhörern ernst. »Wenn wir annehmen, daß Dundees Zeugnis eine genaue Wiedergabe der Wahrheit hinsichtlich der Herkunft dieser Dämonen darstellt, und in Anbetracht der Tatsache, daß man allgemein annimmt, der historische König Salomon sei irgendwann um 925 vor Christi Geburt gestorben, so folgt daraus, daß diese bösen Wesenheiten – um was auch immer es sich bei ihnen wirklich handeln mag – schon seit nahezu dreitausend Jahren weggesperrt sind.«

Er machte eine Pause, um die Bedeutung dieser Aussage nachwirken zu lassen, bevor er fortfuhr.

»Um die Zeit, da wir Gog und Magog in den Prophezeiungen des Ezechiel finden, um etwa 592 bis 570 vor Christus, bleiben die Namen verbunden mit Andeutungen von Gefahr, aber wir finden auch, daß sie verschmolzen wurden, um einen gefürchteten König Gog von Magog zu beschreiben, dessen Heere in Israel einzufallen drohten. Fast ein Jahrtausend später spricht der Koran von ihnen als den *Verderbern des Landes*.«

»Mit anderen Worten«, bemerkte McLeod, »Gog und Magog sind in mehr als einer Tradition berüchtigte Namen.«

»So scheint es«, stimmte ihm Adam zu. »Das würde den Gedanken nahelegen, daß diese Verknüpfung einen gemeinsamen Ursprung hat.«

»Die Geschichte weitet sich im Lauf der Überlieferung aus«, sagte Sir John. »Um die Zeit, als die Namen in die britische Legende eingingen, haben Gog und Magog den Status von Riesen angenommen.«

Er hielt inne und öffnete eines der Bücher, die vor ihm auf dem Tisch lagen, und zog den Text zu Rate, während er fortfuhr.

»Geoffrey von Monmouth, der im 12. Jahrhundert schrieb, berichtet, daß Britannien ursprünglich von einer Rasse von Riesen bewohnt wurde, die von Brutus und seinen trojanischen Kriegern um das Jahr 1200 vor Christus unterworfen wurden, als Corineus zum Herrscher von Cornwall bestimmt wurde. Nachdem er jeden anderen Riesen in der Gegend getötet hatte, rang Corineus mit dem dreieinhalb Meter großen Gogmagog und warf ihn ins Meer, wo er ertrank.

Diese cornische Verbindung kommt drei Jahrhunderte später zum Tragen, als Caxton Gog und Magog als die letzten überlebenden Söhne der dreiunddreißig Töchter des Kaisers Diokletian bezeichnet werden, von Frauen also, die dafür berüchtigt waren, daß sie ihre

Ehemänner umgebracht hatten. Als Strafe für ihre Verbrechen sollen diese Frauen in einem Boot Wind und Wellen überlassen worden sein, das schließlich in Cornwall landete, wo sie mit Dämonen zusammenlebten – so behauptet die Legende. Alle aus diesen Verbindungen entstammenden Riesen wurden schließlich getötet, bis auf Gog und Magog, die gefangen und nach London gebracht wurden, wo sie an die Tore eines königlichen Palastes gekettet gewesen sein sollen, der Brutus gehörte und an der Stelle der heutigen Guildhall stand.«

»Wißt ihr«, warf Caitlin ein, die auf einer Bibliotheksleiter stand, »mir ist gerade eine mögliche literarische Verbindung eingefallen.« Als die anderen alle in ihre Richtung schauten, kam sie herunter und trat zu ihnen. »Einige Aspekte dieser Geschichte erinnern mich an die Grendel-Monster aus der Beowulf-Sage«, sagte sie. »Grendel und seine Mutter werden als hybride Geschöpfe beschrieben, teils Riesen, teils Dämonen, die sich von Menschenfleisch ernähren. Beowolf, der Held der Geschichte, ist nicht nur ein Bezwinger von Ungeheuern, sondern auch ein weiser König – ein Attribut, das ihn mit den esoterischen Traditionen verbindet, die mit Salomon in Verbindung gebracht werden. Man könnte fast sagen, Salomon sei der Prototyp für solche Sagenhelden – aber vermutlich ist das nur eine Abschweifung.«

»Abschweifung oder nicht, es steht im Einklang mit den Dämonenlegenden, die wir bis jetzt gehört haben«, sagte Adam und zog ihr einen Sessel an den Tisch. »Das gemeinsame Element besteht darin, daß jemand von außergewöhnlicher Kraft und Weisheit vonnöten ist, um solche Kreaturen zu unterwerfen. Gray, was wurde aus den Riesen in Caxtons Bericht?«

»Am Ende sind sie gestorben und wurden durch Statuen ersetzt«, erwiderte Sir John. »Und hier betreten wir allmählich das Reich der verifizierbaren Geschichte. Wir wissen, daß im fünfzehnten Jahrhundert in der Londoner Guildhall tatsächlich bildhafte Darstellungen aufgestellt wurden. Die meisten Berichte identifizieren sie als Monmouths Gogmagog und Corineus, doch einige Quellen übernehmen Caxtons Sichtweise und nennen sie Gog und Magog. Welche Namen Sie auch immer vorziehen, die Statuen verbrannten im Großen Feuer von 1666, doch es war anscheinend noch genügend Leben in der Sage, daß 1708 ein neues Paar Statuen aufgestellt wurde. Damals war die generelle Meinung wieder zu Caxtons Erklärung zurückgekehrt, es handle sich bei ihnen um Gog und Magog, die letzten britischen Riesen. Diese Statuen aus dem Jahr 1708 blieben dort stehen, bis sie 1940 bei einem Luftangriff zerstört wurden. Hier endet das Kapitel.«

Adam nickte nachdenklich, während Sir John seine Brille abnahm.

»Ich habe noch Fotos dieses letzten Paares gesehen«, sagte er.

»Ich habe sogar noch mehr zu bieten«, konterte Sir John. »Ich erinnere mich daran, wie ich als kleiner Junge mal mitgenommen wurde, um sie anzuschauen, und ich weiß noch, wie ich nach dem Luftangriff, der sie vernichtete, über die Trümmer gestiegen bin. Doch diese Statuen sind nur die jüngsten Manifestationen eines Korpus von Überlieferungen, die mindestens drei Jahrtausende zurückgehen. Wenn wir das ad acta legen, was als seltsam phantastisch eingeordnet werden kann und die Matrix aus Schlacke entfernen, dann bleibt ein harter Kern von Informationen übrig, der sich von der einen zur anderen Version nicht verändert: erstens, daß die Namen Gog und Magog eine nachhaltige Assoziation mit dem besonders Bösen aufweisen; zweitens, diese Assoziation geht mindestens bis in biblische Zeiten zurück, als Ezechiel vielleicht selbst die beiden Namen miteinander verschmolz, um seine Leute mit der Drohung zu erschrecken, daß ein Böses aus der Vergangenheit drauf und dran war zurückzukehren. Ich würde sogar die Vermutung wagen, daß die Erinnerung der Völker an ein so großes Unheil sich verbreitet haben könnte, als die Zivilisation sich in den Mittelmeerraum ausbreitete, was eine Erklärung für die Trojanersagen wäre, die schließlich ihren Weg in die britische Folklore fanden.«

»Und in der Zwischenzeit waren die tatsächlichen Dämonen die ganze Zeit unter dem Tempel zu Jerusalem vergraben«, sagte McLeod.

»Anscheinend war es so«, stimmte ihm Sir John zu. »Ich finde es auch interessant, daß die ersten bildhaften Darstellungen von Gog und Magog binnen hundert Jahren nach der Ankunft der wirklichen Dämonen auf britischem Boden aufgestellt wurden – falls tatsächlich sie es sind, was die Schatulle enthielt, die den Templern zur Bewachung übergeben worden war. Aber die Sagen waren schon seit Jahrhunderten im Schwang, warum sollte man also die Statuen gerade zu diesem bestimmten Zeitpunkt in der Geschichte aufstellen?«

»Vielleicht, weil ihre bloße Anwesenheit auf der Insel einen tief verborgenes Residuum kollektiver Erinnerung aufrührte«, sagte Adam. »Alles in allem wissen wir weit weniger über die Tiefe und Komplexität der menschlichen Psyche, als wir bereit sind zuzugeben. Schon die bloße Existenz der Statuen bezeugt die Mächtigkeit der Tradition. Die einzelnen Berichte könnte man als nebensächlich und in sich selbst unbedeutend abtun. Doch als Ganzes genommen tendieren sie dazu, Dundees Erklärung zu unterstützen, daß es sich bei Gog und Magog um Dämonen handelt, und dazu seine Behauptung, die althergebrachte Aufgabe der Templerheiltümer sei es, die Dämonen in Schach zu halten und zu beherrschen.«

Es folgte nachdenkliches Schweigen.

»Wunderbar«, sagte McLeod schließlich säuerlich. »Wir haben es mit Dämonen zu tun, zu deren Unterwerfung die Weisheit Salomons notwendig war – und wer immer Nathan Fiennes Siegel gestohlen hat, kann sie auf die Welt loslassen.«

»Wir müssen ihn aufhalten«, sagte Peregrine. »Aber wie?«

Sir John warf einen Seitenblick auf Adam. Seine braunen Augen glänzten unter der ruhigen Stirn. »Ich glaube, Adam kennt schon *seinen* Auftrag in dieser Hinsicht.«

»Aye, es scheint unausweichlich zu sein«, erwiderte Adam. »Es sieht so aus, als sollten wir morgen nach Fyvie fahren und meine ›Schwester‹, die Grüne Dame, bitten, uns dabei zu helfen, die Krone aus ihrem Versteck zu holen.«

»Wollen wir das wirklich tun?« fragte Peregrine und blickte unschlüssig drein. »Ich meine, wenn die Krone dort sicher ist, wo sie sich befindet, wäre es dann nicht besser, sie im Verborgenen zu lassen?«

»Das wäre der Fall«, sagte Sir John, »wenn nicht die Tatsache im Raum stünde, daß der Dieb, der das Siegel gestohlen hat, sicher auch hinter der Schatulle her ist, wahrscheinlich in der irrigen Annahme, daß sie eher einen Schatz als eine Gefahr enthält. Wenn er wußte, was das Siegel über seinen Wert als antikes Objekt hinaus darstellt, dann verfügt er so gut wie sicher über die Fähigkeit, sie als ein okkultes Verbindungsglied zu verwenden, das ihm hilft, die Schatulle ausfindig zu machen. Ob er die Bedeutung der anderen beiden Heiltümer schon mitbekommen hat oder nicht, weiß ich nicht. Aber wenn Sie vor ihm an die Krone gelangen können, Adam, dann sollten Sie in der Lage sein, sie dazu zu verwenden, sowohl das Zepter als auch die Schatulle ausfindig zu machen – hoffentlich, bevor er mit dem Siegel an sie herankommt.«

»Mein Gott, Sie glauben doch nicht *wirklich*, er würde so dumm sein, einfach die Schatulle zu öffnen, oder?« fragte Peregrine mit großen Augen.

»Leute, die diese Art von Dingen tun, sind dumm genug, um fast alles zu versuchen, junger Mann«, brummte McLeod und fuhr mit einer Fingerspitze am Rand seiner Tasse entlang. »Er weiß es nicht, aber er befindet sich Lebensgefahr. Wenn wir nicht als erste dorthin kommen, dann wird er wahrscheinlich als Toter oder als Verrückter enden – und Gott weiß, wer sonst noch darunter leiden wird.«

»Das ist der Grund, warum *wir* vorbereitet sein müssen«, sagte Adam. »Und das bedeutet, daß wir uns die Krone und das Zepter beschaffen müssen, bevor wir einen Schritt in die Nähe der Schatulle tun. Dundee hat uns gesagt, daß die Krone ihrem Träger Weisheit und unentbehrliches Wissen verleiht – vermutlich darüber, wie die Macht auszuüben ist, die das Zepter bündelt – und daß sie ihn auch vor dem Wahnsinn des Bösen schützt. Also besteht unsere Aufgabe nicht nur darin, den Dieb davon abzuhalten, daß er die Dämonen freisetzt; wir müssen sicher sein, daß wir dann, wenn er damit Erfolg hat, bevor wir ihn aufhalten können, in der Lage sind, wieder ungeschehen zu machen, was er getan hat: Wir müssen sozusagen den Geist wieder in die Flasche zurückbefördern. Wir müssen von der Annahme ausgehen, daß die Dämonen nicht mit Hilfe des Siegels und der Krone und des Zepters vernichtet werden können, denn sonst hätte Salomon es schon getan. Doch es mag genügen, die Dämonen wieder in ihr Gefängnis zu bannen – solange wir vermeiden können, dabei selbst zu Dämonenfutter zu werden ...«

Kapitel 19

Nach einer weiteren Stunde der Diskussion in der Bibliothek zogen sich alle zurück. Adam fühlte, wie die Müdigkeit in Wogen über ihn hereinflutete, als er mit McLeod und Peregrine die Treppen hinaufstieg. Es war fast, als wartete sie auf dem Stockwerk auf ihn, um ihn mit jedem Schritt nach oben, den er tat, noch enger einzuhüllen. Er machte sich mit einer mechanischen Konzentration fürs Bett bereit, die die Masse an Informationen, die er zuvor aufgenommen hatte, umging und nicht berührte – ein sicheres Zeichen dafür, daß seine Arbeit in dieser Nacht noch nicht zu Ende war; sein Unbewußtes assimilierte pflichtgemäß, was er erfahren hatte, und begann die nächste Strategie zu formulieren. Fast in dem Augenblick, als er den Kopf auf das Kissen legte, fiel er in einen tiefen, schweren Schlaf.

Anfangs brachte ihn sein tiefes Bedürfnis nach physischer Erholung tief unter die Traumschwelle. Doch als sein Körper begann, seine verbrauchten Energien wiederzugewinnen, begann sich sein Selbst zu regen und stieg langsam aus dem Zwischenzustand des tiefen Schlafs auf Ebenen visionären Bewußtseins. Eine Zeitlang ließ sich dieser okkulte Aspekt seines Seins noch ohne offensichtliches Ziel durch die Galerien jüngster Erinnerungen treiben, wie ein Reisender im Urlaub auf einem gemächlichen Rundgang durch eine Bildergalerie. Szene um Szene zog an ihm vorüber, bis er schließlich zu einem prächtigen Gemälde in einem antiken Goldrahmen gelangte.

Die Leinwand wurde von einer bärtigen Gestalt auf einem Königsthron beherrscht, in der Adam sofort König Salomon erkannte. Der große König von Israel war so gekleidet, wie Adam ihn schon in seinem früheren Traum gesehen hatte: in wallenden scharlachroten Gewändern, mit kabbalistischen Symbolen bestickt waren – doch diesmal trug er das Siegel an einer schweren Goldkette um den Hals. Sein wallendes silbernes Haar wurde von einem goldenen Diadem zusammengehalten, das die Form eines Sterns mit sechs nach oben gebogenen Zacken besaß, und er hielt in der rechten Hand das Zepter seines Herrschertums, das mit einer verborgenen Macht glühte. Zu seinen Füßen stand eine große goldene Schatulle, deren Deckel vier geflügelte Figuren zierten, die Adam an die apokalyptischen Visionen von Ezechiel und an Beschreibungen der Bundeslade erinnerte.

Als er staunend auf das Gemälde schaute, schien plötzlich Leben in die Szene zu kommen: sie dehnte sich aus und zog Adam mitten in sich hinein. Plötzlich stand er vor dem Thron des großen Königs, in das Saphirblau seines üblichen Arbeitsgewandes gekleidet, und er neigte in Hochachtung sein Haupt. Doch als er sich aufrichtete, verdunkelte ein schwefeliger Windstoß die Luft über ihnen, und der Boden unter seinen Füßen erbebte von einem plötzlichen Donnerknall.

Salomon erhob sich rasch von seinem Thron und blickte nach oben. Als Adam seinem Blick folgte, sah er, wie brodelnde Wolken von widerwärtigem Gelb über dem Baldachin zusammenströmten, aufgeladen mit dem giftigen Geflacker grünlicher Flammen. Zu seinem Schrecken und Entsetzen wurden die Wolken zu zwei monströsen menschenähnlichen Gestalten mit sich ringelnden, tentakelähnlichen Gliedmaßen – Gliedmaßen, die jeweils in einem blinden Maul endeten, das seine Reißzähne bleckte. Die Kreaturen stürzten sich auf den großen König, als wollten sie ihn in Stücke reißen, und spien und kreischten in ihrem Hohn.

Mit Blitzen in den dunklen Augen hob Salomon das Zepter und richtete es mit einer gebieterisch befehlenden Geste auf die Dämonen. Ein reinigender Blitz loderte von der Spitze des Zepters himmelwärts und zerstob in einem Netz strahlender Energie, das die beiden Dämonenwesen mitten in der Luft einfing und sie in einem engen Geflecht aus feurigen Fäden gefangenhielt. Gelähmt blieben sie hängen und heulten vor Schmerz und sinnloser Wut.

Das Zepter immer noch hochhaltend, kniete Salomon nieder und öffnete den Deckel der Schatulle mit der freien Hand. Dann erhob er sich wieder zur vollen Größe, sprach ein Wort königlicher Machtbefugnis und zeigte mit dem Zepter auf die offene Schatulle zu seinen Füßen. Auf der Stelle begannen die beiden Dämonenwesen in dem Netz, das sie festhielt, zu schrumpfen und wurden unwiderstehlich nach unten gezogen und in die Schatulle gezwungen.

Taub für ihr Geheul, das bärtige Gesicht unbewegt wie Eisen, beugte sich Salomon über die Schatulle und klappte den Deckel zu – mit einem Knall, der in der Luft um ihn herum nachhallte. Eine Berührung mit der Spitze des Zepters legte eine Raute aus flüssigem Gold über die Fuge, wo der Deckel auf den Korpus der Schatulle auftraf, wie ein heißes Eisen beim Löten. Dann nahm der große König die Kette vom Hals, faßte das Siegel und drückte es fest in das geschmolzene Metall. Als er es wieder fortnahm, war sein Abdruck vor Adams erstaunten Augen deutlich zu sehen, als wäre er mit Feuer gezeichnet – ein sechszackiger Stern aus ineinandergeschobenen Dreiecken, umgeben von einem Geschnörkel kabbalistischer Zeichen, von denen jedes mit der Macht zu fangen und zu binden geladen war.

Das Symbol blitzte mit plötzlicher, strahlender Intensität auf. Geblendet warf Adam einen Arm vor sein Gesicht und schrak zurück. Als er auf die Knie fiel, schien er eine tiefe Stimme sprechen zu hören, und die Worte klangen in seinen Ohren wie eine Prophezeiung.

Ashrei adam matsah chokmah.
Eits chaim hi la'machazikim.
Bah ve tomchehah meushar ...

Ein Gefühl der Dringlichkeit zerrte ihn halb ins Bewußtsein – er wurde gerade wach genug, um den Impuls zu erkennen, der fast einem Zwang glich und ihn sich im Bett aufrichten ließ und anleitete, nach dem Taschennotizbuch und dem Stift zu tasten, die er vor dem Zubettgehen auf dem Nachttisch zurückgelassen hatte. Das Mondlicht, das noch durch das Fenster floß, war gerade ausreichend, um Stift und Notizbuch ausfindig zu machen, und seine Hand begann sich wie aus eigenem Antrieb zu bewegen, während er in diesem Dämmerzustand zwischen Wachen und Schlafen verharrte, der ihm schon oft Zugang zu innerer Weisheit gewährt hatte.

Er versuchte nicht zu erkennen, was seine Hand schrieb, denn den Prozeß zu analysieren hätte möglicherweise bedeutet, ihn zu unterbrechen. Er hielt sich das Bild Salomons vor Augen, bis seine Hand ihre Kraft verbraucht hatte und Stift und Notizbuch unbeachtet auf den Nachttisch zurückfielen, als das Bewußtsein wieder in die inneren Reiche zurückwich. Als er auf sein Kissen sank, begleiteten ihn unauslöschliche Visionen einer goldenen Schatulle und eines feurigen Siegels, während er erneut nach unten in die Tiefe des Schlafes sank ...

Das Siegel schien noch heller zu werden, als Henri Gerard seinen Blick darauf richtete. Es lag in seine ausgestreckten Hände gebettet. Ein paar Zentimeter von der Stelle entfernt, wo er kniete, glühte eine faustgroße Kugel aus Bergkristall auf einem quadratischen Tuch aus schwarzem Samt, das auf dem Boden seines Edinburgher Pensionszimmers ausgebreitet lag. Die ziemlich geschmacklosen Möbel waren alle zurückgeschoben und mit frischen weißen Laken abgedeckt worden. Im Kerzenlicht konnte er sich vorstellen, der Raum sei ein richtiger Tempel, in dem er arbeitete. Auf jeden Fall diente das Zimmer seinem Zweck.

Gerard hatte drei Tage lang gefastet und sich vorbereitet, bevor er dieses Wagnis einging; jetzt wurden seine Bemühungen belohnt. In Regenbogenfarben gebrochene Lichter aus dem Inneren der Kugel begannen wie Irrlichter an den vier Wänden des Zimmers herumzutanzen. Als Gerard schließlich seinen Blick auf das Herz der Kugel richtete, begann sich in den Tiefen des Kristalls ein dunstiges Bild zu formen.

Allmählich wurde es schärfer und eröffnete ihm eine Nahsicht auf einen sechszackigen Stern, der in reines Gold geprägt war, umkränzt von einem Geschnörkel in hebräischen Schriftzeichen – das Spiegelbild des Siegels, das er in den Händen hielt.

Gerard, der kaum zu atmen wagte, zwang mit seinem Willen den Fokus des Blickes sich auszuweiten – denn ohne einen Bezugspunkt war der bloße Anblick des Abdrucks des Siegels nutzlos. Er spürte, wie seine Energie verbraucht wurde, aber die Bemühung brachte Ergebnisse. Vor seinem verzückten Blick begann das Bild langsam zurückzuweichen und enthüllte gleichzeitig die Stelle, wo sich der Abdruck des Siegels an der Seite einer großen, schreinartigen Schatulle aus Gold befand, deren Deckel vier geflügelte goldene Kreaturen krönten.

Gerards Augen weiteten sich in einer fast fiebrigen Gier, als sich die Szene in der Kugel weiter ausdehnte und flackerndes Fackellicht auf die goldenen Figuren fiel, so daß sie fast belebt wirkten. Die Schatulle wurde von vier Tempelrittern in weißen Mänteln auf zwei langen hölzernen Stangen zu einem steinernen Torbogen getragen. Zwei weitere Ritter, ebenfalls in Mänteln, folgten gleich hinter der Schatulle; im Schein der Fackeln, die sie trugen, wirkten ihre unbewegten Gesichter, als wären sie aus Eisen.

Während Gerard zuschaute, trugen die Templer die Schatulle durch den Torbogen und dann eine lange Flucht von Steinstufen hinab. Am Fuß der Treppe öffnete sich ein weiterer steinerner Durchgang nach rechts, und der Zug der Ritter folgte ihm bis zum Ende. Hier warteten zwei Steinmetze mit staubigen Schürzen an einem Haufen von Bausteinen, die neben einer teilweise zugemauerten Türöffnung in der linken Wand aufgeschichtet waren.

Die vier ritterlichen Träger bogen nach links ab und trugen ihre Last vorbei an den wartenden Handwerkern durch die verbliebene Türlücke. Die beiden begleitenden Ritter blieben zurück und postierten sich links und rechts von der Tür. Ihre erwartungsvollen Mienen lenkten Gerards von der Kristallkugel gespeisten Blick auf die Utensilien, die sie jetzt unter ihren Mänteln hervorzogen. Eines davon war leicht als das Siegel zu erkennen; das andere war ein metallischer Stab mit einem schweren Knauf und einem handgroßen Stern an der Spitze, und dieser Stern wurde aus zwei ineinandergeschobenen Dreiecken aus Gold gebildet – der Stab war eine Art Zepter in einer seltsamen, altertümlichen Form.

Das Zepter zog Gerards Blick an wie ein Magnet. Als er es weiter betrachtete und mit seinem Willen weiteren Aufschluß darüber forderte, wurde der Griff seiner Finger um das Siegel ungewollt stärker. Seine latente Energie ließ die Nervenenden in seinen Fingern kribbeln. Er holte tief und heiser Luft, schloß die Augen und zog sich noch tiefer in die Trance zurück, während er sich ausstreckte und abmühte, das Zepter mit einem forschenden Finger seines Geistes zu berühren.

Die Anstrengung forderte ihn bis an die Grenzen seiner Fähigkeiten. Die Belastung näherte sich schon körperlichem Schmerz. Er beugte sich tief über das Siegel und streckte sich bis zum äußersten, tat einen letzten blinden Griff und erkaufte sich einen kostbaren Augenblick der Einsicht. Dann riß er sich wie ein Mann, der gefährlich nah am Rand eines Abgrundes dahinschwankt, mit einem Ruck zurück in Sicherheit.

Sein Herz klopfte wild, das Blut pochte ihm in den Schläfen, und es klangen ihm die Ohren. Seine Hände waren vom andauernden Halten des Siegels verkrampft, und er stöhnte ein wenig über den Schmerz, als die Blutzirkulation wieder einsetzte, während er die Hände weit genug öffnete, um das Siegel auf den schwarzen Samt zu legen, der die Kristallkugel umgab. Als er sich zitternd wieder in seine kniende Haltung aufrichtete und sich auf seine Fersen setzte, entdeckte er, daß seine Bemühungen ihm auch Nasenbluten beschert hatten. Er drückte ein Taschentuch an die Nase und neigte seinen Kopf nach hinten, während er sich mit dem Willen wieder ins Gleichgewicht zwang und versuchte, nicht an den roten Flecken zu denken, der jetzt das weiße Gewand verunzierte, das er trug. Mit einem Gefühl der Übelkeit, am ganzen Körper bebend, zwang er sich einige Minuten sehr still zu sitzen, während sein Atem sich allmählich wieder beruhigte und sein Herzklopfen nachließ. Schließlich raffte er sich ausreichend auf, um einen langen tiefen Atemzug zu tun und die Augen zu öffnen.

Einen Augenblick lang war alles um ihn herum verschwommen. Dann stabilisierte sich sein Blick und zeigte ihm die prosaische Umgebung seines Zimmers in der Pension, das außerhalb des Kreises, den er mit Klebeband auf dem schmuddeligen Teppich markiert hatte, gewöhnlich und ein wenig verwahrlost wirkte. An den Spitzen des sechszackigen Sterns, den er innerhalb des Kreises gezeichnet hatte, brannten Kerzen; er selbst, sein schwarzes Samttuch, die Kristallkugel und das Siegel besetzten das Hexagon in der Mitte des Sterns.

Als er zitternd aufstand und dabei sein erblaßtes Ebenbild im Spiegel an der Tür des Kleiderschranks erblickte, verzog er die Lippen zu einem triumphierenden Grinsen. Obwohl er sich noch ausgesprochen unwohl fühlte, waren doch die Nachwirkungen der Erschütterung, die er fühlte, ein vergleichsweise geringer Preis für das Wissen, das er durch dieses Erlebnis gewonnen hatte. Immer noch grinsend zog er den schwarzen Samt über das Siegel und die Kugel, dann machte er sich daran, die Schutzzauber aufzulösen, die er um sich herum errichtet hatte, bevor er mit seiner Arbeit begann. Als alle Spuren getilgt waren – die Kerzen gelöscht, das Klebeband wieder abgezogen, die Möbel wieder aufgedeckt und an ihre richtigen Stellen geschoben –, erst dann gestattete er sich, auf dem Bett zusammenzusinken, und – wieder mit dem Siegel in der Hand – den Inhalt einer Plastikeinkaufstasche zu untersuchen, den er vor einigen Tagen erworben hatte.

Der Stapel von Generalstabskarten deckte den größten Teil des südlichen Schottlands ab, aber vor dem Beginn der Arbeit dieser Nacht hatte er schon vermutet, daß diejenige, die er wirklich brauchte, die der hiesigen Region Midlothian war. Er verbrachte die nächsten paar Minuten damit, ihre detaillierte Darstellung gierig zu studieren, bis er fand, was er suchte. Dann griff er nach dem Telefon auf dem Nachttisch.

Kurz nach Tagesanbruch wachte Adam erneut auf. Er fühlte sich körperlich größtenteils erholt, aber mental unruhig. Als er sich im Bett aufsetzte, war sein erster Gedanke, nach dem Notizbuch zu tasten, in das er, wie er wußte, während der Nacht *irgend etwas* geschrieben hatte. Er fand es und seinen Stift neben dem Bett auf dem Boden und war etwas überrascht, als er entdeckte, daß er die Zeilen nicht auf englisch, sondern auf hebräisch festgehalten hatte.

Er starrte auf die fremdartige Schrift und schaltete mental um. Seine Kenntnisse des Hebräischen waren bestenfalls rudimentär, aber ihm fiel genug davon ein, um die Grundbedeutung dessen zu enträtseln, was er geschrieben hatte, besonders da er ja erst vor einer Woche sein Gedächtnis bei Nathans Totenfeier aufgefrischt hatte. Stockend kritzelte er auf die gegenüberliegende Seite eine Rohübersetzung, dann murmelte er laut, was er geschrieben hatte.

Glücklich der Mann, der Weisheit findet.
Wer nach ihr greift, dem ist sie ein Lebensbaum,
Und wer sie festhält, ist glücklich zu preisen …

Selbst in dieser gewiß schwerfälligen Übersetzung klangen die Worte nach Gedichtzeilen. Genauer noch, er war sich sicher, daß er diesen Zeilen schon einmal begegnet war – höchstwahrscheinlich im Buch der Sprüche, von dem es hieß, es sei ein Kompendium von König Salomons eigenen Worten. Ihm fiel ein, daß es in den Bücherregalen unten im Erdgeschoß in Oakwoods umfangreicher Bibliothek mehrere Bibeln gab, und er kam zu dem Schluß, es würde sich lohnen, seine Hypothese noch vor dem Frühstück zu überprüfen. Nach dem zu urteilen, was er bis jetzt über Sir John Graham erfahren hatte, vermutete er, daß er dort durchaus auch hebräische Quellen finden würde.

Durch diese Aussicht schlagartig veranlaßt, etwas zu tun, sprang er aus dem Bett und tappte eilig in das benachbarte Badezimmer, um sich schnell zu duschen und zu rasieren, danach zog er sich an und lief nach unten. Wie er gehofft und erwartet hatte, befand sich in der Bibliothek niemand. Er schloß die Tür leise hinter sich, schaltete eine Deckenlampe ein und machte sich an die Arbeit.

Er brauchte nicht lange, um zu finden, was er benötigte. Zu seiner nicht sonderlich großen Überraschung gab es einige Bände mit Bibelkommentaren sowie eine Konkordanz auf dem Bord neben vier oder fünf verschiedenen Übersetzungen der Bibel. Unter Benutzung der Konkordanz, einer King-James-Übersetzung, einer Ausgabe der lateinischen Vulgata und eines Alten Testaments auf hebräisch entdeckte er bald, daß die Zeilen, die er in der vergangenen Nacht aufgezeichnet hatte, tatsächlich aus dem Buch der Sprüche stammte: es waren die Verse 13 und 18 des 3. Kapitels. Er legte die Texte offen vor sich auf den Tisch und starrte auf die leicht unterschiedlichen Übersetzungen, während er über ihre Beziehung zu dem Traum nachdachte.

Eine weitere Vision von Salomon, die die Heiltümer zeigte, und diesmal auch die Schatulle. Und ein direktes Zitat aus einem Buch der Sprüche, von denen es hieß, sie seien Worte von König Salomon selbst. Je mehr Adam darüber nachdachte, desto sicherer wurde er sich, daß die volltönende Stimme, die er in seiner Vision gehört hatte, tatsächlich eine direkte Anweisung des großen Königs gewesen war. Er erwog immer noch die mögliche Bedeutung dieser Schauung, als sich die Bibliothekstür hinter ihm öffnete.

»Du lieber Himmel, Sie sind ja früh auf!« rief eine weibliche Stimme überrascht aus. »Nach dem gestrigen Abend hatte ich eigentlich erwartet, Sie würden lange schlafen.«

Adam drehte sich um. Die schlanke Gestalt in der Tür gehörte Caitlin Jordan. Ihr kastanienbraunes Haar war vom frühmorgendlichen Sonnenlicht überschimmert; ihre braunen Augen blickten ihn fragend an. Adam erhob sich aus seinem Sessel, lächelte schief und sagte: »Guten Morgen. Ich hoffe, ich habe Sie nicht erschreckt. Wenn ja, dann tut es mir leid.«

»Ganz und gar nicht. Es ist nur, daß im allgemeinen

ich hier als erste auf bin.« Als sie die Bücher auf dem Tisch vor Adam bemerkte, fügte sie hinzu: »Noch mehr Nachforschungen, wie ich sehe. Ich schließe daraus, daß die Dinge tiefer eingesickert sind, während Sie schliefen.«

Adam sah keinen Grund, warum er es leugnen sollte.

»Kurz nachdem ich eingeschlafen war, hatte ich einen recht intensiven Traum«, erzählte er. »Ein weiterer ›Besuch‹ von oder bei König Salomon. Ich muß gestehen, ich empfinde es als ein wenig beängstigend, Führung von einer so weisen Wesenheit wie dem großen Salomon zu bekommen, der wahrscheinlich die Verkörperung der Weisheit selbst darstellt – aber so ist es nun einmal. Er war es.«

Caitlin lachte leise in sich hinein und setzte sich neben ihn in den Sessel, den er für sie hergezogen hatte.

»Ich bin mir sicher, daß es beängstigend sein muß, so mitten in der Nacht«, stimmte sie ihm zu. »Würden Sie es gern im klaren Licht des Tages mir gegenüber loswerden? Wenn man darüber geredet hat, verstehen es vielleicht zwei Köpfe besser als einer.«

»Ich würde gerne wissen, was Sie davon halten«, erwiderte Adam. »Es ist wohl kaum eine Geschichte, die man auf nüchternen Magen erzählen sollte, aber folgendes ist geschehen.«

Während sie neben ihm saß und begierig lauschte, erzählte er ihr die Einzelheiten dieser zweiten Vision von Salomon. »Schließlich bin ich lange genug an die Oberfläche gekommen, um das hier niederzuschreiben – das heißt, nur das Hebräische.« Er reichte ihr das Notizbuch. »Es muß von woanders gekommen sein, denn ich bin mir sicher, ich hätte das Hebräische nicht von allein erinnern können. Lesen und Übersetzen sind eine Sache – und gewöhnlich komme ich im Hebräischen nur gerade so durch, selbst, wenn ich ein Wörterbuch zu Rate ziehe. Doch diesen Text nach dem gesprochenen Wort auf Hebräisch niederzuschreiben ist eine ganz andere Sache. Auf jeden Fall habe ich am Morgen diese grobe Übersetzung hingekritzelt.«

»Und Sie haben den Text hier in diesen Büchern aufgespürt?« fragte sie und beugte sich herüber, um auf die Bände zu schauen, die offen auf dem Tisch lagen.

»Ja. Die Zeilen sind aus dem Buch der Sprüche Salomons. Hier ist die King-James-Übersetzung, und da zum Vergleich die Vulgata.«

Glücklich der Mann, der Weisheit findet.
Wer nach ihr greift, dem ist sie ein Lebensbaum,
Und wer sie festhält, ist glücklich zu preisen …

Beatus homo, qui invenit sapientiam.
Lignum vitae est his, qui apprehenderit eam,
et qui tenuerit eam beatus.

Caitlin las in aller Ruhe die Verse durch.

»Nun, die erste Zeile scheint ziemlich unzweideutig«, sagte sie nach einigem Nachdenken. »*Glücklich der Mann, der Weisheit findet.* Wenn wir *Weisheit* als Synonym für *Wissen* nehmen, könnte sie sich einfach auf all die Kenntnisse beziehen, die Sie bis jetzt über die Schatulle und die Heiltümer haben sammeln können.«

»Nein, ich glaube, sie bezieht sich auf die Krone«, entgegnete Adam überzeugt. »Dundee sagte, die Krone verleihe die *Weisheit,* der Verrücktheit des Bösen zu widerstehen.« Er hob herausfordernd den Kopf. »Nun, da ist mir gerade ein Gedanke gekommen. Die jüdisch-christliche Tradition personifiziert die Weisheit sehr oft in einer Frau, der heiligen Sophia. Eine der Anklagen, die gegen die Templer vorgebracht wurden, lautete, daß sie angeblich einen Kopf verehrten – möglicherweise einen weiblichen Kopf. Ich frage mich, ob das einer Fehldeutung ihrer Verehrung der Krone Salomons und der Weisheit, die sie repräsentierte, entsprungen sein könnte?«

»Die Krone der Weisheit«, sagte Caitlin und nickte. »Da können Sie durchaus recht haben. Auf jeden Fall würde ich sagen, es sei ziemlich klar, daß Sie von Salomon selbst die förmliche Erlaubnis bekommen haben, sich seine Krone wieder zu holen.«

Als seine Augen ihrem Blick begegneten, holte Adam tief Luft. Es war eine berauschende Erkenntnis, aber die Bürde war ebenso beängstigend.

»Wenn Sie mit der Krone recht haben«, fuhr Caitlin fort, »dann beziehen sich die anderen Teile vielleicht auf das Zepter. Die King-James-Übersetzung erwähnt einen ›Lebensbaum‹, aber das lateinische *lignum* bedeutet eher Holz, einen Stock – oder im erweiterten Sinn einen Stab der Herrschaft, ein Zepter. *Wer nach ihr greift, dem ist sie ein Stab des Lebens, und wer sie festhält, ist in Sicherheit …*« Sie seufzte verwirrt. »Ich möchte ja keine Panik machen, aber für mich klingt das wie eine zusätzliche Warnung, daß die Krone allein nicht ausreicht, um Sie sicher durch die Ereignisse zu bringen, die vor Ihnen liegen.«

»Und unterstreicht wohl, was Dundee sagte – daß nämlich sowohl die Krone als auch das Zepter notwendig seien, um die Dämonen mit Sicherheit zu kontrollieren«, stimmte ihr Adam zu. »Und ich habe den Eindruck, daß das Zepter an der Setzung des Siegels beteiligt ist. Für Salomon schien es sicherlich so zu funktionieren.«

»Was bedeutet, daß Sie – selbst wenn Sie sich die Krone sich gesichert haben – es nicht wagen dürfen, sich an die Schatulle zu machen, bevor Sie nicht auch das Zepter gefunden haben«, sagte Caitlin. »Das zu tun wäre töricht, falls das Siegel dazu benutzt wurde, die Schatulle zu öffnen – und die Dämonen frei sind.«

Adam nickte. »Das macht unsere Aufgabe um so schwieriger, weil ich von der Auffindung der Krone, und was dazu nötig ist, sofort zu einer weiteren schwierigen Arbeit übergehen muß, nämlich sowohl die Schatulle als auch das Zepter zu finden. Doch darüber werden wir uns den Kopf zerbrechen, wenn die Zeit dafür gekommen ist.«

»Tja, inzwischen ist die Zeit fürs Frühstück gekommen«, meldete sich eine neue Stimme von der Tür her.

Adam und Caitlin drehten sich um und entdeckten Sir John, der sie von der Türschwelle her anlächelte. Seine Hände ruhten auf dem Knauf seines Spazierstocks.

»Guten Morgen, alle miteinander«, sagte er.

Caitlin lachte fröhlich und rollte in gespielter Bestürzung mit den Augen, während sie aufstand.

»Jetzt werden Sie verstehen, warum Gray im Geheimdienst so erfolgreich war«, sagte sie zu Adam und begrüßte dann ihren Urgroßvater mit einem zärtlichen Kuß. »Er kommt und geht immer noch wie die Cheshire-Katze!«

»Unsinn«, erwiderte Sir John und schlang einen Arm um ihre Taille. »Ihr beide wart einfach tief in eine anscheinend sehr fesselnde Unterhaltung versunken. Nein, erzählen Sie mir nichts darüber«, fuhr er fort, als Adam ansetzte zu sprechen. »Wenn Sie wollen, werden wir uns nach dem Frühstück beraten – und das wird, wie Linton mir mitgeteilt hat, gerade im Speisezimmer aufgetragen. Sie können noch länger hier verweilen, wenn Sie möchten, aber ich glaube, ich sollte Sie warnen, daß der junge Peregrine schon einen sehr begehrlichen Blick auf die Brötchen geworfen hat.«

»In diesem Fall sollten wir lieber sofort kommen«, sagte Adam mit einem Lächeln und steckte Notizbuch und Stift ein. »Mein junger Freund ist gewöhnlich ein Ausbund an Höflichkeit und Mäßigkeit, aber frische Brötchen sind leider eine seiner fatalen Schwächen ...«

Beim Frühstück waren fast doppelt so viele Personen zugegen wie am Abend zuvor. Als er das Speisezimmer betrat, wurde Adam zuerst Caitlins Großeltern, dem

Earl und der Gräfin von Selwyn vorgestellt, dann ihrer Mutter, Lady Jordan. Als er sich nacheinander würdevoll über die Hände der beiden Damen beugte, meinte Adam zu verstehen, woher Caitlin ihr Aussehen geerbt hatte.

»Wir haben sehr viel über Sie gehört, Sir Adam«, sagte Lord Selwyn. Er war ein kräftiger Mann mit silbernem Haar – Anfang Siebzig – und hatte einen festen und kraftvollen Händedruck. »Leider waren wir nicht hier, um Sie zu begrüßen, als Sie ankamen. Caitlins Vater sitzt nämlich im Oberhaus, wissen Sie, und Audrey, Sarah und ich waren über das Wochenende in London gewesen, um an einem Empfang teilzunehmen; wir sind erst sehr spät gestern abend heimgekommen. Ich hoffe, der übrige Haushalt war während unserer Abwesenheit in der Lage, für Ihr Wohlbefinden zu sorgen.«

»Die Gastfreundschaft war einzigartig«, versicherte ihm Adam, »um so mehr, wenn man bedenkt, daß wir uns erdreisteten, uns hier ziemlich kurzfristig für die Nacht einzuquartieren. Ich hoffe, wir haben das Personal nicht in Aufruhr versetzt.«

»Das Personal ist, das wage ich zu sagen, durchaus in der Lage, mit noch weit größeren Krisen fertig zu werden«, erwiderte Lady Selwyn. »Schon Linton allein hat uns durch mehr Stürme geschippert als ein Yankee-Clipper auf der Fahrt nach China um Kap Horn.«

Während des Frühstücks, bei dem sie sich an einem üppigen Büffet bedienten, unterhielt Lady Selwyn sie mit einer Folge von Anekdoten, die die bemerkenswerte Kaltblütigkeit ihres Butlers angesichts von Haushaltskatastrophen schilderten. Adam, der mit der übrigen Frühstücksgesellschaft zuhörte und lachte, wurde dadurch angeregt, ein paar eigene Geschichten aus den häuslichen Annalen von Strathmourne beizutragen.

»Es klingt so, als gehörten Linton und mein Humphrey zur gleichen Art«, schloß er mit einem Lächeln.

»Wenn Sie wieder einmal eine Gelegenheit zu einem Besuch nördlich der Hadriansmauer haben, müssen Sie auf Strathmourne vorbeischauen und sich selbst davon überzeugen.«

Das Frühstück endete in einer Stimmung gegenseitiger Sympathie. Während Caitlin und ihre Mutter Peregrine und McLeod zu einem letzten Rundgang durch die Rosengärten mitnahmen, lud Sir John Adam wieder in die Bibliothek ein, um alles, was bei ihrer Arbeit herausgekommen war, einer letzten Bewertung zu unterziehen.

»Dem, was Sie und Caitlin bezüglich der salomonischen Botschaft herausgefunden haben, würde ich zustimmen müssen«, sagte Sir John, als er Adams Bericht gehört hatte. »Und die Geschichte mit dem Haupt, das die Templer verehrt haben sollen, klingt plausibel. Ich weiß, daß einige Gelehrte versucht haben, diese Sache mit einem der zahlreichen Kulte um das Haupt zu verknüpfen, aber die kommen hauptsächlich aus keltischen Quellen, und ich war immer der Meinung, daß die Verbindung der Templer zu der Haupt-Verehrung ihren Ursprung im Mittleren Osten hat. Salomons Krone würde in diese Hypothese passen.

Doch was uns jetzt beschäftigt, ist die derzeitige Verwendung der Krone«, fuhr er fort, griff in seine Tasche, holte die Schmuckschachtel mit dem Templerkreuz heraus und reichte sie Adam. »Sie dürfen auch das hier nicht vergessen. Abgesehen davon, daß es Ihr Schlüssel ist, mit dem Sie die Grüne Dame dazu bringen, Ihnen zu helfen, können Sie es als zusätzlichen Schutz von Nutzen finden, da es sich um ein Abzeichen handelt, das lange mit dem Templerorden und dessen Beschützerfunktion verbunden war. Ich würde Ihnen raten es zu tragen, besonders wenn Sie sich daran machen, sich mit der Schatulle zu befassen.«

Adam nickte und ließ die Schachtel in eine Jackentasche gleiten. »Das werde ich tun. Und danke für all

Ihre Hilfe. Ich hoffe, Sie verstehen, daß bloße Worte des Dankes völlig unzureichend sind.«

»Aber Worte sind das, womit wir arbeiten müssen«, erwiderte Sir John mit einem wehmütigen Lächeln. »Ich bedauere nur, daß wir uns nicht schon früher begegnet sind und daß diese Begegnung unter solchem Zeitdruck stattfand. Doch vermutlich hilft nichts so sehr wie Zeitdruck, um das Unwesentliche beiseite zu schieben und sich auf das zu konzentrieren, was wirklich wichtig ist. Beim üblichen Lauf der Dinge hätte es vielleicht Jahre gebraucht, um dieses Maß an Vertrauen zu erreichen, das wir einander gestern abend entgegenbrachten, über die Unterschiede unserer Traditionen hinweg – und mit zweiundneunzig habe ich ja nicht mehr so viele weitere Jahre vor mir.«

»Dann ist es gut, daß wir all diese dazwischenliegenden Jahre übersprungen haben«, sagte Adam und lächelte, »denn soweit es mich betrifft, sind unsere Unterschiede sehr oberflächlich – außer daß ich in Ihnen ein Bild dessen sehe, was noch auf mich zukommen wird, wenn ich meinen eigenen Weg zum LICHT fortsetze. Ich empfinde es als ein Privileg, Ihnen begegnet zu sein, Gray – und ich fühle mich geehrt, daß ich mit Ihnen arbeiten durfte. Dürfte ich um Ihren Segen bitten, bevor wir auseinandergehen?«

Sir John blickte zuerst ein wenig überrascht drein, dann zeigte er sich erfreut. »Sind Sie sich sicher?«

»Ganz sicher.«

Während Adam den Kopf neigte, die Augen schloß und die Hände fallen ließ, spürte er, wie die Hände des Generals leicht sein Haar berührten, und dann empfand er die belebende Wirkung der Segnung, die ihn vom Scheitel bis zu den Zehen erfüllte.

»Ich gebe Ihnen den Segen aller Götter und Göttinnen, denen zu dienen ich das Vorrecht hatte«, murmelte Sir John, »und ich rufe deren Weisheit über Sie herab, damit sie Sie leite, und deren Kraft, damit sie Sie und die Ihren stärke und verteidige. Möge ihr heller Segen bei Ihnen sein und bleiben, während Sie im Dienst des Lichtes voranschreiten. Amen. Selah. So sei es.«

»So sei es«, wiederholte Adam und hob den Kopf, während Sir John seine Hände zurückzog. »Danke.«

»Ich danke *Ihnen.*«

Die Augen des Generals leuchteten etwas heller, als er durch die Fenstertüren nach draußen schaute, wo McLeod und Peregrine in Begleitung von Caitlin und Lady Selwyn zurückkamen.

»Ich glaube, Linton hat wahrscheinlich Ihre Sachen schon zum Auto hinuntergebracht«, sagte er etwas unvermittelt. »Wahrscheinlich sollten Sie sich auf den Weg machen. Sie werden doch nicht Ihren Flug verpassen wollen.«

»Nein, wir sollten wirklich losfahren«, stimmte ihm Adam zu. »Zu sagen, wir fahren jetzt nach Fyvie hoch, ist schön und gut, aber damit sind allerhand konkrete Dinge verknüpft. Ich glaube, daß wir realistischerweise nicht vor morgen abend dort sein werden. Es sind noch Vorarbeiten notwendig. Wir können ja nicht gut auf der Schwelle der Burg erscheinen und den Leuten dort sagen, warum wir wirklich gekommen sind.«

»Nun, die Krone muß das erste sein«, stimmte Sir John zu. »Ohne sie können Sie nicht einmal herausfinden, wo sich die Schatulle befindet, und noch weniger können Sie tun, wenn Ihr Mann dort als erster hingekommen ist. Reisen Sie jedoch so schnell, wie Sie können. Und gehen Sie keine unnötigen Gefahren ein.«

»Ein vernünftiger Rat«, erwiderte Adam. »Und ich werde Sie anrufen, sobald wir die Dinge zu einem glücklichen Ende gebracht haben – und Ihnen danach einen Augenzeugenbericht geben, sobald ich kann. Schließlich«, fügte er hinzu und klopfte auf die Tasche mit der Schmuckschachtel, »muß ich ja auch noch dieses Kreuz zurückgeben.«

Kapitel 20

Anstatt auf dem Weg zurückzukehren, den sie gekommen waren, fuhr McLeod sie über Ashford nach Norden, wobei er die Autobahn M20 nahm, dann London südlich auf der M25-Ringstraße umfuhr und sie auf der M23 nach Gatwick brachte. Ihr Rückflug landete in Edinburgh mit leichter Verspätung wegen des heftigen Regens kurz nach zwei. Humphrey empfing sie nicht am Flugsteig, aber er wartete auf sie am Randstein neben dem blauen Range Rover. Als er sie näher kommen sah, ging er um den Wagen herum und öffnete den Kofferraum für ihr Gepäck.

»Willkommen zu Hause, Sir«, sagte er, als er Adams Tasche nahm und sie verstaute. »Bevor Sie etwas fragen, heute ist für Sie mit Eilbote ein Päckchen aus York gekommen. Ich dachte, es könnte vielleicht dringend sein, deshalb nahm ich mir die Freiheit, es mitzubringen. Es befindet sich im Handschuhfach.«

»Das haben Sie wirklich gut gemacht, Humphrey!« murmelte Adam und tauschte einen Blick mit Peregrine und McLeod aus. »Das wird von Peter Fiennes sein. Ich frage mich, was er gefunden hat.«

Während Humphrey damit beschäftigt war, McLeods und Peregrines Taschen im Kofferraum unterzubringen, setzte sich Adam auf den Beifahrersitz und öffnete das Handschuhfach. Das Päckchen erwies sich als eine in Papier gewickelte Schachtel, ungefähr so groß wie ein dickes Taschenbuch, und war für seine Größe ziemlich schwer. Als die anderen das Auto bestiegen hatten und Humphrey losfuhr, hatte Adam die Schachtel geöffnet. Drinnen lag, in Schichten von Seidenpapier gewickelt, etwas Hartes und Schweres, wie ein steinerner Briefbeschwerer.

Obenauf lag eine Mitteilung von Peter. Adam nahm sie und las sie McLeod und Peregrine vor. Beide lauschten begierig auf dem Rücksitz.

»›Lieber Adam: Habe das gestern gefunden, während ich Dads Büro in der Universität ausräumte. Es scheint sich dabei um einen Abdruck des Siegels zu handeln. Ich dachte, vielleicht sollten Sie es auch haben – für den Fall, daß es bei Ihren Untersuchungen von Nutzen ist. Nochmals Dank für all Ihre Hilfe und Unterstützung.‹ Nun denn.«

Während Peregrine und McLeod zuschauten, hob Adam das Objekt vorsichtig aus seiner Verpackung und drehte es herum. Es entpuppte sich als ein rechteckiger Klumpen von dickem rotem Siegelwachs, der ein bißchen größer als die Handfläche eines Mannes war. In das Wachs gedrückt war das deutliche Abbild eines sechszackigen Sterns, der von zwei ineinandergeschobenen Dreiecken gebildet wurde und von kabbalistischen Schriftzeichen umringt war.

»Ein Abdruck des Siegels«, murmelte Peregrine, lehnte sich zwischen den beiden Rückenlehnen nach vorn und starrte darauf, die braunen Augen hinter der goldgefaßten Brille zusammengekniffen. »Wenn ich richtig hinschaue, kann ich sogar eine Hand sehen, die ein metallenes Siegel in das Wachs drückt – vielleicht die Hand von Nathan Fiennes.«

»Ich frage mich, warum er das getan hat«, bemerkte McLeod.

»Wahrscheinlich war er neugierig zu sehen, wie der positive Abdruck dreidimensional aussieht«, sagte Adam. »Oder vielleicht hat er sich darauf vorbereitet, das Muster jemandem zur Analyse vorzustellen. So oder so könnte es tatsächlich sehr nützlich sein, da es unsere erste deutliche physische Verbindung mit dem verschwundenen Gegenstand darstellt. Dieses Wachs ist tatsächlich mit dem Siegel in Berührung gekommen und trägt sein gespiegeltes Abbild.«

Während er sprach, sah er wieder mit seinem geistigen Auge das Bild, wie König Salomon sein Siegel auf die Schatulle setzte, die ein Dämonenpaar enthielt. Die Erinnerung löste in Adams Fingerspitzen ein sympathetisches Prickeln von dem Siegelabdruck aus, den er in Händen hielt. Die Nachwirkungen der Macht waren spürbar. Er hatte keinen Zweifel, daß das Objekt, mit dem der Abdruck erzeugt worden war, das Siegel selbst und keine Kopie war.

Peregrines Stimme holte ihn in die Gegenwart zurück. »Was haben Sie damit vor?«

»Einstweilen nichts«, sagte Adam. »Fragen Sie mich wieder, nachdem wir gesehen haben, was wir in Fyvie in Erfahrung bringen können.«

Sie setzten McLeod an seinem Haus in Ormidale Terrace ab und blieben lang genug, um schnell eine Tasse Tee zu trinken, während der Inspector im Polizeipräsidium anrief.

»Ja, gut, auf jeden Fall danke, Donald«, sagte er, kurz bevor er auflegte. »Ja, machen Sie auf jeden Fall da weiter. Ich sehe Sie dann morgen.«

Er machte ein niedergeschlagenes Gesicht, dann blickte er Adam an.

»Immer noch nichts über Gerard«, sagte er. »Es sieht so aus, als sollten wir diese Sache auf die schwierigere Weise fortsetzen.«

»Nun, wenigstens sind wir darauf jetzt besser vorbereitet als gestern um diese Zeit«, sagte Adam ernüchtert. »Kommen Sie, Peregrine. Ich brauche Ihre Hilfe bei einer Hausaufgabe, die ich zu Hause auf Strathmourne machen muß. Noel, wir melden uns später am Abend wieder bei Ihnen, wenn wir etwas über Fyvie herausgefunden haben.«

Wieder zurück im Herrenhaus zogen Adam und Peregrine sich in die Bibliothek zurück, wo sie die nächsten zwei Stunden damit zubrachten, die Bücher in der schottischen Abteilung nach Material über Fyvie Castle zu durchsuchen. Während Adam Bände über Geschichte und Volkskunde studierte, konzentrierte sich Peregrine auf Anmerkungen, die sich mit dem Grundriß und der Struktur der Burg befaßten.

Was er suchte, fand er in Band II eines Werkes mit dem Titel *Burgen- und Häuserbau in Schottland,* verfaßt von MacGibbon und Ross. Der Abschnitt über Fyvie Castle war ziemlich detailliert und umfaßte nicht nur Planzeichnungen der Stockwerke, sondern auch eine Anzahl von Illustrationen.

»Das ist vielleicht genau, was wir brauchen, Adam«, berichtete er über die Schulter. »Es ist alles ziemlich fachlich – eine ›Grüne Dame‹ wird nicht erwähnt –, aber es gibt eine Menge sonstigen Materials über die Art, wie die Burg gebaut ist. Hier, schauen Sie selbst.«

Er reichte Adam den gelbbraunen Band. Dieser betrachtete die ausführlichen schwarzweißen Grundrisse der Räume und nickte befriedigt.

»Das ist nützlich«, sagte er zu seinem jungen Helfer. »Ich habe ebenfalls einige interessante Informationen ausgegraben. Gemeinsam sollten wir in der Lage sein, herauszufinden, wo Grizel Seton ermordet wurde.«

»Was haben Sie denn gefunden?« fragte Peregrine und rückte näher.

»Zuerst einmal ein paar Leckerbissen aus der örtlichen Folklore, die einen Bezug zu unserer Sache haben könnten. Es scheint eine schon lange bestehende Tradition zu geben, daß ›der Teufel‹ auf Fyvie residieren soll, eingemauert in einen geheimen Raum.«

»Der Teufel!« murmelte Peregrine und wurde ein wenig blaß.

»Nun, entspannen Sie sich nur«, erwiderte Adam. »Ich erwarte nicht, daß wir dem Fürsten der Finsternis von Angesicht zu Angesicht werden gegenübertreten müssen. Vielleicht einigen seiner Lakaien ...«

»Adam, das ist gar nicht witzig!«

Adam warf Peregrine einen amüsierten Seitenblick zu und richtete dann seine Aufmerksamkeit wieder auf die Notizen, die er sich gemacht hatte.

»Der fragliche Raum scheint sich im Meldrum-Turm zu befinden, gleich unter dem Urkundenzimmer – hier auf Ihrem Plan. MacGibbon und Ross bezeichnen ihn sogar als versiegelt. Jeder Versuch, diesen Raum zu öffnen, soll einen ansonsten stillen Fluch auslösen, der dem Hausherrn Tod und seiner Gemahlin Blindheit bringt.«

»Du lieber Himmel! Hat denn jemals jemand versucht, den Fluch auszulösen?« fragte Peregrine mit großen Augen.

»Ja. Zwei Gutsherren drangen versuchsweise ein. Beide sind kurz darauf gestorben, und ihre Ehefrauen bekamen beide Probleme mit den Augen. Es ist wahrscheinlich kein Wunder, daß 1984, als die Burg zum Verkauf stand, alle in Betracht kommenden Käufer – den National Trust for Scotland eingeschlossen, der sie am Ende kaufte – als Pflicht auferlegt bekamen, einer Vereinbarung zuzustimmen, daß sie diesen Raum nie öffnen würden und nicht erlauben würden, ihn zu öffnen oder ihn mit Röntgenstrahlen oder anderen modernen Methoden der Bilderzeugung zu untersuchen.«

»Just für den Fall, daß der Teufel wirklich in Fyvie eingesperrt ist«, bemerkte Peregrine.

»Oder etwas *wie* ein Teufel.«

»Sie meinen, etwas wie Gog und Magog.« Peregrine hielt kurz den Atem an und machte große, runde Augen. »Adam«, flüsterte er, »Sie glauben doch nicht, daß die *Schatulle* sich dort auf Fyvie befindet, genau wie die Krone?«

»Ich meine eher nicht – obwohl ich doch vermuten würde, daß sie sich irgendwann in der Vergangenheit dort befunden haben könnte«, sagte Adam. »Das würde die Überlieferungen vom ›Teufel‹ erklären, ganz zu schweigen von dem nachwirkenden Einfluß von Bösartigkeit, der dort anscheinend noch nachhallt. Doch selbst wenn ich mit dieser Vermutung recht hätte, so ist die Schatulle seitdem so gut wie sicher weggebracht worden. Sobald die örtliche Sage aufgekommen war, wäre es nicht länger sicher gewesen, die Schatulle dort aufzubewahren.«

»Da haben Sie nur allzu recht«, stimmte ihm Peregrine zu. »Und ich denke nicht, daß Dundee die Krone nach Fyvie zur Aufbewahrung geschickt hätte, wenn die Schatulle dort ebenfalls noch gewesen wäre.«

»Es sei denn, er wußte nicht, daß sich die Schatulle dort befand«, erinnerte Adam ihn. »Aber ich glaube schon, daß man sie zu Dundees Zeiten woanders hingebracht hatte, selbst wenn er nicht wußte, wo sie schließlich gelandet war. Die Krone ist natürlich eine andere Geschichte.«

»Sie glauben also, sie wäre vielleicht in dem geheimen Raum versteckt worden? Falls die Leute wirklich dachten, der Teufel sei dort eingemauert, hätten sie die Krone wahrscheinlich nicht behelligt.«

»Nein, doch sie dort zu verstecken wäre zunächst schon ein heikles Vorhaben gewesen, falls dort wirklich etwas *ist*. Nein, wir werden uns in der Umgebung des Urkundenzimmers umschauen müssen, nur für den Fall, daß ich nicht recht habe. Aber ich denke, wir werden das, was wir suchen, hier oben finden, in der Nähe der Krone des Gordon-Turms.«

Als Adam auf den entsprechenden Raum auf dem Grundriß zeigte, kniff Peregrine die Augen zusammen und las die kleingedruckte Legende.

»Das Douglas-Zimmer«, las er. »Warum dort?«

»Weil dies das Zimmer ist, das mit der Grünen Dame in Verbindung gebracht wird«, sagte Adam, »und wenn es sich bei ihr um Grizel Seton handelt, dann ist sie es, die uns sagen kann, wo sich die Krone befindet, selbst wenn das Heiltum nicht in diesem Zimmer ist. Ich habe nichts weiteres finden können, um die Grüne Dame mit einem bestimmten Namen zu verknüpfen, aber der Raum selbst wird manchmal als das Mordzimmer bezeichnet – was sehr passend wäre, wenn Grizel dort ermordet worden wäre. Es soll sich sogar ein Blutfleck auf dem Boden befinden, der nicht abgewaschen werden kann.«

Peregrine nickte, offensichtlich beeindruckt. »Gegen diese Logik kann ich nichts ins Feld führen«, stimmte er zu. »Alles, was wir jetzt machen müssen, ist eine Methode herauszufinden, wie wir dort auftauchen und uns umschauen können, ohne daß jemand etwas merkt.«

Die Grimasse, die er dabei machte, löste bei Adam ein nachdenkliches Seufzen aus.

»Diese Frage habe ich mir auch schon gestellt«, sagte er. »Nur Zugang zu finden, ist natürlich kein Problem, da wir uns noch in der Fremdenverkehrssaison befinden und Fyvie während der üblichen Stunden für Besucher offensteht. Aber das allein macht die Sache eher zu öffentlich für unsere Zwecke. Falls wir außerhalb der üblichen Besuchszeiten Zugang zur Burg erhalten wollen, müssen wir meiner Meinung nach zu einem anderen Trick Zuflucht nehmen – am besten zu etwas, bei dem kein Einbrechen und heimliches Eindringen nötig ist.«

Peregrine schnaubte. »Na, da bin ich ja erleichtert. Ich bin mir nicht sicher, ob ich bereit wäre, in eine Burg einzubrechen.«

Adam nickte zerstreut und nachdenklich, dann sagte er: »Korrigieren Sie mich, wenn ich mich irre, aber stehen Sie nicht in den Verzeichnissen des National Trust als Experte, den man zu Rate ziehen kann, wenn es darum geht, die Echtheit eines bestimmten Werks im Besitz des Trust festzustellen?«

»Das stimmt«, erwiderte Peregrine. »Mein besonderes Fachgebiet sind die Werke von Sir Henry Raeburn. Auf Fyvie gibt es mehr als ein Dutzend davon, wissen Sie. Ich habe auch schon einige kleinere Restaurationsarbeiten für den Trust durchgeführt – aber ich bin nur einer von einer ganzen Armee qualifizierter Leute, an die sich der Trust wenden kann.«

»Das spielt keine große Rolle«, sagte Adam. »Haben Sie jemals an einem der Porträts gearbeitet, die in Fyvie untergebracht sind?«

»Nicht in offizieller Mission«, sagte Peregrine. »Ich bin natürlich mit den Raeburns vertraut. Doch das liegt nur daran, daß sie zu seinen vielen Arbeiten gehörten, die ich im Detail untersuchte, als ich an meiner Dissertation arbeitete.«

»Haben Sie sie im Original untersucht?«

»Ja, natürlich. Wenn man lernen will, die einzelnen Charakteristika des besonderen Stils eines Künstlers zu unterscheiden, kann man nicht nach Fotografien oder Kopien arbeiten.«

»Wer hat Ihre Studienbesuche für Sie arrangiert?«

»Mein Betreuer an der Akademie hat sie mit dem Verwalter der Burg vereinbart«, sagte Peregrine. Er sah Adam mit Eulenaugen an und fügte hinzu: »Ist das wichtig?«

»Es könnte wichtig sein«, antwortete Adam, »abhängig davon, ob sich der Burgverwalter noch an Sie erinnert oder nicht.«

»Ich vermute, er erinnert sich noch an mich. Ich habe allerhand Stunden unmittelbar vor seiner Nase zugebracht, als ich mich mit den Raeburns beschäftigte«, sagte Peregrine. »Dabei gehe ich natürlich von der Annahme aus, daß er nicht ausgetauscht wurde, seit ich zum letzten Mal dort war. Ich werde gern in Fyvie anrufen und mich erkundigen, aber bevor ich das mache, könnten Sie mir nicht sagen, wohin das alles führen soll?«

Peregrine blickte ihn so bittend und fragend an, daß Adam unwillkürlich lächeln mußte.

»Natürlich. Wir brauchen eine gute Ausrede, um außerhalb der sonstigen Besuchszeiten nach Fyvie Castle hineinzukommen. Mit etwas Glück könnten Sie uns diese Ausrede liefern.«

Der Trick, den er dann beschrieb, war ziemlich einfach. Peregrines Antwort war ein verdutztes Grinsen.

»Für mich klingt das herrlich raffiniert«, sagte er. »Glauben Sie wirklich, das gelingt?«

»Unser Erfolg oder Mißerfolg wird auf lange Sicht zu einem großen Teil von Noels Fähigkeit abhängen, unverfroren hochzustapeln«, erwiderte Adam mit einem Lächeln. »Kurzfristig jedoch wird es Ihre Aufgabe sein, den Verwalter für die zugrundeliegende Idee zu begeistern.«

»Ich mache mit«, sagte Peregrine. »Mr. Lauder war immer ziemlich flexibel – er pflegte mich zu allen möglichen ungewöhnlichen Zeiten einzulassen, als ich meine Untersuchungen durchführte – aber vielleicht hat er den Gedanken gar nicht gern, daß ihn nach Ende der offiziellen Öffnungszeiten so kurzfristig angekündigte Besucher heimsuchen.«

»An dem Zeitfaktor können wir nichts mehr ändern. Zeit ist etwas, von dem wir verzweifelt wenig haben«, erinnerte ihn Adam.

»Ich weiß«, sagte Peregrine. »Aber lassen Sie mich mal sehen, was ich tun kann – wenn allerdings Lauder versetzt wurde, dann kann alles umsonst sein.«

Die Telefonnummer von Fyvie Castle war in einem der Reiseführer aufgelistet, die Adam zu Rate gezogen hatte. Peregrine nahm das Büchlein, ging zu Adams Schreibtisch und griff nach dem Telefon. Während er wählte, drehte er sich um und blickte dann Adam gespannt an.

»Hallo, ich würde gerne mit Mr. Frederick Lauder sprechen, bitte«, sagte er. »Hier ist Peregrine Lovat.«

Es gab eine kurze Pause, als der Anruf in die Verwaltung weitergeschaltet wurde.

»Mr. Lauder – hier ist Peregrine Lovat – Mr. Bottomleys Student«, sagte Peregrine, als er richtig verbunden war. »Ja, das stimmt – derjenige, der die Raeburns untersuchte. Nein, zur Zeit arbeite ich außerhalb von Edinburgh. Ja, mir geht es sehr gut, danke. Ich rufe Sie an, um zu fragen, ob ich Sie um einen Gefallen bitten dürfte ...«

Dann fuhr er fort und erklärte, worum es ging. Als Adam Peregrines Teil des Gespräch lauschte, war er erleichtert zu hören, daß Lauder den Vorschlägen des jungen Künstlers keinen besonderen Widerstand entgegenzusetzen schien. Als Peregrine schließlich den Hörer auflegte, war sein Gesicht vor Triumph gerötet.

»Wir haben es geschafft!« verkündete er mit Jubel in der Stimme. »Lauder und seine Frau erwarten uns morgen abend gegen acht Uhr.«

»Ausgezeichnet!«

»Es gibt allerdings eine kleine Schwierigkeit.«

»Wie klein?«

»Nun, um seine Einkünfte zu erhöhen, vermietet der Trust Räumlichkeiten in einer Reihe seiner historischen Besitzungen«, erklärte Peregrine. »Für morgen abend ist auf Fyvie eine Festivität geplant – eine Abendgesellschaft mit Tanz für einen Verein von Nordseeöl-Managern aus Aberdeen. Es dürfte kein Problem darstellen«, fügte er hastig hinzu. »Wir müssen nur aufpassen, daß wir ihnen nicht über den Weg laufen.«

Adam rollte mit den Augen und zog erneut die Lagepläne zu Rate.

»Tja, wenn sie sich auf das Speisezimmer und den Salon beschränken, dürften sie dort, wo wir uns aufhalten müssen, nichts verloren haben«, entschied er. »Eigentlich könnte diese Feier eine Ablenkung darstellen, die zu unserem Vorteil wirkt. Zunächst bedeutet es, daß Ihr Mr. Lauder und seine Gattin wahrscheinlich zu sehr mit ihren Gästen beschäftigt sein werden, um viel darauf zu achten, was wir drei da treiben. Jetzt bleibt nur noch, Noel darin zu unterweisen, was er tun muß, um als Experte für Stuckdecken des siebzehnten Jahrhunderts überzeugend aufzutreten.«

Er rief McLeod an. Als der Inspector von dem Plan in Kenntnis gesetzt worden war, legte er verständliche Bedenken an den Tag.

»Warum ich?« brummte er vorwurfsvoll. »Mit dem, was ich über Kunst *nicht* weiß, könnte man ein ganzes Lexikon füllen. Wäre Peregrine dafür nicht besser geeignet?«

»Diesmal nicht«, erwiderte Adam. »Der Verwalter der Burg kennt ihn schon von seiner Arbeit an den Porträts.«

»Na gut«, gab McLeod widerwillig nach. »Aber warum *Stuckdecken*, um Himmels willen?«

»Wir brauchen Sie als Experte für etwas, das nicht aus dem Raum entfernt werden kann, den wir anschauen müssen«, sagte Adam. »Außerdem besteht unsere Ausrede für einen so kurz angekündigten Besuch darin, daß Sie nur an diesem Tag in der Gegend sein werden und die Zeit maximal ausnutzen wollen. Sie beraten mich über die Restaurierung der Decken auf Templemor.«

»Sie denken aber auch an alles«, versetzte McLeod mit einem resignierten Seufzer. »Also gut. Wenn Sie wollen, daß ich bis morgen ein Experte für Stuckdecken bin, dann sollte ich mich ja wohl beeilen und in die Bibliothek rennen, bevor sie schließt, und mir ein oder zwei Bücher über ornamentale Stuckarbeiten holen.«

»Das können Sie ruhig machen, wenn Sie wollen«, sagte Adam mit einem Lachen, »aber ich habe vor, Ihnen von Peregrine auf dem Weg nach Fyvie eine komplette Einführung geben zu lassen. Ihre Zeit wäre im Augenblick besser genutzt, wenn Sie daran arbeiteten, den Aufenthaltsort von Henri Gerard herauszubringen.«

»Da haben Sie recht«, gab McLeod zu, »allerdings habe ich damit bis jetzt noch nicht viel Glück gehabt. Um wieviel Uhr wollten Sie mich morgen bei sich haben? Wenn nötig, kann ich den ganzen Tag freinehmen, aber in den letzten paar Wochen habe ich mir schon recht oft freigenommen.«

»Könnten Sie um drei Uhr hier sein?« erwiderte Adam.

»In Ordnung. Ich hoffe doch, daß wir auch wissen, was wir da tun ...«

Kapitel 21

Der Inspector hielt Wort und traf Punkt drei Uhr am folgenden Nachmittag auf Strathmourne ein. Aus Rücksicht auf die Tatsache, daß er sich als Gelehrter geben sollte, hatte er seine vertraute schwarze Tasche mit der Aufschrift POLICE auf der Seite gegen eine kleinere braune Version ohne Aufschrift ausgetauscht. Doch die enthielt trotzdem die übliche Sammlung von Polizeiutensilien, unter anderem eine besonders starke Taschenlampe mit zusätzlichen Batterien, ein Mobiltelefon und seine Browning Hi-Power, dazu einige Reservemagazine. Er hatte auch drei Bücher über Schmuck an Bauwerken und einige Blätter mit zusammengekritzelten Notizen dabei.

»Die Nachforschungen nach Gerard haben nichts ergeben, also beschloß ich, schließlich doch etwas über Stuck zu lesen«, bemerkte er, als er seine Tasche in Adams Range Rover verstaute. »Sie hätten Janes Gesicht sehen sollen, als ich gestern abend diese Bände ins Haus schleifte. Als sie mich fragte, was ich damit wollte, sagt ich, ich dächte darüber nach, mich aus dem Polizeidienst zurückzuziehen und eine neue Karriere als Innenarchitekt zu beginnen. Schön, sagte sie, ich könne mir gleich morgen früh als erstes das hintere Schlafzimmer vornehmen.«

Adam lachte leise. »Das klingt ganz nach Jane. Sie macht sich doch keine Sorgen, oder?«

»Ich glaube nicht«, antwortete McLeod. »Sollte sie sich welche machen?«

»Nicht mehr als sonst«, erwiderte Adam. »Zumindest nicht im Augenblick. Kommen Sie herein und essen Sie einen Bissen, bevor wir uns dann auf den Weg machen.«

Humphrey hatte einen nahrhaften Imbiß aus Sandwiches und Suppe auf dem Tisch aufgebaut, auf dem in der Bibliothek noch Adams Bücher lagen. Obwohl Peregrine durchaus wußte, daß keine Zeit sein würde, unterwegs für eine richtige Mahlzeit anzuhalten, konnte er es doch nicht unterlassen, eine gequälte Grimasse zu ziehen, als Humphrey ihnen den Rücken zukehrte.

»Ich wünsche mir allmählich, die Dinge würden endlich in Bewegung kommen«, seufzte er und beäugte mißbilligend seinen Teller. »Mir kommt es vor, als hätten wir schon seit *Tagen* von Sandwiches gelebt.«

»Geben Sie acht, was Sie sich wünschen, junger Mann«, erwiderte McLeod mit einem Mund voller Brot und Schinken. »Wünschen Sie sich nur Schwierigkeiten, und Sie werden sie noch eher bekommen, als Sie damit gerechnet haben.«

Adam stand am Fenster und schaute in den grauen Nachmittag hinaus, während er ebenfalls an einem Sandwich kaute, doch bei diesem Wortwechsel drehte er sich um.

»Noel hat recht«, sagte er. »Wenn wir es vermeiden können, legen wir es nicht darauf an, daß etwas geschieht, bevor wir nicht so gut wie möglich darauf vorbereitet sind.«

»Nun, ich hoffe bloß, daß dieses Unternehmen wie geplant ausgeht«, sagte Peregrine. »Es würde mir gar nicht gefallen, wenn Julia heute abend einen Anruf bekäme, ich säße in Aberdeen im Gefängnis unter dem Verdacht des Vandalismus und des versuchten Diebstahls.«

»Ich glaube, *darüber* brauchen Sie sich keine Sorgen zu machen, junger Mann«, sagte McLeod. »Soviel ich weiß, gilt es noch nicht als Vergehen, sich als Experte für Stuckdecken auszugeben. Wenn Sie sich unbedingt

Sorgen machen wollen, dann zerbrechen Sie sich den Kopf darüber, was Henri Gerard wohl tut, während wir unsere Nasen in Fyvies dunkle Winkel stecken.«

Der Rest ihres improvisierten Mahls wurde in nachdenklichem Schweigen eingenommen, das nur von den schwachen Geräuschen des Landlebens unterbrochen wurde, die vom Garten draußen hereindrangen. Als sie zum Auto hinausgingen, kam Humphrey, um sie zu verabschieden, und beobachtete, wie Peregrine seine Künstlermappe auf dem Rücksitz neben Adams Arzttasche verstaute. Wachstuchjacken und Gummistiefel hatte man ebenfalls eingepackt, denn das Wetter sah im Norden eher aus, als würde es schlechter statt besser werden.

»Sir«, bemerkte Humphrey, »ich habe mir die Freiheit genommen, eine große Thermosflasche mit heißem Tee zusammen mit einer kleineren mit Kaffee hinten ins Auto zu tun. Gibt es sonst noch etwas, was Sie vielleicht brauchen?«

»Im Augenblick fällt mir nichts ein, Humphrey«, sagte Adam. »Wir bleiben vielleicht über Nacht in Aberdeen, falls das Wetter zu schlecht wird, und kommen morgen zurück. Also bleiben Sie nicht auf und warten Sie nicht auf uns.«

»Sehr gut, Sir«, sagte Humphrey und fügte leise hinzu: »Sie werden aber auf sich achtgeben, nicht wahr, Sir?«

»Haben Sie in dieser Hinsicht keine Angst«, sagte Adam beruhigend. »Wir werden keine unnötigen Risiken eingehen.«

Doch noch während er dies sagte, wußte er, daß die Umstände sie durchaus dazu zwingen konnten, tatsächlich große Risiken einzugehen.

An diesem Nachmittag begann die Dämmerung früh, denn als sie mit Adam am Steuer nordwärts fuhren, gerieten sie in prasselnden Regen. Peregrine und McLeod verbrachten die erste Stunde damit, die Notizen des Inspectors über Stuck durchzugehen. Peregrine erweiterte das, was der Inspector aus den Büchern gelernt hatte, mit Informationen aus seiner eigenen Erfahrung. Als sie aber an Dundee vorbei waren, hatten sie so ziemlich alles abgedeckt, was McLeod nach so kurzer Beschäftigung mit dem Thema überhaupt im Kopf behalten konnte. Als der große Range Rover die A94 auf Aberdeen und Fyvie Castle zusauste, schlief die Unterhaltung allmählich ein. Jeder von ihnen war in seine eigenen Gedanken und Befürchtungen versunken.

Es war kurz nach sechs, als sie in Aberdeen ankamen, dem geschäftigen Zentrum der Industrie mit dem Öl aus der Nordsee. Der Verkehr war weiterhin dicht und der Regen verschlimmerte die Fahrverhältnisse noch, während Adam den Range Rover in westlicher Richtung um die Stadt herumlenkte und dem Schutz der niedrigen Hügel zustrebte. Bei Inverurie bogen sie nach Norden in Richtung auf Oldmeldrum ab und fuhren durch eine allmählich dunkel werdende Landschaft aus Wäldern und Feldern, bis sie sich schließlich dem Dorf Fyvie näherten. Gleich hinter der Dorfmitte entdeckte McLeod ein Zeichen mit dem bekannten blauen Emblem des National Trust for Scotland, zusammen mit einem Pfeil, der den Weg nach Fyvie Castle wies.

»Da müssen wir abbiegen«, zeigte er Adam und blickte auf die Uhr im Armaturenbrett. »Wir sind allerdings früh dran. Wollen Sie nicht mal anhalten und ein paar Minuten die Zeit totschlagen?«

Adam nickte, steuerte den Range Rover in eine Parkbucht und schaltete den Motor aus. »Ich muß mich ohnehin noch etwas vorbereiten«, sagte er. »Ich kann nicht gut meine Arzttasche in die Burg mitnehmen, ohne daß ich Stirnrunzeln ernte. Peregrine, würden Sie sie mir bitte herüberreichen? Und nehmen Sie sich beide etwas Kaffee, wenn Sie wollen.«

Keiner von beiden bediente sich, aber sie beobachteten neugierig, wie Adam im dämmerigen Cockpit des Autos die schwarze Tasche öffnete, die Peregrine nach vorn gereicht hatte, und in die Tiefen langte. Aus der schwarzen Schmuckschachtel holte er Dundees Templerkreuz hervor, streifte dessen schwarze Seidenschnur über den Kopf und steckte das Kreuz in den burgunderroten Pullover mit V-Ausschnitt, den er unter seinem marineblauen Blazer trug. Die Kordel wurde unsichtbar, denn er schob sie unter den Kragen seines karierten Hemdes.

Der Dundee-Ring wanderte in seine linke Jackentasche, sein *sgian dubh* in die rechte. Er trug seinen Siegelring, die anderen hatten die ihren jedoch nicht angesteckt, damit ihrem Gastgeber nicht gleich zu Beginn eine merkwürdige Übereinstimmung auffiel. Kurz bevor er die Tasche wieder schloß, reichte Adam McLeod den Abdruck des Siegels, der in ein burgunderrotes Seidentaschentuch mit weißen Punkten eingewickelt war.

»Ich weiß nicht, ob wir das heute abend brauchen werden«, sagte er, »aber falls ja, dann können wir es nicht verwenden, wenn wir es nicht bei uns haben. Peregrine, haben Sie einen Zeichenblock dabei?«

»Einen kleinen, in meiner Tasche«, bestätigte Peregrine. »Ich habe auch eine Taschenlampe dabei. In Nächten wie diesen weiß man nie, wann der Strom wegbleibt, besonders in solchen alten Gebäuden. Als ich als Student hier arbeitete, pflegte ich immer ein Feuerzeug mitzunehmen, obwohl ich gar nicht rauche. Ich habe es dann aber mehr als nur einmal gebraucht.«

»Ich gebe Ihnen recht, junger Mann«, sagte der Inspector. »Ich glaube, in dieser Hinsicht sind wir gut vorbereitet.«

Sie blieben noch eine weitere Viertelstunde im Auto sitzen. Peregrine übte ein weiteres Mal mit McLeod dessen Glaubhaftigkeit als Stuckexperte, während Adam merkwürdig schweigsam blieb. Als dann Peregrine seine Künstlermappe zum größten Teil ausleerte, um Platz für die Krone zu machen, die sie aus Fyvie fortzubringen hofften, fuhren sie auf der kurvenreichen Straße weiter, die zum Eingang der Burg führte.

Von der Straße aus waren von Fyvie Castle fünf große Türme zu sehen, die sich über die Bäume des umliegenden Parks erhoben, doch das nur zeitweilig, wenn die vorüberziehenden Wolken dem wässerigen Mondlicht erlaubten, die Türme zu versilbern. Als sie näher kamen, traten die Einzelheiten eines imposanten Gebäudes hervor, das die Macht einer Adelsfestung mit der baulichen Anmut eines Herrenhauses vereinte. Die schmalen rechteckigen Fenster der unteren Stockwerke waren hell erleuchtet und warfen lange Lichtflecken auf die Rasenflächen. Von irgendwo im Gebäude wehten Fetzen einer flotten Musik über den Vorhof und verkündeten, daß hier eine offizielle Veranstaltung im Gange war. Der Regen hatte aufgehört, aber der Himmel verkündete, daß es noch mehr regnen würde, und zwar bald.

Der Parkplatz neben dem Osteingang der Burg war gerammelt voll mit den Geschäftsautos der Gäste, die an der abendlichen Festivität teilnahmen. Adam folgte der Auffahrt ein kurzes Stück, fuhr dann den Range Rover vom Kies herunter und schaltete den Motor aus. Danach ließ er sich ein paar Sekunden Zeit, um mentale Eindrücke aufzunehmen, während er auf die von Flutlicht beleuchtete Fassade emporschaute. Er warf seinen beiden Gefährten einen Blick zu, dann stiegen sie zu dritt aus dem Wagen. Peregrine schnappte seine Künstlermappe, und sie gingen zu Fuß die Auffahrt weiter zum Burgeingang. Rechts vom Burgtor fand McLeod den Glockenzug und zog kräftig daran.

Jenseits der schweren Tür war ein metallisches Geklimper zu hören. Einen Augenblick später schwang die Tür auf, geöffnet von einem Mann mittleren Alters in der streng formellen schwarz-weißen Kleidung eines diensthabenden Butlers. Sein freundlicher Gesichtsausdruck wurde höflich fragend, als er sah, daß die drei Männer auf der Türschwelle nicht in Abendkleidung waren, doch Adam hatte die Lage sofort geschmeidig im Griff.

»Guten Abend«, sagte er freundlich und überreichte dem Mann eine der Visitenkarten, die er bei rein gesellschaftlichen Anlässen verwendete. Darauf stand: *Sir Adam Sinclair, Bt., F.R.C. PSYCH.*, was bedeutete: ›Baronet, Fellow of the Royal College of Psychiatrists‹.

»Meine Kollegen und ich sind hier, um Mr. Lauder zu treffen. Wären Sie so freundlich, ihm mitzuteilen, daß Mr. Lovats Gruppe eingetroffen ist?«

Dies sagte er zwar freundlich, doch mit dem Gewicht kultivierter Autorität. Der Butler blickte auf die Karte, machte eine respektvolle Verbeugung und sagte: »Gewiß, Sir Adam. Ich bin mir nicht ganz sicher, wo sich Mr. Lauder im Augenblick befindet, aber wenn die Herren erst einmal hereinkommen würden, werde ich mich sofort bemühen, ihn zu suchen.«

Er verschwand im Durchgang und kehrte ein paar Minuten später in der Gesellschaft eines großen Mannes in Abendkleidung mit grauem Haar und lebhafter Gesichtsfarbe zurück. Die scharfsichtigen grauen Augen hinter einer getönten Brille blieben an Peregrine haften; der Mund formte ein Lächeln.

»Hallo, Mr. Lovat!« rief er herzlich aus. »Willkommen zurück auf Fyvie! Ich hoffe, Sie haben nicht übermäßig warten müssen.«

»So gut wie gar nicht – wir sind gerade erst angekommen«, sagte Peregrine und erwiderte das Lächeln. »Ich möchte Ihnen gern Sir Adam Sinclair of Strathmourne vorstellen ...«

»Es ist mir ein Vergnügen, Sir Adam«, sagte Lauder und schüttelte Adam die Hand.

»... und hier«, Peregrine zeigte auf den Inspector, »ist Professor Noel McLeod.«

»Aye, der Herr, der an unseren Stuckdecken interessiert ist«, nahm Lauder mit einem wissenden Nicken zur Kenntnis und schüttelte auch McLeods Hand. »Schön, daß auch Sie uns besuchen. Stimmt es, daß Sie aus Amerika kommen?«

»Dort wohne und arbeite ich«, sagte McLeod, ohne eine Miene zu verziehen, »aber ich wurde in Edinburgh geboren und bin dort aufgewachsen. Glücklicherweise bringen mich meine Forschungen dann und wann nach Schottland zurück«, fügte er hinzu, »wenn auch nur für ein oder zwei Wochen am Stück.«

»Aye, Mr. Lovat hat schon gesagt, daß Sie morgen oder übermorgen schon wieder in die Staaten zurückfliegen sollen«, erwiderte Lauder. »Ich bin froh, daß es uns gelungen ist, Sie so kurzfristig einzuplanen.«

»Ich bin Ihnen dankbar, daß Sie es möglich gemacht haben«, sagte McLeod. »Wir wissen es zu schätzen.«

»Ach, das ist doch gar nichts. Jetzt sagen Sie mir bitte noch einmal, welche Zimmer Sie sehen wollten.« Er warf Adam einen Blick zu. »Wie ich höre, restaurieren Sie ein Turmhaus, und Sie suchen Beratung hinsichtlich der Stuckarbeiten.«

»Ganz recht«, stimmte ihm Adam zu. »Der Kern des Gebäudes geht auf das zwölfte Jahrhundert zurück, vermute ich, aber ich habe beschlossen, es wieder so herzustellen, wie es ungefähr im späten siebzehnten Jahrhundert ausgesehen haben mag. Würde ich es in einer viel früheren Form restaurieren, so wäre es nicht sonderlich bequem zu bewohnen.«

»Sir Adam ist schon nahe daran, mit der Wiederherstellung der Decken zu beginnen«, meldete sich McLeod, »und Mr. Lovat sagte uns, hier gebe es einige Decken, die in ihren Ausmaßen denen von Templemor ähnlich seien. Arbeiten von Robert White, glaube ich.«

Lauder nickte. »Dann werden Sie sicher das Douglas-

Zimmer sehen wollen, und zum Vergleich auch das Urkundenzimmer. Ich würde darüber hinaus vorschlagen, daß Sie sich einmal das Damenzimmer ansehen, aber das ist vielleicht größer, als Sie es sich vorgestellt haben. Leider kann ich Sie nicht in den Salon und die Galerie lassen, denn dort findet heute abend die Party statt.«

»Die wären sowieso zu groß«, sagte McLeod mit einer verneinenden Geste und schüttelte den Kopf. »Wir werden mit den kleineren Zimmern völlig zufrieden sein. Wir haben uns heute schon das Weinrankenzimmer auf Kellie Castle angeschaut, aber das war einfach nicht, was Sir Adam vorschwebt.«

Lauder nickte verständnisvoll. »Interessante Arbeit, aber ich glaube, wir haben hier auf Fyvie besseres.«

»Dem stimme ich zu«, erwiderte Peregrine. »Auf jeden Fall dachte ich, falls Sir Adam gefällt, was er hier sieht, könnte ich versuchsweise einige Skizzen anfertigen, die wir den Stukkateuren geben würden, bevor sie mit dem Decken auf Templemor anfangen.« Er tätschelte die Mappe, die er über der Schulter hängen hatte. »Wir werden nicht die Kunstfertigkeit erreichen, die Sie hier auf Fyvie haben, aber wenigstens haben die Handwerker dann etwas, woran sie sich orientieren können.«

Lauder strahlte bei diesem Kompliment. »Nun, Sie könnten kaum an einen besseren Ort gekommen sein, um Inspirationen zu holen. Allein schon das Urkundenzimmer ...«

Er wurde von einem lauten Knall aus dem Korridor hinter seinem Rücken unterbrochen, dem das mißtönende Geklapper zerbrechender Teller folgte. Stimmen erhoben sich in entsetztem Geplapper. Lauder zuckte zusammen und rollte die Augen zur Decke. Einen Augenblick später kam eine Frau mittleren Alters in einer gestärkten Kellnerinnenschürze über dem schwarzen Rock und der weißen Bluse um die Ecke. In ihrem Gesicht stand pures Entsetzen geschrieben.

»Mr. Lauder …«

»Was ist denn diesmal los?« wollte Lauder wissen. »Nein, lassen Sie, sagen Sie mir nichts – ich gehe und schaue es mir selbst an.«

Er wandte sich entschuldigend Adam und dessen Gefährten zu, doch bevor er etwas sagen konnte, trat Peregrine vor und übernahm die Initiative.

»Mr. Lauder, würde es die Sache erleichtern, wenn ich schon einmal vorausginge und die Herren herumführte?« fragte er. »Ich fühle mich schon schuldig, daß ich mich Ihnen so kurzfristig an einem Abend aufgedrängt habe, an dem Sie doch offensichtlich beschäftigt sind. Ich kenne mich hier noch aus. Wir finden uns schon zurecht. Und wir sind Ihnen aus dem Weg, bevor Sie es überhaupt merken.«

Der Lärm aus der Richtung der Küche nahm zu. Lauder warf einen gequälten Blick über die Schulter, dann kapitulierte er.

»Ach, es sind diese Leute, die mich noch heute abend umbringen werden«, murmelte er. »Ich glaube, sie werden nach Mitternacht wieder weg sein, aber Sie können ruhig bleiben, solange Sie wollen. Kommen Sie doch bitte vorbei und melden Sie sich noch einmal bei mir, bevor Sie weggehen. Lassen Sie mich wissen, wie Sie vorangekommen sind.«

Nachdem sowohl Peregrine als auch Adam ihm dies zugesichert hatten, eilte der Burgverwalter davon, um das Geschehen in der Küche unter seine Kontrolle zu bringen. McLeod beobachtete ihn, wie er davonrannte, dann stieß er einen Seufzer vorsichtiger Erleichterung aus.

»Das haben Sie sehr gut gemacht, junger Mann«, sagte er leise zu Peregrine. »Gott sei Dank, daß es diese Ablenkung mit der Abendgesellschaft gibt. Sonst wäre er uns den ganzen Abend auf der Pelle geblieben und wir hätten nichts tun können. Wir haben uns zu interessant gemacht. Wohin gehen wir jetzt?« fragte er Adam. »In das Douglas-Zimmer?«

»Nicht sofort«, sagte Adam. »Bevor wir irgend etwas anderes unternehmen, möchte ich mir einmal das Urkundenzimmer anschauen.«

»Was erwarten Sie denn dort zu finden?« fragte McLeod mit gerunzelter Stirn.

»Wenn wir Glück haben, nichts Schlimmeres als einige unangenehme Resonanzen von dem geheimen Raum darunter«, sagte Adam. »Aber da wir nun einmal hier sind, möchte ich es überprüfen. In der Zwischenzeit kann sich dann auch Lauders Party so richtig entwickeln. In welche Richtung, Peregrine?«

»Den Korridor hinunter und dann die Treppe hinauf in den Meldrum-Turm«, sagte Peregrine und ging ihnen voran. »Folgen Sie mir einfach, und ich schalte die Lichter ein, während wir gehen.«

Bei der Meldrum-Treppe handelte es sich um eine enge, spiralige Wendeltreppe, die die drei Männer nur hintereinander hinaufsteigen konnten. Die Tür zum Urkundenzimmer führte unmittelbar vom Treppenschacht in ein kleines Vestibül. Sie war nicht verschlossen. Peregrine stieß die Tür auf und setzte kühn seinen Fuß über die dunkle Schwelle, dann blieb er unvermittelt stehen.

»Hier drinnen ist es ja verdammt kalt!« flüsterte er.

»In Ordnung, kommen Sie zurück«, sagte Adam ruhig. Er sprach ganz gelassen, aber in seiner Stimme schwang ein stählerner Unterton, der noch vor einem Augenblick nicht dagewesen war.

Peregrine ließ es sich nicht zweimal sagen. Er zog sich auf den kleinen Treppenabsatz zurück und drückte sich an die Wand, damit Adam seinen Platz auf der Schwelle einnehmen konnte. McLeod schob sich ebenfalls an ihm vorbei, hielt aber neben Adam an und leuchtete mit seiner Taschenlampe in eine Finsternis, die das Licht fast zu verschlingen schien.

»Irgendwie gefällt mir das nicht«, murmelte der Inspector.

»Mir auch nicht«, erwiderte Adam.

Vorsichtig streckte er seine rechte Hand mit der Fläche nach unten aus und ließ sie vorwärtsgleiten, bis sie mit den Schatten in Kontakt kam. Es war, als tauchte er seine Finger in einen eisigen Tümpel aus schmutzigem Wasser, und der Siegelring an seinem Finger wurde noch kälter. Er zog seine Hand zurück, holte ein Seidentaschentuch aus der Brusttasche seines Blazers und wischte seine Fingerspitzen vorsichtig ab.

»*Ist* da etwas?« fragte Peregrine mit gedämpfter Stimme.

Adam blickte immer noch in die Dunkelheit und hatte die Lippen konzentriert aufeinandergepreßt.

»*Etwas*, ja. Ich bekomme einige sehr chaotische Eindrücke«, murmelte er. »Sehr turbulent. Sehr schwarz. Aber ich kann nicht sagen, ob das, was ich spüre, der Vergangenheit, der Gegenwart oder der Zukunft angehört. Die Resonanzen selbst scheinen mit der linearen Zeit nicht phasengleich zu sein.«

McLeod kniff die blauen Augen scharf zusammen, sagte aber nichts.

»Wollen Sie, daß ich versuche und mal schaue?« schlug Peregrine vor und begann sich nach vorn zu schieben.

»Auf keinen Fall!« Adams Stimme war zwar leise, klang aber heftig. Er blieb noch einen Augenblick länger am Eingang stehen, dann zog er sich mit einem tiefen Atemzug zurück.

»Wir werden die Sache überprüfen, da wir nun einmal hier sind, aber niemand geht hinein, ohne einige grundlegende Vorkehrungen zu treffen.«

Er griff in die rechte Tasche seines Blazers und holte seinen *sgian dubh* in der Scheide heraus. Der blaue Stein in seinem Knauf schien mit einem eigenen Licht schwach zu leuchten. Adam führte ihn respektvoll an seine Lippen, während er den Kopf neigte.

»Gesegnet sei der Name des Allerhöchsten, denn dieser

Name soll erhöht werden über alle anderen Namen«, intonierte er leise. *»Gesegnet sei er, der im Licht des Allerhöchsten wohnt, denn die Finsternis wird ihn nicht umfangen.«*

Mit dem schwach leuchtenden blauen Stein bezeichnete er sich selbst mit einem Schutzsymbol, dann winkte er seinen beiden Gefährten, sie sollten einen Schritt vortreten. McLeod war der erste. Er steckte seinen eigenen Saphirring an, dann neigte er den Kopf und wurde seinerseits von Adam mit dem Schutzsymbol bezeichnet, das Adam mit dem Knauf seines *sgian dubh* über McLeods Kopf in der Luft malte. Angeregt durch den Inspector, steckte Peregrine ebenfalls seinen Ring an und senkte den Kopf, als er sich Adam mit auf der Brust gefalteten Händen in einer Haltung vertrauensvoller Unterwerfung präsentierte. Als er spürte, wie Adams Hand sich über seinem Kopf bewegte, schien die Luft um ihn herum sich plötzlich zu beleben. Eine subtile Wärme, die mit Kraft geladen war, umgab ihn wie ein Mantel, und er ergriff ihren Schutz und straffte seine Schultern, als er wieder aufblickte, bereit, allem, was vor ihnen liegen mochte, die Stirn zu bieten.

»Jetzt darf sich keiner von euch öffnen«, befahl Adam und schickte sich an, den Raum zu betreten. »Stärkt mir einfach den Rücken. Was immer da drinnen ist, ich möchte es nicht aufwecken. Ich möchte nur einen allgemeinen Eindruck davon bekommen, *was* es ist.«

Kapitel 22

So gewappnet, ging Adam über die Schwelle in das Urkundenzimmer voran, McLeod und Peregrine hinterdrein. Den Knauf seines *sgian dubh* hielt er wie eine Fackel vor sich in die Höhe. Die unheimliche Kälte in der Luft wich vor ihm zurück, als würde sie von einem unsichtbaren Schild abgelenkt. Als er um sich blickte und dem forschenden Strahl von McLeods Taschenlampe folgte, entdeckte er an der rechten Wand einen Lichtschalter und bedeutete dem Inspector, ihn zu betätigen. Die sichtbare Schwärze löste sich im Nu auf. Jetzt lag ein quadratischer Raum vor ihm, der mit kräftigen, mit tiefen Schnitzereien verzierten Paneelen aus dunklem, poliertem Holz getäfelt war. Schilde und heraldische Symbole aus Stuck waren über der Täfelung in die cremefarbenen Wände eingelassen, und weiteres heraldisches Schnitzwerk zierte das Holz.

Adam richtete seine Aufmerksamkeit wieder auf die Täfelung selbst. Viele der Paneele dürften beweglich gewesen sein, auf raffinierte Weise miteinander verbunden, um das Vorhandensein der starken Gewölbe zu verbergen, von denen er wußte, daß sie in das Mauerwerk und die Steinmetzarbeiten hinter dem Holz eingebaut waren. Die Fensternischen schienen mindestens zweieinhalb Meter tief zu sein; die entsprechenden Wände waren leicht dick genug, um ein Geheimkabinett oder einen geheimen Durchgang zu verbergen.

Oder den verborgenen Eingang zu einer Gefängniszelle, die etwas enthielt, das zu gefährlich war, um es jemals auf die äußere Welt loszulassen.

Vorsichtig ging er weiter in den Raum hinein. McLeod und Peregrine folgten dicht hinter ihm. Beide waren vorsichtig und auf der Hut, bereit, notfalls ihre Kraft der seinen zuzugesellen. Die Atmosphäre schien unnatürlich dumpf und drückend. Vom lediglich physikalischen Licht ungemindert, hing eine subtilere Dunkelheit, die nicht aus der materiellen Welt stammte, wie ein unsichtbares Miasma im Zimmer.

Adam ließ die Gruppe an einem kleinen, runden Tisch in der Mitte anhalten. Hier machte er eine Pause und holte tief Atem, schon am Rande der Trance befindlich. Der Boden unter seinen Füßen gab ihm ein solides Gefühl der Erdung. Durchaus bewußt, daß er sich vielleicht einer nicht geringen Gefahr öffnete, wandte er seine Aufmerksamkeit der Dunkelheit zu.

Es erfolgte nur der denkbar kürzeste Zusammenstoß jenseits der Schutzzauber, die er um sich und seine Verbündeten errichtet hatte, aber die Eindrücke attackierten ihn wie Schläge – Eindrücke von etwas Riesigem, Dunklem und Brütendem, etwas, das in eine dazu passende Dimension eingeschlossen war, zu der der materielle Bereich des Urkundenzimmers nur einen Vorraum bot. Die Luft war plötzlich voller böiger okkulter Winde, die aus den großen Abgründen der Finsternis unter dem Fußboden auf ihn einstürmten. Irgendwo weit unten in dieser Tiefe, weit, weit unter den physischen Schwellen dieses Hauses, warf sich eine finstere Präsenz in ruhelosem zyklopischem Schlaf umher …

Adam löste sich ruckartig aus seiner Trance und bemerkte den kalten Schweiß auf seinen Händen und seinem Gesicht. Seine Hand hielt in einer abwehrenden Geste den *sgian dubh* umklammert, der die auf ihn eindringende Finsternis zerstreuen sollte. In dem hämmernden Schweigen zwischen seinen eigenen Herzschlägen konnte er fast noch hören, wie die Schwärze atmete. Er schluckte Luft und wurde sich bewußt, daß

Peregrine und McLeod ihn stumm und fragend, beinahe ängstlich, anstarrten.

»Hinaus!« flüsterte er. Seine Stimme war nur noch ein Hauch. »Das ist nicht das, was wir suchen. Lassen wir es in Ruhe, bevor wir die Gefahr eingehen, etwas zu wecken, das man lieber schlafen läßt!«

Er gestikulierte heftig in Richtung der Tür. Peregrine und McLeod zogen sich flugs zurück. Erst als sie sich wieder in der Enge des Treppenschachtes befanden, gestattete sich Adam einen vorsichtigen Seufzer der Erleichterung.

»Was haben Sie gesehen?« wollte McLeod wissen.

»Ich habe nichts *gesehen*«, sagte Adam. »Was ich *gespürt* habe, ist ... etwas, das man wahrscheinlich besser undefiniert läßt.«

»Eine Art Wesenheit?«

»Das hieße – ihm zuviel zuzugestehen«, sagte Adam und steckte den *sgian dubh* in die Tasche. »Die Eindrücke waren nur mit Mühe verständlich. Was immer unter diesem Teil der Burg schläft, es scheint ins Sein aufzuflackern und dann wieder zu erlöschen – es scheint sich weder in dieser Welt noch außerhalb von ihr zu befinden, sondern irgendwo, wo es beidem benachbart ist.«

»Was tun wir damit?« fragte Peregrine und blickte etwas verstört um sich.

»Wir tun gar nichts«, sagte Adam und streckte seinen Arm weit genug in das Zimmer zurück, um das Licht abzustellen. »Was auch immer der ›Teufel‹ von Fyvie sein mag, diese Frage betrifft uns im Augenblick nicht. Sie hat nichts mit der Schatulle oder der Krone zu tun. Es genügt wohl, wenn ich sage, daß es zumindest einstweilen eingesperrt ist und schlummert, und daß man es am besten so läßt. Das bedeutet auch, daß das, wohinter wir her sind, sich fast so gut wie sicher im Douglas-Zimmer befindet. Wir sollten lieber schnell weitermachen, bevor unser Mr. Lauder einen Grund findet zu kommen und nett zu uns zu sein.«

Das Douglas-Zimmer lag am anderen Ende der Burg, über den Räumen, wo die Party im Gange war. Peregrine ging ihnen voran, die Meldrum-Treppe hinunter zum darunterliegenden Stockwerk, dann folgten sie leise einem langen, geraden Korridor zu dem erleuchteten Treppenschacht von Fyvies großer Radtreppe.

»Diese Auftritte müssen drei Meter breit sein«, sagte Peregrine, als sie die ausladenden Steinstufen hinaufgingen. »Als ich damals hier arbeitete, erzählte man mir, einige Gordons seien diese Treppe einst aufgrund einer Wette mit ihren Pferden hochgeritten. Können Sie sich das vorstellen?«

»Ich versuchte mir vorzustellen, wie sie wieder *herunter* gekommen sind, ohne sich die Beine zu brechen«, murmelte Adam.

Während sie hinaufstiegen, wehte vom Salon und von der Galerie oben Musik herab, und von unten, von der Küche, drang Wärme und der satte Duft von gebratenem Fasan herauf – eine Erinnerung an die Zeit, als Fyvie die Residenz eines Earls gewesen war und königliche Hoheiten zu Gast gehabt hatte. Doch nach dem, was Adam im Urkundenzimmer gespürt hatte, konnten weder er noch seine zwei Jagdgenossen die düstereren Aspekte von Fyvies langer Geschichte vergessen.

Der Treppenschacht war gut beleuchtet und ermöglichte es ihnen, einige der ausgezeichneten heraldischen Verzierungen zu untersuchen, die die Treppenspindel und die stützenden Bögen schmückten, die in Abständen das Treppenhaus überwölbten. Peregrine beleuchtete einige davon noch genauer mit dem Strahl seiner Taschenlampe, während sie hinaufstiegen, und hielt an, damit sie ein Eichenpaneel eingehender betrachten konnten, das nahe dem Kopf der Treppe in eine Wand eingelassen war. Darauf stand zu lesen:

Alexander Seton, Lord Fyvie
Dame Gressel Leslie, Ladie Fyvie. 1603.

Halbmonde und Fünfblattrosetten trennten die vier Wörter des Namens des Earls und repräsentierten seine väterliche und mütterliche Abstammung. Schnallen, Symbole des Hauses Leslie, schmückten den Namen seiner Gemahlin.

»Daher bekam Ihre Grizel Seton wahrscheinlich ihren Namen«, flüsterte Peregrine, führte sie weiter und wies auf andere Wappen, die meist mit dem rotem Halbmond-Emblem der Setons belegt waren.

Als sie sich dem Treppenabsatz des zweiten Stockes näherten, wurde das Gemurmel von Stimmen und das Geklirr von Besteck und Glas lauter. Ein mit einem Vorhang versehener Durchgang führte zum Salon; in der anschließenden Galerie fand Lauders Dinner statt. Sie gingen schnell daran vorüber und hofften, daß niemand herauskommen würde, bis sie hinter der Wendung der Treppe außer Sicht waren. Ein halbes Stockwerk weiter oben, ganz am Ende der Treppe, befanden sich zu beiden Seiten des letzten Treppenabsatzes schwere Türen.

»Das ist der Eingang zu Lauders Wohnung«, flüsterte Peregrine und zeigte mit dem Strahl seiner Taschenlampe auf die linke Tür. »Es ist gut, daß er mit anderen Dingen beschäftigt ist. Die zweite Tür führt zum Douglas-Zimmer.«

Der Schein seiner Lampe fiel auf das rote Halbmondwappen an der Tür, kurz bevor er sie öffnete, und Adam blieb einen Augenblick stehen und fuhr die Kurve des Halbmonds mit den Fingerspitzen nach, bevor er Peregrine über die Treppe folgte. Als er dies tat, erlebte er erneut das mottenhafte Flattern von Jean Setons Präsenz tief unter der Oberfläche seines Bewußtseins.

Hier begrüßte sie keine bedrohliche Atmosphäre. Die Luft war kalt, aber ruhig, von nichts Bedrohlicherem erfüllt als den Gerüchen von Holzpolitur und Dufttöpfen.

»Tja, wo ist jetzt das Licht?« murmelte Peregrine und

leuchtete mit seiner Lampe nach rechts, beugte sich dann zu einer kleinen Tischlampe gleich neben einem archaisch wirkenden Telefon und schaltete sie an. »Da ist es schon.«

Der gedämpfte Schein zeigte ihnen einen gemütlichen, hübsch getäfelten Raum, der nicht viel mehr als zweieinhalb oder drei Meter im Quadrat maß. In der linken Wand befand sich eine mit einem Vorhang verhängte Fensternische, in der ein hölzerner Lehnsessel stand. An der Wand gegenüber der Tür hingen zwei kleine Bildnisse; eines davon über einem Schreibtisch mit heruntergeklappter Schreibplatte, auf dem sich eine weitere Lampe befand, das andere über einem kleinen offenen Kamin, dessen Herdhöhlung über einer schmückenden Plakette mit Täfelung ausgefüllt war. Die rechte Wand wurde von einer schönen, großen Kiefernholzkommode aus dem achtzehnten Jahrhundert beherrscht, die viele numerierte Schubladen enthielt. Zwischen dem Kamin und der Kommode stand ein Stuhl, ein weiterer befand sich an der Wand, rechts von der Tür, gleich neben dem Tisch mit der Lampe und dem Telefon.

McLeod, der als letzter eintrat, suchte das Zimmer mit den Augen vom Eingang her ab und ließ seinen Blick über die Wände und über die gemusterten Perserteppiche auf dem Holzboden wandern.

»Wonach schauen Sie?« fragte Peregrine. Er war weiter in das Zimmer getreten und bückte sich, um einige Teppichecken umzuschlagen.

»Ich schaue mich bloß um«, knurrte McLeod. »Macht der Gewohnheit bei einem Polizisten.«

»Tja, Sie können sich das hier mal ansehen«, sagte Peregrine und zeigte auf einen dunklen Flecken auf den Bodenbrettern, die er vor dem Schreibtisch aufgedeckt hatte. »Das soll Blut sein. Man sagt, es ließe sich nicht entfernen. Glauben Sie, daß das wirklich Blut ist?«

McLeod kniete nieder, untersuchte den Fleck und fuhr kurz mit den Fingerspitzen darüber hinweg, dann stand er auf und schaute sich immer noch um.

»Falls es Blut ist, befindet es sich schon ziemlich lange hier«, sagte er. »Adam, sind Sie sich sicher hinsichtlich dieser Räumlichkeit? Falls Ihre Grüne Dame hier ist, verhält sie sich sehr ruhig.«

»Sie ist hier.« Adam klang überzeugt. »Schließen Sie nur die Tür und lassen Sie mich eine Abwehr um uns aufbauen. Mir gefällt das nicht, was ich vorhin angerührt habe, und wo all diese Leute da unten feiern, möchte ich auf keinen Fall, daß irgendein Hinweis auf das, was wir hier tun, anderswo in diesem Gebäude ein Echo auslöst.«

Der Klang der fernen Musik wurde schwächer, als McLeod wortlos die Tür schloß und weiter in die Mitte des Zimmers trat, wobei er Peregrine mit sich zog. Adam schaute sich um, nahm dann seinen *sgian dubh* heraus und zog ihn diesmal aus der Scheide. Doch er faßte ihn leicht an der Klinge, so daß er den Stein im Knauf vor sich hielt, während er sich der Wand mit der Kommode zuwandte, die sich im Osten befand. Das Bannritual des Geringeren Pentagramms zu vollziehen, wozu er sich jetzt anschickte, bedeutete den göttlichen Schutz einer sehr mächtigen Art anzurufen. Doch mit der Klinge in der Hand, deren Spitze auf ihn selbst zeigte, war es auch von seiner Seite her ein Gelöbnis, das volle Ausmaß göttlicher Vergeltung anzunehmen, falls er den Schutz, den er so herbeirief, mißbrauchen sollte.

Er nahm kurz die Klinge zwischen beide Hände und drückte den Stein im Knauf an seine Lippen, während er den Kopf darüber neigte. Er wußte, für diese Anrufung und für diese Absicht mußte er statt der englischen Übersetzung die hebräischen Worte benutzen. Dann faßte er die Klinge wieder leicht mit der rechten Hand, drückte die linke an seine Brust, hob den Saphir grüßend an seine Stirn und begann damit das kabbalistische Kreuz über seinen Körper zu zeichnen.

»*Ateh*«, flüsterte er, als der Stein seine Stirn berührte. Dir, O Gott ...

»*Malkuth.*« Das Königreich. Der Stein berührte seinen Solarplexus.

»*Ve Geburah*«, die linke Schulter. »*Ve Gedulah*«, die rechte Schulter. Die Macht und die Herrlichkeit ...

»*Le Olahm.*« In Ewigkeit ...

Er legte die Hände wieder zusammen, mit der Klinge dazwischen, und neigte erneut den Kopf, während er flüsterte: »Amen.«

»Amen«, antworteten McLeod und Peregrine murmelnd.

Dann streckte er seine Arme zu beiden Seiten weit aus, wobei der *sgian dubh* jetzt auf seiner nach oben gerichteten rechten Hand lag und dessen Spitze auf ihn zeigte. Er schloß die Augen und legte den Kopf leicht in den Nacken; dabei erschienen die Bilder der Wesenheiten, die er nun herbeirief: mächtige Erzengel, die nach innen blickten und den Schutz ihrer Schwingen über den Raum und alles, was er enthielt, breiteten.

»Vor mir Raphael«, flüsterte er. »Hinter mir Gabriel. Zu meiner Rechten Michael. Zu meiner Linken Uriel.«

Er öffnete die Augen, schloß seine Hand um die Klinge des *sgian dubh* und hob die Waffe grüßend in die Mitte, dann hielt er ihren Knauf vor sich in die Höhe, nach Osten, während er schweigend mit dem blauen Stein ein Pentagramm zeichnete – nach links hinunter, nach rechts hinauf, dann quer, nach rechts hinunter und wieder zurück zum Ausgangspunkt.

Er konnte gerade noch das verschwommene Nachbild einer blauen Spur in der Luft hängen sehen, als er sich nach rechts wandte, der Tür zu, und den Vorgang wiederholte und ein Pentagramm zeichnete, bevor er dasselbe nach Westen und Norden gerichtet tat. Als er dann zum Osten zurückkehrte, streckte er seine Arme wieder zu beiden Seiten aus. Er war sich der Klinge bewußt, die auf ihn zeigte, und des Schutzkreises, der dort, wo der Saphir des *sgian dubh* ihn gezeichnet hatte, in der Luft hing wie eine Krone, die mit vier Sternen besetzt war – eine passende Vorstellung für das, was er zu erreichen hoffte, bevor er dieses Zimmer verließ.

»Im Namen des Adonai mögen wir vor allem Bösen geschützt sein, das sich von Osten, Westen, Süden und Norden nähert«, murmelte er. »Und möge meine Macht sich gegen mich richten, wenn ich das Vertrauen mißbrauche, das auf mir ruht. Um mich herum lodern die Pentagramme. Hinter mir leuchtet der sechsstrahlige Stern. Und über meinem Haupt befindet sich die Herrlichkeit Gottes, in dessen Händen das Reich und die Macht und die Ehrlichkeit sind, in alle Ewigkeit. Amen.«

Seine zweite Rezitation der göttlichen Attribute wurde von einer Wiederholung des kabbalistischen Kreuzes begleitet, das seine beiden Gefährten ehrfürchtig nachahmten. Nachdem Adam erneut seinen Kopf über den *sgian dubh* geneigt hatte, steckte er ihn wieder in die Scheide und reichte ihn McLeod.

»Jetzt lasse ich Sie ihn halten«, sagte er ruhig. »Was ich gerade getan habe, könnte vielleicht unsere Grüne Dame verwirrt haben, aber ich mußte es aufgrund dessen tun, was wir dort unten gespürt haben.« Er zeigte auf den Fußboden. »Hoffentlich erkennen alle hier vorhandenen Wesenheiten, daß unsere Absichten defensiv, doch nicht feindselig sind. Was mögliche physische Eindringlinge betrifft«, fuhr er fort, während McLeod den *sgian dubh* in eine Tasche steckte, »Peregrine, ich wäre Ihnen dankbar, wenn Sie auf der Schwelle Wache stehen und sicherstellen würden, daß wir nicht gestört werden.«

»Aye«, sagte McLeod. »Wir wollen nicht, daß aus Versehen verirrte Partybesucher auf der Suche nach der Herrentoilette hier hereinspaziert kommen.«

Diese Bemerkung löste ein dünnes Lächeln bei Peregrine aus, der nach dem vorangegangenen Ritual sehr feierlich dreingeblickt hatte. Er lehnte pflichtbewußt seinen Rücken an die Tür und holte ein Skizzenbuch und einen Bleistift aus seiner Mappe. Adam trat inzwischen zu dem Sessel in der Fensternische und setzte sich darin nieder, das Gesicht auf das Zimmer gerichtet und der Kommode zugekehrt. Er nahm den Dundee-Ring aus seiner Tasche und reichte ihn McLeod, dann zog er gleicherweise Dundees Templerkreuz unter seinem Pullover hervor und berührte das alte Kleinod leicht mit den Lippen, bevor er es offen auf der Brust hängen ließ.

»Ich bin bereit, wenn ihr es seid«, murmelte er und blickte zu McLeod empor, während er sich im Sessel zurücklehnte.

McLeod zog sein Feuerzeug hervor und zündete eine der beiden Kerzen auf dem Kaminsims an, dann trat er zu Adam und legte beide Hände auf die Armlehnen des Sessels, während er sich vorbeugte und kurz zu dem Sitzenden sprach. Peregrine hatte noch nie zuvor die Gelegenheit gehabt, den Inspector in dieser Eigenschaft arbeiten zu sehen; doch als er damit anfing, jetzt links von Adams Sessel kauernd, wurde offensichtlich, daß er in den Techniken der hypnotischen Regression versiert und mit ihnen vertraut war. Peregrine konnte nicht ganz verstehen, was McLeod zu Adam sagte, doch er sah, wie Adam die Augen schloß und den Kopf an die hohen Rückenlehne des Sessels legte. Anscheinend ging er tief in Trance. McLeods Berührung an seiner Stirn schien ihn noch tiefer zu schicken, sein Kopf rollte leicht zur Seite, während er immer tiefer und tiefer ging …

McLeods ruhig formulierter Anweisung ganz und gar folgend, kehrte Adam der Gegenwart den Rücken zu und begann seinen Rückzug in die Vergangenheit. Zuerst blieb ein Teil von ihm sich schwach seiner Umgebung bewußt, des Leuchtens der Lampe und der Kerze hinter seinen geschlossenen Augenlidern, doch dann wich der Moment eines nicht unangenehmen Schwindelgefühls der Vision einer Tür, die die rückwärtige Grenze seines gegenwärtigen Lebens markierte. Er schritt durch sie hindurch und fand sich in einer Wildnis von Spiegeln wieder, umgeben von astralen Spiegelbildern seines Selbst und umweht von einem aufkommenden Wind.

Von Spiegel zu Spiegel reflektiert, zeigten die Spiegelungen ihm Bilder seines Geistes in vielen verschiedenen Aufmachungen, von denen ihm manche mehr, andere weniger vertraut waren – einen ägyptischen Priesterkönig, eine griechische Matrone, einen Templerritter in Kettenhemd und weißem Mantel – aber er schien kein Bild festhalten zu können. Gleichzeitig wurde er sich von sehr sehr weit entfernt verschwommen dessen bewußt, daß jemand seine linke Hand berührte und sie hob, einen Ring auf den Ringfinger steckte und mit einem befehlenden Wort zurechtschob.

Während die Zeitrahmen um ihn herum wirbelten und tanzten, fand er sich plötzlich von Angesicht zu Angesicht mit dem Bild einer dunkelhaarigen jungen Frau im wallenden Gewand einer jakobitischen Dame. Das Bild zog vorwärts, und als er die Hand mit dem Ring ausstreckte, schwang der Spiegel nach innen wie eine Tür und lud ihn ein, einzutreten …

Peregrine, der von seinem Posten an der Tür aus gespannt zuschaute, wurde sich plötzlich eines schwachen Schimmers in der Mitte des Raumes bewußt. McLeod schien ihn auch zu sehen und zog sich vorsichtig in die Fensternische zurück, wo er neben Adam niederkauerte. Denn es gab keinen Ort, an den er sich hätte weiter zurückziehen können, ohne sich zuerst dem Schimmer zu nähern. Während Peregrine schaute, wurde der Schimmer heller und lebendig und explodierte schließlich in ein geisterhaftes Gewirr gewalttätiger Resonanzen. Entschlossen, sie eingehender zu betrachten, öffnete Peregrine sein inneres Auge einer tieferen Wahrnehmung, und allmählich begannen sich drei Gestalten aus dem ursprünglichen visuellen Chaos zu lösen. Zwei der Figuren waren große Männer in den groben Gewändern gewöhnlicher Soldaten, aber die dritte …

Peregrine stieß einen Laut des Erschreckens aus und zuckte zusammen, denn bei der Gestalt, die im Griff der beiden Soldaten zusammengesunken war, handelte es sich um eine schlanke junge Frau mit langem, schwarzem Haar, deren grünes Kleid zerrissen und mit Blut besudelt schien. Ihr waren die Handgelenke auf dem Rücken zusammengebunden, ihre nackten Fußsohlen waren verbrannt und mit Blasen überzogen. Ihr halb abgewendetes Gesicht wirkte so mitgenommen, daß er, als sie den Kopf hob, einen Augenblick brauchte, um in ihr dieselbe Frau zu erkennen, die er in seiner früheren Vision gesehen hatte, die von dem Dundee-Ring ausgelöst worden war.

Grizel Seton.

In dem Augenblick, als ihm der Name einfiel, klapperten plötzlich die Zierstücke auf dem Sims über dem Kamin, und der Leuchter mit der nicht entzündeten Kerze fiel vom Kaminsims auf den Boden. Im gleichen Moment fegte ein eisiger Stoß fauliger Luft durch das Zimmer, löschte die andere Kerze aus und schlug Peregrine voll ins Gesicht, wie eine schwere Ohrfeige mit dem Handrücken. Die Wucht fegte ihm die Brille von der Nase und knallte seinen Rücken unsanft gegen die geschlossene Tür. Er ruderte mit den Händen, um das Gleichgewicht zu bewahren, ließ dabei das Skizzenbuch los und fiel fast hin. Mit Mühe und Not gelang es ihm, auf einem Knie aufrecht zu bleiben. Die Gemälde an der Wand begannen heftig an ihren Haken zu wackeln. McLeod hatte sich in der Fensternische eng an die Wand gedrückt und blickte forschend ins Zimmer.

»Himmel, was ist denn los?« fragte er heiser.

Peregrine, der sich an die Tür drückte, fehlte der Atem, um zu antworten. Auf einmal verschwanden die Soldaten und das Bild der gefolterten Grizel Seton barst vor ihm wie eine Glasscheibe. Aus dem Geglitzer der umherfliegenden Scherben erhob sich eine hagere Frauengestalt mit wehendem Haar und lodernden Augen. Seiten aus Peregrines Skizzenbuch flogen in die Luft und wirbelten umher wie ein Sturm aus Konfetti. Der zweite Kerzenständer fiel klappernd zu Boden, und eine Messingschale voller getrockneter Blüten und Duftblätter kippte von dem Schreibtisch und verschüttete ihren Inhalt über die Perserteppiche. Mit dem durchdringenden Stöhnen einer *banshee* schoß der Geist von Grizel Seton vom Boden hoch. Ihre lodernden Augen wandten sich Peregrine zu, und sie ging auf sein Gesicht los.

Er duckte sich und warf beide Arme hoch, um sie abzuwehren. Von dem Ring an seiner Hand blitzte blaues Licht auf und lenkte einen Angriff ab, der dann an der Tür hinter ihm abprallte. Der Rückstoß warf ihn zur Seite, gegen den Tisch mit der Lampe, der fast umgestürzt wurde. Als Peregrine sich mühte, sein Gleichgewicht zu halten und auch die Lampe vor dem Herunterfallen zu bewahren, rief eine Stimme scharf: *»Grizel! Hör auf!«*

Die Stimme war die einer Frau, hoch, deutlich und gebieterisch. Bei ihrem Klang zögerte die zornige Präsenz in dem Zimmer und wich zurück. Als Peregrine vorsichtig hinter seinen überkreuzten Armen hervorspähte, sah er, wie die Weibsgestalt sich Adam zuwandte, der aufgestanden war. Doch nun schien für Peregrines staunenden Blick Adams physische Erscheinung von der durchsichtigen Projektion dieser überraschenden Persönlichkeit aus der Vergangenheit umhüllt zu sein, die sich auf Oakwood manifestiert hatte: Lady Jean Seton.

Diesem Ebenbild ihrer Schwester gegenübergestellt, verlor der Schatten von Grizel Seton seinen wilden und blutigen Aspekt. Ihre lodernden Augen wurden weich, ihr Feuer erlosch in plötzlicher Unsicherheit. Vor Peregrines Augen schrumpfte sie zusammen und fügte sich. Noch während er blinzelte, wurde sie wieder zu dem, woran er sich erinnerte – einer schlanken, dunkelhaarigen Frau mit der stillen Schönheit eines Rehs.

Eine Stille schien plötzlich über das Zimmer zu kommen. Dann sprach Grizel, und ihre Stimme zitterte ungläubig.

Wer bist du? Ich fordere dich auf, mir die Wahrheit zu sagen.

»Ich bin wahrhaftig deine Schwester, Jean Seton«, lautete Adams geflüsterte Antwort, »wiedergeboren im Fleisch als der Mann, den du vor dir siehst.«

Wie weiß ich, daß du nicht ein verderbter Schatten bist, der geschickt wurde, um mich zu täuschen?

Adam hob seine Hand und zeigte den Dundee-Ring. »Bei diesem Zeichen«, sagte die Stimme von Jean Seton, »das mir unser Vater gab, nachdem wir nach Frankreich geflohen waren. Du kennst den Ring aus der Zeit, als er ihn ohne Schmuck trug. Jetzt enthält er eine Reliquie unseres Lord Dundee, die genommen wurde, bevor unser Vater half, ihn zu Grabe zu legen.«

Kühn streckte Adam die Hand aus. Grizel Seton griff hin und berührte den Ring mit Fingern, die so durchscheinend waren wie Perlmutt, und ihre Präsenz zitterte wie eine Kerzenflamme im Wind.

Ja, jetzt erkenne ich dich als meine eigene Bonnie Jean, murmelte sie leise. Und auf einmal schienen Tränen in ihren Augen zu glitzern. *Ach, liebe Schwester, als wir vor so langer Zeit im Wald von Mar Abschied voneinander nahmen – und von* ihm *ebenfalls,* fuhr sie staunend fort, *da hatte ich keine Hoffnung, daß wir einander noch einmal begegnen würden. Was bringt dich jetzt zu mir zurück, auf diese seltsame Weise, nachdem so viele Jahre vergangen sind?*

»Die Nöte der Gegenwart.« Jeans Stimme klang ernst. »Was den Tempelrittern anvertraut war, ist geschändet worden. Das Siegel, das verloren schien, ist ans Licht gekommen, seinem Bewahrer gestohlen von einem Dieb in der Nacht, und wir haben Grund zu der Befürchtung, daß dieser Dieb jetzt die Schatulle sucht. Wenn er Erfolg haben und sie finden sollte, dann wird nur Salomons eigene Weisheit ausreichen, um eine Katastrophe abzuwenden. Da dem so ist, bin ich gekommen, dich zu bitten, du mögest mir die Krone aushändigen, die unser Bonnie Dundee deiner Obhut anvertraut hat.«

Salomons Krone? Grizels Stimme verriet Besorgnis und Überraschung. *Du stellst mir ein gewichtiges Ansinnen, liebste Jean. Du warst damals bei mir, als unser Dunkelhaariger John von den Schlachten mir auferlegte, sie niemals herauszugeben, auch nicht um den Preis meines eigenes Lebens. Meine Anwesenheit hier ist Beweis, daß ich ihm noch nie die Treue gebrochen habe.*

»Und das habe ich ihm auch gesagt, als wir uns just vor zwei Tagen wieder begegneten«, sagte Jean.

Es folgte verwundertes Schweigen. *Du hast mit seiner Lordschaft gesprochen?* fragte Grizel begierig.

»Ja, so wie ich jetzt hier mit dir spreche«, lautete Jeans Antwort. »Die beiden würdigen Männer in meiner Begleitung werden Zeugnis geben, daß er im Geist weiterlebt, wie wir.«

Wie geht es ihm dann?

»Er ist weniger glücklich als er sein könnte, denn er weiß, wie du zu Tode gekommen bist«, antwortete Jean. »Ebenso bereitet es ihm großen Kummer, daß du so lange hier festgehalten wurdest, verbannt aus dem LICHT. Ich soll dir seinen Dank und seinen Segen übermitteln. Ich soll dir auch sagen, daß in der Person meines späteren Selbst ich die Autorität besitze, die Krone in meine Obhut zu nehmen, um die gegenwärtige Gefahr abzuwenden und dir deine Freiheit zurückzugeben. Er bat mich, dir dieses Kreuz zu zeigen, das er trug, als wir ihn zum letzten Mal im Fleisch sahen. Es ist ein Zeichen, wie ernst seine dringendste Bitte ist. Du mußt mir nur zeigen, wo die Krone verborgen liegt.«

Endlich frei sein … Grizels Worte waren ein verlangender Seufzer, als sie eine Hand ausstreckte und das Kreuz auf Adams Brust vorsichtig berührte. *Ja, ich werde sie dir zeigen, liebste Jean. Aber deine Begleiter müssen in gleicher Weise geloben, diese Pflicht heilig zu halten, die ich an dich weitergebe.*

Ihr Blick richtete sich auf Peregrine und McLeod. Der Inspector war aufgestanden, während Adam und der Geist sich unterhielten, und jetzt machte er eine leichte Verbeugung und legte die rechte Hand auf sein Herz.

»Sie haben meinen feierlichen Eid, Mylady«, sagte er. »Wir alle sind dem Dienst des LICHTS verschworen. Wir werden die Pflicht treu erfüllen, die Ihr uns auferlegt – und wir werden Lord Dundee treu sein.«

»Auch ich gebe Euch meinen Eid«, sagte Peregrine mit großen Augen.

Sehr gut, sagte Grizel. *Ich bin zufrieden.*

Sie ging zum Kamin hinüber und fuhr mit einer schlanken, hauchdünnen Hand über die Täfelung in der Öffnung.

Die Krone ist hier, erklärte sie. *Die, die mich fingen, wußten es nicht: Diese Feuerstelle hat nie ein Feuer gesehen, denn sie besitzt keinen Kaminvorsprung. Statt dessen enthält sie hinter einer Zwischenwand aus Mauerwerk ein geheimes Fach. Sie dachten daran, mich hierher zu bringen, aber sie dachten nicht daran weit genug zu schauen. Alles, was ich tun mußte, war, meinen Mund zu halten …*

Kapitel 23

Der Geist von Grizel Seton schauderte leicht, als erinnerte sie sich an eine alte Qual. Peregrine bückte sich und hob seine Brille auf, dann rückte er näher zu McLeod heran.

»Diese Täfelung sieht ziemlich solide aus«, murmelte er, »ganz zu schweigen davon, wie tief das Mauerwerk dahinter ist. Wie zum Teufel sollen wir die Krone da herausbekommen, ohne die ganze Wand zu verhunzen?«

»Verdammt, wenn ich's wüßte«, erwiderte McLeod. »Aber wir werden uns eine Methode ausdenken müssen.«

Während er noch sprach, schwebte Grizel Seton näher zu Adam heran.

Gib mir deine Hände, wies sie ihn in aller Ruhe an.

Sie duckte sich unter seine Schulter, als er die Hände hob, dann erhob sie sich wieder zwischen seinen Armen und legte ihre ausgestreckten Hände über die seinen, bis sie miteinander verschmolzen. Der Kontakt erzeugte bei Adam eine kühl prickelnde Empfindung in seinen Handflächen und Fingerspitzen. Gleichzeitig begriff er, daß sie die Kontrolle über seinen Körper brauchte. Im Vertrauen, daß sie ihm kein Leid antun würde, entspannte er sich, schloß seine Augen und ließ ihr die Freiheit, ihn zu führen.

Das kühle Prickeln breitete sich von Adams Händen in seine Arme und Beine aus. Er überließ sich passiv Grizels sanftem Einfluß und gestattete, drei Schritte in Richtung auf den Kamin bewegt zu werden. Immer noch auf ihre Berührung reagierend, kauerte er sich nieder und griff nach vorn. Kurz bevor er die Täfelung berührte, trafen seine ausgestreckten Hände auf eine Art elastischen Widerstand – als drücke er seine Finger durch einen Block steif gewordener Gelatine …

Grizels führende Präsenz erfüllte Adams ganzen Körper mit einem sanften Schimmer. Als seine und Grizels verschmolzene Hände *durch* die Täfelung, die den Kamin abdeckte, hindurchfaßten, flüsterte McLeod ungläubig: »Du lieber Himmel!« Peregrine konnte nur zustimmend nicken und beobachtete mit sprachlosem Erstaunen.

Adam selbst schien blind für das zu sein, was geschah. Er hatte die Augen geschlossen, sein Gesicht wirkte gelassen und in sich versunken. Er ging leicht in die Knie und beugte sich weiter vor, und seine Arme verschwanden fast bis zu den Schultern, als er einen atemlosen Augenblick lang nach etwas auf der anderen Seite zu tasten schien. Als er sich dann rückwärts bewegte, immer noch von Grizel angeleitet, konnte Peregrine an der Haltung seiner Schultern erkennen, daß er jetzt etwas trug. Adam öffnete plötzlich die Augen, als seine Hände aus der Täfelung hervorkamen, und riß sie verwundert weiter auf, als Licht von der Lampe an der Tür den warmen Schimmer eines Edelmetalls zwischen seinen Fingern aufglitzern ließ.

Sobald sie sich von der Täfelung gelöst hatten, trennte sich Grizel von ihm und zog sich zurück. Adam holte tief Luft, dann erhob er sich, wandte sich Peregrine und McLeod zu und zeigte ihnen das goldene Sternendiadem mit den sechs nach oben gebogenen Spitzen, das er jetzt in Händen hielt.

Peregrin konnte einen Laut der Überraschung nicht unterdrücken. McLeod sah ein wenig blaß aus. Adam lächelte, sein Gesichtsausdruck war verzückt und von einem halb träumerischen Staunen, als er die Krone in seinen Händen umherdrehte. Neben ihm wurde die dunstige Präsenz der Grizel Seton noch einmal zu einer fraulichen Gestalt.

Das ist die Krone, die einmal für den Tempel von John Grahame of Claverhouse aufbewahrt wurde, sagte sie zu ihnen. *Die Legende erzählt, daß König Salomon sie vor langer Zeit mit seiner Weisheit ausstattete.*

Ihre Worte schienen Adam zu sich zurückzurufen. Er schaute auf und sagte ruhig mit seiner eigenen Stimme: »Danke, Grizel. Sei versichert, ich werde sie mit meinem eigenen Leben beschützen.«

Wenn Ihr in Eurer Mission versagt, erwiderte sie, *dann gefährdet Ihr nicht nur Euer Leben, sondern auch Eure Seele. Als Bewahrer der Krone habt Ihr die Erlaubnis des großen Königs, sie zu benutzen. Aber ich bin verpflichtet, Euch zu warnen, daß dies bedeutet, die größte Gefahr für Euch herbeizulocken, wenn nicht auch das Siegel und das Zepter zugegen sind.*

»Wie kommt das?« fragte Adam.

Salomon teilte seine Macht unter den drei Heiltümern auf und beabsichtigte, daß sie nur zusammen benutzt würden, unterrichtete ihn Grizel. *Wenn das eine oder andere dieser Heiltümer fehlt, muß der Benutzer selbst das dadurch entstehende Ungleichgewicht der Macht ausgleichen. Solltet Ihr erwägen, die Krone aus welchem Grund auch immer aufzusetzen, so beschwöre ich Euch: untersucht zuerst Euren eigenen Geist und Euer Gewissen und schaut, daß Ihr Euch ohne Mangel findet. Denen, die schon stark und weise sind, bringt die Krone noch größere Weisheit. Doch denen, die es nicht sind, bringt sie Wahnsinn.*

Diese Warnung warf ein weiteres Licht auf den Traum, den Adam auf Oakwood gehabt hatte. Es schien, daß Caitlin in ihrer Vermutung recht gehabt hatte, daß die Krone selbst nicht ausreichend sein würde, um ihn durch die Gefahren hindurchzubringen, die vor ihm lagen.

»Ihr seid nicht die erste, die mich warnt, daß die Heiltümer gefährlich seien«, sagte er zu Grizel. »Vor zwei Nächten hatte ich einen Traum, der mich drängte, auch das Zepter wiederzufinden, wie die Krone. Wißt Ihr, wo es sich jetzt befindet?«

Grizels Antwort war ein bedauerndes Kopfschütteln. *Falls Mylord Claverhouse es wußte, so hat er dieses Wissen nicht mit mir geteilt. Es tut mir leid.*

Sehr wagemutig trat McLeod vor. »Was ist mit der Schatulle, Mylady? Könnt Ihr uns sagen, wo sie liegt?«

Grizel schüttelte erneut den Kopf. Dieses Wissen war lang vor meiner Zeit den Meistern des Tempelordens verloren gegangen.

»Dann müssen wir weitermachen, nur gewappnet mit dem Wissen, daß wir …«

Adam hielt inne, als ihm plötzlich ein Gedanke kam. McLeod nahm schnell den gebannten Ausdruck auf seinem Gesicht wahr.

»Sie haben doch gerade an etwas gedacht, nicht wahr?«

»Vielleicht«, sagte Adam. »Ein Trick, der einen Versuch wert ist.«

Als McLeod und Peregrine näher herantraten, fuhr Adam fort zu erklären.

»Nach dem, was Lady Grizel uns erzählt hat, sind die drei Heiltümer integral miteinander verknüpft. Da dies so ist, ist es vielleicht möglich, den derzeitigen Ort des Zepters ausfindig zu machen, indem man die Krone als Fokus verwendet. Offensichtlich wären unsere Erfolgschancen doppelt, wenn wir auch im Besitz des Siegels wären, aber wir haben etwas, das fast ebenso gut ist – den Abdruck davon, nicht wahr, Noel?«

McLeod nickte und holte aus seiner Tasche das in Seide gewickelte Bündel mit dem Abdruck des Siegels und reichte es Adam kommentarlos. Peregrine blickte verwirrt drein, doch Adam fuhr fort zu erklären, während er sich hinkniete und die Krone in der Mitte des Zimmers auf dem Boden absetzte und das Wachs auszuwickeln begann.

»Dieses Stück Siegelwachs trägt nicht nur den physikalischen Abdruck von Salomons Siegel, sondern auch den okkulten Abdruck seiner Macht«, unterrichtete er seine Gefährten. »Da wir über das Siegel selbst nicht verfügen, ist sein Abdruck vielleicht das Zweitbeste. Aber es wird uns immer noch eine beträchtliche Mühe kosten, die anderen Heiltümer damit zu finden. Da dies so ist, hoffe ich, daß Lady Grizel vielleicht überredet werden kann, uns mit ihrer Unterstützung zu helfen.«

Ich bin bereit zu tun, was immer Ihr verlangt, sagte sie zu ihm.

»Danke«, erwiderte Adam. »Eure Unterstützung wird höchst willkommen sein. Mir bleibt nur, die notwendigen Vorbereitungen zu treffen.«

Er legte den Wachsabdruck vorsichtig in den Bereich der Krone, dann setzte er sich im Schneidersitz vor das so hergerichtete Sigillum und wies seine Mitarbeiter an, sich ebenfalls so hinzusetzen. Während Peregrine sich zu seiner Rechten niederließ und McLeod ihm gegenüber, schwebte Grizel Seton über den Boden und nahm ihren Platz im verbleibenden Quadranten des Kreises ein, direkt zu Adams linker Seite.

»Nun denn, unterstützt mich, so gut ihr könnt«, sagte er. »Ich erwarte, daß ich sehr tief gehen muß.«

Nach diesen Worten breitete er seine Hände über der Krone und dem, was sie umgab, aus, krümmte seine Finger über den sechs nach oben gekehrten Spitzen und ließ seine Daumen auf dem Wachsabdruck des Siegels ruhen. Als er sich in die Trance hinabzusenken begann und seine Wahrnehmung des Raumes zurückwich, wurde er sich entsprechend um so stärker der unterstützenden Gegenwart von McLeod, Peregrine und Grizel Seton bewußt. Er schloß die Augen und sank immer tiefer, wobei er seine Aufmerksamkeit auf das zentrierte, was zwischen seinen Händen lag. Vor seinem geistigen Auge begann die Krone allmählich mit der verborgenen Macht ihres eigenen inneren Glanzes zu glühen.

Das Glühen verschmolz zur wirbelnden Spindel einer goldenen Flamme. Die rotierende Flamme ließ eine Strähne Licht aufsteigen, wie einen dünnen goldenen Draht, der sich von Adam weg in einen labyrinthischen Nebel erstreckte. Da er sich bewußt war, daß Grizel Setons Präsenz sich bei ihm auf der Astralebene befand und daß die anderen die silberne Schnur seiner eigenen Seele fest verankert hielten, verließ er seinen Körper und machte sich daran, dem goldenen Faden zu seiner Quelle zu folgen.

Der brennende Draht krümmte und drehte sich und wurde zu einem fliegenden Pfeil. Adam, der hinter ihm her raste, wurde plötzlich aus den Nebeln in eine Dunkelheit voller Mondlicht und rauschender Winde katapultiert. Eine schattige Landschaft aus Hügeln und Tälern entfaltete sich unter ihm mit beängstigender Geschwindigkeit. Vorwärtsstürzend sah er, wie sich vor ihm ein Panorama aus Lichtern ausbreitete, wie eine Galaxie von Sternen.

Die Lichter lösten sich in ein Gitter aus Linien und Quadraten auf – die Luftansicht einer großen Stadt. Während er wie ein Komet über die Hausdächer dahinschoß, erkannte Adam genug von der Anlage der Stadt, um zu erkennen, daß er über die Stadt Dundee flog. Seine Vision zwang ihn weiter über den breiten Lauf des Flusses Tay und mit schwindelerregender Geschwindigkeit über die Felder und Ortschaften von Fife. Er schwebte über die Türmchen der Forth Bridge, schoß über die sich ausbreitenden Lichter von Edinburgh dahin und stürzte nach Osten auf ein verschwommen sichtbares Gebäude am Westufer des Flusses Esk, das sich aus der Nähe als ein kirchliches Gebäude aus Stein und Ziegel entpuppte.

Rosslyn Chapel, flüsterte eine Stimme, die er als die von Grizel erkannte.

Dies war ein Bauwerk, nicht nur mit den Templern verknüpft, sondern auch mit entfernten Sinclair-Verwandten – in Midlothian, nicht weit im Süden von Edinburgh. Als das Äußere der Kapelle vor ihm dahinzuschmelzen schien, fand sich Adam an einem glänzenden Leuchtturm vorbeigezogen, der in seinem physischen Aspekt als Apprentice Pillar bekannt war, dann wurde sein Blick nach unten auf eine schmucklose Ziegelmauer gelenkt. Das Bild brachte die Gewißheit mit sich, daß das Zepter in einem Gewölbe dahinter verborgen lag.

Er drängte in der Hoffnung vorwärts, in das Innere des Gewölbes einzudringen. Im gleichen Augenblick wurde sein astrales Selbst gewaltsam aus der stabilisierenden Verbindung mit Grizel gerissen. Ein übelkeiterregender Wirbel von Schwindelgefühlen packte ihn, während die Welt um ihn herum Kopf stand und ihn in ein Zwischenstadium spie. Während er blind durch den Raum torkelte, brach er durch die Barriere eines anderen lebendigen Geistes.

Henri Gerard!

Gerards Aufmerksamkeit war nicht nach innen, sondern nach außen gerichtet – auf das Zepter. Der Franzose war nicht körperlich in der Nähe des Zepters zugegen, doch in diesem kurzen Moment des psychischen Kontakts erkannte Adam, daß Gerard den Aufbewahrungsort des Zepters kannte – und wahrscheinlich den der Schatulle ebenfalls. Auf die Gefahr hin, sich selber zu offenbaren, unternahm er einen Versuch, in dem Chaos des Bewußtseins des anderen Mannes zu lesen, um die andere Hälfte des Geheimnisses zu fassen zu bekommen. Aber im gleichen Herzschlag wurde sich Gerard seiner bewußt und wandte sich heftig um, um den okkulten Eindringling anzugreifen, den er in seinem eigenen Geist spürte.

Ein tückischer Angriff roher Gewalt warf Adam in der Zeit zurück. Von heißen Brisen geschüttelt, kämpfte er darum, sich loszureißen und entdeckte, daß Ketten ihn an Händen und Füßen an einen grausamen

Pfahl banden. Feuer knisterte um ihn herum in tanzenden Flammen und leckte hungrig an seinen nackten Armen und Beinen. Vor Schmerz würgend, blickte er wild um sich und sah durch einen Kranz aus aufsteigendem Rauch das bitter lächelnde Gesicht eines alten Feindes.

Guillaume de Nogaret, auch der Fluch der Templer genannt, der geholfen hatte, die Beschuldigungen zu erfinden, die zur Unterdrückung des Templerordens führten und so viele Templer in den Tod schickten.

Mit dem Teil seines Geistes, der noch in der Gegenwart verwurzelt war, erkannte Adam plötzlich, daß Gerard und de Nogaret ein und dasselbe Individuum waren. Im nächsten Augenblick wurde seine mentale Verbindung zu Gerard in einem Ausbruch lodernder Flammen und einer Welle purer Qual ausgelöscht. Adams Templer-Selbst schrie voller Angst auf. Doch als die Lohe ihn zu überwältigen drohte, packten ihn starke Hände und holten ihn aus dem zerstörerischen Griff der Flammen.

Er erdete sich mit einem Ruck und lag keuchend da, einen Augenblick zu sehr außer Atem, um sich bewegen oder sprechen zu können. Allmählich wurde er sich bewußt, daß er seitlich zusammengerollt auf dem mit Teppichen bedeckten Boden des Douglas-Zimmers lag. In einer Reaktion auf drängende Hände an seinen Schultern, rollte er sich schwer auf den Rücken und öffnete die Augen. Er sah mit trübem Blick in das besorgte Gesicht von McLeod. Peregrine spähte beunruhigt über die Schulter des Inspectors, und Grizel Seton schwebte ängstlich im Hintergrund.

»Sind Sie in Ordnung?« fragte McLeod. »Du lieber Himmel, was ist denn passiert?«

Peregrines Gesicht war kreidebleich. »Ich konnte sehen, wie Sie von Feuer umringt waren«, sagte er bebend. »Sie standen … in Flammen …« Seine Stimme schnappte über.

Adam holte tief Luft und suchte nach beruhigenden Worten.

»Das waren nur Bilder«, sagte er zu Peregrine mit aller Festigkeit, die er aufbieten konnte. »Erinnerungen an eine noch frühere Inkarnation, die mit unserem Gegner zu tun hat. Das Feuer, das Sie sahen, mochte mich früher einmal verletzt haben, aber nicht in diesem gegenwärtigen Leben. Sie können sehen, ich habe keinen wirklichen Schaden genommen.«

Er löste sich sanft aus McLeods stützendem Griff, setzte sich auf und fuhr fort zu erzählen, was er aus dieser schmerzvollen Episode des Kontakts erfahren hatte.

»Ich habe tatsächlich eine wertvolle Information mitgenommen«, erzählte er ihnen. »Ihr erinnert euch, daß ich mich fragte, ob unser Mr. Gerard eine okkulte Vergangenheit habe, die irgendwie sein derzeitiges Benehmen erklären könnte?«

»Ja«, erwiderte McLeod.

»Tja, es scheint, mein Verdacht war berechtigt. Er war einer der wichtigsten Berater von Philipp dem Schönen. Wenn man das weiß, beginnt vieles, was geschehen ist und uns vorher sinnlos erschien, einen Sinn zu ergeben.«

McLeod nickte. »Als Gerard die Wahrheit über das Siegel Ihres Freundes Nathan erfuhr, muß dieses Wissen alle latenten Ambitionen seines früheren Lebens geweckt haben. Wissen Sie, ob er den Ort des Zepters kennt?«

»Ich fürchte, er kennt ihn«, sagte Adam grimmig. »Und ich glaube, er weiß auch, wo sich die Schatulle befindet. Glücklicherweise konnten Grizel und ich die Hälfte des Rätsels lösen, bevor er mich wahrnahm. Ich weiß immer noch nicht, wo sich die Schatulle befindet, aber das Zepter ist in einem geheimen Gewölbe in Rosslyn Chapel verborgen.«

»Rosslyn …«, murmelte Peregrine.

Als Künstler wußte er, daß Rosslyn Chapel ein Schatzhaus spätgotischer Steinmetzarbeit darstellte. In der Mitte des fünfzehnten Jahrhunderts im Auftrag von Sir William St. Clair gebaut, einem weiteren Sproß von Adams Familie, war Rosslyn Chapel in ganz Schottland berühmt für seinen einzigartigen Reichtum an Skulpturen. In ihrer Gänze wurde die Kirche nie fertiggestellt; aber vielleicht war sie auch nie als etwas anderes beabsichtigt gewesen denn als Versteck für einen noch wertvolleren Schatz.

»Adam«, sagte Peregrine eindringlich, »Sie haben uns gerade erzählt, daß Gerard weiß, wo sich sowohl die Schatulle als auch das Zepter befinden! Wenn er das Zepter vor uns findet, hat er schon mehr als den halben Weg zur Auffindung des Templerschatzes zurückgelegt, nach dem er jahrhundertelang gierte.«

»Wahrscheinlich wird er nie einen Verdacht haben, was *wirklich* in dem Kasten ist«, sagte McLeod. »Wir sollten lieber hoffen, daß wir vor ihm nach Rosslyn Chapel kommen!«

»In der Tat«, sagte Adam mit einem grimmigen Gesichtsausdruck und ließ sich vom Inspector auf die Beine helfen. »Liebe Grizel, ich muß Euch dafür danken, daß Ihr mich auf der Astralebene begleitet habt. Eure Gegenwart hat mich gestärkt. Ich stehe sehr in Eurer Schuld.«

Es gibt keine Schuld, erwiderte Grizel lächelnd. *Vergeßt nicht, daß wir einst von einem Blut waren und ein gemeinsames Ziel hatten.*

»Das vergesse ich nicht«, sagte Adam, »und ich vergesse auch nicht, daß Ihr lang genug auf Eure Freiheit gewartet habt.«

Während er sprach, wurde sein Gesicht erneut von der geisterhaften Veränderung des Aussehens überwölkt, das das Erscheinen seiner Persönlichkeit als Lady Jean ankündigte. Als Adam wieder sprach, war es ihre Stimme.

»Möge der Segen des LICHTS immer bei dir sein, Grizel, für all deine Qualen und deinen Dienst. Was immer uns von diesem Zeitpunkt an geschieht, ich werde mich des Wissens erfreuen, daß du zumindest frei bist.«

Noch während er sprach, verblaßte Grizels Erscheinung. Im letzten Augenblick streckte sie die Hand aus und berührte mit durchsichtigen Fingern Adams Lippen.

Lebwohl, kleine Schwester, flüsterte sie verwehend. *Sei stark um all dessentwillen, was uns beiden teuer ist.*

Dann war sie verschwunden.

Es folgte ein kurzes Schweigen. Dann straffte sich McLeod. »Nun, worauf warten wir noch?« brummte er. »Das Spiel ist im Gang!«

Kapitel 24

Adam deponierte die Krone in Peregrines Künstlermappe, wo sie gut aufgehoben war. Dann machten er und seine beiden Mitarbeiter sich schnell daran, alle Spuren der Arbeit dieses Abends zu tilgen, bevor sie wieder die Große Treppe hinabgingen, um Mr. Lauder zu suchen. Er kam aus dem Salon heraus und wirkte jetzt etwas erleichtert, aber sie verkürzten ihren Abschied, indem sie vorgaben, Adams Piepser habe ein Signal gegeben und also müßten sie wegen eines medizinischen Notfalls wieder nach Edinburgh.

»Ich habe mir die Freiheit genommen, mich über das Telefon im Douglas-Zimmer zu melden«, sagte er dem Burgverwalter, »aber die Gebühren ließ ich umbuchen. Glücklicherweise haben wir ziemlich viel von dem gesehen, was wir sehen wollten. Ich möchte Ihnen noch einmal dafür danken, daß Sie uns an einem Abend, an dem Sie hier so viel zu tun haben, eindringen ließen.«

Lauder machte eine abmildernde Geste. »Denken Sie sich nichts dabei. Das ist das übliche Chaos, das wir hier haben, wenn Gäste von außen kommen. Wahrscheinlich kann ich Sie nicht verlocken, noch einen Bissen mitzuessen? Bei diesen Veranstaltungen liefert das Catering immer zuviel, und wir haben einige Fasane übrig.«

»Ach, ich wünschte, ich könnte noch bleiben«, sagte Adam mit echtem Bedauern und schloß dabei auch Peregrine und McLeod mit ein. »Unglücklicherweise haben wir noch eine Fahrt von drei bis vier Stunden zurück nach Edinburgh vor uns, und ich weiß nicht, wie sehr der Regen uns noch langsamer machen wird. Doch vielen Dank für Ihr freundliches Angebot.«

Peregrine sagte nichts, während sie zum Auto zurückeilten und einstiegen, doch als Adam den jetzt durchnäßten Blazer auszog und ihn nach hinten reichte, damit der junge Mann ihn über die Lehne des anderen Rücksitzes hängen konnte, schenkte er ihm ein mitfühlendes Lächeln.

»Tut mir leid wegen des verpaßten Mahls, aber wir sollten jetzt wirklich nichts essen, selbst wenn wir uns die Zeit dafür nehmen könnten.«

»Das weiß ich«, erwiderte Peregrine niedergeschlagen, während Adam den Motor anließ. »Es ist halt nur so, daß mein Magen einen Freudensprung getan hat, als uns tatsächlich etwas angeboten wurde, nachdem wir einige Stunden lang immer wieder den Duft von gebratenem Fasan riechen mußten.«

»Warten Sie noch eine halbe Stunde, und dann sind Sie vielleicht froh, daß Sie nichts im Magen haben«, gab McLeod zurück, der den Straßenatlas studierte. »Reichen Sie mir bitte doch mal dieses Mobiltelefon. Ich versuche uns einen Hubschrauber aus Aberdeen kommen zu lassen, und wenn ich es schaffe, dann wird das bei diesem Wetter ein rauher Flug. Ich kann mir allerdings keine schnellere Möglichkeit vorstellen, um nach Rosslyn zu gelangen. Fahren Sie uns zum Flughafen, Adam.«

Es war ihnen bekannt, daß Helikopter im Raum Aberdeen allgemein verfügbar waren, da sie viel benutzt wurden, um die vor der Küste stationierten Ölplattformen zu versorgen, aber ob sie so spät noch einen finden konnten, und ob der Pilot bereit war, sie bei diesem Wetter nach Rosslyn hinunterzufliegen, war eine andere Frage. Während sie durch das Dorf Fyvie zurückfuhren, rief McLeod die Auskunft an und notierte sich die Nummern einiger Hubschrauber-

Charterfirmen, die vom Flughafen von Aberdeen aus operierten.

Leider erwies sich der Flughafen als eine Sackgasse, denn die Firmen, die die Ölplattformen versorgten, führten nur kommerzielle Flüge durch. Aber als sie erneut durch Oldmeldrum kamen, hatte McLeod inzwischen die Nummer eines kleinen privaten Charterservice bekommen können, der weiter nördlich an der Hauptstraße nach Aberdeen ansässig war.

»Jetzt kommen wir der Sache näher«, sagte McLeod, während er die neue Nummer wählte. »Diese Firma hier befindet sich gleich hinter Pitcaple. Sie werden dann bei Inverurie auf der A96 nach Norden fahren müssen – wenn ich die Leute um diese Stunde noch aufscheuchen kann.«

Die Firma Grampian Helicopter Service war anscheinend gierig auf das Geschäft, denn binnen fünf Minuten hatte McLeod das Versprechen bekommen, ein Hubschrauber und ein Pilot stünden zum Start bereit, sobald sie ankämen.

»Okay, wir dürften in zehn oder fünfzehn Minuten da sein«, sagte er. »Vielen Dank.«

Als das Gespräch beendet war und er erneut zu wählen begann, schaute er Adam an und grinste.

»Wir haben einen. Sie akzeptieren sogar Kreditkarten. Jetzt schauen wir mal, ob dieses ganze Training, das ich in den jungen Donald Cochrane investiert habe, sich bezahlt macht. Hallo, Donald?« sagte er, als sein Untergebener sich am anderen Ende meldete. »Ja, es tut mir leid, daß ich Sie zu Hause störe, aber könnten Sie mir einen persönlichen Gefallen tun. Ja, ich war ›auf der Jagd‹ hier oben in der Gegend von Aberdeen mit Sir Adam und Mr. Lovat. Wir sind unterwegs, uns einen Helikopter zu nehmen. Wir haben einen Tip bekommen, daß dieser Henri Gerard möglicherweise nach Rosslyn Chapel unterwegs ist. Ja, da unten bei Loanhead.

Nein, ich will nicht, daß Sie dorthin fahren. Der Charterservice sagte uns, der nächste Hubschrauberlandeplatz sei bei Dalhousie Castle. Wir dürften in etwa zwei Stunden dort sein. Können Sie uns dort mit einem Auto in Empfang nehmen, wenn wir landen? Ganz recht, Dalhousie Castle, etwa um Mitternacht. Nein, keine Verstärkung«, fügte er mit einem Blick auf Adam hinzu, der den Kopf schüttelte. »Falls unser Mann dort auftauchen sollte, haben wir eine bessere Chance ihn zu schnappen, wenn die Polizei nicht in Erscheinung tritt.«

»Mit anderen Worten«, sagte Peregrine, als der Inspector aufgelegt hatte, »Sie glauben also, Gerard sei vielleicht für ein konventionelles Polizeiteam zu gefährlich.«

»Nur allzu wahr«, brummte McLeod. »Wenn wir diese Sache vermasseln und Gerard läßt Gog und Magog auf die Welt los, dann geht es nicht mehr nur um die Zahl der Beteiligten, sondern auch um die Zahl der potentiellen Opfer.«

Erschüttert von der Entdeckung, daß er noch von anderen Gegnern als nur der Polizei gesucht wurde, hatte Henri Gerard keine Zeit verloren und sich zu dem Treffpunkt begeben, den er mit seinem gedungenen Helfershelfer ausgemacht hatte. Niemand schien da zu sein, doch als Gerard seine Scheinwerfer aufleuchten ließ und in die vereinbarte Parkbucht an der A7 nach Galashiels einbog, kam Ritchie Logan geschmeidig auf das Auto zugelaufen. Im Scheinwerferlicht sah man, daß er unter einem schmutzigen Regenmantel einen künstlich verschmutzten Arbeiteroverall anhatte und einen schweren Werkzeugbeutel aus Segeltuch trug.

»'n Abend, Mr. Gerard«, sagte er, während er den Beutel auf den Rücksitz warf. »Sie sind pünktlich.«

»Dasselbe könnte ich von Ihnen sagen«, erwiderte Gerard kühl.

Als Logan sich auf dem Beifahrersitz niedergelassen und die Tür zugeknallt hatte, schaute er Gerards angespanntes Gesicht genauer an. Was er darin sah, ließ ihn seine eng beieinander stehenden Augen zusammenkneifen.

»Was ist los?« wollte er wissen.

Gerard zuckte gereizt mit den Achseln und legte den Gang ein. »Nichts, was ich mit Ihnen diskutieren würde«, sagte er kurz angebunden und jagte den Wagen wieder auf die Straße.

Logan blickte ihn von der Seite an. Offensichtlich war er nicht beeindruckt. »Hören Sie mal, Mr. Gerard, wenn Ihre Probleme privater Natur sind, dann ist es in Ordnung. Aber wenn es etwas mit dem Job von heute abend zu tun hat, so möchte ich natürlich darüber Bescheid wissen.«

Gerard dachte über Logans Forderung nach, dann nickte er mit spröder Nachsicht.

»Nun gut. Wenn Sie es wirklich wissen müssen: Ich habe gerade erfahren, daß wir verfolgt werden.«

Logan zuckte auf seinem Sitz hoch und warf instinktiv einen Blick über die Schulter.

»Wer ist es?« fragte er scharf. »Die Polizei?«

»Nein, ein – Konkurrent von mir.«

Logan drehte sich zur Seite und starrte den Franzosen ungläubig an. »Ein *Konkurrent*? Was ist er denn? Auch so ein Historiker wie Sie?«

»Ich weiß nicht, was er ist«, sagte Gerard. »Aber er ist hinter demselben Ding her wie ich.«

»Sie meinen, Sie kennen nicht einmal seinen Namen?« Logans Ungläubigkeit wich einem schnaubenden Gelächter. »Das ist wirklich gelungen, echt. Einen Moment lang war ich tatsächlich beunruhigt.« Während er sich wieder anmaßend auf seinem Sitz zurechträkelte, warf ihm Gerard einen ätzenden Blick zu.

»Sie können ja darüber spotten, wenn Sie wollen«, versetzte er, »aber ich habe Grund zu der Annahme, daß dieser Mann, wer immer er auch sein mag, für uns eine weit größere Bedrohung darstellt als die konventionellen Autoritäten. Er besitzt ein Wissen und eine Ausbildung, mit der er mir mindestens ebenbürtig ist, und ein vergleichbares Ausmaß an Macht. Wenn Sie nur weniger ignorant wären, als Sie sind, so würden Sie verstehen, was das bedeutet.«

»Ich kenne meinen Job, Mr. Gerard«, erwiderte Logan mit toleranter Verachtung. »Aber wenn Sie sich über diesen Mann Sorgen machen wollen, dann machen Sie nur voran. Er sollte mir lieber nicht den Weg treten.«

»Wenn er das tut«, sagte Gerard knapp, »dann merken Sie das vielleicht erst, wenn es zu spät ist.«

Danach verfiel Logan in ein mürrisches Schweigen; allerdings war er jetzt nervöser als zuvor. Von Anfang an hatte er den Verdacht gehabt, daß Gerard vielleicht psychisch nicht sonderlich stabil war. Seitdem waren Worte und Verhalten des Franzosen zunehmend rätselhaft geworden. Logan hielt es durchaus für möglich, daß Gerard zu einem Nervenzusammenbruch unterwegs war – und er wollte keineswegs dabei sein, wenn der Mann schließlich durchknallte. Im Gegenteil, er wollte dann soweit weg wie möglich sein und dabei den Löwenanteil der Beute mit sich nehmen.

Vorausgesetzt natürlich, daß Gerard hinter etwas her war, das echten Wert besaß. Logan hatte die Möglichkeit nicht ausgeschlossen, daß es sich beim Unternehmen des heutigen Abends um nichts anderes als um die vergebliche Mühe eines Verrückten handelte. Doch da er für seine Dienste gut bezahlt wurde und an den Juwelen, die er bei ihrem letzten gemeinsamen Job mitgenommen hatte, hübsch profitiert hatte, hatte er sich darauf eingestellt, einstweilen das Spiel des Franzosen mitzuspielen, und das in dem sicheren Wissen, daß er zu jedem beliebigen Zeitpunkt die Regeln ändern konnte. So oder so würde er auf Gerards Kosten einen hohen Gewinn erzielen …

Gerard seinerseits bewahrte während der restlichen Fahrt striktes Schweigen. Logans offenkundige Skepsis bedeutete ihm weit weniger als die Erinnerung an die kurze, verräterische Episode der Berührung mit einem anderen Geist, einem rivalisierenden Intellekt – einem Intellekt, der dazu noch mit dem Stempel der Templerweisheit und der klaren Absicht, den Aufbewahrungsort der Schatulle zu erfahren, behaftet war. Schon einmal hatten die Templer ihm die Erfüllung seines Ehrgeizes vereitelt. Er war entschlossen, die Geschichte sich nicht in der Gegenwart wiederholen zu lassen.

In einer Stimmung zunehmender Spannung fuhren er und Logan ruhig durch das schlafende Dorf Roslin. Die Wegweiser, die nach Rosslyn Chapel zeigten, waren im Nebel nur schwer zu entdecken, aber schließlich fanden sie die richtige Abzweigung.

Die Kapelle selbst lag gleich hinter dem Dorf, hinter einer Mauerumfriedung am Westufer des Esk. Gerard lenkte den Wagen auf den ungepflasterten Parkplatz, der auf einer Seite an die Mauer stieß, und wendete, bevor er im Schatten einiger überhängender Bäume parkte. Er trug, was seiner Vorstellung nach ein Einsteigdieb tragen sollte – eine schwarze Lederjacke über einem schwarzen Polohemd und schwarze Hosen und Joggingschuhe –, und er bemerkte, daß Logan ganz ähnlich gekleidet war, sobald er sich aus seinem Overall geschält und eine schwarze Windjacke aus seinem Werkzeugbeutel angezogen hatte.

Auch Gerard hatte einen Seesack dabei und hing ihn sich über die Schulter, während er seinem gedungenen Profi schweigend in Richtung Wand folgte. Er ertappte sich dabei, wie er sich in der Dunkelheit nach okkulten Spuren seines Gegenspielers umschaute, aber er fand keine. Und das Schweigen besänftigte seine eigene Empfindung der Dringlichkeit nicht.

Sie mußten über die Mauer klettern, um auf das Gelände zu gelangen, das die Kapelle umgab, dann hielten sie sich so weit möglich an das nasse Gras, um die Geräusche von Schritten auf dem Kies zu vermeiden. Wie erwartet waren alle Türen fest verschlossen, doch Logan kam zu dem Schluß, daß eine Tür am Westende der Kapelle seinen Fertigkeiten am leichtesten nachgeben würde. Das dumpfe Klirren eines uralten Mechanismus wirkte in der umgebenden Stille unnatürlich laut, doch die Tür schwang dann fast klanglos auf.

»Nach Ihnen«, murmelte Logan und lud seinen Auftraggeber mit sarkastischer Ehrerbietung ein voranzugehen.

Er überließ es Gerard, die Tür hinter ihnen zu schließen, während er in seinem Beutel nach einer starken Taschenlampe kramte, die das Licht der kleineren Lampe verstärken sollte, die er bei der Arbeit am Schloß verwendet hatte.

»Hier«, flüsterte er und reichte Gerard die Lampe. »Halten Sie nur den Strahl nach unten und weg von den Fenstern.«

Die beiden Männer gingen, Gerard als erster, verstohlen zwischen zwei Reihen steinerner Säulen den Mittelgang hinauf. Der fahle Schein ihrer Lampe glitt wie eine aufgedunsene Hand über Bildwerk, das so kompliziert und fein war wie Spitzenklöppelei. Gerard trat auf die rechte Seite des Heiligtums um den Sockel einer dicken Säule herum, die zu einer spitzenartigen Spirale gemeißelt war – Rosslyns berühmte Apprentice Pillar, die ›Lehrlingssäule‹, die der Sage nach von einem Steinmetzlehrling verziert worden war, den sein Meister danach aus Neid ermordet hatte. Auf der anderen Seite der Säule, nahe der Südseite des Altarraums, führte eine Steintreppe in die Krypta der Kapelle. Mit einem leisen Keuchen ging Gerard voran und leuchtete dabei mit seiner Lampe nach links und rechts.

»In Ordnung«, sagte Logan leise. »Wo ist der Eingang zu diesem Ihrem Gewölbe?«

»Da!« Gerard leuchtete mit der Laterne nach links und trat in eine Öffnung, die in einen kleinen, gewölbten Raum mit Lehmboden führte. Als er sein Licht über die gegenüberliegende Wand spielen ließ, konnte er einen verräterischen Unterschied im abdeckenden Mauerwerk entdecken, der anzeigte, daß hier früher einmal eine schmale, längliche Öffnung gewesen war.

»Sie haben mich gewarnt, daß wir einiges würden graben müssen«, gab der Dieb säuerlich zu. »Ich kann dazu nur sagen, es sollte lieber etwas Wertvolleres hinter dieser Wand stecken als nur die Knochen toter Leute. Und ich werde da auch nicht mit meinen Händen graben.«

Er öffnete seinen Werkzeugbeutel und holte einen kleinen Werkzeugkasten heraus, dazu eine Matte aus Flaggentuch. Die oberen Fächer des Werkzeugkastens enthielten geformte Mengen von Plastiksprengstoff, die darunterliegenden verschiedene Sprengzünder.

»Gehen Sie wieder nach oben und warten Sie auf mich«, sagte er zu Gerard. »Sobald ich die Ladung montiert habe, komme ich auch.«

»Nein, warten Sie!« befahl Gerard gebieterisch. »Lassen Sie mich den Raum zuerst abschirmen, damit das Geräusch nicht nach außen dringt.«

»Es wird nicht viel Lärm geben ...«

»Es wird gar keinen geben, wenn Sie mal für einen Augenblick zu Seite gehen. Los!«

Für Logan klang das nach purem Wahnsinn, aber er zuckte die Achseln und gab nach.

»Was immer Sie sagen, Mr. Gerard.«

Während der Dieb mit stummem Zynismus zuschaute, öffnete Gerard seinen Seesack und holte allerhand Gerätschaften heraus, unter anderem eine Plastikflasche mit Schweineblut, einen Weihwasserwedel aus Wildschweinborsten und eine kleine, aus Eisen gehämmerte Schale. Während er düstere Anrufungen vor sich hin murmelte, goß er ein Quantum Blut in die

Schale und opferte es an den vier Ecken des Raums. Dann tauchte er den Wedel in das Blut, bückte sich und malte das Symbol eines Schutzzaubers vor drei der vier Wände auf den Boden. Die Wand mit der Tür zur Treppe ließ er bis zuletzt.

»Jetzt können Sie Ihren Sprengstoff anbringen«, sagte er zu Logan. »Ich werde den Weg hinter uns abschließen.«

Logan warf seinem Auftraggeber einen mißtrauischen Blick zu, endgültig überzeugt, daß Gerard ein kompletter Spinner war, doch anstatt wertvolle Zeit mit Streitereien zu vergeuden, schien es ihm ratsamer nachzugeben. Als er fertig war, verließ er den Raum und beobachtete mit Unbehagen, wie Gerard sich tief bückte und auf den Boden hinter der Schwelle der gewölbten Kammer ein letztes Symbol malte. Dann eilten sie beide die Treppe hoch in die Sicherheit des Kirchenraums.

Hinter der Lehrlingssäule zusammengekauert, zählte Logan die Zeit mit einer Stoppuhr, die er aus seiner Tasche zog. Als die letzte Sekunde vertickte, machte er sich auf das Grummeln einer gedämpften Explosion gefaßt. Ein feiner Schauder lief durch den Boden unter ihm und schickte einen Schauer von Staub von den Querbalken herab. Doch es gab keinen hörbaren Laut.

Logan konnte seinen Ohren kaum glauben, drehte sich herum und starrte Gerard verwundert an. Der Franzose, der gerade das Siegel Salomons aus seinem Seesack holte, hielt inne und erwiderte den Blick.

»Ich habe Ihnen doch gesagt, daß kein Laut entweichen würde«, sagte er schroff. »Los, jetzt machen wir mit unserem Job weiter.«

Er ließ das Siegel in eine Hüfttasche aus schwarzem Nylon gleiten und ging wieder in die Krypta voraus. Dabei hielt er inne und überschmierte mit einer Fußbewegung das noch nasse Symbol, das er vorhin gemalt hatte. Der Boden hinter der Schwelle war übersät mit zerbrochenen Ziegeln und verkohltem Fahnentuch. Logan spähte über die Schulter seines Auftraggebers und sah, daß jetzt ein schwarzes Loch in der Wand gegenüber dem Eingang gähnte. Als Gerard mit seiner Lampe in die Höhlung leuchtete, machte der Lichtstrahl auf der anderen Seite einen niedrigen Durchgang aus behauenen Steinen sichtbar.

Gerard ging als erster hindurch und duckte sich tief, um die drei oder vier Meter bis zum Ende zu durchqueren, wo ein niedriger Kreuzbogengang in der rechten Wand Zugang zu einer dunklen Kammer dahinter gewährte.

Die stehende Luft stank nach Feuchtigkeit und altem Moder. Logan, der nach Gerard den Raum betrat, blieb mit einem Fluch stehen, als er die zwei langen Reihen steinerner Grabplatten sah, deren jede einen vermodernden Leichnam in voller Rüstung bedeckte. Gerard lächelte dem Dieb über die Schulter wie ein grinsender Totenkopf zu.

»Sehen Sie nur die früheren Barone von Rosslyn«, murmelte er. »Es war ihre Sitte, bewaffnet in die Gräber zu steigen, vielleicht als Wächter dessen, was wir suchen.«

Logan hörte nur mit einem Ohr zu. Während Gerard mit der Lampe in der Kammer herumleuchtete, fiel das gelbliche Licht da und dort auf das bunte Geglitzer von wertvollen Juwelen in Schwertgriffen und Gürteln. Ein mit Gemmen besetzter Dolch fesselte Logans Blick; ihn zog die behandschuhte Hand der skeletthaften Gestalt rechts von ihm an. Habgier verdrängte seinen anfänglichen Abscheu, und er griff nach dem Dolch, um ihn an sich zu nehmen.

Gerards Hand fiel schwer auf sein Handgelenk. »Belasten Sie sich nicht mit Lappalien«, sagte er zu Logan. »Die wahre Beute liegt dort.«

Er machte mit der Taschenlampe eine Geste in

Richtung des anderen Endes des Gewölbes. Das breite ›V‹ aus Licht zeigte ein großes Wandgemälde, das den größten Teil der Mauer bedeckte. Als die beiden Männer zwischen den Grabplatten vorwärtsgingen, löste sich das Gemälde in einen großen Schild auf, der das Wappen der Familie St. Clair zeigte: auf silbernem Grund ein ausgezacktes schwarzes Kreuz, gekrönt mit dem Familienemblem in der Gestalt eines krähenden Hahns. Schildträger waren die lebensgroßen Gestalten zweier kniender Tempelritter, die auch den mit dem Kreuz geschmückten weißen Mantel ihres Ordens trugen.

Gerard öffnete den Reißverschluß der Tasche an seiner Hüfte und holte das Siegel heraus. Dann trat er an die rechte Figur heran und drückte das Siegel fest auf die Mitte des Kreuzes auf dem Mantel. Mit einem rostig-knirschenden Geräusch drehte sich der Teil der Wand mit dem Schild wie eine Tür herum. Jenseits der Öffnung, die er enthüllte, lag eine weißgetünchte innere Kammer, in die Gerard und danach Logan traten, um dann regungslos stehenzubleiben.

Die lebensgroßen Figuren, die um den ganzen Raum herum Wache standen, waren nur gemalte Tempelritter, doch die zwei, die zu beiden Seiten eines kleinen, kindergroßen Steinsarkophags in der Mitte des Raumes knieten, waren echt, allerdings schon lange tot – vielleicht genau die Männer, die draußen von dem Wandgemälde dargestellt wurden. Sie waren in Kettenhemden gekleidet und beugten die mit Kettenhauben bedeckten Köpfe über ihre Schwerter; noch immer hingen die fadenscheinigen Überreste einst weißer Mäntel von ihren Schultern. Der Deckel des Sarkophags war sowohl mit dem Templerkreuz als auch mit dem Wappen der St. Clair geschmückt.

Vor Erregung schwer atmend, legte Gerard die Lampe auf den Boden und näherte sich dem Sarkophag; dabei ließ er das Siegel wieder in seine Gürteltasche gleiten. Stein knirschte gegen Stein, als er seine Finger an den Rand des steinernen Deckels legte, doch das Gewicht war mehr, als er allein bewegen konnte.

»Hier! Helfen Sie mir!« krächzte er Logan zu.

Logan sprang vor, um zu tun wie geheißen. Dabei verfingen sich seine Füße in den Überresten eines der vermodernden Mäntel und rissen dessen Träger im überraschenden Geklapper klirrender Kettenpanzer und auseinanderfallender Knochen um. Der Schädel schlitterte fast unter Logans Füße. Der Dieb stieß ihn mit einer Grimasse des Abscheus beiseite, während er den Rand des Deckels gegenüber Gerard faßte. Mit Knurren und Mühen konnten die beiden den Deckel gerade noch wegschieben und ihn am einen Rand gegen die Seite des Sarkophags lehnen. Auf Gerards Geste hin nahm Logan erneut die Lampe und leuchtete hinein.

Drinnen lag etwas langes und schmales, das in eine Hülle aus purpurner Seide gewickelt war. Die Farbe des Tuches war trotz des Alters auf wunderbare Weise frisch geblieben. Mit zitternden Fingern beugte sich Gerard vor und hob die obersten Stoffschichten weg. Darunter lag, auf noch mehr Seide gebettet, ein schmaler Stab aus massivem, makellosem Gold. Das eine Ende war abgeschlossen mit einem dekorativen Knauf, der aus einem dreidimensionalen Stern aus zwei ineinandergeschlungenen Dreiecken bestand, die nahezu die Größe einer männlichen Hand hatten – sicher das Zeichen Salomons –, in die Fläche des anderen Endes war eine Miniaturversion des Siegels graviert, so daß es ebenfalls als Siegel benutzt werden konnte.

Gerard stieß ein wortloses Stöhnen des Triumphs aus, als er einem zitternden Zeigefinger erlaubte, den Schaft entlangzufahren. Dann wickelte er mit einem ekstatischen Seufzer das Zepter wieder in sein Seidentuch ein und hob es ehrerbietig von seinem Ruheplatz. Während seine Aufmerksamkeit so abgelenkt war, wanderte Logans Blick zu dem Schimmer des zu Boden gefallenen Schwertes des umgestürzten Ritters. Doch als er dazu ansetzte, es aufzuheben, fuhr ihn Gerard von hektischem Stolz gerötet an.

»Lassen Sie dieses Stück Schrott da liegen!« befahl er. »Jetzt, da wir das Siegel und das Zepter haben, wartet der wahre Schatz Salomons nur darauf, daß wir ihn uns holen.«

Kapitel 25

Es ging schon auf Mitternacht zu, als der Hubschrauber mit Adam, McLeod und Peregrine an Bord bei leichtem Regen auf dem Helikopterlandeplatz von Dalhousie Castle landete. Am Rand des Rollfeldes war neben dem Landekreis ein dunkelgrauer VW Passat Kombi geparkt, der einmal seine Scheinwerfer aufleuchten ließ, als der Pilot den Motor abstellte.

»Das ist unser nächstes Transportmittel«, sagte McLeod, als sie ausstiegen. »Vielen Dank, Mr. Pearson. Morgen oder übermorgen wird jemand kommen und das Auto abholen.«

Die drei umklammerten ihre Taschen, duckten sich tief unter den noch kreisenden Rotoren und sausten auf das Auto zu. Bevor sie am Heliport Adams Range Rover verlassen hatten, hatten sie die Blazer und Tweedjacken gegen die allgegenwärtigen grünen Wachstuchjacken ausgetauscht, die sich für dieses Wetter und ihre voraussichtlichen Aktivitäten besser eigneten. Detective Donald Cochrane öffnete die Beifahrertür, als sie näher kamen. Sein Gesicht trug einen fragenden Ausdruck, während sie einstiegen. McLeod und Peregrine setzten sich nach hinten, Adam nahm vorn Platz.

»Gut, Sie zu sehen, Donald«, sagte McLeod. »Jetzt schauen Sie mal, wie schnell Sie uns nach Rosslyn Chapel bringen können. Sir Adam wird Ihnen die Richtung zeigen.«

Cochrane bestätigte den Befehl mit einem wortlosen Nicken, legte den Gang ein und trat aufs Gaspedal.

Während sie den Parkplatz verließen und die Hubschrauberrotoren hinter ihnen ratterten, öffnete Adam den Straßenatlas, den er mitgebracht hatte und hauchte ein stummes Gebet, daß er und seine Begleiter rechtzeitig ankommen würden. Vor ihnen war die Landschaft von Midlothian von wässerigem Mondlicht übergossen, das hell genug war, um jedes einzelne der Schafe hervorzuheben, die die Felder zu beiden Seiten sprenkelten.

Nachdem er den Parkplatz verlassen hatte, jagte Cochrane den Passat wie einen Pfeil über die verlassene Landstraße. Nur einmal verringerte er die Geschwindigkeit, um an der Kreuzung in Bonnyrigg wieder nach Süden einzubiegen. Eine lange, gerade Strecke von etwa drei Kilometern brachte sie nach Rosewell, von wo aus sie sich mehr nach Westen hielten, bis sie durch die Außenbezirke des Dorfes Roslin schlichen. Als sie in eine ungepflasterte Straße einbogen, die einem Wegweiser zufolge nach Rosslyn Chapel führte, wies Adam den jungen Polizisten an, er solle die Scheinwerfer ausschalten und sehr langsam weiterfahren, dann drehte er sich um, um mit Peregrine zu sprechen. McLeod zog die Browning Hi-Power aus seiner Tasche, schob einen Patronenrahmen in das Magazin und steckte die Waffe in den Hosenbund.

»Halten Sie Ihre Augen offen«, riet Adam mit einem gepreßten Unterton und reichte Peregrine eine kleine Lampe. »Wenn Sie irgend etwas *sehen*, was nicht normal ist, so teilen Sie es uns sofort mit.«

Vor ihnen ragte die große Mauer auf, die Rosslyn Chapel umgab; die spitzen gotischen Türmchen der Kapelle selbst schimmerten dahinter im Mondlicht.

»Fahren Sie dort hinüber«, wies Adam ihren Fahrer an. »Und warten Sie dort einfach auf uns.«

Mit einem Blick über die Schulter in McLeods Richtung tat Cochrane wie geheißen, parkte im Schatten eines Trauerkirschenbaums und stellte anschließend den Motor ab.

»Wenn wir in einer Stunde nicht zurück sind, rufen Sie Verstärkung«, murmelte McLeod und reichte Cochrane sein Mobiltelefon, während er und seine Begleiter aus dem Auto stiegen.

»Wollen Sie wirklich nicht, daß ich mitkomme?« fragte Cochrane voller Hoffnung.

»Auf keinen Fall, nein, danke. Ich möchte, daß Sie hier beim Auto bleiben, für den Fall, daß jemand die Verfolgung aufnehmen muß.«

»Was immer Sie sagen, Sir«, seufzte Cochrane. Dann fügte er etwas vorwurfsvoll hinzu: »Ich hätte nichts dagegen, wenn mir jemand sagte, was nun hier eigentlich los ist.«

McLeod faßte hinüber und klopfte dem Jüngeren auf die Schulter. »Später«, sagte er mit barscher Bestimmtheit. »Im Augenblick befinden Sie sich genau da, wo Sie am wahrscheinlichsten gebraucht werden.«

Adam trug seine Arzttasche mit sich, die jetzt eine Krone enthielt, und ging den Weg zu dem tatsächlichen Eingang durch die Umfriedung voran. Er versuchte es an der Tür, aber sie war fest verschlossen.

»Leider bedeutet das gar nichts«, brummte McLeod. »Unsere Freunde können genauso leicht über die Mauer geklettert sein, wie wir es jetzt tun werden.«

Adam probierte schon sein Gewicht auf den Kappensteinen weiter rechts aus, dann drehte er sich um und reichte Peregrine die Arzttasche.

»Halten Sie das, bis ich oben bin.«

Peregrine beobachtete, wie Adam, der größer war als er, sich so leicht auf die Mauerkrone schwang, als bestiege er ein Pferd, dann schaute er an seinen Beinen hinab und schnitt eine Grimasse.

»Damit ist wieder eine gute Hose hin.«

Auf Adams Geste hin reichte er die Arzttasche hinauf, dann kletterte er hinter dem Älteren her. Einen

Augenblick später gesellte sich McLeod zu ihnen, und sie machten sich zusammen auf den Weg hinüber zur Kapelle selbst. Die Seitentür war verschlossen, doch die große Tür am Westende stand offen.

»Verdammt«, flüsterte McLeod fast unhörbar.

Er zog die Browning, versetzte der Tür einen Stoß und trat auf den Zehenspitzen über die Schwelle. Sobald er drinnen war, kauerte er sich vorsichtig nieder. Nach zwanzig Sekunden Schweigen entspannte er sich und winkte seine Gefährten heran. Peregrine, der hinter Adam hertappte, fand sich in fast völliger Finsternis wieder.

Da er es nicht wagte, seine Lampe einzuschalten, bevor einer seiner Vorgesetzten die Anweisung dazu gab, holte er instinktiv Luft und kniff die Augen zusammen, um etwas zu sehen. Die ihn umgebende Finsternis gab nur dunkle Eindrücke gotischer Steinmetzarbeiten preis. Dann fing sein tieferer Blick den geisterhaften Schimmer einer Bewegung zwischen den Säulen vor ihnen auf. Ihm stockte der Atem.

»Was ist?« zischte ihm Adams Stimme ins Ohr.

»Ich dachte, ich hätte etwas gesehen«, flüsterte Peregrine zurück. »Dort drüben, rechts von uns.«

Alle drei standen still und lauschten aufmerksam. »Ich höre nichts«, murmelte McLeod.

»Es kann sich auch einfach um eine visuelle Resonanz gehandelt haben«, räumte Peregrine mit einem Unterton der Unsicherheit ein.

»Falls Gerard noch hier wäre, hätten wir es inzwischen schon gemerkt«, entschied Adam. »Gestatten wir uns ein wenig Licht.«

Er schaltete seine Taschenlampe ein. Peregrine tat es ihm gleich. Die sich kreuzenden Lichtstrahlen warfen phantastische Schatten auf die Wände, aber die Kapelle selbst schien leer zu sein. Sie gingen den Mittelgang hinauf, auf die unübersehbare Lehrlingssäule zu. Rechts dahinter, am Beginn der Treppe, die in die Krypta hinabführte, blieb McLeod plötzlich stehen.

»Gerard ist schon hier gewesen«, sagte er ruhig. »Und du lieber Himmel, was für ein Durcheinander er angerichtet hat!«

Er zeigte mit seiner Lampe die Treppe hinab zur unteren Ebene und begann hinunterzusteigen. Peregrine und Adam beeilten sich, ihm zu folgen, und sahen, daß der Boden der Krypta übersät war mit den Mauerbrocken einer gezielten Explosion, die auf der Linken eine Öffnung gerissen hatte. McLeod blieb kurz vor der Schwelle stehen und verzog das zerfurchte Gesicht zu einer Grimasse des Abscheus.

»Uff, Schwarzer Schutzzauber!« sagte er kurz und leuchtete mit seiner Lampe auf eine Anzahl dunkler Schmierereien auf dem Boden. »Unser Kerl ist so überhastet abgehauen, daß er sich nicht einmal die Mühe gemacht hat, ihn wieder richtig zu aufzulösen.«

Adam blieb neben McLeod im Eingang stehen. Er konnte das düstere Pulsieren bösartiger Energien spüren.

»Wir werden uns mit ihnen befassen müssen, bevor wir versuchen, weiterzugehen«, murmelte er.

Er reichte Peregrine seine Tasche zum Halten, dann öffnete er sie und holte eine Phiole mit Salz sowie ein kleines, in Seide gewickeltes Bündel heraus. In dem Bündel befand sich ein langes, schmales Stück Magneteisenstein; es war so groß wie ein Wolfszahn und hatte auch dessen Form. Peregrine hatte es schon einige Male gesehen. Adam nahm den Zahnstein in die rechte Hand, die Phiole in die linke, und er sprenkelte etwas Salz über das Blutzeichen auf der anderen Seite der Schwelle. Als er seine rechte Hand mit dem Zahnstein ausstreckte, blitzte der Ring blau auf.

»Das LICHT leuchtet in der Finsternis«, intonierte er mit leiser Stimme, *»und die Finsternis hat es nicht begriffen. Gepriesen sei das wahre LICHT, das jeden Menschen erleuchtet, der in diese Welt kommt, denn die Finsternis wird in seiner Gegenwart nicht andauern.«*

Vor der Macht, die Adam angerufen hatte, flackerte und erlosch der Schwarze Schutzzauber wie eine gelöschte Kerzenflamme. Er umschritt den Raum linksherum und neutralisierte nach und nach jeden der drei verbleibenden Schutzzauber. Peregrine nahm wahr, wie der Zahnstein die dunklen Energien abzog, die Adams Worte gelöst hatten. Als Adam fertig war, war die Atmosphäre in dem Raum leer, neutral. Als Adam Peregrine winkte, er solle die Kammer betreten, und das Salz und den Zahnstein einsteckte, trat McLeod zu dem gähnenden Loch in der angrenzenden Wand und betrachtete es.

»Ich glaube, wir haben unseren Kerl nur um weniges verfehlt. Diese Steine hier sind noch warm von der Explosion«, berichtete er über die Schulter.

»Tja, dann schauen wir doch mal, weswegen er gekommen ist«, erwiderte Adam. »Ich habe keinen Zweifel, daß er es war, aber wir werden nach einem Hinweis suchen müssen, wohin er als nächstes gegangen ist.«

Es war herzzerreißend einfach, der Spur des Franzosen zu folgen. Innerhalb des Grabgewölbes, wo Generationen längst verstorbener Barone von Rosslyn auf ihren Bahren lagen – einige davon waren vielleicht Adams entfernte Vorfahren –, kamen Adam und seine Gefährten zum gähnenden Eingang der inneren Kammer und gingen zwischen den Wache haltenden Templern hindurch, die an die Wand gemalt waren. Der leere Steinsarkophag erzählte die Geschichte; die Gebeine eines seiner letzten Wächter waren daneben verstreut. Zu dem anderen hielt Adam respektvolle Distanz, während er sich mit beiden Händen auf den Rand stützte und zu entscheiden versuchte, was als nächstes zu tun sei.

»Es war *hier*«, murmelte Peregrine hilflos. »Ich kann fast sein Nachbild sehen. Wenn wir nur eine halbe Stunde eher hierhergekommen wären!«

»Wünschen hilft nicht«, entgegnete McLeod ein wenig ungeduldig. »Was ich wissen will, ist, wohin wohl Gerard und sein Kumpan von hier aus gehen werden.«

»Sein Kumpan?« Peregrine schaute den Inspektor überrascht an.

»Aye. Wenn Sie sich die Mühe machen zu schauen, so werden Sie sehen, daß es *zwei* verschiedene Arten von Fußabdrücken im Staub gibt. Überdies, wer auch immer die Explosion ausgeführt hat, wußte, was er tat – vielleicht derselbe professionelle Dieb, der Gerard half, ins Haus der Fiennes einzudringen. Es würde mich nicht überraschen zu erfahren, daß er es war, der den Professor umgebracht hat.«

Peregrine seufzte schwer und warf einen bedrückten Blick auf den verbliebenen Tempelritter.

»Wenn doch nur unser Freund hier reden könnte«, murmelte er. »Vielleicht weiß *er*, wo sich die Schatulle befindet.«

Adam, der Peregrines Blick gefolgt war, runzelte nachdenklich die Stirn.

»Wenn doch unser Freund nur reden könnte ...«, überlegte er, dann richtete er sich schnell auf und grinste. »Vielleicht kann er das. Peregrine, Sie sind brillant!«

Er winkte dem Künstler, er solle ihm seine Tasche bringen, dann fiel Adam auf ein Knie neben der Skelettgestalt des verbliebenen toten Templers und holte die Krone Salomons heraus.

»Was machen Sie denn damit?« wollte McLeod wissen. »Sie wissen doch, was Lady Grizel über das Tragen der Krone gesagt hat.«

»*Ich* werde sie nicht tragen«, sagte Adam.

Er nahm die Krone in beide Hände, schloß die Augen zu einem kurzen, stummen Gebet, dann streckte er die Arme aus und setzte das Diadem vorsichtig auf das mit einer Kettenhaube umkleidete Haupt des toten Ritters.

Gleichzeitig versetzte er sich in Trance und gestattete seiner eigenen verschütteten Templerpersönlichkeit ihn mit Erinnerungen aus der Vergangenheit zu überschatten.

»Non nobis, Domine, non nobis, sed Nomini Tuo da gloriam«, murmelte er und benutzte dabei das uralte Templermotto als Devise seines Vorhabens. Nicht uns, Herr, nicht uns, sondern deinem Namen sei Ehre …

»Hilf mir, mein Bruder«, fuhr er leise fort. »Laß mich deine Last übernehmen. Der Räuber deiner Ruhe hat mitgenommen, was du bewachtest, und geht nun, um das zu wecken, was niemals freigesetzt werden sollte. Sag mir, wo es liegt, damit ich ihn aufhalten kann.«

Es gab eine elektrisierende Pause, während der Peregrine spürte, wie sich ihm die Nackenhaare zu sträuben begannen. Dann richtete sich der mumifizierte Schädel des Templers mit einem Quietschen vertrockneter Halsknochen auf. Unterhalb der Krone schimmerten Zwillingspunkte eines bleichen Lichts in den eingesunkenen Augenhöhlen, und der fleischlose Unterkiefer bewegte sich.

»Haltet ihn auf …«, sagte eine Stimme, die er sowohl hörte wie auch spürte. *»Haltet den Feind des Ordens auf …«*

»Die Schatulle«, drängte ihn Adam. »Sag mir, wo sie zu finden ist, ich bitte dich.«

Mit plötzlicher Vehemenz flammte das geisterhafte Licht im Schädel des toten Mannes auf. *»Unsere Präzeptur in Balantrodoch!«* lautete die Antwort der Grabesstimme. *»Dort liegt sie. Geh jetzt, bevor es zu spät ist …«*

»Balantrodoch?« McLeods Stimme klang fast so streng wie die des toten Ritters. »Wo ist das denn?«

Peregrine zitterte sichtlich vor furchtsamer Aufregung, doch diese Antwort wußte er zumindest.

»Nicht weit!« flüsterte er. »Ich erinnere mich daran aus Adams Landkarten. Der Ort wird heute *Temple* genannt und ist nur wenige Kilometer von hier entfernt!«

Seine braunen Augen weiteten sich, als ihm die Bedeutung dessen aufging, was er gerade gesagt hatte. »Adam, Gerard könnte schon dort sein!«

Noch während er sprach und bevor McLeod ihm zuvorkommen konnte, packte der junge Künstler mit eifriger Hand Adams Schulter nachdrücklich. Seine gebieterische Berührung riß Adam mit einem schwindelerregenden Ruck aus der Vergangenheit und löste einen unterdrückten Ausruf aus, als Adam sich an den Kopf faßte. Im gleichen Augenblick fielen die Knochen des Templers auseinander und stürzten klappernd auf einen Haufen modernder Fetzen und Bruchstücke einer Ritterrüstung auf den Boden.

»Sie verdammter Narr!« versetzte McLeod und sprang Adam zu Hilfe. »Sie müßten es inzwischen doch schon wissen, daß man niemanden so aus einer Trance reißen darf!«

»Es tut mir – es tut mir leid«, flüsterte Peregrine. »Ich dachte nicht ...«

»Lassen Sie nur, Noel.« Mit der Hilfe des Inspectors kam Adam taumelnd auf die Beine und klatschte sich mit einer Hand in den Nacken, während er Luft holte und sein Schwindelgefühl zurückdrängte. »Mir ist nichts passiert«, beruhigte er die beiden. »Er hat es ja nicht so gemeint. Auf dem Weg nach Temple bekomme ich mich schon wieder in den Griff. Ansonsten hat Peregrine recht. Wir sollten uns lieber schnell in Bewegung setzen.«

Er hob die Krone aus dem Gewirr spröder Knochen zu seinen Füßen auf und steckte sie mit McLeods Hilfe wieder in seine Arzttasche. Währenddessen blieben seine schmerzenden Augen an den beiden Templer-Langschwertern hängen, die inmitten der verstreuten Knochen und Kettenhemden im Staub lagen.

»Die sollten Sie lieber mitnehmen«, wies er die anderen an und zeigte auf die Waffen. »Ich beraube nicht gerne Tote, aber ich glaube, die Brüder haben nichts dagegen – und die Waffen gewähren uns vielleicht etwas Schutz, falls die Dämonen freigesetzt werden.«

Wortlos und mit weit aufgerissenen Augen nahm Peregrine die beiden Schwerter in seine Arme.

»Jetzt zurück zum Auto, so schnell es geht«, befahl Adam. »Und von dort aus weiter nach Temple ...«

Kapitel 26

In dem winzigen Dorf Temple gab es nur eine Hauptstraße. Die ordentlichen Reihen steinerner Landhäuser, die sie flankierten, standen blind und taub wie Grabsteine mitten in dieser regnerischen Septembernacht, wo man von allen anständigen Leuten erwarten konnte, daß sie in ihren Betten lagen – was sie in Temple auch tatsächlich taten. Auf einem weiten Feld hinter einer der Häuserreihen, zugänglich nur über einen ungepflasterten Weg, stand allein und abseits gleich hinter der örtlichen Grundschule die einzige Erinnerung der Gegend an ihre frühere Bedeutung während der Templerzeit – ein uralter runder, steinerner Torbogen, der mit einem Hundszahnornament verziert war. Es hieß, dies sei das einzige, was von der früheren Präzeptur von Balantrodoch übriggeblieben war. Jenseits des Bogens, zwischen Gerard und einer rechteckigen Mulde, die jetzt zum Spielplatz der Schule gehörte, markierte ein sanfter Erdhügel das mutmaßliche Fundament eines der Gebäude, die hier einmal gestanden hatten. Nackt wie ein Kenotaph, schimmerte der Bogen im unsteten Mondlicht wie angelaufenes Silber und warf zarte Schatten auf das hohe Gras.

Henri Gerard war sich dieser Feinheiten seiner Umgebung nicht bewußt. Als er im Mondlicht unter dem großen Hufeisen des Bogens stand, ohne den sanft nieselnden Regen wahrzunehmen, fühlte er sich, als sei er irgendwie aus der Zeit herausgetreten. Diee Verbindung mit seiner eigenen okkulten Vergangenheit war ihm nie lebhafter erschienen als in diesem Augenblick –

als trennte ihn nur noch die dünnste zeitliche Membran von jenem größeren Selbst, Guilleaume de Nogaret. Er konnte den Augenblick fast schmecken – der ihm jetzt so köstlich bevorstand –, da er endlich in den Besitz des Wohlstandes und der Macht gelangen würde, die man ihm so lange verweigert hatte.

Halb berauscht vor Erwartung, straffte er sich zu seiner vollen Größe, das Zepter in der rechten Hand, das Siegel in der linken. Ohne an Logan zu denken, der in der Dunkelheit über seinem Werkzeugbeutel kauerte, badete er im Licht des Mondes, während leuchtende Phantasiebilder von Triumphen, die ihm noch bevorstanden, vor seinem geistigen Auge abliefen.

Doch diese glorreichen Visionen verblaßten vorzeitig vor dem kurzen, aufdringlichen Bild von Nathan Fiennes. Der ältliche jüdische Gelehrte präsentierte sich auf seinen Knien, die Hände vor sich in stummem Appell gefaltet, als flehte er Gerard an, er solle umkehren …

Ein kalter Schauer der Furcht berührte Gerard im Nacken. Doch anstatt der Vision nachzugeben, verscheuchte er sie mit einem bellenden Lachen und einer Bewegung der Hand, die das Zepter hielt, gleichzeitig drückte er das Siegel enger an seine Brust. Mit Augen, die in seinem dünnen Gesicht fiebrig leuchteten, faßte er das Siegel in der Linken fester, während er das Zepter herausfordernd über dem Kopf schwang und die mächtigen Eröffnungsworte einer Zauberformel aussprach, die so alt war wie der Stab selbst.

Der Stern aus ineinandergeschlungenen Dreiecken am Kopf des Zepters begann zu glühen. Als das Glühen heller wurde, verwandelte sich der Stern zu einer formlosen goldenen Flamme. Gerards Stimme schwoll in einem Crescendo an, bis er mit einem plötzlichen heiseren Ausruf das Zepter nach unten schwenkte und den Boden vor dem Bogen mit einem letzten, rauhen Wort des Befehls traf.

Feuer lohte auf und verbrannte das Gras in einer goldenen Linie, die von Gerard weglief und von einem schwachen unterirdischen Grollen wie von fernem Donner begleitet wurde. Während Logan vor Verwunderung der Mund offenstehen blieb, öffnete sich entlang der Brandlinie auf der anderen Seite des Bogens ein gähnender Spalt, der sich weitete und einen dunklen Durchgang öffnete, in den eine massive Flucht steinerner Stufen hinabstieg.

Begeistert und kaum in der Lage zu begreifen, was er getan hatte, steckte Gerard das Siegel wieder in seine Gürteltasche, dann schob er das Zepter wie ein Schwert in seinen Gürtel, drehte sich halb zu Logan um und winkte ihm. Der Dieb klappte den Mund zu, nahm seinen Werkzeugbeutel hoch und schloß sich dem Franzosen am Kopf der Treppe an. Gerard hatte ihm gesagt, er solle die große Taschenlampe bereithalten – lächerlich auf dem vom Mondlicht übergossenen Feld, hatte Logan da gedacht –, doch nun wurde ihm klar, warum. Logan lehnte es ab, die Nerven zu verlieren, er schaltete die Lampe ein und leuchtete die Stufen hinunter, wobei er der ungeduldigen Geste des Franzosen etwas zögernd folgte.

Die Treppe führte unter den Erdhügel. Von ihrem Fuß lief ein steinerner Durchgang nach rechts, wobei sich auf der linken Seite Eingänge öffneten. Gerard hielt den Atem an, als er im Licht von Logans Lampe nach vorne spähte und den Korridor erkannte, den er während seiner Hellseherei mit der Kristallkugel gesehen hatte. Während ihm das Herz pochte, beschleunigte er seinen Schritt zu einem Trab und ließ seinen Komplizen hinter sich zurück.

Die Türen zu den seitlichen Kammern hingen wie betrunken an rostigen Angeln; hinter ihnen lagen nur kalte Höhlen voller Finsternis, aber genau wie in Gerards Vision war die letzte auf der linken Seite mit Steinen und Mörtel ausgefüllt. Der Franzose winkte Logan mit seiner Lampe näher heran und fuhr mit den Händen über das Mauerwerk. Er fegte Staub und Spinnweben wie schwere Gaze beiseite, bis er in Augenhöhe eine Raute aus Mörtel freilegte, die den Abdruck eines sechszackigen Sterns – umgeben von einem Kranz hebräischer Schriftzeichen – trug.

Ganz unwillkürlich stieß Gerard einen leisen Schrei freudiger Erwartung aus. Er holte das Siegel aus seiner Hüfttasche und drückte es fest auf den Abdruck. Als sich daraufhin nichts tat, steckte er das Siegel wieder weg und wandte sich mit einem Ausdruck heftiger Ungeduld an Logan.

»Eine Spitzhacke, *hier*!« befahl er. »Mit Sprengstoff könnte alles einstürzen.«

Auf den gebieterischen Ton seines Auftraggebers hin preßte Logan grollend die dünnen Lippen zusammen, drückte aber Gerard die Lampe in die Hand, öffnete kommentarlos seinen Werkzeugbeutel und holte einen Pickel mit kurzem Griff heraus.

»Halten Sie die Lampe ruhig, während ich arbeite«, sagte er, während er seine Schultern straffte. »Und lassen Sie mir reichlich Raum, wenn Sie nicht getroffenen werden wollen.«

Gerard warf ihm mit finster gerunzelter Stirn einen stechenden Blick zu, dann wich er zur gegenüberliegenden Wand zurück. Logan biß die Zähne zusammen, hob die Spitzhacke und führte den ersten Schlag. Steinbrocken und uralter Mörtel fielen in einer immer dichter werdenden Staubwolke zu Boden, während er sich seiner Aufgabe widmete. Er hätte schon aufgehört, als er ein Loch gehauen hatte, das groß genug war, um sie durchzulassen, doch Gerard ließ ihn weiterarbeiten, bis der ursprüngliche Durchgang zum größten Teil offen war. Nach nahezu fünfzehn Minuten zeigte sich der Franzose zufrieden.

Logan trat zurück und wischte sich den Schweiß von der Stirn. Es war immer noch genug Zeit, um sich dafür zu rächen, daß er von diesem Trottel von einem Franzosen wie ein Leibeigener behandelt wurde. Gerard hatte sich inzwischen an dem anderen vorbeigeschoben und war durch die Öffnung geflutscht. Sein bleiches Gesicht leuchtete vor Erwartung.

Drinnen blieb er auf einmal stehen, die Augen in gieriger Scheu weit aufgerissen. Denn in der Mitte des runden, überwölbten Raums stand glitzernd enthüllt im grellen Licht der Lampe eine goldene truhenförmige Schatulle, die mit einem Streifen aus Gold versiegelt war, der den Abdruck von Salomons Siegel trug. Der Deckel der Schatulle war gekrönt mit vier geflügelten Wesen, die mit schlafloser Wachsamkeit in die vier Himmelsrichtungen blickten. Die Schatulle wurde zu beiden Seiten von kräftigen hölzernen Tragestangen flankiert, die an Gerards hellseherische Vision erinnerten.

Während er fortfuhr, den Blick über seine Beute schweifen zu lassen, die eine Hand an das Siegel an seiner Taille gedrückt, mit der anderen den Stern des Zepters liebkosend, wurde er sich verspätet noch anderer Gestalten in dem Raum bewußt. Als er den Blick von der Schatulle abzog und den Strahl seiner Lampe umherwandern ließ, sah er, daß man diese Kammer besser bewacht hinterlassen hatte, als die letzte, in die er eingedrungen war.

Hier gab es keine gemalten Wächter. Entlang der kreisförmigen Wand des Gewölbes hatte man dreizehn große Stühle mit Armlehnen aufgestellt. Zwölf davon waren besetzt mit den mumifizierten Überresten von zwölf Templerkriegern in weißen Mänteln. Die Wächter saßen da, die in Kettenhauben gekleideten Häupter tief über die behandschuhten Hände geneigt, mit denen sie die Parierstangen ihrer aufrecht stehenden Schwerter hielten. Der dreizehnte Stuhl, unmittelbar gegenüber der Schatulle, war leer.

Logan, der hinter dem Franzosen den Raum betrat

und immer noch seine Spitzhacke trug, warf einen langen, unbehaglichen Blick um sich und murmelte verwundert einen Fluch.

»Herrgott, Gerard, diese Leute müssen genauso verrückt gewesen sein wie Sie!«

Gerard fuhr ihn mit einer heftigen Verachtung an, die den Dieb zurückzucken ließ.

»Ah, que vous êtes bêtes!« zischte er. »Können Sie denn nicht sehen, was sich jenseits dieser schmutzigen materiellen Welt befindet? Selbst diese verfluchten Ketzer wußten, daß dieses Leben lediglich eine schattenhafte Beigabe zu den Reichen der höheren Mächte ist.«

Er wies auf die stillen Gestalten der toten Templer. Logan begegnete dem hungrigen, brennenden Blick des Franzosen und warf seine freie Hand in einer ironischen Geste der Entschuldigung hoch.

»Okay, Sie können Ihre höheren Mächte haben«, räumte er ein. »Vergessen Sie, daß ich überhaupt etwas gesagt habe. Alles, woran ich interessiert bin, ist dieser Kasten da drüben.«

Er tat einen Schritt auf die Schatulle zu, aber Gerard zischte mit zusammengebissenen Zähnen und stellte sich dem Dieb mitten in den Weg.

»Sie Narr!« flüsterte er. »Sie werden nichts von dieser Schatulle bekommen, wenn Sie sich nicht zuerst mit diesen höheren Mächten auseinandersetzen, die Sie so gerne verspotten! Jetzt halten Sie einmal das Licht und seien Sie still, während ich tue, was getan werden muß, um unsere Sicherheit zu garantieren.«

Logan kam der Gedanke, dem Franzosen auf der Stelle eins über den Schädel zu hauen, aber die Erinnerung daran, wie sich der Boden vor ihnen geöffnet und ihnen den Zugang zu dem Ort gewährt hatte, an dem sie jetzt standen, ließ ihn statt dessen mürrisch nicken, während er die Lampe nahm und ein paar Schritte zurücktrat. Befriedigt drehte Gerard dem Dieb den Rücken zu, und so entging ihm, wie der andere verstohlen das Gewicht seiner Spitzhacke wog. Ohne etwas von dem gefährlichen Funkeln in den Augen seines Komplizen wahrzunehmen, näherte sich der Franzose der Schatulle mit der ehrfürchtigen Haltung eines Priesters, der ein Heiligtum betritt. Nachdem er die Holzstäbe vorsichtig beiseite geschoben hatte, griff er in die Brusttasche seiner schwarzen Jacke und holte ein Stück gepreßte Holzkohle heraus, das in ein dünnes weißes Papier gewickelt war.

Auf das Papier waren hebräische Schriftzeichen gemalt. Gerard fiel auf ein Knie, hob beide Hände über den Kopf und neigte ihn. Seine Lippen bewegten sich und formten Worte, deren Klang Logan zu guttural erschien, als daß es sich um Französisch oder Englisch gehandelt haben konnte. Danach nahm der Franzose die Holzkohle und begann auf dem Boden Linien zu zeichnen.

Von unwillkürlicher Neugier getrieben, kam Logan näher heran, um besser sehen zu können, und folgte Gerard, während dessen Zeichnerei weiter in den Raum hinein fortschritt. Allmählich nahmen die Kohlemarkierungen des Franzosen die Form eines Doppelkreises an, der die Schatulle umschloß, dazu kam dann ein gekritzeltes Band von Schriftzeichen zwischen den beiden Kreislinien, bei denen es sich, wie der Dieb vermutete, vielleicht um Hebräisch handelte. Da seine Geduld abnahm, überschritt Logan den unvollendeten Kreis und starrte auf den Hinterkopf des gebückten Mannes. Er packte die Spitzhacke fester, während er überlegte, ob er jetzt zuschlagen solle oder erst, wenn die Schatulle offen sein würde.

Gerard schien sich plötzlich der Absichten seines Helfers bewußt zu werden und drehte sich jäh um. Logan wich nicht zurück und fragte: »Wie lange soll das noch dauern?«

»So lange wie nötig«, versetzte Gerard. »Jetzt sind Sie mal still!«

Nach einer weiteren Minute war der Kreis mit einem komplizierten Knotenschnörkel geschlossen. Gerard lehnte sich auf den Fersen zurück, holte das Siegel heraus und hob es über den Kopf, während er noch mehr Worte in der unbekannten Sprache von sich gab. Dann stand er auf, zog das Zepter aus seinem Gürtel und hob es über den Kopf; gleichzeitig beugte er sich vor, streckte das Siegel vor und paßte es in seinen goldenen Abdruck auf der Schatulle ein.

Einen Augenblick lang geschah gar nichts. Dann klickte der Deckel der Schatulle mit einem leichten, metallischen Ping) etwas nach oben. Dem Ping folgte eine dünne Strähne schwefeligen Rauchs. Dann ertönte ein zischendes, langgezogenes Seufzen.

Ein Ausdruck der Unsicherheit kam über Gerards angespanntes Gesicht. Er klammerte das Siegel an die Brust, während er überlegte, was er als nächstes tun sollte. Er senkte das Zepter und stieß mit dessen Spitze den Schatullendeckel ein Stück weiter auf. Etwas im Inneren der Schatulle stieß sehr leise ein Gezwitscher böswilligen Lachens aus. Dann wurde der Deckel auf einmal aufgeschlagen, und es pufften plötzlich Schwaden eines widerlichen Dunstes aus dem Kasten hervor.

Gerard schreckte mit einem erstickten Schrei zurück. Über seinem Kopf krümmte sich die wachsende Dunstwolke und begann sich in zwei abscheulich menschenähnliche Gestalten zu teilen …

Als Adam und seine Gefährten auf Temple zurasten, mit einem Donald Cochrane am Steuer, der keine Fragen stellte, da senkte Adam den Kopf und drückte seinen Saphirring leicht an die Stirn. Er ließ McLeod und Peregrine den Weg weisen, während er versuchte, das psychische Gleichgewicht wiederzugewinnen, das ihn das zu schnelle Erwachen im Grabgewölbe von Rosslyn Chapel gekostet hatte. Während der nächsten Minuten war er sich der Geschwindigkeit des großen Kombis nur undeutlich bewußt. Doch während sie, McLeods leisen Anweisungen folgend, auf den Rand von Temple zufuhren, wurde er sich einer zunehmenden Störung in der Atmosphäre über dem Dorf bewußt. Wogen einer dunklen Energie schwappten an ihm vorbei wie okkulte Schockwellen, und es gab kaum Zweifel darüber, woher sie kamen.

Zerknirscht auf dem Rücksitz zusammengekauert und mit einer Hand die Templer-Schwerter zwischen sich und McLeod haltend, war sich Peregrine gleicherweise des aufkommenden Sturms rebellischer Gewalten bewußt. Er beugte sich vor und fragte gedämpft: »Adam, kommen wir zu spät?«

»Ja und nein«, erwiderte Adam grimmig und öffnete die Augen. »Ich fürchte sehr, daß die Geister schon aus der Flasche heraus sind, aber wir können durchaus noch rechtzeitig kommen, um sie wieder hineinzustecken. Es wird uns allerdings etwas kosten.«

Er nahm seine Arzttasche auf die Knie und holte die Krone heraus, dann ließ er ein paar vorbereitete Spritzen in eine Außentasche seiner Wachstuchjacke gleiten.

»Wozu sind die denn?« fragte Peregrine.

»Beruhigungsmittel«, erwiderte Adam mit düsterer Offenheit. »Selbst wenn Gerard und sein Partner das unbesonnene Abenteuer der heutigen Nacht überleben, würde ich nicht für ihren Geisteszustand garantieren.«

Peregrine schluckte und verstummte. Als er über Adams Schulter hinweg durch die Windschutzscheibe spähte, sah er die Landschaft vor ihnen, während der Wagen langsamer wurde und der engen, kurvenreichen Straße in das Dorf Temple folgte. Nicht weit nach einer alten, in Ruinen liegenden Kirche, die kahl und stumm auf der rechten Seite im Mondlicht stand, entdeckte Adam eine Lücke in den Reihen miteinander verbundener Landhäuser zu beiden Seiten der Hauptstraße: eine Öffnung nach links.

»Donald, schalten Sie den Motor und die Lichter ab und parken Sie hinter diesem Weg«, sagte er leise und legte eine Hand auf Cochranes Arm.

Der junge Polizist tat wie geheißen und ließ den Passat weitere dreißig Meter rollen, bevor er ihn an der von Adam gezeigten Stelle anhielt. Er fing McLeods Blick im Rückspiegel auf und fragte: »Komme ich dieses Mal mit, Sir?«

Adam und McLeod tauschten schnelle Blicke aus, und Adam schüttelte fast unmerklich den Kopf.

»Nicht diesmal, alter Junge«, murmelte McLeod und klopfte seinem Untergebenen kurz auf die Schulter. »Sie sollen hier im Auto warten und Ihre Augen und Ohren offenhalten – nicht mehr.« Er nahm die Browning Hi-Power aus seinem Hosenbund und reichte sie Cochrane. »Falls Henri Gerard auf diesem Weg daherrennen sollte, dann tun Sie alles Notwendige, um ihn zu verhaften, aber ansonsten gehen Sie *nicht*, unter *keinen* Umständen, diesen Weg hinunter, bis ich Ihnen die Erlaubnis dazu gebe. Habe ich mich klar ausgedrückt? Wenn Sie diesem Befehl nicht gehorchen, werden Sie den Rest Ihres Berufslebens Parkuhren überwachen!«

Während McLeod seinen jungen Assistenten noch instruierte, waren Adam und Peregrine aus dem Auto gestiegen, wobei Peregrine die Schwerter mitgenommen hatte. Jetzt reichte er eines dem Inspektor.

»Sollen wir denn *damit* auf Dämonen losgehen?« murmelte er.

McLeod grinste ihn verschmitzt an.

»Unterschätzen Sie sie nicht, junger Mann. Wenn ich mich nicht sehr täusche, dann haben diese Waffen noch mehr Eigenschaften als nur eine scharfe Schneide.«

Peregrine nahm seine Waffe in die Hand und schwang sie. Trotz seiner Länge und seines Gewichtes schien das Schwert weniger unhandlich zu sein, als er erwartet hatte. Und er wußte aus einer früheren Erfahrung: wie wenig Geschick sein gegenwärtiger Körper mit solchen Waffen auch haben mochte, sein Geist schien sie gut zu kennen.

Adam war vorausgegangen und wartete schon an der Mündung des Weges. Er hielt sich dabei auf dem grasigen Rand, so daß man seine Schritte nicht hören konnte. Er hatte Salomons Krone in der geräumigen Innentasche seiner Wachstuchjacke versteckt, nahe an seinem Körper, doch er hielt seinen *sgian dubh* in der rechten Hand, die nackte Klinge nahe an seinem Bein. Der blaue Stein im Dolchgriff ähnelte sehr dem auf seinem Ring. Seine linke Hand hielt eine ausgeschaltete Taschenlampe.

Er führte sie ruhig ein paar Meter weiter auf dem Weg, damit sie sich nicht mehr zwischen den Landhäusern befanden, die die Öffnung des Weges flankierten, dann winkte er sie nahe zu sich heran, um sich und die beiden anderen mit einem Schutzzeichen zu bezeichnen, wobei die flache Seite des *sgian dubh* jede Stirne kurz berührte.

»Wenn auch Finsternis im Tal des Schattens über mich kommt«, flüsterte er, *»so sollen meine Füße doch nicht stocken, denn der Tagesstern geht vor mir her und erleuchtet alle meine Wege.«*

Mit einem letzten Gruß an das LICHT schwang er die Klinge des *sgian dubh* im Mondschein, dann ging er weiter auf dem Weg voran. Auf der linken Seite umschloß der Spielplatz einer Schule eine große, rechteckige Mulde, dahinter stand schimmernd im Mondlicht die Rundung eines Torbogens, der als einziges von der alten Templer-Präzeptur übrig war.

Sie umrundeten die Ecke des Spielplatzes und gingen durch hohes, nasses Gras auf den Bogen zu. Als sie näher an ihn herankamen, sah Peregrine, daß seine verwitterten grauen Steine von einem bleichen, unheimlichen Schein beleuchtet wurden, der selbst im Mondlicht erkennbar war. Die Quelle dieses Scheins war ein

Loch, das am Fuß des grasbewachsenen Erdhügels unmittelbar vor dem Schatten des Bogens gähnte.

Noch während er diese Tatsache wahrnahm, drang aus dem Inneren des Hügels ein dünner, langgezogener Schrei, den er fast mehr spürte als hörte. Als Adam und seine Begleiter vorwärtsstürzten, schrie die Stimme erneut, in einem noch schrilleren Ton blinden Schrekkens.

Kapitel 27

Den *sgian dubh* vor sich hochhaltend, umkreiste Adam den Bogen und ging dann durch ihn hindurch, danach stieg er die Stufen hinab. Die Lampe in der einen Hand, das Schwert in der anderen, folgte ihm McLeod dicht auf den Fersen. Peregrine, der sein Schwert beidhändig hielt, bildete die Nachhut. Am Fuß der Treppe ging auf der rechten Seite ein aus Steinen gemauerter Korridor ab. Durch ein gezacktes Loch in der linken Wand am anderen Ende drang ein geisterhaftes Leuchten.

Die Luft roch nach wuchernder Fäulnis. Aus der erleuchteten Kammer kamen obszöne Geräusche gierigen Schlingens und Geiferns, die von einem feuchten, reißenden Laut und einem knirschenden Knacken unterbrochen wurden, als brächen Knochen zwischen den Zähnen von Fleischfressern. Inmitten des Lärms hektischen Fressens konnte Adam stockendes Gewimmer hören, das von Menschen hätte stammen können.

Er wappnete sich für das Schlimmste und sprang vor zu der Lücke in der Wand. Als er die Schwelle erreichte, strich ein heißer Luftstoß wie eine Krallenpfote über sein Gesicht, rauh wie die Böe eines vulkanischen Windes, nach Schwefel und Aas stinkend. Die Augen zu schmalen Schlitzen zusammengekniffen, stieß Adam die Dünste mit einem Schwenk seines *sgian dubh* beiseite und fand sich mit einer Szene aus dem Inferno konfrontiert.

Die Kammer wurde beherrscht von der brodelnden Gegenwart zweier alptraumhafter Gestalten, halb aus

Nebel, halb aus Feuer. Surrend und glicksend kauerten sie über einem ekelhaften Haufen aus zerfetztem Fleisch und zerbrochenen Knochen, der, wie Adam erkannte, einmal ein menschlicher Körper gewesen sein mußte. In der Mitte des Raumes stand eine goldene Schatulle, deren Deckel weit geöffnet war. Auf der anderen Seite kauerte auf dem Boden die zitternde Gestalt von Henri Gerard.

Das Siegel lag neben ihm, in der rechten Hand hielt er krampfhaft einen schlanken Stab aus blankem Gold, in dem Adam mit einem Blick Salomons Zepter erkannte. Gerard, der Adams Erscheinen nicht bemerkte, schwenkte das Zepter schwach in die Richtung der beiden Dämonengestalten, während er stockend mit klappernden Zähnen einen Schutzzauber flüsterte. Bis jetzt schien der Einfluß des Zepters anzuhalten, aber Adam wußte, daß sein Schutz nur so lange andauern würde, wie Gerard seine schwindende Selbstbeherrschung aufrechterhalten konnte.

Zumindest hatte der Franzose genügend Voraussicht bewiesen, auf dem Boden einen magischen Kreis zu zeichnen, bevor er die Schatulle öffnete. Das spinnwebhafte schwarze Rad aus Linien und Symbolen schimmerte im Schein des phosphoreszierenden Glühens der Dämonen wie feuchter Teer. Zum ersten Mal seit dreitausend Jahre mit Fressen beschäftigt, hatten die Dämonen anscheinend noch nicht die Stärke – oder Schwäche – dieser brüchig wirkenden Grenze auf die Probe gestellt. Doch Adam bezweifelte, daß der vorhandene Kreis sich als stark genug erweisen würde, um sie für mehr als nur ein paar Minuten zurückzuhalten, sobald sie sich ihres derzeitigen Opfers – oder des nächsten – entledigt hätten.

Geräusche von Schritten vermeldeten das Eintreffen von McLeod, dem Peregrine auf den Fersen folgte. Der Inspector reckte den Hals, um an Adams Schulter vorbei in den Raum schauen zu können. »Du lieber Himmel«, murmelte er. Peregrine stieß einen Laut des Erschreckens aus und wurde kreidebleich. Er würgte fast, als er sich halb abwandte.

Die Energie, die von dem magischen Kreis erzeugt wurde, war wie eine unsichtbare Blendwand. Indem er die Augen zusammenkniff und sein tiefes Sehen begann, konnte Peregrine sie als einen opaleszierenden Schirm aus schimmernden Fäden sehen. Innerhalb des Kreises fuhren Gog und Magog ausgelassen fort, an den stinkenden Überresten ihrer Beute herumzunagen. Ihre sabbernden Tentakelmäuler waren mit Blut und giftigem Geifer verschmiert. Sichtbar dichter, als sie noch einen Augenblick zuvor gewesen waren, schienen die beiden Dämonen durch ihren Schmaus von Menschenfleisch an Stärke und Substanz zuzunehmen.

»Je mehr sie fressen, desto stärker werden sie«, flüsterte Adam, als er erkannte, was da geschah. »Wir müssen sie unter allen Umständen hier und jetzt binden. Falls diese Kreaturen freikommen und weiterfressen, dann kann man sie vielleicht nie mehr aufhalten.«

McLeod stellte sich resolut in Positur und verlagerte seinen Griff am Heft seines Schwertes.

»Was sollen wir tun?«

Bevor Adam antworten konnte, schien die nähere der beiden Kreaturen zum ersten Mal Gerard wahrzunehmen. Sie riß ihren ausdruckslosen Kopf herum und zischte ihn mit dem medusengleichen Gewirr von Mäulern an. Gerard kauerte sich weiter zurück, verlor dabei jedoch nur das Gleichgewicht und kam hart auf den Hinterbacken zu sitzen, aufgehalten von der Barriere, die er selber errichtet hatte. Seine Augen weiteten sich gehetzt, als er erkannte, daß er in einer Falle saß.

Über einem letzten Stück Fleisch geifernd, drehte sich der andere Dämon herum. Augen wie Funken aus einem Scheiterhaufen loderten mit plötzlichem und erneuertem Appetit in der Düsternis auf, als sie Gerard betrachteten. Der Franzose erwiderte den Blick voller

Schrecken und stieß einen unartikulierten Schrei der Ablehnung aus. Das Zepter schwankte in seinem zitternden Griff.

»Können wir nicht etwas tun?« flüsterte Peregrine drängend.

»Ich überlege schon«, erwiderte Adam murmelnd.

Gnadenlos wie Basilisken trennten sich die beiden Dämonen und gingen von beiden Seiten um die Schatulle herum auf Gerard los. Der Franzose unternahm einen schwachen Versuch, sie mit dem Zepter zurückzuscheuchen, aber seinem zitternden Arm und bebenden Willen fehlte die Kraft, der Geste echte Autorität zu verleihen. Mit dem kehligen Gegurgel der Erwartung rückten die Dämonen näher.

»Sie sollten lieber schnell überlegen«, brummte McLeod.

»Ich weiß.«

Adam blickte sich im Raum um und entdeckte endlich die lang verstorbenen Templer-Wächter, die am Rand der Kammer saßen. Der Anblick brachte ihn auf einen einzigen verzweifelten Ausweg.

»Versucht eine Ablenkung zu schaffen«, flüsterte er seinen beiden Mitjägern zu. »Ich werde sehen, was ich tun kann.«

Mit diesen Worten entfernte er sich schnell von ihnen nach links, in die dumpfige Dunkelheit am Rande der Wand, wobei er die sitzenden Wachen umging. Hinter ihm begannen McLeod und Peregrine im Eingang zu schreien und ihre Schwerter aneinanderzuschlagen. Scharf und hell klangen trotz ihres hohen Alters die Templerklingen in der dämonischen Düsternis mit fast übernatürlicher Deutlichkeit. Wie das Läuten der Glocken einer Kathedrale hallte die Musik der Klingen in diesem engen Raum wider und bildete einen zunehmenden Kontrapunkt zu Gerards erschrockenem Gewimmer.

Gebannt vom Klirren geweihten Stahls, hielten die beiden Dämonen plötzlich an. Sie duckten sich furchtsam zusammen und knurrten, als hätte dieser Ton sie schmerzhaft getroffen, und sie schienen für kurze Zeit ihr beabsichtigtes Opfer aus dem Blick zu verlieren. Feurige Augen drehten sich herum und sondierten in der Richtung der beiden gestikulierenden Gestalten im Eingang. Sich immer noch windend, peitschten sie hin und her und stürzten sich vor, als wollten sie sich auf ihre Peiniger stürzen.

Der magische Kreis absorbierte die Wucht ihres Angriffs, aber nur knapp. Adam spürte, daß das Bannfeld nicht allzu vielen solcher Angriffe würde standhalten können. Während die beiden Dämonen bestürzt stekkenblieben, ging er zu Gerards Seite des Kreises herum und kauerte sich zu Füßen einer der Wachen tief im Schatten nieder. Entschlossen, seine Ruhe zu bewahren, ließ er seine linke Hand in die Innentasche gleiten, wo Salomons Krone verborgen lag, dann tat er hintereinander zwei tiefe Atemzüge und zog sich nach innen zurück, um einen günstigen Ausgangspunkt auf den Inneren Ebenen zu suchen. Als er für kurze Zeit zwischen Wachen und Trance schwebte, kam ihm spontan ein Bittgebet auf die Lippen, und zwar in den Worten eines alten Königs von Israel, des Sohns des großen Königs, dessen Krone unter seiner Hand lag:

O sende aus dein Licht und deine Wahrheit: laß sie mich führen; laß sie mich zu deinem heiligen Berg und zu deinen Zelten bringen. Dann will ich zum Altare Gottes treten, zu Gott, der meine höchste Freude ist: ja, auf der Harfe will ich dich preisen, Gott, o mein Gott …

Diese Worte hallten durch sein inneres Wesen und füllten seinen Geist mit Kraft und Gewißheit. Da er nun überzeugt war, daß er in Übereinstimmung mit einem Willen handelte, der höher war als sein eigener, stand er im Schatten auf und zog die Krone aus seiner Tasche. Die rechte Hand, die fest den Griff seines *sgian dubh* umfaßt hielt, auf die Brust gelegt, schloß er die Augen und setzte die Krone Salomons auf.

Das Diadem schien sich von selbst anzupassen und glitt sanft, aber fest über seine Schläfen. Im selben Augenblick erlebte er ein plötzliches Schwindelgefühl, als würde er aus seinem physischen Körper herausgerissen. Befreit von den gewöhnlichen Beschränkungen von Zeit und Raum, flog er plötzlich und stieg auf den Schwingen von Luft und Feuer aufwärts wie ein Adler, der sich mit der Sonne zu vereinen suchte. Über ihm loderte eine sich ständig entfaltende Herrlichkeit, die seine irdische Sicht wegbrannte und sie ihm als gereinigte Vision zurückgab.

Mit neuen Augen sah er das Bild einer großen Stadt vor sich, die auf einen Berggipfel gebaut war. Sie erhob sich in einer juwelenbesetzten Stufe über der anderen und schimmerte wie ein Opal vor einem sternenübersäten Firmament. Sie war voller Türme, Tore und kristallklarer Brunnen. Adam landete vor dem östlichen Tor der Stadt und sah sich drei hohen Toren aus Topas, Smaragd und Sardonyx gegenüber. Während er dort im Geist wartete, schwang das mittlere Tor auf und ließ eine große Schar Gerüsteter herausströmen.

An der Spitze der Truppe befand sich eine königliche Gestalt mit silbernem Haar, deren wehende karminrote Gewänder und herrscherliche Haltung selbst aus der Entfernung verkündeten, daß es sich bei ihm um König Salomon handelte. Die Heerschar, die ihm folgte, wurde aus Kriegern eines jeden Zeitalters gebildet, israelitische Schwertkämpfer marschierten da Schulter an Schulter mit Templerrittern. Unter ihnen ragte eine große Gestalt hervor, die unter einem mit weißen Federn besetzten Chapeau eine lederne Kavalleriejacke trug. Das schöne Gesicht mit den festen Lippen über dem Spitzenjabot gehörte John Grahame of Claverhouse, auch Bonnie Dundee genannt. Als sein Blick dem Adams begegnete, lächelte der Viscount und nickte grüßend.

Die Truppe hielt auf ein Zeichen des Königs hin an,

und Salomon winkte Adam, er solle näher treten. Voller Ehrfurcht, doch ohne Angst, gehorchte Adam, sank auf ein Knie und neigte das Haupt vor der Weisheit und der Macht, die der König repräsentierte.

»*Gesegnet ist der Mann, dem der Herr keinen Frevel anlastet, und in dessen Geist kein Falsch ist*«, schien Adam den großen König sagen zu hören, während ihm starke Hände auf die Schultern gelegt wurden. »Empfange die Segnungen der Weisheit im Namen des Höchsten und wisse, daß die Macht und die Autorität des Königs und dieses ganzen Heeres mit dir gehen.«

Die Krone auf Adams Kopf wurde in einer Explosion weißen Lichts lebendig. Eindrücke überfluteten ihn von allen Seiten, zu einer kosmischen Schärfe geschliffen, die er noch nie zuvor erlebt hatte. Einen flüchtigen Augenblick lang war er sich des Sternentanzes der Atome und Elemente bewußt, der sich wie eine Symphonie zu größeren Mustern von Gestalt und Form aufbaute.

Dann falteten sich um ihn die Dimensionen des geschaffenen Universums wie eine Schachtel und er fand sich wieder in den Grenzen des unterirdischen Gewölbes einer früheren Templer-Präzeptur, ohne daß inzwischen Zeit vergangen wäre. Er hatte König Salomons Krone auf dem Kopf und hielt seinen *sgian dubh* fest an die Brust gepreßt.

Adam hatte wieder menschliche Proportionen, doch seine Sinne behielten ihre erhöhte Empfindsamkeit bei. Er zwang sich, den Lärm und den Gestank, den die Anwesenheit der beiden Dämonen verursachte, auszufiltern und ließ seinen Blick im Raum schweifen – auf der Suche nach einer Eingebung für seinen nächsten Schritt. Wie ein Magnet zog das Zepter, das schwach in Gerards Hand zitterte, seinen Blick an, und er erkannte: falls er beabsichtigte, den Dämonen Bedingungen zu diktieren, würde er zuerst dem verängstigten Franzosen die Herrschaft über das Zepter entreißen müssen.

Glücklicherweise verfügte er über die Mittel dazu.

Der Stahl der Klinge des *sgian dubh* war aus Meteoreisen geschmiedet, sternengeboren wie der Zahnstein, den er in Rosslyn Chapel verwendet hatte. Er trat kühn bis auf Armeslänge an die Barriere des Kreises knapp hinter Gerard heran, machte den *sgian dubh* zum Brennpunkt all seines gesammelten Willens und Wissens und spürte die Macht in seiner rechten Hand auflodern wie ein Flammenschwert. Dann machte er eine schnelle stechende Bewegung mit seinem Dolch ein wenig über Gerards Kopf, als öffnete er ein Geschwür mit einer Nadel, und durchbohrte hier den Kreis.

Die Barriere implodierte mit einer psionischen Erschütterung, die das umgebende Mauerwerk erzittern ließ. Schon in Bewegung griff Adam nach vorn und entriß das Zepter aus Gerards kraftlosen Fingern. Um ein Haar dem Peitschenhieb eines Dämonenentakels ausgewichen, trat er breitbeinig über die halb ohnmächtige Gestalt des Franzosen, richtete sich zu seiner vollen Größe auf und tauschte den *sgian dubh* und das Zepter aus, so daß er das Zepter in seiner rechten Hand hochhielt.

»Gog und Magog aus den Kindern Luzifers!« rief er scharf. *»Ich befehle euch im Namen des Adonai und Salomons des Weisen, zu lauschen und jetzt auf meine Worte zu achten!«*

Der Dämon, der ihm am nächsten war und erneut zuschlagen wollte, zischte und zuckte zurück. Der andere blähte sich auf wie eine zornige Kobra und spie einen Strahl Gift aus, der vor Adams Füßen auf den Boden traf. Gerard stieß einen dünnen, wimmernden Schrei aus und versuchte sich davonzuschlängeln. Adam überging wie ein Herrscher das Gewimmer des Franzosen und den scharfen Gestank des aufsteigenden Rauchs, kreuzte den *sgian dubh* und das Zepter über seiner Brust und fixierte die beiden Dämonen mit einem stählernen Blick absoluter und unverwandter Autorität.

»Ihr könnt mir kein Leid antun«, erklärte er kühl. »Betrachtet die Krone und das Zepter Salomons des Königs, den der Herr der Heerscharen mit der Macht über alle unreinen Geister ausstattete. Kraft ebendieser Macht und im großen Namen des Herrn Jehova, befehle ich euch, in euer Gefängnis zurückzukehren. Und im Namen seiner Autorität, *ihr werdet mir gehorchen!«*

Seine Stimme klang scharf wie ein Peitschenschlag. Die Antwort der Dämonen war ein kehliges Gebrüll voller Wut und Trotz. Drüben an der Tür zuckte Peregrine zusammen und hielt sich eine Hand ans schmerzende Ohr. Halb erstickt von den ekelhaften Dünsten, die von der Mitte des Raumes herüberzogen, spähte er mit brennenden Augen zu Adam hin und hielt in plötzlichem Erstaunen den Atem an.

Denn das Aussehen seines Mentors hatte eine überraschende Veränderung erfahren. Über Adams vertrautes Gesicht und seine Gestalt war das verblüffende Ebenbild eines ägyptischen Priesterkönigs in wallenden Gewändern aus durchscheinendem Leinen gelegt. Das Zepter und der *sgian dubh* waren überschattet von den Bildern des Krummstabs und des Dreschflegels, den beiden königlichen Symbolen ägyptischer Autorität. In gleicher Weise zeigte der Goldreif auf seinem Kopf nun den doppelten Aspekt des hebräischen Diadems und der Doppelkrone von Theben und Memphis, und beide Bilder waren miteinander im Glanz einer Autorität vermählt, die von der Gottheit stammte.

In seinem Erstaunen vergaß Peregrine fast seine Angst und erkannte, daß die Krone selbst der Mittelpunkt der Verwandlung sein mußte und vergangene Manifestationen von Adams Macht aus früheren Zeiten herbeirief, um seine derzeitige Autorität zu erhöhen. Noch während ihm dieser Gedanke kam, machte Adam eine plötzliche Bewegung und deutete gebieterisch mit dem Zepter auf die offene Schatulle.

»Geht!« befahl er. *»Ich gebiete euch in das Gefängnis*

zurückzukehren, das euer einziger rechtmäßiger Platz in dieser Welt ist!«

Heulend und schäumend kämpften Gog und Magog, um nicht weichen zu müssen. Unversöhnlich, das hagere Gesicht unbeweglich wie Eisen, brachte Adam den zusätzlichen Zwang des *sgian dubh* ins Spiel und trat vor, während er die beiden Dämonen unnachgiebig auf die Schatulle zudirigierte. Als sich die Kreaturen trennten und zu fliehen versuchten, sah Peregrine, wie Zwillingsbögen sprühender Energie von den Instrumenten ausströmten, die Adam in der Hand hielt. Sie fingen die Dämonen in einem Netz weißen Feuers und trieben sie unter Gekreisch in die Richtung zurück, die Adam ihnen bezeichnet hatte.

Während sie vor ihm zurückwichen, schrumpften sie und kreischten in ohnmächtiger Wut ob Adams Zwang. Erbarmungslos trieb er sie weiter zurück zur Schatulle. In seinen dunklen Augen loderte unnachgiebige Autorität. Blubbernd wie erlöschende Fackeln, dann fast mitleidheischend zwitschernd schwebten die Kreaturen kurze Zeit wie schmutziger Rauch über der Öffnung, bis Adam mit einem letzten Schlag der Macht sie hineinzwang.

Sobald sie verschwunden waren, warf McLeod sein Schwert zu Boden, stürzte vor und knallte den Deckel der Schatulle zu.

»Schnell! Das Siegel her!« rief er Peregrine zu, während er sich mit seinem ganzen Gewicht auf den Deckel stützte. »Beeilen Sie sich, Mann! Stehen Sie hier nicht bloß herum!«

Peregrine ließ klirrend sein Schwert fallen und sprang vor, um das Siegel vom Boden aufzuheben, wo Gerard es hatte fallen lassen. Beinahe wäre er auf dem Blut, das die Steine besudelte, ausgeglitten.

»Was soll ich jetzt damit machen?« schrie er wild.

Adam gab keine Antwort. Seine ganze Konzentrationskraft war, gebündelt durch das Zepter und den *sgian dubh*, auf die Schatulle gerichtet, als etwas mit soviel Gewalt gegen die Unterseite des Schatullendeckels schlug, daß er sich einen Spalt öffnete. McLeod rang ihn keuchend und unter Anstrengung wieder nieder, dann nickte er steif in die Richtung des erbrochenen Siegelzeichens an der Seite des Kastens.

»Drücken Sie das Siegel *dort* auf!« keuchte er.

Peregrine empfahl sich in Gedanken dem LICHT, dann warf er sich auf die Knie und rammte das Siegel mit aller Wucht auf dessen früheren Abdruck im Gold. Aus dem Inneren des Kastens drang ein schrilles, jaulendes Geheul, das die Schatulle erbeben und vibrieren ließ, doch Peregrine hielt weiter das Siegel an Ort und Stelle und zwang mit seiner Willenskraft verzweifelt den Abdruck, Form anzunehmen. McLeod legte seine Hand ebenfalls auf das Siegel und verstärkte mit seiner Konzentration die Peregrines. Majestätisch, immer noch von dem alten Ebenbild überschattet, trat Adam nahe genug heran, um mit der Spitze des Zepters das Gold neben dem Siegel zu berühren.

Unter ihrer vereinten Willenskraft wurde der aufgebrochene Abdruck weich wie Kitt, das Metall verflüssigte und verbreitete sich über der Lücke. In diesem kurzen Augenblick spürte Peregrine, wie der Siegelabdruck unter seiner Hand gesetzt und erneuert wurde. Er hielt es noch einen Moment länger, dann nahm er das Siegel vorsichtig von dem Gold weg. Die Seitenwand der Schatulle wies jetzt einen passenden Abdruck vom Siegel Salomons auf, und jede Bewegung innerhalb der Schatulle schien aufgehört zu haben.

»Wir haben es geschafft!« verkündete Peregrine atemlos. »Zumindest *meine* ich, wir hätten es geschafft.«

Mit einem Seitenblick auf Adam hob McLeod vorsichtig sein Gewicht vom Schatullendeckel.

Kapitel 28

Das Schweigen wurde nur vom Geräusch heftigen Luftholens unterbrochen, als McLeod und Peregrine versuchten, wieder zu Atem zu kommen. Als kein neues Geräusch aus der Schatulle drang, gestattete sich McLeod einen vorsichtigen Seufzer der Erleichterung und richtete sich auf.

»Ich glaube, es wird halten«, verkündete er, immer noch wachsam.

Adam nickte nur. Er schwankte ein wenig auf den Füßen – Auswirkung einer vorübergehenden Benommenheit. Mit der Einschließung des Zwillingsschrekkens von Gog und Magog war die astrale Überlagerung des ägyptischen Priesterkönigs verblaßt; die Aura von Macht und Autorität, die ihn noch Sekunden zuvor umgeben hatte, war einer weißlippigen Blässe gewichen – Anzeichen einer nahen Erschöpfung.

Als er die besorgten Blicke seiner beiden Untergebenen bemerkte, bot Adam ein gezwungenes Lächeln der Beruhigung auf und reichte das Zepter wortlos an McLeod weiter. Dann steckte er seinen *sgian dubh* in die Scheide und schob ihn wieder in eine Tasche. Er faßte sich mit beiden Händen an den Kopf, um die Krone abzunehmen, da gab hinter ihm Henri Gerard ein plötzliches leises Stöhnen von sich und zuckte krampfhaft. Als Adam sich umwandte, hielt sich der Verzweifelte beide Hände auf die Ohren und stieß ein durchdringendes, wildes Wehgeschrei aus.

»Ich hatte mich schon gefragt, wie lang das dauern würde«, murmelte Adam, als sich Gerard, der jetzt wimmerte und dann zu schluchzen begann, zur Embryonalstellung zusammenkrümmte und mit der Stirn gegen den Steinboden schlug. »Noel, ich werde hier Ihre Hilfe brauchen.«

Die beiden reichten Krone und Zepter Peregrine, dann traten sie schnell an die Seite des Franzosen. Adam packte ihn an den Schultern und drehte ihn so, daß McLeod ihn kräftig und bändigend an den Handgelenken fassen konnte.

»Beruhigen Sie sich, Mr. Gerard«, sagte Adam mit leiser, besänftigender Stimme und suchte in seiner Tasche nach einer der vorbereiteten Spritzen. »Die Gefahr ist vorbei. Es gibt nichts mehr, wovor Sie Angst haben müssen.«

Während er mit den Zähnen den Plastikschutz der Nadel abzog, starrte ihn der Franzose mit einem wilden Blick an, dann wich er unter angsterfülltem Geheul zurück und sträubte sich sogar noch krampfhaft, als McLeod sich mit ganzem Gewicht auf ihn warf, um ihn an den Boden zu drücken. Gemeinsam gelang es Arzt und Polizist, ihren hysterischen Patienten lang genug festzuhalten, daß Adam ihm das Medikament verabreichen konnte. Der Franzose fuhr noch einige Sekunden lang fort zu zappeln und zu strampeln, aber dann erschlaffte sein Körper ganz plötzlich, und die von Schrecken erfüllten Augen rollten nach oben, gnädiges Vergessen kam über ihn. Mit einem letzten hervorquellenden Stöhnen sank er zurück und war still.

»Ein schwerer Fall!« keuchte McLeod, lockerte vorsichtig seinen Griff und erhob sich von Gerard, während Adam den Puls des Bewußtlosen maß. »Ich habe schwere Junkies erlebt, die geistig besser beinander waren als dieser arme Bastard hier.«

»Ich auch«, sagte Adam nüchtern. »Ohne ernsthafte professionelle Hilfe wird er auch nicht aus der Sache herausfinden.«

Peregrine blickte beunruhigt auf den jetzt schlafenden Gerard. »Haben ihm die Dämonen das angetan?«

»Seine Angst vor ihnen hat sicherlich dazu beigetragen, daß er ausgerastet ist«, sagte Adam. »Und ich bin sicher, es hat ihm nicht geholfen zu sehen, wie sein Komplize vor seinen Augen auseinandergerissen und verschlungen wurde.« Sein Blick schweifte unwillkürlich zu dem zerfleischten Torso und dem Geschmier von Eingeweiden und Blut – den Überresten von Gerards Kumpan. »Aber er hat den kritischen Punkt nicht über Nacht erreicht. Ich würde vermuten, sein gegenwärtiger Zusammenbruch ist das Ergebnis eines zunehmenden Komplexes von Obsessionen, die in einer Vergangenheit vor seinem gegenwärtigen Leben wurzeln mögen – wenn ich das allerdings den meisten Psychiatern sagen müßte, so würde man mich auslachen und an meiner beruflichen Kompetenz zweifeln. Wer auch immer die Aufgabe übertragen bekommt, seine Psyche wieder zu integrieren, dürfte eine interessante Zeit vor sich haben.«

Peregrine, der auf Gerard hinabstarrte, war überrascht, als er feststellte, daß er mehr Mitleid als Zorn für den Mann empfand, dem es fast gelungen war, zwei mächtige Dämonen auf eine arglose Welt loszulassen.

»Dann glauben Sie also, er könnte geheilt werden?«

»Mit viel Zeit und Geduld und einem aufgeschlossenen Therapeuten ist es möglich«, erklärte Adam. »Aber wie lange es dauert, darüber würde ich nicht gern spekulieren.«

Er holte tief Luft und straffte die Schultern. »In der Zwischenzeit hat die Entscheidung für uns höchste Priorität, was mit diesen Templerschätzen getan werden soll, um sicherzustellen, daß sie nie wieder eine Quelle gefährlicher Versuchung werden.«

Etwas unsicher richtete Peregrine seine Aufmerksamkeit auf die Krone und das Zepter, die er noch in Händen hielt. »Vermutlich können wir sie nicht einfach an einem sicheren Ort verstecken«, sagte er zweifelnd.

»Sagen Sie mir, welcher Ort sicher ist«, gab McLeod zurück.

Adam nickte langsam und biß sich in die Lippe. »Noel hat recht. Und es geht nicht nur darum, die Heiltümer zu verstecken; da ist noch die Schatulle selbst, mit der wir uns befassen müssen. Glücklicherweise haben wir weiseren Rat als unseren eigenen zur Verfügung.«

Er richtete sich auf und betrachtete den Kreis ritterlicher Wächter, der sie umgab, bis sein Blick an dem dreizehnten Stuhl hängenblieb, der leer war. Peregrine, der Adams Blick folgte, bemerkte zum ersten Mal, daß der unbesetzte Stuhl höher als die beiden anderen war und an den Armstützen und der hohen Rückenlehne reiche und komplizierte Schnitzmuster aufwies. Noch gefesselt von dieser Entdeckung, bemerkte er verspätet, daß sein Mentor sich anschickte, ihm Zepter und Krone abzunehmen.

»Leider muß ich die wieder an mich nehmen«, sagte Adam mit einem schiefen Lächeln. »Wir werden sie für das brauchen, was noch getan werden muß.«

Peregrine unterdrückte die aufsteigende Neugier und gab die beiden goldenen Insignien her, ohne eine Frage zu stellen. Adam nahm die Krone und legte sie vorsichtig auf den leeren Stuhl; das Zepter legte er vor dem Stuhl auf den Boden, dann holte er das Siegel, das neben der Schatulle lag.

»Bringen wir Mr. Gerard hinaus, wenigstens bis zum Eingang«, sagte er und bedeutete seinen beiden Helfern, sie sollten sich des bewußtlosen Franzosen annehmen. »Ihr beide könnt beobachten, was ich tun werde – genaugenommen würde ich eure Unterstützung auf der Inneren Ebene begrüßen –, aber bitte tut nichts, was stören könnte, außer im unwahrscheinlichen Fall einer Einmischung von außen.«

McLeod und Peregrine schoben jeder eine Schulter unter Gerards schlaffe Arme und schleppten ihn zum Eingang hinüber, wo sie ihn draußen an die Korridorwand lehnten. Adam hatte sich inzwischen gebückt und das Siegel neben dem Zepter auf den Boden gelegt, jetzt richtete er sich auf und schaute auf den leeren Stuhl. Hinter ihm nahmen McLeod und Peregrine im Eingang wieder ihre Templerschwerter auf und hielten kniend Wache.

Adam legte die rechte Hand über die linke auf seiner Brust, dann atmete er einige Male langsam und tief ein, um sich erneut zu zentrieren und zu sammeln. Während er dies tat, schienen die physischen Grenzen des Raumes zu verblassen und zurückzuweichen; eine astrale Realität begann den Schrecken und das Wunder dessen zu überlagern, was ihn buchstäblich umgab. Der Thron wurde zu einem von dreizehn Sitzen, die im Kreis mitten in einem sternenübersäten Firmament schwebten, und während sein Blick die funkelnden blauweißen Wirbel der astralen Konstellationen aufnahm, wurde er sich des Saphirs an seiner rechten Hand als einer Quelle verwandten Lichts bewußt. Er bündelte seine Absicht, dieses Licht wieder zu seiner Quelle zu reflektieren und verneigte sich tief vor dem leeren Thron, während er die wortlose Bitte um eine Audienz bei Jenem aussandte, den er nur als den MEISTER kannte.

Peregrine, der neben McLeod im Eingang kniete und sich öffnete, um Adam zu folgen, spürte ein leichtes Schwindelgefühl und die vorübergehende Empfindung des Stürzens, die er mit dem Seelenflug und dem Perspektivenwechsel von der physischen zur astralen Ebene zu verbinden gelernt hatte. Sein Blick wurde verschwommen, seine Sicht für kurze Zeit von Geschwindigkeit und Entfernungen verwirrt, bis sein Geist mit einem leichten Ruck auf den Inneren Ebenen Halt fand.

Als Peregrines Blick wieder klar war, entdeckte er, daß er immer noch Schulter an Schulter mit McLeod kniete, doch jetzt am Rand eines Kreises von dreizehn thronartigen Stühlen, die in einem offenen Raum voll silbernen Lichts aufgestellt waren, wie in einem Tempel, der zu den Sternen hin offen war. Die geisterhaften Gestalten von zwölf Templerpräzeptoren in weißen Mänteln überlagerten jetzt die mumifizierten Hüllen, von denen Peregrine wußte, daß sie noch die physische Realität der zwölf anderen Stühle besetzt hielten. Geisterhaft behandschuhte Hände verschoben sich leicht auf den Griffen am Boden aufgestützter Schwerter, während ihre golden leuchtenden Augen eine hell rotierende Spindel reinsten weißen Lichts suchten, die über dem dreizehnten Stuhl schwebte. Vor diesem Stuhl stand der astrale Adam, jetzt in eine saphirblaue Soutane gekleidet.

Allmählich wurde das weiße Licht zu einer weißgekleideten Gestalt, die dort saß, weißbärtig und edel, und die Krone Salomons ruhte nun auf weißverhüllten Knien, von blassen, anmutigen Händen umfaßt, während das Zepter und das Siegel vor den mit Sandalen bekleideten Füßen lagen. Daß der Meister sich dazu entschieden hatte, sich in der liturgischen Kleidung eines Großmeisters der Templer zu offenbaren, schien in dieser erhabenen Gesellschaft völlig angebracht. Peregrine fühlte eine vertraute Ehrfurcht und Freude in seiner Brust sich regen, und er ertappte sich dabei, wie er sich wünschte, er würde es wagen, einen Skizzenblock und einen Bleistift hervorzuholen; doch anscheinend konnte er dafür nicht genügend Willenskraft aufbieten.

Als Adam sich aus seiner Verneigung aufrichtete und seine Augen zu des Meisters Blick hob, verwandelte sich die blaue Soutane seines astralen Ebenbildes zu weißen Templergewändern, wie sie auch die anderen trugen.

Schön, daß wir uns begegnen, Meister der Jagd, ertönte der Gruß des Meisters, wie die liebliche Musik eines Jagdhorns. *Willkommen in dieser Gesellschaft, und deine Jäger mit dir. Das Werk dieser Nacht ist gut getan. Brauchst du weitere Hilfe?*

»Ich bitte um deinen Rat, ehrwürdiger Meister«, antwortete Adam. »Zwar haben wir die Dämonen Gog und Magog wieder an den Ort zurückgebracht, der bereitet wurde, sie zu verwahren, doch ich würde sie am liebsten ein für alle Mal vom Angesicht der Erde verbannt und die Heiltümer verstreut sehen, so daß sie von nun an für keinen Menschen mehr Last oder Versuchung seien.«

Der Meister nickte, vielleicht verzog er die Lippen zu einem Lächeln, das der Bart verbarg. *Du hast aus freien Stücken angeboten, was notwendig gewesen wäre. Und so soll das Wissen auch aus freien Stücken gegeben werden. Aber es gibt noch mehr, was du von uns erbitten möchtest.*

Adam neigte zustimmend den Kopf. »In meinem Amt als Arzt wünsche ich ebenso zu wissen, was getan werden kann, um der Seele von Henri Gerard Heilung zu bringen – und ob noch der Seele des Mannes, der von den Dämonen umgebracht wurde, ein Dienst zu erweisen ist. In Wahrheit glaube ich, daß keiner der beiden der Finsternis dienen wollte. Sie sind junge Seelen, die vom falschen Glanz der Gier in die Irre geführt wurden.«

Du bittest wortgewandt für deine törichten jüngeren Brüder, erwiderte der Meister, *und weise mäßigst du Gerechtigkeit mit Gnade. Was du wünschst, hält sich im Rahmen der eingeräumten Vollmacht.*

Adam gehorchte und neigte kurz den Kopf, während der Meister König Salomons Krone nahm und aufstand. Die zwölf Präzeptoren erhoben sich mit ihm und salutierten feierlich mit ihren Schwertern, als der Meister die Krone in stummer Anerkennung der Göttlichen Weisheit emporhob, die sie verkörperte. Als sie gesenkt wurde, schloß Adam die Augen und bot sich selbst als ein Gefäß an, das es zu füllen galt.

Die Berührung der Krone auf seiner Stirn löste eine Quelle plötzlichen Wissens aus, die in ihm aufsprudelte, wie eine riesige, schimmernde Fontäne, die zwischen trockenen Felsblöcken in einer Wüste hervorbrach. Wie ein Wanderer, der lange vom Durst ausgedörrt war, ließ er sich von der Flut überwältigen und trank mit jeder Pore seines Leibes tief aus ihrer Gnade ...

Peregrine, der zuschaute, sah seinen knienden Mentor ein wenig auf den Fersen schwanken und sich halb mit den Händen auffangen, dann blind vor sich hin tasten. Als seine Hände sich um Zepter und Siegel schlossen, erhob er sich, stellte sich aufrecht hin, hob das gekrönte Haupt und hielt die Heiltümer auf Armes Länge wie ein Opfer hoch. Als Antwort umhüllte ihn plötzlich von allen Seiten eine Lohe weißen Lichts.

Geblendet und auf einmal erschrocken, wappnete sich Peregrine gegen einen weiteren wirbelnden Ansturm astraler Winde. Als er wieder sehen konnte, kniete er erneut im Eingang des unterirdischen Gewölbes, und der Meister und sein leuchtendes Gefolge waren verschwunden. Neben ihm stieß McLeod einen Seufzer der Erleichterung aus und schüttelte den Kopf, als wollte er seine Sicht klären, dann richtete er seinen besorgten Blick zu der Stelle, wo Adam jetzt vor dem leeren dreizehnten Stuhl stand, die Krone auf dem Kopf und Zepter und Siegel in den nach oben gestreckten Händen. Als er seine Arme langsam senkte und sich umwandte, schimmerte in seinem dunklen Blick große Zuversicht.

»Ihr solltet lieber unseren unglücklichen Freund zum Auto hinausbringen«, sagte er ruhig mit einem schwachen Lächeln, das sie beruhigen sollte. »Was noch zu tun bleibt, muß ich allein tun, und es ist dringend. Das Gleichgewicht ist im Augenblick labil.«

Mit einem Nicken als Antwort lehnte McLeod sein Schwert an den Türpfosten neben Peregrines Waffe, drehte sich um und schob eine Schulter unter einen von Gerards Armen, während Peregrine den anderen nahm und half, den Franzosen in eine stehende Stellung zu hieven. Ihn gemeinsam stützend, machten sie sich langsam auf den Rückweg durch den Gang zur Treppe. Während sie weggingen, steckte Adam das Siegel in seine Tasche und holte die Phiole mit Salz heraus, die er in Rosslyn Chapel verwendet hatte. Er öffnete sie und sprenkelte Salz auf die sterblichen Überreste des zerfleischten Diebs. Gleichzeitig flüsterte er eine Anrufung, um seiner Absicht Ausdruck zu verleihen.

»Gehe fort von hier, du verirrtes Kind Gottes, nur ihm bekannt, und sei von den Fesseln des Bösen befreit, damit du nicht an diesen Ort gebunden wirst. Mit zerknirschtem Herzen mögest du in der Gegenwart dessen aufgenommen werden, dessen nie versagende Liebe alle menschlichen Unvollkommenheiten überschreitet. Amen. Selah. So sei es.«

Er steckte die leere Phiole wieder ein und berührte mit dem Kopfteil des Zepters leicht den zerschmetterten Torso des Toten, dann hob er es und zeichnete zuerst ein Kreuz und dann einen Kreis über die Überreste, schließlich schob er den Gedanken an den Ermordeten beiseite und trat näher an die Schatulle heran. Er nahm die Krone ab und legte sie auf den Deckel der Schatulle. Mit einer gemurmelten Anrufung göttlicher Hilfe nahm er McLeods Taschenlampe auf und ging zur Tür hinaus. Dann eilte er schnellen Schritts durch den Gang zur Treppe.

Als er sie hinaufhastete, roch er den frischen Geruch feuchter Erde. Immer noch fiel ein leichter Regen, und die oberen Stufen waren glitschig von Schlamm und ein wenig tückisch. Als er wieder im Freien war, taumelte Adam zu dem alleinstehenden Torbogen zurück, das Zepter immer noch in der rechten Hand, und hielt unter dem Bogen lang genug an, um genug Gras und Erde beiseite zu scharren, bis er in der Mitte der Schwelle ein kleines Stück Fels bloßlegte. Als er sich dann zur gähnenden Schwärze des Treppenschachtes umwandte, stellte er die Taschenlampe beiseite, holte das Siegel aus der Tasche und bückte sich, um es sorgfältig in die Mitte der freigelegten Fläche zu legen. Während er das Zepter fester packte und sich aufrichtete, rief er sich in Erinnerung, was ihm übertragen worden war, dann streckte er kühn das Zepter aus und berührte damit die linke Seite des Bogens.

»Geschöpf der Erde, dein Name ist Boaz«, flüsterte er und bündelte seinen Willen durch das Heiltum in seiner Hand. »Du bist das Symbol jener heiligen Dunkelheit, die die Nacht der blinden Suche der Seele nach ihrem Schöpfer bedeutet.«

Ein frischer Hauch Luft, der nach Tau und nassem Gras duftete, wehte an ihm vorüber, zusammen mit einem stärkeren Regenschwall. Adam tat einen weiteren Atemzug und berührte mit dem Zepter nun die rechte Seite des Bogens.

»Geschöpf der Erde, dein Name ist Jachin«, flüsterte er. »Du bist das Symbol jenes heiligen Lichtes, das die Erleuchtung des Geistes und die Vollendung des Herzens bedeutet.« Er hob das Zepter, berührte die Mitte des Bogens und fuhr dort: »Licht und Dunkel bilden zusammen die Säulen der Schöpfung. Sei standhaft in dieser Welt und der nächsten, entsprechend den vielfältigen Namen dessen, der über die verfügt: *Jod He Vau He, Adonai, Elohim, Eheieh, Shaddai el Chai, Jehovah Sabaoth, Elohim Sabaoth, Shekinah …*«

Die heiligen Namen schienen lautlos durch die Nachtluft zu vibrieren und wie ein Duft bei Adams abschließendem Geflüster zu verweilen. In der gespannten, erwartungsschwangeren Stille senkte Adam langsam das Zepter und neigte den Kopf huldigend vor dem, was er herbeigerufen hatte, und bat um Verzeihung für die Freiheiten, die er sich möglicherweise genommen hatte, dann schleuderte er das Zepter mit der gesenkten Hand durch den Bogen, zwischen den beiden Säulen hindurch, in die dunkle Mündung des dahinterliegenden Durchgangs.

Als das Zepter rotierend im wäßrigen Mondlicht

durch die Luft flog, ähnelte es in seiner Bewegung sehr einer alten deutschen Stabgranate aus dem Ersten Weltkrieg – und auch in dem Ergebnis, das es erzielte. Es verschwand in der Öffnung des Treppenschachts, schlug einige Stufen weiter unten auf Stein auf und klirrte, als es weiter hinabfiel. Das letzte ferne Peng wurde von einem plötzlichen sonoren Grollen tief unter der Erde verschluckt, begleitet von einer Explosion blendenden Lichts, die wie eine Sonnenflamme den Torbogen beleuchtete. Als Adam schützend eine Hand vor die Augen legte, wurde die Erde unter ihm von einem schweren Knall erschüttert, der ihn auf die Knie warf.

Eine zweite Serie von Erschütterungen lief kurz durch den Boden unter ihm, und er zog sich hastig auf Händen und Knien weiter zurück, während über ihm der Steinbogen erbebte und zusammenzustürzen drohte. Adam vertrieb blinzelnd die grellen Nachbilder und blieb am Boden, bis das letzte Grollen verebbt war, dann suchte er im Gras nach der Taschenlampe.

Er fand sie einen halben Meter von der rechten Seite des Bogens entfernt und richtete mit zitternden Händen ihren Strahl durch das Ruinentor. Keine Spur war geblieben von Zepter, Siegel oder Treppenschacht. Es war, als hätte die Erde selbst sie verschlungen und keine andere Spur zurückgelassen als ein paar schwache Brandmale auf einem kleinen Stück nackten Steins zu seinen Füßen.

Ein halbes Dutzend Herzschläge lang, während er suchte, herrschte tiefes Schweigen. Dann wurde die Stille vom scharfen, fragenden Gebell eines Hundes durchbrochen, das zu einem Chor anschwoll, als andere Tiere des Ortes die Frage aufnahmen. In den dunklen Häusern neben dem Feld gingen plötzlich Lichter an.

Adam schaltete die Taschenlampe aus, erhob sich und begab sich zum Ende des Spielplatzes. Er ging geduckt durch das hohe Gras auf den Weg zu. Als er die Fahrspur erreichte, lösten sich zwei dunkle Gestalten aus den Schatten und kamen auf ihn zu, die eine schlank, die andere kräftig.

»Adam?« drang McLeods geflüsterte Frage aus der Dunkelheit. »Wir haben so etwas wie eine Explosion gehört.«

»Das war der Gang, der sich wieder geschlossen hat«, sagte Adam und drängte sie zurück zum Auto. »Hoffentlich denken die Leute hier, es sei Donner gewesen.«

»Aber was ist, wenn eines Tages jemand beschließen sollte, an der Stelle eine Ausgrabung zu machen?« fragte Peregrine und reckte seinen Hals zurück in Richtung des Erdhügels.

»Er würde nichts als alten Stein finden«, sagte Adam mit grimmiger Überzeugung. »Die Autoritäten der Inneren Ebenen haben einen neuen und endgültigen Ruheplatz für die Templerschätze bestimmt, der sich nicht innerhalb der physischen Grenzen dieser Welt befindet.«

Während sie auf das Ende des Wegs zutrotteten, kam Cochranes dunkler Passat auf die Durchfahrt zugekrochen. Die Bremslichter leuchteten kurz auf, der leise Leerlauf war kaum zu hören.

»Ach, das ist Donald, der uns von hier fortbringt«, murmelte Adam. »Wenn niemand einen Verdacht hegt, daß wir jemals hier waren, so wird es morgen früh nichts zu erklären geben ...«

Kapitel 29

»Was wird mit Gerard geschehen?« fragte Peregrine schließlich, während Donald Cochrane sie aus dem Dorf Temple wegfuhr und nach Edinburgh zurückbrachte. »Ich meine, werden wir ihn den Behörden unten in York übergeben?«

Adam warf einen Seitenblick auf den bewußtlosen Franzosen, der schlaff zwischen ihm und Peregrine auf dem Rücksitz zusammengesackt saß.

»Glauben Sie, daß wir das tun sollten?«

Peregrine runzelte verwirrt die Stirn. »Eigentlich, so nehme ich an, müßte die Antwort ja lauten. Aber offen gesagt, ich sehe nicht, daß das irgend jemanden nützen würde.«

»Warum nicht?« fragte Adam.

»Nun, zum einen befindet er sich nicht in der geeigneten Verfassung, um sich für irgend etwas vor Gericht zu verantworten«, sagte Peregrine mit unverblümter Ehrlichkeit. »Zum anderen sind die Umstände, die sein Verbrechen umgeben, so seltsam, daß ich nicht weiß, wie die Beweise wohl bearbeitet werden könnten, um sie juristisch annehmbar zu machen.«

»Trotzdem: er *hat* das Siegel gestohlen und ist zumindest indirekt für den Tod von Nathan Fiennes verantwortlich«, sagte Adam.

»Das wissen *wir*«, erwiderte Peregrine. »Aber ich möchte mir nicht vorstellen, wie ich die Tatsachen einem Geschworenengericht erklären könnte. Wahrscheinlich würde es dem Richter raten, uns ins gleiche Irrenhaus zu sperren wie Gerard.«

»*Dagegen* kann man nichts sagen«, stimmte ihm McLeod vom Beifahrersitz aus zu. »Ich schließe daraus, daß Sie befürworten, die Frage der Gerechtigkeit zurückzustellen.«

»Eigentlich nicht zurückzustellen.« Peregrine suchte nach den passenden Worten, um seine Empfindungen auszudrücken. »Mir scheint, daß schon eine gewisse Gerechtigkeit geschehen ist. Der andere Mann ist tot – vermutlich werden wir nie erfahren, wer er war –, und ich kann mir gewiß keine schlimmere Bestrafung für Gerard vorstellen als die, die er im Augenblick erleidet, da er doch buchstäblich vor Schrecken den Verstand verloren hat.«

»Ich muß Ihnen durchaus beipflichten«, sagte Adam. »Vielleicht hat das Karma selbst ein passendes Ende für Gerards Platz in dieser Affäre bestimmt.«

»Was schlagen *Sie* dann vor?« fragte Peregrine, der sich von der plötzlichen Änderung in der Taktik seines Mentors etwas überrumpelt fühlte.

Adam fingerte an seinem Siegelring herum, während er die praktische Anwendbarkeit seiner Antwort erwog.

»Zumindest Nathan Fiennes' Familie verdient es, eine Version der Wahrheit mitgeteilt zu bekommen, und wenn auch nur, um sie zu beruhigen, daß der Mörder nicht mehr frei herumläuft«, sagte er nach einer Weile. »Dafür übernehme ich selbst die Verantwortung. Was aber Gerard angeht …«

Er blickte auf den Franzosen und seufzte. »Er kennt keinen von uns mit Namen und würde uns wahrscheinlich nicht erkennen, wenn er uns wiedersähe. Ich bezweifle, daß er eine klare Erinnerung an das besitzt, was unten in der Krypta geschah, aber alles, was er möglicherweise dazu sagen würde, wird man einfach als einen weiteren Beweis für seine Geistesstörung nehmen. Da dies so ist, würde ich sagen, das Freundlichste, was wir für ihn tun könnten, wäre, einen sicheren Ort zu suchen, wo man ihn zurücklassen kann und wo er sicher gefunden und in Behandlung genommen wird.«

»Aber wer könnte ihm helfen?« fragte Peregrine. »Wenn die Ursache seines Problems in einer Schuld aus einem früheren Leben liegt, wie Sie angedeutet haben ...«

Auf Adams verschmitzten Seitenblick hin ging Peregrine plötzlich ein Licht auf. »Sie meinen, er wird als *Ihr* Patient enden!« murmelte er. »Und Sie können es sicherstellen, nicht wahr? Aber – glauben Sie wirklich, daß man ihm helfen kann?«

»Ich sagte, es wird Zeit und Geduld erfordern«, erwiderte Adam. »Und ich würde meinen, daß ich ausreichend vorurteilslos bin. Wie ich schon erwähnte, scheinen seine Obsessionen von einer Schuld zu stammen, die aus einem früheren Leben übrig ist. Was mir erst heute abend in Fyvie klar wurde, ist, daß Gerards Schuld sich genau auf die Periode zurückführen läßt, die die Unterdrückung der Templer umgibt. Seine frühere Inkarnation aus jener Zeit ist der Geschichtsschreibung als Guilleaume de Nogaret bekannt.«

»Von dem habe ich schon gehört!« sagte Cochrane. Zum ersten Mal seit der Abfahrt aus Temple meldete er sich zu Wort. »Das hat Beziehungen zur Geschichte der Freimaurer. War er nicht der, der Philipp den Schönen zur Unterdrückung der Templer anstiftete?«

»Das stimmt«, sagte Adam grimmig. »Er war einer von Philipps obersten Höflingen. Philipp hegte einen Groll gegen die Templer, und zwar nicht nur wegen ihres Reichtums, sondern auch, weil sie ihm die Mitgliedschaft in ihrem Orden verweigert hatten. De Nogaret nährte diesen Groll mit Lügen, die seinen eigenen Ambitionen dienen sollten. Er war wahrscheinlich verantwortlich für die Verkündung einiger der schlimmsten Anklagen gegen die Templer, einschließlich der Behauptung, sie praktizierten eine Form der Götzenanbetung, indem sie irgendein Haupt verehrten.«

McLeod drehte sich um und starrte Adam über die Rücklehne seines Sitzes an.

»Wollen Sie damit sagen, daß er schon damals eine Ahnung davon hatte, daß einige der Geheimnisse der Templer mit Salomons Krone verknüpft waren ...«

»Schwer zu sagen«, erwiderte Adam. »Ob Nogaret nun darin verwickelt war oder nicht, mir scheint jetzt klar zu sein – nach dem, was wir über die Heiltümer und die Schatulle wissen, daß die Templer die Krone besonders hochschätzten, und zwar aufgrund ihrer Macht, das Böse in Schach zu halten. Falls ihr Respekt davor von den Unwissenden als Verehrung einer mysteriösen Reliquie aufgefaßt wurde – es ist nur ein kurzer logischer Sprung von einer Krone zu einem Haupt –, so kann man leicht verstehen, wie Feinde des Ordens die Wahrheit verzerrt und eine Anklage der Götzenanbeterei, der Verehrung eines Hauptes, hervorgebracht haben können.«

»Eine praktische kleine Verdrehung der Tatsachen«, bemerkte McLeod. »Wenn es wirklich so geschehen ist, dann hätten die Templer sich jederzeit dadurch entlasten können, daß sie die wahre Natur der Heiltümer enthüllten. Aber wenn sie das getan hätten, dann hätten Männer wie Nogaret vielleicht versucht, sich die Macht anzueignen, die die Heiltümer repräsentierten, und die Drohung dessen, was in der Schatulle verborgen war, zu mißbrauchen.«

»So beschlossen die Templer, ihr Geheimnis zu bewahren, selbst um den Preis ihres Lebens«, schloß Peregrine. Er seufzte. »Nun, wenigstens war es nicht umsonst. Es ist uns gelungen, das zu bewahren, was ihnen anvertraut war. Vielleicht wird Gerard eines Tages in der Lage sein, die Torheit von de Nogarets Vorhaben zu begreifen und den Mut zu einem Neubeginn zu finden.«

»Das können wir nur hoffen«, sagte Adam. »Aber in der Zwischenzeit, meine Herren, haben wir ein gutes

Nachtwerk geleistet – mit ein wenig Hilfe von einigen außergewöhnlichen Freunden.«

Mit einem müden Lächeln zog der die Kordel von Dundees Templerkreuz über den Kopf und blickte wehmütig auf das rotschimmernde Email. Dann griff er in seine Tasche, zog den Dundee-Ring hervor und hielt beide Kleinode so, daß sie Licht vom Armaturenbrett reflektierten.

»Ich beabsichtige einen sehr schmeichelhaften Artikel über die Templerverbindungen des John Grahame of Claverhouse zu schreiben«, erklärte er ruhig. »Schade, daß nicht die ganze Geschichte seiner Beiträge erzählt werden kann – allerdings wird sein Name sicher als der eines von Schottlands großen Patrioten weiterleben.«

Mit einer schwungvollen Gebärde warf er den Ring in die Luft und fing ihn mit der Faust auf, dann steckte er ihn und das Kreuz wieder in seine Tasche.

»Und die ganze Geschichte *unserer* Beiträge wird auch nicht geschrieben werden«, bemerkte McLeod trocken. »Aber schließlich haben wir ja dieses Geschäft nicht wegen solcher Sachen begonnen, oder? Und offen gesagt, ich bin schon froh, wenn ich die Akte für diesen speziellen Fall schließen kann, ohne daß ich zu viele offene Enden hinter mir herziehe. Ich hasse nichts so sehr, wie wenn ich Erklärungen erfinden muß, um offizielle Neugier zu befriedigen. Abgesehen von dem Einbruch in Rosslyn Chapel, den man als Grabräuberei abtun kann, gibt es keine unbequemen Spuren, die wir noch vertuschen müssen.«

»Das stimmt«, sagte Peregrine und seufzte. »Trotzdem ist es schade, daß wir anscheinend am Ende nie handfeste Beweise dafür in der Hand haben, daß wir etwas geleistet haben. Ich meine, nach all dem Herumgerase heute nacht können wir nur Mr. Gerard als Ergebnis unserer Bemühungen aufweisen – und den werden wir an der Schwelle der ersten geeigneten Klinik abladen, an der wir vorbeikommen!«

Diese Bemerkung erntete einen verschmitzten Blick und ein leises Lachen von McLeod.

»Genaugenommen stimmt das nicht ganz, junger Mann«, sagte er grinsend. Als sowohl Peregrine als auch Adam ihn verständnislos anschauten, bückte sich der Inspector und griff unter den Beifahrersitz. Als er sich aufrichtete, sahen seine Gefährten, daß er die Hefte zweier Templerschwerter in Händen hielt.

»Ich habe sie gepackt, bevor wir anfingen, Gerard die Treppe hochzuschleifen«, erklärte er Peregrine. Offensichtlich genoß er die Tatsache, daß er sogar Adam überrascht hatte. »Sie waren anscheinend so sehr damit beschäftigt, ihn auf den Beinen zu halten und herauszubringen. Da dachte ich noch, wir könnten sie nach Rosslyn Chapel zurückbringen, woher sie stammten, aber dann ist mir eingefallen, daß das nicht möglich wäre, ohne daß wir weit mehr Papierkrieg auslösen, als mir lieb ist – ganz zu schweigen davon, daß wir damit etwas auslösen würden, was dann die Reporter herumschnüffeln ließe.«

Während Adam die Augen zum Himmel rollte und in stummer Zustimmung nickte, fuhr McLeod fort.

»Es sieht also so aus, als seien wir die Wächter zweier Templerschwerter geworden. Vielleicht wäre Templemor ein guter Ort dafür, da es sich ja um eine Templergründung handelt und Adam ein Templer war. Ich dachte auch, Mr. Peregrine Lovat, mit ihnen könnte man außerdem ein ziemlich eindrucksvolles Schwertspalier bei Ihrer Hochzeit bilden. Angesichts Ihrer Rolle beim Werk dieser Nacht glaube ich nicht, daß es den früheren Besitzern etwas ausmachen würde. Und wenn Sie Adam *sehr* nett fragen, dann könnte er Ihnen vielleicht sogar gestatten, den Hochzeitsempfang in der großen Halle von Templemor abzuhalten.«

Historisches Nachwort

Die Umstände der Unterdrückung des Ordens vom Tempel von Jerusalem sind im wesentlichen zutreffend geschildert, abgesehen von der Existenz der Schatulle und der drei Heiltümer, die sie bewachten. Da die Templer beschuldigt wurden, einen Kopf anzubeten, könnte eine Kronen-Reliquie, wie wir sie beschreiben, die Grundlage für eine solche Beschuldigung gewesen sein.

Die Hintergrundinformationen über Bonnie Dundee sind historisch zutreffend, außer seiner Verbindung zur Krone Salomons. Das Halskreuz, das er bei seinem Tod bei Killiecrankie getragen haben soll, verschwand, nachdem David Grahame es dem französischen Theologen und Historiker Dom Calmet übergeben hatte. Aber es hätte leicht in den Händen einer jüngeren Linie der Grahams enden können, wie in unserem Roman postuliert, und hätte durchaus verwendet werden können, um Prinz Charles Edward Stuart 1745 im Holyrood Palace in den Templerorden aufzunehmen. Es ist bekannt, daß ein Ring existiert hat, der eine Locke von Dundees Haar enthielt, aber sein derzeitiger Aufenthaltsort ist unbekannt.

Als wahrscheinlicher Kandidat für das Abschneiden der Locke kommt James Seton, 4. Earl of Dunfermline, in Betracht, denn er war einer von Dundees bewährtesten und vertrautesten Offizieren und ein enger persönlicher Freund, und es ist bekannt, daß er bei Dundees Bestattung zugegen war. Er war damals der Besitzer von Fyvie Castle und stammte von einer Linie der

Setons ab, deren Vorfahren auch Hospitaliter (Johanniter) aufwiesen – und die möglicherweise nach der Unterdrückung des Templerordens auch geheime Templer waren. Die Namen der beiden Töchter Setons sind unbekannt, ebenso ihr Schicksal, aber sie dürften zum Zeitpunkt von Dundees Tod in den Zwanzigern gewesen sein. Setons Frau hieß Jean, wie auch eine frühere Seton-Tochter, und der Name Grizel erscheint ebenfalls zweimal in früheren Generationen von Seton-Frauen. James Seton starb 1674 im Exil, und der Titel eines Earl of Dunfermline erlosch.

Die angeführten Literaturhinweise sind echt.

– K. K.
Bray, County Wicklow
Irland

(Namen und Begriffe, die im 1. bzw. 2. Band der Serie, ›Der Adept‹ und ›Die Loge der Luchse‹, erläutert wurden, sind hier nicht mehr aufgeführt.

In eckigen Klammern [ ] wird, wenn nötig, die Aussprache in deutscher Schreibweise angedeutet.)

Alexander III.: Der letzte keltische König Schottlands kam 1249 achtjährig auf den Thron und regierte bis 1286.

Ballantrae, Der Herr von … (The Master of Ballantrae): Bedeutender Roman von Robert Louis Stevenson (1888), über zwei Brüder, die beim Aufstand von 1745 in unversöhnliche Feindschaft geraten, weil sich der eine Bonnie Prince Charlie, der andere jedoch König George II. anschließt.

Bannockburn: Bei diesem Dorf in der Nähe von Stirling fand 1314 die entscheidende Schlacht im Unabhängigkeitskrieg zwischen Schottland und England statt. Mit 6000 Speerkämpfern und 500 leichten Reitern besiegte der schottische König Robert I. gen. ›The Bruce‹, den englischen König Edward II., der über 16 000 Fußsoldaten und 2500 Ritter verfügte.

Caxton William (1422–1491): Lernte als Händler in Brügge die Buchdruckerkunst kennen und brachte 1476 die erste Druckerpresse nach England, wodurch er zum ersten englischen Drucker und Verleger wurde.

Cheshire-Katze: Fabelwesen aus Lewis Carrolls ›Alice in Wonderland‹, das verschwindet, indem es sich unsichtbar macht, aber sein Grinsen noch einen Augenblick zurückläßt.

Chev. = Chevalier: (Ordens-)Ritter (aus dem Französischen).

Covenanter: Anhänger des Bündnisses (Covenant) schottischer Presbyterianer zu Verteidigung ihres Glaubens gegen die anglikanischen Stuart-Könige.

Distel: Das Emblem Schottlands (erstmals benutzt als königliches Symbol auf Silbermünzen, die James III. 1470 prägen ließ) und seines höchsten Ehrenordens, des Distelordens (auch Andreasorden genannt).

Dundee: Schön gelegene Industriestadt am Nordufer des Firth of Tay; Hauptstadt der Region Tayside.

Dundee, Viscount: siehe ›Bonnie Dundee‹ in Band 1.

Dunkeld: Der kleine Ort am River Tay nördlich von Perth, dessen Name ›Festung der Kelten‹ bedeutet, war unter dem ersten König von Schottland, Kenneth MacAlpin (gest. 858), Hauptstadt. Heute ist er wegen der Ruine einer gotischen Kathedrale und der schön restaurierten Häuser in der Ortsmitte sehenswert. Am anderen Flußufer liegt Birnam, Ursprungsort des magischen Waldes aus Shakespeares Macbeth.

Fair Isle: Kleines Eiland zwischen den Shetland- und den Orkney-Inseln mit ca. 70 Einwohnern und einer Vogelbeobachtungsstation; berühmt für (aus Skandinavien stammende) Strickmuster, besonders bei Pullovern.

Gainsborough, Thomas (1727–1788): Einer der führenden englischen Porträt- und Landschaftsmaler des 18. Jhdts.

Geoffrey of Monmouth (gest. 1155): Verfasser der *Historia Regum Britanniae* (Geschichte der Könige Britanniens), einer Sammlung mittelalterlicher Legenden über den Ursprung der englischen Nation.

Glastonbury: Stadt in der Grafschaft Somerset, die für das frühe Christentum in England von Bedeutung war und eine führende Rolle in christlichen und arthurischen Legenden spielt; u. a. soll Joseph von Arimathäa mit dem Heiligen Gral, dem Abendmahlskelch, dorthin gekommen sein. 1191 wurden dort angeblich die Gebeine von König Arthur gefunden; deshalb halten viele den Ort seitdem für Avalon.

Guildhall: Das Rathaus der City of London stammt aus dem 15. Jhdt., wurde jedoch im Großen Feuer von 1666 und durch einen deutschen Luftangriff 1940 schwer beschädigt. Die 1940 vernichteten Statuen von Gog und Magog wurden durch Lindenholzstatuen von David Evans ersetzt.

Hadriansmauer: Als der röm. Kaiser Hadrian 122 das römisch besetzte Britannien besuchte, befahl er den Bau dieser dem Limes ähnlichen Mauer, die sich 117 km lang südlich der heutigen Grenze zwischen England und Schottland vom einen Meeresufer zum anderen durch Nordengland erstreckt; sie sollte der Verteidigung der röm. Kolonien gegen die Stämme der Kaledonier und Pikten im heutigen Schottland dienen.

Hampton Court Palace: Von Kardinal Wolsey, Lordkanzler Heinrich VIII., 1514–1521 gebaut, sollte mit 280 Gästebetten das eindrucksvollste Herrenhaus Englands sein und einige Jahre später als Geschenk an den König Wolsey die Gunst des Herrschers sichern (vergeblich). Das berühmte Labyrinth (Maze) wurde um 1690 für William III. angelegt.

Hospitaliter: siehe Johanniter.

Inverness, gäl. Inbhir Nis [Invir Nisch]: Stadt an der Mündung des River Ness ins Meer an der nordöstl. Küste Schottlands; Verwaltungszentrum der Highland Region; einst Bollwerk der Pikten, des kriegerischen Volkes, das vor der Ankunft der Schotten Schottland besiedelte.

jakobitisch: sich auf die Anhänger des abgesetzten Königs James (Jakob) VII./II. (Stuart) und seine Nachkommen beziehend; meist im Zusammenhang mit dem Aufstand von 1745.

Johanniter: Mittelalterlicher Ritterorden, der sich vor allem der Pflege kranker Pilger im Heiligen Land verschrieben hatte (daher auch Hospitaliterorden genannt). Nach dem späteren Sitz auf der Insel Malta nennt sich der Orden heute Malteserorden.

Kaddisch: Jüdisches liturgisches Gebet um die Heiligung des göttlichen Namens und das Kommen des messianischen Reichs; besonders das Gebet der Söhne bei der Beerdigung der Eltern und während des Trauerjahrs.

Kedgeree [kedscheri]: Ein Reisgericht mit Fisch und harten Eiern.

King-James-Übersetzung: Auch ›Authorized Version‹ genannte Übertragung der Bibel ins Englische, die von James VI. 1604 angeregt wurde (ein Jahr, nachdem er unter dem Namen James I. als Erbe von Elizabeth I. König von England geworden war); spielt im englischen Sprachraum etwa die Rolle, die der Luther-Bibel im deutschen Sprachgebiet zukommt.

König von Jerusalem: Hier Baudouin/Balduin II. von Le Bourg (1118–1131); unter ihm erreichte der Kreuzfahrerstaat des ›Königreichs von Jerusalem‹ seine größte Ausdehnung.

Komturei: Örtliche Niederlassung eines Ritterordens.

Kronanwalt, Queen's Counsel: Höherrangiger öffentlicher Ankläger (Staatsanwalt), auf Empfehlung des Lordkanzlers, des Chefs der Justizverwaltung, vom Monarchen ernannt.

Lords of Convention: Jene schottischen Adeligen, die die sog. Glorreiche Revolution in England (Sturz von James II./VII. zugunsten seiner Tochter Mary und deren holländischem Ehemann Wilhelm von Oranien) ausnutzten, um die Stuart-Regierung in Schottland zu stürzen.

Mesusa (hebr. ›Türpfosten‹): Kästchen (meist aus Silber) am rechten Türpfosten eines jüdischen Hauses, das ein mit dem Text vom 5. Buch Mose 6, 4–9 und 11, 13–21 beschriebenes Pergamentblatt aufbewahrt.

Montrose, James Graham, Marquess of M. (1612–1650): Der brillanteste royalistische Heerführer in Schottland während des Englischen Bürgerkriegs (zwischen Charles I. und dem Parlament).

Moray: Eine der sieben alten keltischen Provinzen Schottlands (im Nordosten zwischen Nairn und Banffshire an der Nordseeküste), auf Lateinisch ›Moravia‹ genannt; später Grafschaft, heute Teil der Grampian Region.

Murray: Mächtiger Clan, der seinen Namen von der Provinz Moray entlehnt hat; Oberhaupt ist der Herzog von Atholl, der seinen Sitz auf Blair Castle hat und als einziger britischer Adliger über eine eigene, ca. 50 Mann starke Privatarmee, die ›Atholl Highlanders‹, verfügt.

Plaid: Langes Stück Wollstoff in Tartan-Färbung, das in der Highland-Tracht über der Schulter getragen wird; auch als Decke benutzt.

Reynolds Joshua (1723–1792): Der bedeutendste britische Porträtmaler.

Rob Roy: Spitzname des schottischen Banditen Robert MacGregor (1671–1734), der oft als der schottische Robin Hood angesehen wird.

Romney George (1734–1802): Neben Reynolds und Gainsborough der dritte große britische Porträtmaler.

Rosslyn Chapel: Die dem hl. Michael geweihte Stiftskirche, 1447 von William Sinclair in Auftrag gegeben, wurde nie vollendet: es existieren nur der Chor, Teile eines östlichen Querschiffs und eine Sakristei. Die ganze Kapelle ist reich mit Skulpturen und Schnitzereien verziert.

Roslin: Das zu Rosslyn Chapel gehörige Dorf hat neben der berühmten Kapelle auch noch die Burg Rosslyn Castle.

Royal Scottish Preservation Trust: siehe ›National Trust for Scotland‹ in Band 2.

RSVP: Abkürzung für französisch ›Répondez s'il vous plaît‹, d. h. ›Bitte geben Sie Antwort‹; wird gern auf vornehmen Einladungen verwendet, um die Gäste aufzufordern mitzuteilen, ob sie kommen oder nicht.

Scott, Sir Walter (1771–1832): Schottlands produktivster und (zu seiner Zeit) erfolgreichster Autor. Von ihm stammen u. a. ›Ivanhoe‹, ›Die Braut von Lammermoor‹, ›Rob Roy‹, ›Die Dame vom See‹, ›Guy Mannering‹, ›Das Herz von Midlothian‹.

Slàinte mhór [slaantsche voor]: Gälisch für ›Prost‹, wörtlich: ›Große Gesundheit!‹.

Sporran: Eine große, vorn auf dem Kilt getragene Börse, Teil der Highland-Tracht.

Stuart: So schreibt sich (unter französischem Einfluß) seit Mary Queen of Scots (Königin Maria Stuart, die als Gemahlin von Franz II. von Frankreich auch anderthalb Jahre lang Königin von Frankreich war) das schottische Königshaus der Stewarts, begründet von König Robert II. (1316–1390), dem Sohn von Walter, dem 6. High Steward (Erbtruchseß des Königreichs Schottland) und dessen Frau Marjorie, der Tochter von König Robert I. the Bruce. Die Vorfahren der Stewarts lassen sich bis zu einem bretonischen Edelmann des 11. Jhdts. namens Flaald zurückverfolgen; die derzeitige Dynastie des Vereinigten Königreichs, das Haus Windsor, leitet seinen Herrschaftsanspruch von James VI., dem Sohn von Maria Stuart ab, der als James I. König von England wurde. Nach schottischer Auffassung wird Großbritannien vom schottischen Königshaus regiert, zumal ›Queen Mum‹, die Königinmutter, eine echte Schottin von altem Schrot und Korn ist (wie Johnny Walker – ›still walking strong‹). – Die jakobitischen Loyalisten, die die Ersetzung von James VII./II. durch seine Tochter Mary und deren Mann Wilhelm von Oranien nicht akzeptieren, sehen (aufgrund einer komplizierten weiblichen Erbfolge) im derzeitigen Herzog von Bayern den legitimen Erben des Hauses Stuart.

Tallit: Jüdischer Gebetsmantel, ein viereckiges Tuch, an dem quastenförmige ›Schaufäden‹ (Zizit) angebracht sind; wird beim Morgengebet über der Kleidung getragen.

Viscount [vaikaunt]: Vicomte, Adelstitel zw. Baron u. Earl.

Weald: Hügellandschaft im Südosten Englands.

York: Die nordenglische Stadt (ca. 103 000 Einwohner) am Fluß Ouse geht auf die im 1. Jhdt. gegründete römische Garnisonsstadt Eboracum zurück und war im 7. Jhdt. Hauptstadt des angelsächsischen Königreichs Northumbria. Im Mittelalter bedeutende Handels- und Bischofsstadt (der Erzbischof von York ist nach dem Erzbischof von Canterbury der zweithöchste Würdenträger der Church of England), weist York auch heute noch eine intakte mittelalterliche Stadtmauer und mit dem gotischen Münster die größte mittelalterliche Kathedrale Großbritanniens auf.

Yorkshire Downs, auch Yorkshire Wolds: Hügellandschaft zwischen York und der Nordseeküste.